MILLENNIUM ②

STIEG LARSSON

A MENINA QUE BRINCAVA COM FOGO

Tradução
Dorothée de Bruchard

3ª *reimpressão*

COMPANHIA DAS LETRAS

Grafia atualizada segundo o Acordo Ortográfico da Língua Portuguesa de 1990, que entrou em vigor no Brasil em 2009.

Título original
Flickan som lekte med elden

Traduzido da edição francesa (La fille qui rêvait d'un bidon d'essence et d'une allumette)

Capa
Retina_78

Preparação
Maria Cecília Caropreso

Revisão
Marise Leal
Carmen S. da Costa

Dados Internacionais de Catalogação na Publicação (CIP)
(Câmara Brasileira do Livro, SP, Brasil)

Larsson, Stieg, 1954-2004
A menina que brincava com fogo / Stieg Larsson ; tradução Dorothée de Bruchard. — São Paulo : Companhia das Letras, 2009. — (Millennium; 2)

Título original : Flickan som lekte med elden.
ISBN 978-85-359-1422-1

1. Ficção policial e de mistério (Literatura sueca) 2. Romance sueco I. Título.

09-01234 CDD-839.737

Índice para catálogo sistemático:
1. Romance : Literatura sueca 839.737

[2009]

EDITORA SCHWARCZ LTDA.
Rua Bandeira Paulista, 702, cj. 32
04532-002 — São Paulo — SP
Telefone: (11) 3707-3500
Fax: (11) 3707-3501
www.companhiadasletras.com.br

SUMÁRIO

PRÓLOGO

Estava amarrada numa cama estreita de estrutura de aço. Correias de couro a prendiam e um arreio tolhia sua caixa torácica. Estava deitada de costas. Tinha as mãos atadas com tiras de couro de um lado e outro da cama.

Já havia muito abandonara qualquer tentativa de se soltar. Estava acordada, mas mantinha os olhos fechados. Quando os abria, achava-se no escuro, e a única fonte de claridade visível era um fino clarão acima da porta. Tinha um gosto ruim na boca e sentia uma necessidade imperiosa de escovar os dentes.

Parte de sua consciência espreitava o barulho de passos avisando que *ele* estava vindo. Sabia que já anoitecera, mas não tinha a menor ideia de que horas eram, só sentia que estava ficando muito tarde para uma de suas visitas. Sentiu uma súbita vibração na cama e abriu os olhos. Parecia que algum tipo de máquina começara a funcionar em algum lugar do prédio. Segundos depois, já não saberia dizer se estava imaginando ou se o barulho era real.

Assinalou mentalmente mais um dia.

Era o seu quadragésimo terceiro dia de cativeiro.

Sentiu coceira no nariz e virou a cabeça para esfregá-lo no travesseiro. Estava suando. O ar da sala era quente e abafado. Vestia uma camisola simples de tecido liso, embolada debaixo de seu corpo. Deslocando o quadril o pouco que dava, conseguiu segurar o tecido entre o indicador e o dedo médio e puxar a camisola para o lado, centímetro por centímetro. Tentou com a outra mão. Mas a camisola continuava formando pregas sob suas costas. O colchão era cheio de calombos e desconfortável. O absoluto isolamento a que estava submetida aumentava tremendamente as mínimas sensações, que numa situação normal ela teria ignorado. O arreio, embora apertado, estava folgado o suficiente para que ela pudesse mudar de posição e se deitar de lado, mas então era obrigada a ficar com uma mão nas costas, e o braço logo entorpecia.

Se havia um sentimento dominando sua mente, era talvez o da raiva acumulada.

Por outro lado, era torturada por seus próprios pensamentos, que, apesar de todas as suas tentativas em contrário, transformavam-se em desagradáveis fantasias sobre o que iria acontecer com ela. Detestava aquele estado de vulnerabilidade forçada. Por mais que tentasse se concentrar em algum tema que a ajudasse a passar o tempo e abstrair aquela situação, a angústia escorria assim mesmo e pairava em volta dela feito uma nuvem tóxica, ameaçando penetrar seus poros e envenenar sua existência. Descobrira que o melhor jeito de manter a angústia afastada era fantasiar sobre uma coisa mais forte que seus pensamentos.

Quando fechava os olhos, mentalizava o cheiro de gasolina. *Ele estava sentado num carro com o vidro lateral abaixado. Ela corria para o carro, jogava a gasolina pelo vidro aberto e riscava um fósforo. Era questão de um segundo. As chamas surgiam instantaneamente. Ele se contorcia de dor e ela ouvia seus gritos de terror e aflição. Podia sentir o cheiro de carne queimada e aquele, mais cáustico, do plástico e do revestimento do banco se carbonizando.*

Devia ter caído no sono, pois não o escutou chegar, mas despertou completamente quando a porta se abriu. A claridade da abertura a cegou.

Então ele veio mesmo.

Era alto. Não sabia qual era a sua idade, mas era adulto. Tinha um cabelo ruivo e volumoso e usava óculos de armação preta e um cavanhaque ralo. Cheirava a loção pós-barba.

Detestava o seu cheiro.

Ele ficou em silêncio ao pé da cama e contemplou-a demoradamente.

Detestava o seu silêncio.

Seu rosto não recebia a claridade e ela só o percebia como uma silhueta na contraluz. De repente, ele falou. Sua voz era grave e clara e ele acentuava cada palavra com afetação.

Detestava a sua voz.

Ele disse que queria lhe dar os parabéns, já que era o dia do seu aniversário. A voz não era nem desagradável nem irônica. Era neutra. Ela percebeu que ele sorria.

Ela o detestava.

Ele se aproximou e contornou a cama até ficar junto de sua cabeça, pôs as costas da mão úmida em sua testa e deslizou os dedos pela raiz dos cabelos, num gesto que decerto pretendia ser amigável. Era o seu presente de aniversário.

Ela detestava que ele a tocasse.

Estava falando com ela. Ela viu sua boca se mexer mas não deixou entrar o som da voz dele. Não queria ouvir. Não queria responder. Ouviu quando ele ergueu a voz. Uma ponta de irritação, causada por sua recusa em responder, se introduzira nas palavras. Ele falava em confiança mútua. Ao fim de vários minutos, calou-se. Ela ignorou seu olhar. Então ele deu de ombros, contornou a cama pela cabeceira e ajustou as correias de couro. Apertou o arreio e inclinou-se sobre ela.

Ela se virou de repente para o lado esquerdo, afastando-se dele o quanto pôde e tanto quanto as correias permitiam. Dobrou uma perna e desfechou-lhe um violento pontapé. Mirou no pomo-de-adão e atingiu-o com a ponta do dedão em algum lugar debaixo do queixo, mas ele esperava por isso e se esquivou, o golpe foi bem leve, apenas perceptível. Ela fez uma nova tentativa, só que ele já estava fora de alcance.

Ela deixou cair as pernas sobre a cama.

O lençol tinha escorregado e se amontoara no chão. Ela sentiu que a camisola subira bem acima dos quadris. Não gostava disso. Não podia cobrir sua nudez.

Ele ficou um bom tempo parado sem dizer nada. Depois, contornou a cama e colocou a tira dos pés. Ela tentou encolher as pernas, mas ele agarrou seu tornozelo e com a outra mão empurrou com força o joelho, prendendo seu pé com a correia de couro. Foi para o outro lado da cama e amarrou o outro pé.

Ela agora estava totalmente à sua mercê.

Ele juntou o lençol e a cobriu. Contemplou-a em silêncio por uns dois minutos. No escuro, ela podia sentir sua excitação, embora ele a dissimulasse ou, pelo menos, tentasse. Sabia que ele estava tendo uma ereção. Sabia que ele queria estender a mão e tocá-la.

Depois ele deu meia-volta, saiu e fechou a porta atrás de si. Ela escutou quando ele deu a volta na chave, gesto um tanto exagerado já que ela não tinha a menor possibilidade de se soltar da cama.

Permaneceu imóvel vários minutos e olhou para o fino raio de luz acima da porta. Então se mexeu e tentou sentir se as correias estavam mesmo apertadas. Podia erguer um pouco os joelhos, mas o arreio se esticou em seguida. Relaxou. Permaneceu deitada, completamente imóvel, olhos fixos no nada.

Ela esperava.

Sonhava com um galão de gasolina e um fósforo. Ela o via, encharcado de gasolina. Podia sentir fisicamente a caixa de fósforos na sua mão. Chacoalhava a caixa de fósforos, que fazia um barulhinho. Ela a abria e escolhia um fósforo. Ouvia-o dizer alguma coisa, mas tapava os ouvidos e não escutava as palavras. Via a expressão no rosto dele enquanto riscava o fósforo. Escutava o roçar do enxofre no riscador. Parecia um trovão demorado. Via a ponta do fósforo se inflamar.

Esboçou um sorriso totalmente desprovido de alegria e se endureceu.

Aquela era a noite de seus treze anos.

I. EQUAÇÕES IRREGULARES
16 A 20 DE DEZEMBRO

A equação recebe um nome segundo a potência das incógnitas (valor do expoente). Se esta for um, a equação será de primeiro grau; se a potência for dois, a equação será de segundo grau etc. As equações de grau superior ao primeiro atribuem diferentes valores às incógnitas. Esses valores são chamados de raízes.

Equação de primeiro grau (equação linear):
$3x - 9 = 0$ (*raiz:* $x = 3$)

1. QUINTA-FEIRA 16 DE DEZEMBRO — SEXTA-FEIRA 17 DE DEZEMBRO

Lisbeth Salander puxou os óculos escuros sobre o nariz e olhou por baixo da aba do chapéu. Viu a mulher do quarto 32 vindo da entrada lateral do hotel e dirigir-se a uma das espreguiçadeiras de listras brancas e verdes à beira da piscina. Seu olhar estava firmemente voltado para o chão à sua frente e seu semblante, compenetrado. Dava a impressão de estar com as pernas meio bambas.

Salander, até então, só a tinha visto de longe. Dava-lhe uns trinta e cinco anos, mas sua aparência neutra e indefinida situava-a num ponto qualquer na faixa dos vinte e cinco aos cinquenta. Tinha cabelos castanhos semilongos, rosto oval e um corpo maduro que poderia ter saído diretamente das páginas de roupa íntima de um catálogo de vendas por correspondência. A mulher usava sandalinhas, biquíni preto e óculos escuros de tartaruga com lentes roxas. Era americana e falava com sotaque do Sul. Seu chapéu de sol era amarelo e ela o deixou cair ao lado da espreguiçadeira antes de fazer um sinal ao garçom do bar de Ella Carmichael.

Lisbeth Salander pôs o livro no colo, pegou seu copo e bebericou um gole de café antes de se inclinar para apanhar o maço de cigarros. Sem virar a cabeça, deslocou o olhar para o horizonte. Do seu lugar na área da piscina, avistava uma nesga do mar do Caribe em meio a um conjunto de palmeiras e rododendros em frente ao muro do hotel. Um veleiro singrava ao largo rumo ao norte, na direção de Santa-Luzia ou Dominica. Mais adiante, distinguia o vulto de um cargueiro cinzento a caminho das Guianas ou de algum país vizinho. Uma brisa ligeira lutava contra o calor da tarde, mas ela sentiu uma gota de suor escorrer devagar para a sobrancelha. Lisbeth Salander não era do tipo que gostava de se deixar fritar ao sol. Na medida do possível, passava o dia todo na sombra, de modo que se colocara decididamente sob a proteção do toldo. No entanto, estava bronzeada como uma avelã, pelo menos nas partes do corpo que expunha. Usava um short cáqui e uma regata preta.

Escutava os sons estranhos dos *steel drums* difundidos pelos alto-falantes do bar. Embora a música não fosse especialmente a sua praia — era incapaz de distinguir Nick Cave de uma orquestra de baile popular —, os *steel drums* a fascinavam. Achava incrível que alguém conseguisse afinar um barril de petróleo, e mais incrível ainda que o barril produzisse sons controláveis que não se pareciam com nenhum outro som e que, para ela, tinham diretamente a ver com magia.

Súbito, sentiu-se irritada e desviou o olhar para a mulher, a quem acabavam de entregar um copo com um drinque alaranjado.

Lisbeth Salander não queria nada com aquela morena. Mas simplesmente não conseguia entender por que a mulher continuava ali. Por quatro noites, desde a chegada do casal, Lisbeth Salander escutara, vindo do quarto vizinho, uma voz masculina vigorosa e violenta usando o registro da intimidação. Escutara choros, sussurros duros e, em várias oportunidades, sons de bofetadas. O homem que estava na origem dos tabefes — Lisbeth supunha que era o marido — tinha cerca de quarenta anos. Cabelos castanhos lisos repartidos no meio, um penteado meio careta, e parecia estar na ilha de Granada por motivos profissionais. Lisbeth Salander não fazia ideia de qual poderia ser a profissão do fulano, mas toda manhã ele aparecia bem-vestido, de gravata e paletó, para tomar um café no bar do hotel, e depois pegar seu porta-documentos e ir até o táxi que o esperava.

Em geral, voltava ao hotel no final da tarde, tomava banho e ficava com a mulher à beira da piscina. Jantavam juntos, e qualquer observador podia perceber a harmonia cheia de intimidade e amor que emanava deles. A mulher talvez tomasse um ou dois copos além do que deveria, mas sua embriaguez não era aflitiva nem espalhafatosa.

As brigas no quarto vizinho começavam ritualmente entre dez e onze da noite, mais ou menos a hora em que Lisbeth ia para a cama com um livro sobre mistérios matemáticos. Nunca eram maus-tratos sérios. Até onde Lisbeth conseguia perceber, tratava-se de uma discussão azeda e exaustiva, com o homem não tolerando nenhum protesto, embora provocasse a mulher, incitando-a às recriminações. Na noite anterior, Lisbeth fora para a sacada e escutara a discussão. Durante mais de uma hora, o homem ficara andando de um lado para o outro do quarto, reconhecendo que era um traste que não a merecia. Diversas vezes, como que em plena crise emocional de inferioridade, dissera que ela devia achá-lo um hipócrita. Todas as vezes ela respondera que não pensava isso e procurava acalmá-lo. Ele foi ficando mais e mais exaltado, chegando a ponto de sacudi-la. Por fim, ela disse o que ele esperava... *sim, você é um hipócrita*. E ele imediatamente usou aquela confissão forçada como pretexto para atacá-la, atacar seu comportamento e seu caráter. Chamou-a de puta, palavra que arrepiou Lisbeth Salander. Ela própria não teria hesitado em partir para a desforra se lhe dirigissem uma acusação daquelas. Mas não era esse o caso e, concretamente, o problema não era seu. Assim, era difícil para ela decidir se deveria ou não intervir de alguma maneira.

Perplexa, Lisbeth escutara o homem repetir suas acusações e, de repente, mandar ver as bofetadas. Acabava de decidir ir até o corredor e abrir a porta do 32 com um superpontapé, quando o silêncio voltou a se instalar no quarto.

Observando a mulher perto da piscina, notou um leve hematoma no ombro e um arranhão no quadril, mas nenhum ferimento óbvio.

Nove meses antes, tinha lido um artigo numa *Popular Science* esquecida por um passageiro no aeroporto Leonardo da Vinci, em Roma, e no mesmo instante tomara-se de um fascínio absoluto por astronomia esférica, um assunto absolutamente espinhoso. Num impulso, fora até a livraria universitária de Roma e comprara algumas das teses mais importantes sobre a matéria. Para entender astronomia esférica, porém, tinha sido obrigada a mergulhar nos mistérios relativamente complicados da matemática. Nos últimos meses, dera a volta ao mundo e visitara regularmente livrarias especializadas à procura de outros livros sobre o tema.

De modo geral, os livros tinham ficado enfiados nas malas, e seus estudos haviam sido pouco sistemáticos e um tanto hesitantes, até que passou por acaso na livraria universitária de Miami e saiu de lá com *Dimensions in Mathematics* do dr. L. C. Parnault (Harvard University, 1999). Encontrara o livro poucas horas antes de iniciar um périplo pelas Antilhas.

Estivera em Guadalupe (dois dias num fim de mundo inacreditável); Dominica (simpática e descontraída; cinco dias); Barbados (uma noite num hotel americano onde sentiu que sua presença era particularmente indesejada); e Santa-Luzia (nove dias). Poderia ter cogitado ficar algum tempo em Santa-Luzia, não fosse ter se indisposto com um jovem delinquente nativo de mente obtusa que insistia em se apossar do bar do seu hotel de segunda categoria. Certa noite, ela pusera fim às hostilidades esmagando-lhe um tijolo na cabeça, pagara a conta e tomara uma balsa com destino a São Jorge, capital de Granada. Até o momento de embarcar, nunca tinha ouvido falar naquele país.

Desembarcara em Granada debaixo de uma chuva tropical por volta das dez horas de uma manhã de novembro. A leitura do *Caribbean Traveller* lhe informara que Granada era conhecida como *Spice Island*, a ilha das especiarias, e era um dos maiores produtores mundiais de noz-moscada. A capital se chamava São Jorge. A ilha contava cento e vinte mil habitantes, mas cerca de outros duzentos mil granadinos estavam expatriados nos Estados Unidos, Canadá e Inglaterra, o que dava uma boa ideia do mercado de trabalho na ilha. A paisagem era montanhosa, em volta de um vulcão extinto, o Lagoa Grande.

Granada, historicamente falando, era uma das inúmeras e insignificantes antigas colônias britânicas, onde o capitão Barba Negra talvez tivesse, ou não, desembarcado e enterrado um tesouro. Esta imagem tinha o mérito de atiçar as fantasias. Em 1795, Granada atraiu a atenção política depois que um ex-escravo alforriado chamado Julian Fedon, inspirando-se na Revolução Francesa, fomentou uma revolta, obrigando a Coroa a enviar tropas para fazer picadinho, enforcar, encher de bala e mutilar um grande número de rebeldes. O problema do regime colonial era que uma boa quantidade de brancos pobres tinha aderido à revolta de Fedon sem a menor consideração pelas hierarquias ou fronteiras raciais. A revolta foi esmagada, mas Fedon nunca foi capturado; refugiado no maciço do Lago Grande, tornou-se uma lenda local ao estilo Robin Hood.

Cerca de dois séculos depois, em 1979, o advogado Maurice Bishop deu início a outra revolução inspirada, segundo o guia, na *communist dictatorship in Cuba and Nicarágua*, mas da qual Lisbeth Salander tivera rapidamente uma visão bem diferente depois de conversar com Philip Campbell, professor, bibliotecário e pregador batista, em cuja *guesthouse* se hospedara em seus primeiros dias na ilha. A história podia ser resumida assim: Bishop foi um líder extremamente popular que derrubara um ditador maluco, e ainda por cima fanático por óvnis, que dilapidava parte do magro orçamento do Estado perseguindo discos voadores. Bishop defendia uma democracia econômica e introduziu no país as primeiras leis sobre igualdade dos sexos, antes de ser assassinado em 1983 por uma horda de stalinistas desmiolados, que desde então permaneciam encarcerados na ilha.

Depois do assassinato, incluído no massacre de cerca de cento e vinte pessoas, entre as quais o ministro das Relações Exteriores, o ministro da Condição Feminina e importantes líderes sindicais, os Estados Unidos intervieram, desembarcando na ilha a fim de restabelecer a democracia. Consequência direta para Granada: o desemprego passou de seis para quase cinquenta por cento e o tráfico de cocaína voltou a constituir a maior fonte de renda em todas as categorias. Philip Cambell assentira com a cabeça ao ler a descrição do guia de Lisbeth e dera-lhe bons conselhos sobre as pessoas e os bairros que ela deveria evitar depois do anoitecer.

Com Lisbeth Salander, bons conselhos eram relativamente inúteis. Em compensação, ela escapara do perigo de conhecer a criminalidade de Granada ao se apaixonar pela praia de Angra Grande, logo ao sul de São Jorge, praia de uns dez quilômetros de extensão de areia, pouquíssimo frequentada e onde podia, se lhe desse vontade, passear durante horas sem ser obrigada a conversar ou encontrar com ninguém. Hospedara-se no Keys, um dos raros hotéis americanos de Angra Grande, e lá ficara por sete semanas sem fazer muito mais que passear na praia e comer *chinups*, fruta nativa cujo gosto lhe lembrava o da groselha e com a qual se entusiasmara totalmente.

Era baixa estação e apenas um terço do hotel estava ocupado. O problema é que tanto a tranquilidade de Lisbeth como suas veleidades de estudos matemáticos foram bruscamente perturbadas pelo barulho das discussões no quarto ao lado.

Mikael Blomkvist pressionou o indicador na campainha do apartamento de Lisbeth Salander na Lundagatan. Não esperava que ela atendesse, mas criara o hábito de passar por ali uma ou duas vezes por mês, só para dar uma conferida. Espiando pela abertura da porta destinada à correspondência, viu a pilha de prospectos acumulados. Passava das dez da noite e, com a pouca luminosidade, era difícil avaliar se a pilha aumentara desde a última vez.

Por um momento, permaneceu indeciso no vão da escada, até que, frustrado, deu meia-volta e deixou o prédio. Voltou para o seu apartamento na Bellmansgatan caminhando sem pressa. Ao chegar em casa, ligou a cafeteira e abriu os jornais da tarde, enquanto assistia à edição noturna de *Rapport* com olhar distraído. Estava deprimido e se perguntava aonde andaria Lisbeth Salander. Sentia uma vaga preocupação, mas não tinha nenhum motivo para achar que ela estava morta ou em maus lençóis. No entanto, perguntou-se pela milésima vez o que teria acontecido.

No ano anterior, convidara Lisbeth Salander para passar os feriados de Natal em sua cabana de Sandhamn. Tinham dado longos passeios juntos, conversando com calma sobre a repercussão dos acontecimentos dramáticos em que ambos haviam se envolvido recentemente, numa época em que Mikael vivia o que considerava uma crise existencial. Condenado por difamação, passara alguns meses preso, sua carreira de jornalista atolara na lama e, com o rabo entre as pernas, abandonara seu cargo de editor responsável da revista *Millennium*. Em poucos meses, porém, tudo mudara. Convidado a escrever a biografia do industrial Henrik Vanger, o que ele vivenciou como uma terapia escandalosamente bem remunerada, deixou de lado sua depressão para se lançar à caça desenfreada de um assassino em série ardiloso e muito bem escondido.

O acaso pusera Lisbeth Salander em seu caminho. Mikael tocou distraidamente, debaixo da orelha esquerda, na cicatriz deixada pelo nó corrediço. Lisbeth não salvara apenas sua carreira — simplesmente salvara-lhe a vida.

Em mais de uma oportunidade ela o surpreendera com seus talentos extraordinários — memória fotográfica e fabulosos conhecimentos em computação. Mikael Blomkvist considerava-se relativamente competente no assunto, mas Lisbeth Salander manejava computadores como se tivesse feito uma aliança com o diabo. Aos poucos, ele fora compreendendo que ela era uma *hacker* de padrão internacional e que, dentro do clube exclusivo que se dedicava, no mundo inteiro, a uma atividade ilegal em computação de altíssimo nível, ela era uma lenda, mesmo que anônima e só conhecida pelo codinome Wasp.

A capacidade de Lisbeth para passear pelos computadores alheios é que fornecera a Mikael o material necessário para transformar seu fracasso jornalístico no caso Wennerström — um furo que, um ano depois, ainda era fonte de investigações policiais sobre crimes financeiros e levava Mikael regularmente aos sofás dos estúdios de televisão.

Um ano antes, ele vivera esse furo com uma satisfação colossal — enquanto vingança e brilhante reabilitação após sua estada na sarjeta do jornalismo. A satisfação, porém, o abandonara rapidamente. Passadas algumas semanas, já estava saturado de responder às mesmas e eternas perguntas dos jornalistas e dos tiras da divisão financeira. *Sinto muito, mas não posso revelar minhas fontes.* E no dia em que um jornalista do *Azerbahdzian Times* se dera ao trabalho de ir até Estocolmo para fazer apenas as mesmas perguntas idiotas, ele se cansara. Reduzira as entrevistas ao mínimo necessário, e nos últimos meses só se dispunha a aceitá-las quando quem ligava era a Moça da TV4, e isso depois que a investigação já estava em outra fase bem específica.

A colaboração de Mikael com a Moça da TV4 tinha, além disso, outra dimensão. Ela fora a primeira jornalista a dar importância à revelação e, sem sua ajuda já na primeira noite em que a *Millennium* soltara o furo, nada garante que a história tivesse tido aquele impacto. Só mais tarde Mikael ficou sabendo que ela tivera de brigar com unhas e dentes para convencer sua redação a deixá-la contar a história. Ninguém estava disposto a dar espaço àquele tratante da *Millennium* e até o momento de ela entrar ao vivo ninguém podia garantir que a bateria de advogados da redação a deixaria falar. Vários de seus colegas mais velhos tinham baixado o polegar, alertando que se ela estivesse enganada sua carreira estaria enterrada. A Moça aguentara firme e acabara desencadeando a história do ano.

Na primeira semana, ela naturalmente continuou acompanhando o caso — já que era, a bem dizer, a única repórter que tinha se aprofundado no assunto —, mas, às vésperas do Natal, Mikael se deu conta de que todos os comentários e novos pontos de vista tinham sido transferidos para seus colegas homens. Por volta do ano-novo, Mikael descobriu por vias indiretas que haviam simplesmente afastado a moça sob o argumento de que o maior acontecimento midiático do ano tinha de ser tratado por jornalistas de economia sérios, e não por uma menina originária da ilha de Gotland, ou sabe-se lá de onde. Isso irritou Mikael, e quando, mais tarde, a TV4 lhe pediu uma declaração, ele retrucou de cara que só falaria com a Moça, o que resultou em alguns dias de silêncio carrancudo antes de os sujeitos capitularem e ela reassumir seu lugar.

O interesse decrescente de Mikael pelo caso Wennerström coincidia também com o desaparecimento de Lisbeth Salander. Ele continuava sem entender o que havia acontecido.

Haviam se despedido um dia depois do Natal, e nos dias seguintes não tinham se visto. Na véspera do réveillon, Mikael ligou para ela bem tarde da noite. Ela não atendera. No dia do réveillon, passara duas vezes na casa dela e tocara a campainha. Na primeira, viu luz no apartamento, mas ela não abrira a porta. Na segunda, estava tudo escuro. No dia do ano-novo, tentara ligar mais uma vez, porém a única resposta que obteve foi a mensagem gravada dizendo que o número estava indisponível no momento.

Nos dias que se seguiram, encontrou-a duas vezes. Preocupado, ainda sem conseguir falar com Lisbeth, foi até seu apartamento no início de janeiro e sentou-se num degrau da escada em frente à porta. Tinha levado um livro e esperou persistentemente por quatro horas até ela chegar, pouco antes das onze da noite. Carregava uma caixa de papelão e parou de repente quando o avistou.

— Oi, Lisbeth — disse ele, fechando o livro.

Lisbeth contemplou-o sem a menor expressão no olhar, sem calor nem amizade. Depois passou por ele e enfiou a chave na fechadura.

— Me oferece um café? — perguntou Mikael.

Ela virou-se para ele e falou em voz baixa.

— Vá embora. Não quero mais te ver.

Então fechou a porta na cara de um perplexo Mikael Blomkvist, que ficou escutando ela girar a chave na fechadura.

Três dias depois, encontrou-a uma segunda vez. Ele pegara o metrô de

Slussen na Centralen, e quando o trem parou na Gamla Stan, ao olhar pela janela, avistou-a na plataforma, a menos de dois metros de distância. Avistou-a no exato momento em que as portas se fechavam. Por cinco segundos, ela olhou bem dentro de seus olhos, mas como se ele fosse transparente, antes de dar meia-volta e se afastar de seu campo de visão enquanto o trem se punha em marcha.

A mensagem era clara. Lisbeth Salander não queria nada com Mikael Blomkvist. Riscara-o de sua vida com a mesma eficiência com que apagava um arquivo do seu computador, sem explicação ou negociação. Mudara o número do celular e não respondia aos e-mails.

Mikael suspirou, desligou a tevê, aproximou-se da janela e contemplou o prédio da prefeitura.

Perguntou-se se não estaria errado, insistindo em passar assim regularmente em frente ao apartamento de Lisbeth. Até então, a atitude de Mikael, se uma mulher sinalizasse de forma tão clara que não queria mais ouvir falar nele, era ir embora. Para ele, não respeitar uma mensagem dessas equivalia a não respeitar a mulher em questão.

Na época do caso, tinham estado juntos na cama. Acontecera por iniciativa de Lisbeth, e a relação havia durado seis meses. Se era a decisão dela terminar aquela história do mesmo modo surpreendente como começara, a Mikael só restava aceitar. Cabia a ela romper. Mikael não via dificuldades no papel de ex-namorado — se era assim que ele agora tinha de se considerar —, mas estava perplexo com a forma como Lisbeth Salander o deixara.

O único problema é que Mikael gostava imensamente de Lisbeth Salander. Não estava nem um pouco apaixonado por ela — combinavam tão pouco quanto duas pessoas podem combinar —, mas gostava dela e sentia mesmo falta daquela mulherzinha danada de complicada. Imaginara que a amizade deles fosse recíproca. Em suma, sentia-se um idiota.

Depois de passar um longo tempo diante da janela, sua decisão estava tomada.

Se Lisbeth Salander o detestava a ponto de não conseguir sequer cumprimentá-lo quando se encontravam no metrô, a amizade entre eles provavelmente acabara e o dano era irreversível. A partir de agora, não passaria mais pelo seu apartamento nem faria o menor gesto para retomar o contato com ela.

* * *

Lisbeth Salander consultou seu relógio e constatou que, mesmo ficando comportadamente à sombra, estava encharcada de suor. Eram dez e meia. Memorizou uma fórmula matemática de três linhas e fechou o *Dimensions in Mathematics*, depois pegou a chave do quarto e seu maço de cigarros em cima da mesa.

Seu quarto era no primeiro andar, o último andar do hotel. Tirou a roupa e entrou no chuveiro.

Um lagarto verde de uns vinte centímetros a espreitava da parede, logo abaixo do teto. Lisbeth, por sua vez, olhou-o de soslaio, mas não fez nenhum gesto para expulsá-lo. Concluíra que o lagarto era hóspede ali havia muito mais tempo que ela e provavelmente ainda seria muito tempo depois de ela ter ido embora de Granada. Havia lagartos por toda a ilha, eles se esgueiravam no quarto pelas persianas das janelas abertas, por baixo da porta ou pela ventilação do banheiro. Gostava da companhia deles, de modo geral não a perturbavam e pareciam mais inteligentes que certos humanos que ela conhecia. A água estava fria mas não gelada, e ela ficou debaixo do chuveiro uns cinco minutos para se refrescar.

Ao voltar para o quarto, deteve-se nua diante do espelho do armário e examinou seu corpo, maravilhada. Ainda pesava quarenta e dois quilos e media quase um metro e cinquenta. Não havia muito o que fazer. Tinha membros finos como os de uma boneca, mãos pequenas e quadris acanhados.

Mas tinha seios.

A vida inteira ela fora ridiculamente reta, como se ainda não tivesse entrado na puberdade. Seus mamilos eram pequenos, mas muito normais. O problema é que estavam situados sobre o que poderia ser descrito, quando muito, como esboços de saliência. Tinham um aspecto absolutamente ridículo e ela sempre achara desagradável se mostrar nua.

E então, de repente, lá estava ela com seios. Não se tratava de melões (o que ela não desejava, e teria ficado ainda mais ridículo no seu corpo miúdo), mas de dois seios redondos e firmes do tamanho de, pelo menos, uma tangerina. A mudança acontecera gradualmente e as proporções eram plausíveis. Uma diferença radical, tanto para o seu aspecto físico como para o seu bem-estar pessoal.

Lisbeth passara cinco semanas numa clínica próxima a Gênova, na Itália, para fazer os implantes que constituíam a base dos seus seios novinhos. Escolhera a clínica e os médicos de melhor reputação na Europa, que normalmente praticavam intervenções por razões clínicas mais do que estéticas. Sua médica, uma mulher de fibra encantadora chamada Alessandra Perrini, concluíra que seus seios eram subdesenvolvidos e que havia justificativas médicas para aceitá-la como paciente.

A cirurgia não tinha sido indolor, mas os seios pareciam naturais, ao olhar e ao toque. Os mamilos estavam tão sensíveis como antes da intervenção, e as cicatrizes, quase invisíveis. Em momento algum se arrependera de sua decisão. Estava satisfeita. Seis meses depois, ainda não conseguia passar nua na frente de um espelho sem se sobressaltar e começar a apalpar os seios. Sentia-os como um aporte à sua qualidade de vida.

Aproveitando sua estada na clínica de Gênova, mandara remover uma de suas nove tatuagens — um marimbondo de dois centímetros no lado direito do pescoço. Gostava de suas tatuagens, principalmente do enorme dragão que se estendia da escápula até a nádega, mas ainda assim decidira livrar-se do marimbondo, ponderando que uma marca tão visível e ostensiva a tornava fácil de identificar e lembrar. Lisbeth Salander não queria ser nem identificada nem lembrada. A tatuagem fora removida a laser e, quando passava o dedo indicador pelo pescoço, podia sentir uma leve cicatriz. Uma inspeção mais aprofundada mostraria que sua pele bronzeada era um tantinho mais clara no local da tatuagem, mas uma olhada rápida nada revelava. Ao todo, sua estada em Gênova lhe custara o equivalente a cento e noventa mil coroas.

Era algo que ela podia se permitir.

Parou de sonhar na frente do espelho e vestiu uma calcinha e um sutiã. Dois dias depois de deixar a clínica de Gênova entrara, pela primeira vez nos seus vinte e cinco anos de vida, numa loja de lingerie e comprara o objeto de que até então nunca tinha precisado. De lá para cá, completara vinte e seis anos e ainda usava aquela peça com certa fascinação.

Enfiou um jeans e uma camiseta preta com os dizeres *Consider this a fair warning*. Pegou as sandálias e o chapéu de palha e pendurou uma sacola de náilon preto no ombro.

Ao dirigir-se para a saída, notou um pequeno grupo de clientes discutindo na recepção. Diminuiu o passo e apurou o ouvido.

— *Just how dangerous is she?* — gritou uma mulher negra com sotaque *british*.

Lisbeth a reconheceu, fazia parte de um grupo de veranistas que tinham chegado de Londres dez dias antes.

Freddie McBain, o recepcionista grisalho que invariavelmente brindava Lisbeth Salander com um sorriso simpático, parecia chateado. Explicou que todos os clientes do hotel receberiam instruções e que não havia motivo para se preocupar se todo mundo seguisse essas instruções à risca. Sua resposta foi recebida com uma torrente de perguntas.

Lisbeth Salander franziu o cenho e foi ter com Ella Carmichael atrás do balcão do bar.

— O que está acontecendo? — perguntou, indicando o ajuntamento na recepção.

— Mathilda está ameaçando nos fazer uma visita.

— Mathilda?

— Mathilda é um ciclone que se formou há quinze dias ao largo da costa brasileira e hoje de manhã passou reto por Paramaribo. É a capital do Suriname. Não se sabe muito bem que direção ele vai tomar — provavelmente mais ao norte, rumo aos Estados Unidos. Mas se continuar seguindo a costa no sentido oeste, vai topar com Trinidad e Granada no caminho. Ou seja, é possível que a gente pegue vento.

— Pensei que a temporada dos ciclones tivesse acabado.

— E tinha. Em geral, os alertas de ciclone nos chegam em setembro e outubro. Mas o clima anda tão desregulado com essas histórias de efeito estufa que não dá para prever mais nada.

— Entendi. E o Mathilda está previsto para quando?

— Para logo.

— E eu devo estar preparada para quê?

— Lisbeth, com ciclone não se brinca. Tivemos um ciclone nos anos 1970 que causou estragos imensos aqui em Granada. Eu tinha onze anos e morava numa aldeia, lá em cima, para os lados do Lagoa Grande, na estrada de Grenville. Nunca vou esquecer aquela noite.

— Ahã.

— Mas não se preocupe. Fique perto do hotel no sábado. Prepare uma sacola com o que lhe parece indispensável — estou pensando no computador em que vejo você brincando — e esteja pronta para levá-la se vier o aviso de ir para um abrigo. Só isso.

— Está bem, não vou esquecer.

— Quer tomar alguma coisa?

— Não, obrigada.

Lisbeth Salander saiu sem se despedir. Ella Carmichael sorriu resignada. Levara algumas semanas para se acostumar com os modos daquela moça estranha e acabara entendendo que Lisbeth Salander não era arrogante — era simplesmente de outro planeta. Mas pagava o que consumia sem reclamar, mantinha-se mais ou menos sóbria, cuidava da própria vida e nunca causava nenhum problema.

Os transportes coletivos de Granada constituíam-se basicamente de micro-ônibus com uma decoração extravagante que circulavam sem preocupação com horário ou outras formalidades. Ainda assim, asseguravam trajetos regulares durante o dia. Em compensação, depois que anoitecia era praticamente impossível se deslocar quando não se dispunha de um carro.

Lisbeth Salander não esperou mais que um minuto na estrada para São Jorge até um ônibus parar. O motorista era rastafári e as caixas de som tocavam "No Woman, no Cry" a todo volume. Ela tapou os ouvidos, pagou o seu dólar e se meteu no ônibus entre uma senhora robusta de cabelos grisalhos e dois meninos de uniforme escolar.

São Jorge situava-se numa baía em forma de U que constituía *the Carenage*. Ao redor do porto erguiam-se colinas escarpadas com edifícios, antigas construções coloniais e uma fortaleza, o Forte Rupert, na ponta do promontório à beira de uma falésia.

São Jorge era uma cidade extremamente compacta e densa, com ruas estreitas e inúmeras vielas. As casas iam subindo pelas colinas e quase não existiam superfícies planas, com exceção de um campo de críquete que também fazia as vezes de hipódromo, na orla norte da cidade.

Ela desceu do ônibus no meio do porto e foi a pé até a MacIntyre's Electronics, no alto de uma pequena ladeira de matar. Quase todos os produtos vendidos em Granada eram importados dos Estados Unidos ou da Inglaterra e, consequentemente, custavam duas vezes mais que em qualquer outro lugar, mas em compensação a loja dispunha de ar-condicionado.

Chegara, finalmente, a bateria que ela tinha encomendado para o seu Apple PowerBook G4 titanium com tela de dezessete polegadas. Ela comprara em Miami um computador de mão Palm, fácil de carregar na sacola, com o qual podia consultar seu correio eletrônico; ele a dispensava de andar com o PowerBook, mas era um substituto medíocre para a tela de dezessete polegadas. A bateria original estava começando a enfraquecer e só aguentava meia hora, o que era realmente um saco quando ela queria ficar à beira da piscina, e também considerando-se que o fornecimento de energia de Granada deixava um pouco a desejar. Nas semanas em que estivera ali, faltara luz duas vezes e por um período bastante longo. Pagou com um cartão de crédito da Wasp Enterprises, pôs a bateria na sacola e tornou a sair ao sol do meio-dia.

Passou no Barclays Bank e sacou trezentos dólares, depois foi ao mercado comprar cenouras, seis mangas e um litro e meio de água mineral. A sacola começou a pesar e, quando voltou ao porto, estava com fome e sede. De início, pensou no Nutmeg, mas o restaurante parecia ter sofrido uma invasão. Seguiu até o Turtleback, mais tranquilo, na extremidade do porto, acomodou-se na esplanada e pediu um prato de lula com batatas *sautées* e uma garrafa de Carib, a cerveja local. Pegou um exemplar abandonado do *Grenadian Voice* e percorreu-o por uns dois minutos. O único artigo mais interessante exagerava a possível passagem do Mathilda. O texto era ilustrado com a foto de uma casa destruída, recordação dos prejuízos causados pelo último grande ciclone que devastara o país.

Dobrou o jornal, tomou um gole de Carib no gargalo, recostou-se na cadeira e viu o homem do quarto 32 vindo do bar em direção à esplanada. Trazia a pasta de couro marrom numa mão e um copo grande de Coca-Cola na outra. Seus olhos passaram por ela sem reconhecê-la, e ele foi sentar-se na extremidade oposta do terraço, de onde ficou contemplando a água em frente ao restaurante.

Lisbeth Salander ergueu uma sobrancelha e pôs-se a examinar o homem, que ela via de perfil. Ele parecia totalmente alheio, e permaneceu imóvel durante sete minutos. Então de repente ergueu o copo e tomou três goles grandes. Descansou o copo sobre a mesa e voltou a contemplar a água. Instantes depois, Lisbeth abriu a sacola e pegou o *Dimensions in Mathemathics*.

* * *

Ela sempre tinha adorado quebra-cabeças e enigmas. Aos nove anos, ganhara um cubo mágico da mãe. O objeto desafiara seu senso de lógica por quarenta minutos, até ela entender seu funcionamento. Depois disso, não fora difícil solucioná-lo. Nunca tinha errado uma resposta nos testes de inteligência dos jornais; por exemplo, cinco figuras com formas esquisitas, faltando assinalar que forma teria a sexta figura. Para ela a resposta era sempre óbvia.

Na escola primária, aprendera a somar e subtrair. Multiplicação, divisão e geometria eram um prolongamento natural. Sabia somar de cabeça a conta de um restaurante, preencher uma fatura e calcular a trajetória de um obus de artilharia lançado de um determinado ângulo a uma determinada velocidade. Eram coisas óbvias. Antes de ler o artigo na *Popular Science*, nunca fora fascinada por matemática, nem sequer considerava a tabuada de multiplicação como matemática. Era algo que ela havia decorado certa tarde na escola, e não conseguia entender por que o professor ficava repisando aquilo o ano inteiro.

De repente, percebera a lógica implacável que necessariamente existia por trás dos raciocínios e fórmulas apresentadas, o que a conduzira às prateleiras de matemática das livrarias. Mas quando abriu o *Dimensions in Mathematics*, um mundo totalmente novo descortinou-se diante dela. A matemática, na verdade, era um quebra-cabeça lógico com variações ao infinito — enigmas possíveis de solucionar. O interessante não era resolver contas. Cinco vezes cinco sempre dava vinte e cinco. O interessante era tentar compreender a composição das regras que possibilitavam resolver qualquer problema matemático.

Dimensions in Mathematics não era estritamente um manual de matemática, e sim a versão de bolso de um tijolão de mil e duzentas páginas sobre a história da matemática desde a Antiguidade grega até as tentativas contemporâneas de dominar a astronomia esférica. Era considerado uma bíblia, comparável ao que um dia representara, e ainda representava para os matemáticos sérios, o *Aritmética* de Diofante. A primeira vez que abrira o *Dimensions* fora na esplanada do hotel da praia de Angra Grande, e se vira de repente num mundo encantado dos números, num livro escrito por um autor que não só era um bom pedagogo como sabia surpreender o leitor com anedotas e problemas desconcertantes. Conseguira acompanhar a evolução da matemática de Arquimedes até os contemporâneos Jet Propulsion Laboratories da Califórnia. Compreendia seus métodos para solucionar os problemas.

Vivenciara o encontro com o teorema de Pitágoras ($x^2 + y^2 = z^2$), formulado cerca de quinhentos anos a. C., como uma espécie de revelação. De repente, compreendera o significado do que havia decorado na escola, numa das raras aulas a que havia assistido. *Num triângulo retângulo, o quadrado da hipotenusa é igual à soma dos quadrados dos lados do ângulo reto.* Estava fascinada pela descoberta de Euclides por volta de 300 a. C., enunciando que *um número perfeito é sempre múltiplo de dois números, sendo um deles uma potência de 2 e o outro o mesmo número na potência seguinte de 2 menos 1.* Era um aperfeiçoamento do teorema de Pitágoras e ela compreendia a infinidade de combinações possíveis.

$6 = 2^1 \times (2^2 - 1)$
$28 = 2^2 \times (2^3 - 1)$
$496 = 2^4 \times (2^5 - 1)$
$8.128 = 2^6 \times (2^7 - 1)$

Ela podia continuar indefinidamente sem achar um só número que atentasse contra a regra. Havia nisso uma lógica que agradava ao senso de absoluto de Lisbeth Salander. Rapidamente, e com um prazer manifesto, ela assimilara Arquimedes, Newton, Martin Gardner e mais uma dúzia de matemáticos clássicos.

Então chegara ao capítulo de Pierre de Fermat, cujo enigma matemático, o teorema de Fermat, a desconcertara por sete semanas. Um prazo até razoável, considerando-se que Fermat levara alguns matemáticos à loucura por quase quatro séculos, até que um inglês chamado Andrew Wiles conseguisse, e isso apenas em 1993, resolver o quebra-cabeça.

O teorema de Fermat era um postulado de uma simplicidade enganosa.

Pierre de Fermat nasceu em 1601 em Beaumont-de-Lomagne no sudoeste da França. Por ironia da história, ele não era sequer matemático, e sim um magistrado que se dedicava à matemática como uma espécie de excêntrico passatempo. Ainda assim, era considerado um dos mais talentosos matemáticos autodidatas de todos os tempos. Tal como Lisbeth Salander, gostava de resolver quebra-cabeças e enigmas. O que parecia diverti-lo mais que tudo era debochar de outros matemáticos elaborando problemas sem se dar ao trabalho de oferecer a solução. O filósofo René Descartes qualificou Fermat com uma série de epítetos degradantes, ao passo que seu colega inglês John Wallis o chamava de "esse maldito francês".

Nos anos 1630, foi publicada uma tradução francesa do *Aritmética* de Diofante, que reunia todas as teorias formuladas por Pitágoras, Euclides e outros matemáticos da Antiguidade. Foi trabalhando no teorema de Pitágoras que Fermat, num *insight* genial, propôs seu problema imortal. Formulou uma variante do teorema de Pitágoras. Em vez de ($x^2 + y^2 = z^2$), Fermat transformou o quadrado em cubo ($x^3 + y^3 = z^3$).

O problema era que a nova equação não parecia ter solução com números inteiros. Assim, mediante uma pequena modificação teórica, Fermat tinha transformado uma fórmula que propunha um número infinito de soluções perfeitas num impasse sem solução nenhuma. Seu teorema era exatamente isto — Fermat afirmava que em lugar nenhum do universo infinito dos números existia um número inteiro em que o cubo pudesse se expressar como sendo a soma de dois cubos, e que essa era a regra para todos os números com potência superior a 2, ou seja, justamente, o teorema de Pitágoras.

Os demais matemáticos logo concordaram. Recorrendo ao método da tentativa e erro, constataram que não encontravam nenhum número que refutasse a afirmação de Fermat. O único problema era que, mesmo que ficassem fazendo cálculos até o final dos tempos, não conseguiriam verificar todos os números existentes, de modo que os matemáticos não podiam afirmar que o próximo número não iria invalidar o teorema de Fermat. Em matemática, com efeito, as afirmações precisam ser matematicamente demonstráveis e se expressar por uma fórmula genérica e cientificamente correta. O matemático deve ser capaz de subir numa tribuna e pronunciar as palavras "é assim porque...".

Fermat, como era de seu feitio, zombou dos colegas. Nas margens do seu exemplar de *Aritmética*, o gênio rabiscou algumas hipóteses, concluindo com as seguintes linhas: *Cuius rei demonstrationem mirabilem sane detexi hanc marginis exiquitas non caperet*. Ou seja: *Descobri uma demonstração maravilhosa. Não cabe na estreiteza desta margem.*

Se sua intenção era enlouquecer seus colegas, conseguiu. Desde 1637, praticamente todos os matemáticos que se respeitam dedicaram tempo, e às vezes muito tempo, tentando demonstrar a conjectura de Fermat. Gerações de pensadores quebraram a cara até que em 1993 Andrew Wiles realizasse a demonstração que todos esperavam. Fazia vinte e cinco anos que ele vinha refletindo sobre o enigma, e nos últimos dez, quase que em tempo integral.

Lisbeth Salander estava absolutamente perplexa.

Na verdade, a resposta não a interessava nem um pouco. A busca da solução é que a mantinha em suspense. Quando lhe propunham um enigma, ela o resolvia. Levava um tempo elucidando os mistérios matemáticos até compreender o princípio dos raciocínios, mas sempre chegava à solução certa antes de conferir a resposta.

Assim é que, depois de ler o teorema de Fermat, pegara um papel e se pusera a rabiscar uns números. Com certa surpresa, não conseguira decifrar o enigma.

Proibindo a si mesma de olhar a resposta, pulou o trecho que oferecia a solução de Andrew Wiles. Ao invés, terminou a leitura de *Dimensions* e constatou que nenhum dos demais problemas formulados no livro oferecia alguma dificuldade especial. Depois disso, dia após dia, debruçou-se sobre o enigma de Fermat com uma irritação crescente, perguntando-se que "demonstração maravilhosa" Fermat teria encontrado. Atolava o tempo todo em novos impasses.

Ergueu os olhos quando, de súbito, o homem do quarto 32 se levantou e dirigiu-se para a saída. Consultou o relógio e reparou que o homem ficara sentado sem se mexer por duas horas e dez minutos. Franziu o cenho e, pensativa, ficou olhando enquanto ele se afastava.

Ella Carmichael pôs o copo sobre o balcão diante de Lisbeth Salander, concluindo que os drinques cor-de-rosa com sombrinhas ridículas definitivamente não eram a praia daquela garota. Lisbeth Salander sempre pedia a mesma coisa — uma cuba-libre. Certa noite, Salander exagerara um pouco na cerveja e Ella precisou pedir a um funcionário que a levasse para o quarto. Afora esta única vez, seu consumo normal se resumia a *caffè latte*, algumas cubas-libres e a Carib local. Como de costume, ela se sentou sozinha na ponta direita do bar e abriu um livro cheio de estranhas fórmulas matemáticas, o que, na opinião de Ella Carmichael, era uma curiosa escolha literária para uma moça solteira da idade dela.

Constatou também que Lisbeth Salander não parecia nem um pouco interessada em paquerar. Os poucos caras que tinham feito uma tentativa foram gentil mas firmemente repelidos, um deles sofrendo algumas perdas e danos. O tal Chris MacAllen que Lisbeth mandara às favas com aspereza era, diga-se, um vagabundo da região que merecia se dar mal. Ella Carmichael não ficara muito surpresa ao vê-lo tropeçar inexplicavelmente e cair na piscina depois de ter tentado cantar Lisbeth Salander a noite inteira. Em favor de MacAllen, era preciso dizer que ele não era rancoroso. Voltara na noite seguinte, sóbrio, e oferecera a Salander uma cerveja que ela aceitara depois de uma breve hesitação. Desde então, cumprimentavam-se educadamente quando se cruzavam no bar.

— Está tudo bem? — perguntou Ella.

Lisbeth Salander assentiu com a cabeça e pegou o copo.

— Novidades sobre o Mathilda? — ela perguntou.

— Continua vindo em nossa direção. Pode ser que a gente tenha um fim de semana movimentado.

— Quando vamos saber?

— Na verdade, só depois que ele passar. Pode vir direto sobre Granada e resolver bifurcar para o norte na última hora. Os ciclones são assim, vão e vêm. No mais das vezes, passam ao largo — felizmente, senão não haveria mais ilha. Mas não se preocupe.

— Não estou preocupada.

Súbito, ouviram uma risada meio forçada e voltaram-se para a mulher do quarto 32, aparentemente encantada com alguma coisa que o marido lhe contava.

— Quem é?

— O doutor Forbes? São uns americanos de Austin, no Texas.

Ella Carmichael pronunciou a palavra "americanos" com evidente desgosto.

— Eu sei que eles são americanos. O que estão fazendo aqui? Ele é médico?

— Não, não esse tipo de doutor. Está aqui por causa da Fundação Santa Maria.

— O que é isso?

— Eles financiam os estudos de crianças superdotadas. Um homem bacana, esse doutor. Está em negociações com o Ministério da Educação para a construção de um novo colégio em São Jorge.

— Um homem bacana, mas que bate na mulher — disse Lisbeth Salander.

Ella Carmichael não respondeu e lançou um olhar atento a Lisbeth. Depois meneou a cabeça e foi até o outro lado do bar servir umas Carib a alguns clientes locais.

Lisbeth ficou cerca de dez minutos no bar, o nariz enfiado no *Dimensions*. Antes mesmo de chegar à adolescência, compreendera que era dotada de memória fotográfica e era, consequentemente, diferente de seus colegas de sala. Nunca revelara essa singularidade a ninguém — a não ser a Mikael Blomkvist, num momento de fraqueza. Já sabia de cor o texto do *Dimensions* e continuava levando o livro a toda parte principalmente porque constituía um vínculo visual com Fermat, como se o livro tivesse virado um talismã.

Mas naquela noite não conseguia focar os pensamentos nem em Fermat nem em seu teorema. Vinha-lhe o tempo todo à cabeça a imagem do dr. Forbes imóvel, o olhar fixo num ponto da baía de Carenage.

Não sabia explicar por que aquilo a incomodava tanto.

Por fim, fechou o livro, subiu até seu quarto e ligou o PowerBook. Nem pensar em navegar na internet. O hotel não dispunha de ADSL, mas Lisbeth tinha um modem interno que podia ser ligado ao celular, o que lhe permitia mandar e receber e-mails. Redigiu uma mensagem breve endereçada a praga_xyz_666@hotmail.com:

> [Sem ADSL. Preciso informações sobre um tal dr. Forbes da Fundação Santa Maria, e a mulher dele, domiciliados em Austin, Texas. 500 dólares a quem fizer a *research* pra mim. Wasp.]

Anexou sua chave PGP oficial, criptografou o e-mail com a chave PGP de Praga e clicou em Enviar. Então viu as horas e constatou que passava um pouco das sete e meia.

Desligou o computador, trancou a porta do quarto a chave, percorreu quatrocentos metros até a praia, atravessou a estrada de São Jorge e foi bater na porta do galpão atrás do Coconut. George Bland tinha dezesseis anos, estudava em São Jorge. Queria ser médico ou advogado, ou quem sabe astronauta, e era mais ou menos tão magrela quanto Lisbeth Salander e não muito mais alto que ela.

Lisbeth conhecera George Bland na praia, na sua primeira semana em Granada e um dia depois de chegar a Angra Grande. Dera um longo passeio na praia e estava sentada à sombra de umas palmeiras, olhando as crianças que jogavam futebol à beira d'água. Abrira o *Dimensions* e estava mergulhada na leitura, quando ele viera sentar-se poucos metros à sua frente, aparentemente sem reparar em sua presença. Ela o observou em silêncio. Um jovem negro de sandálias, calça preta e camisa branca.

Como ela, estava com um livro aberto, mergulhado na leitura. Como ela, estudava um livro de matemática — *Basics 4*. Aparentemente concentrado no assunto, começou a rabiscar as páginas de um caderno. Só ao cabo de cinco minutos, quando ela deu uma tossidinha, ele reparou na sua presença e sobressaltou-se, assustado. Desculpou-se por estar incomodando e estava para ir embora quando ela perguntou se ele achava matemática difícil.

Álgebra. Em poucos segundos, ela sublinhou um erro fundamental no cálculo dele. Meia hora depois, eles tinham terminado a tarefa. Uma hora depois, tinham percorrido o capítulo seguinte e ela lhe explicara com muita pedagogia as artimanhas das operações. Ele a contemplara com veneração. Duas horas depois, ele contara que sua mãe morava no Canadá, em Toronto, que seu pai morava em Grenville, do outro lado da ilha, e que ele próprio vivia num galpão atrás do Coconut, mais adiante na praia. Era o caçula da família, com três irmãs mais velhas.

Lisbeth Salander achou a companhia dele surpreendentemente relaxante. A situação era inusitada. Ela raras vezes, para não dizer nunca, entabulava conversa com outras pessoas para um simples bate-papo. Não se tratava de timidez. Para ela, as conversas tinham uma função prática: onde é que eu posso encontrar uma farmácia ou quanto custa o quarto? A função de uma conversa também tinha a ver com trabalho. Quando trabalhava para Dragan Armanskij como investigadora na Milton Security, não tivera o menor problema em manter conversas delirantes a fim de obter informações.

Em contrapartida, detestava conversas pessoais que sempre desandavam numa averiguação em regra do que ela julgava pertencer ao âmbito do privado. *Que idade você tem? — Adivinha. — Você acha a Britney Spears legal? — Quem é essa? — Você gosta dos desenhos de Carl Larsson? — Nunca parei para pensar no assunto. — Você é lésbica? — Vá se catar!*

George Bland era desajeitado e ao mesmo tempo seguro de si, e como era também educado tentou manter uma conversa inteligente sem entrar em competição com ela nem investigar sua vida privada. Como ela, parecia sozinho. Dava a impressão de simplesmente aceitar o fato de uma deusa da matemática ter surgido na praia de Angra Grande, e parecia satisfeito que ela se dignasse a fazer-lhe companhia. Depois de muitas horas na praia, quando o sol se aproximava do horizonte, levantaram-se para ir embora. Ele a acompanhou até o hotel, e no caminho mostrou o barraco que lhe fazia as vezes de quarto de estudante, perguntando se podia lhe oferecer um chá. Ela aceitou, o que pareceu surpreendê-lo.

Sua habitação era das mais simples: um galpão com uma mesa em mau estado, dois caixotes, uma cama e um guarda-roupa. A iluminação consistia numa pequena luminária de mesa ligada a um fio puxado do Coconut. O fogão era um fogareiro de camping. Ele ofereceu arroz com legumes, que serviu em pratos plásticos de camping. Também a convidou a fumar uma substância ilegal da região, e ela aceitou.

Não era nada difícil para Lisbeth perceber que sua presença o perturbava e que ele não sabia como se comportar. Num impulso, decidiu deixar que ele a seduzisse, o que se revelou um processo penoso e complicado. Ele captara os sinais, mas não tinha a mais vaga ideia de que atitude devia tomar. Ficou enrolando, com uma frustração evidente, até que ela perdeu a paciência, derrubou-o na cama com determinação e tirou a regata.

Era a primeira vez que ela se mostrava nua para alguém desde a cirurgia. Quando saíra da clínica com seus seios novos, a sensação tinha a ver com pânico, e precisara de algum tempo até perceber que ninguém estava olhando para ela. A Lisbeth Salander que normalmente não estava nem aí para o que os outros pensavam a seu respeito parecia um tanto acanhada naquele dia.

Consciente de que cedo ou tarde teria de dar aquele passo, acolhera George Bland como uma estreia perfeita, mesmo sendo ele de uma timidez alarmante. Depois de conseguir tirar seu sutiã (não sem uma certa dose de incentivo), apagara a lâmpada junto da cama antes de tirar a roupa. Lisbeth tornou a acendê-la. Observara atentamente as suas reações enquanto ele a tocava sem jeito. Só muito depois conseguiu relaxar e constatar que ele considerava seus seios absolutamente naturais. Embora ele talvez não tivesse visto muitos seios de mulher.

Ela não tivera nenhuma intenção de encontrar um amante adolescente em Granada. Acontecera num impulso e, quando ela o deixou, tarde da noite, não cogitava revê-lo. Mas já no dia seguinte cruzou novamente com ele na praia e se deu conta de que aquele jovem noviço era uma companhia agradável. Nessas sete semanas que passara em Granada, George Bland se tornara, se não um elemento estável, pelo menos um elemento da sua existência. Constatou que, quando passeavam juntos, deviam parecer dois adolescentes. *Sweet sixteen*.

Ele provavelmente devia achar que a vida se tornara mais interessante. Tinha encontrado uma mulher que lhe dava aulas de matemática e erotismo.

Ele abriu a porta e dirigiu-lhe um sorriso maravilhado.

— Quer companhia? — ela perguntou.

Lisbeth Salander deixou um George Bland bobo de satisfação pouco depois das duas da manhã. Ela própria experimentava uma sensação de calor no corpo e preferiu seguir pela praia, em vez de pela estrada, para voltar ao Keys Hotel. Caminhava sozinha no escuro, sabendo muito bem que George Bland a seguia uns cem metros mais atrás.

Ele sempre fazia isso. Ela nunca ficara para dormir na casa dele. George protestava com veemência à mera ideia de uma mulher andar sozinha à noite para voltar ao hotel. Ele insistia que seu dever era acompanhá-la até lá. Principalmente porque, muitas vezes, já era tarde da noite. Lisbeth Salander escutava com atenção seus argumentos antes de interromper a conversa com um simples não. *Vou aonde eu quiser e quando eu quiser*. End of discussion. *E não, não quero ser escoltada*. Na primeira vez que percebeu que ele a seguia, ficou tremendamente irritada, até compreender que aquilo fazia parte do caráter de George Bland. Agora até via um certo charme nesse instinto protetor e fingia ignorar sua presença logo atrás dela, sabendo que ele só voltaria para casa depois de vê-la entrar no hotel.

Perguntava-se o que ele faria se ela fosse atacada de repente.

Quanto a ela, pretendia usar o martelo que comprara no departamento de ferragens da MacIntyre e que carregava no bolso externo da sacola. Segundo Lisbeth Salander, eram poucas as situações de perigo que um bom e velho martelo não pudesse resolver.

Apesar de uma lua crescente muito brilhante, o céu resplandecia de estrelas. Ela ergueu os olhos e reconheceu Régulus, da constelação de Leão. Estava quase chegando ao hotel quando estacou de súbito. Acabava de avistar um vulto na praia, à beira d'água, pertinho do hotel. Era a primeira vez que via alguém na praia depois do anoitecer. Uns cem metros os separavam, mas Lisbeth reconheceu facilmente o indivíduo.

Era o distinto dr. Forbes, do quarto 32.

Recuou rapidamente alguns passos e se escondeu entre algumas árvores. Quando se virou para conferir, percebeu que George Bland também se escondera. O homem à beira d'água andava para lá e para cá devagarinho. Fumava um cigarro. Detinha-se regularmente e se inclinava à frente como que examinando a areia. Aquela pantomima prosseguiu durante uns vinte minutos, quando de repente ele deu meia-volta, retornou à porta do hotel que dava para a praia, e entrou.

Lisbeth esperou um minuto, cenho franzido, antes de ir até o local onde o homem do quarto 32 estivera. Devagar, descreveu um semicírculo e observou o solo. Só o que viu foi areia, alguns pedregulhos e conchas. Ao fim de dois minutos, interrompeu sua inspeção, perplexa, e subiu em direção ao hotel.

Saiu para a sacada de seu quarto, debruçou-se na balaustrada e observou a sacada dos vizinhos. Tudo calmo e tranquilo. Aparentemente, a briga daquela noite já terminara. Instantes depois, foi buscar sua sacola, pegou papel e enrolou um baseado com a provisão que George Bland lhe fornecera. Sentou-se numa cadeira da sacada e contemplou a água escura do mar do Caribe, fumando e refletindo.

E de repente teve a impressão de abrigar dentro de si um sistema de alerta cujas luzes vermelhas estavam piscando.

2. SEXTA-FEIRA 17 DE DEZEMBRO

Nils Erik Bjurman, advogado, cinquenta e cinco anos, largou a xícara de café e contemplou a multidão que passava em frente ao café Hedon, na praça de Stureplan. Seus olhos acompanhavam o fluxo dos transeuntes sem observar ninguém em particular.

Estava pensando em Lisbeth Salander. Pensava frequentemente em Lisbeth Salander.

Pensar nela punha seu sangue em ebulição.

Ele a odiava com a intensidade máxima do seu registro emocional.

Lisbeth Salander o aniquilara. Ele jamais esqueceria aquele momento. Ela assumira as rédeas e o humilhara. Ela o maltratara de tal forma que subsistiam em seu corpo marcas indeléveis. Mais especificamente, elas ocupavam vinte centímetros quadrados de sua barriga até logo acima dos órgãos sexuais. Ela o amarrara em sua própria cama, o torturara e tatuara uma mensagem sobre cujo sentido ninguém poderia ter nenhuma dúvida e que seria muito difícil de apagar:

SOU UM
PORCO SÁDICO,
UM CANALHA
ESTUPRADOR

Que o conteúdo da mensagem fosse absolutamente verídico, não contava. O ódio de Bjurman não era racional.

Lisbeth Salander fora declarada juridicamente irresponsável pelo tribunal de primeira instância de Estocolmo. Bjurman fora designado seu tutor, o que a deixava em situação de total dependência em relação a ele. Desde a primeira vez que encontrara Lisbeth Salander, começara a tecer fantasias com ela. Não sabia explicar por quê, mas ela lhe suscitava esse tipo de comportamento. Ele se aproveitara de sua posição para violentá-la.

Do ponto de vista puramente intelectual, o dr. Nils Bjurman sabia que o ato que cometera não era socialmente aceitável nem permitido. Sabia que agira mal. Sabia também que, em termos jurídicos, seus atos eram indefensáveis e passíveis de vários anos de prisão.

Do ponto de vista emocional, todo aquele saber intelectual não tinha muito peso. Só servia para reconhecer a gravidade dos seus atos e aceitar que não havia justificativa para eles. A partir do momento em que conhecera Lisbeth Salander dois anos antes, num mês de dezembro, soubera que ela era o seu joguete. As leis, as regras, a moral e a responsabilidade não vinham absolutamente ao caso.

Aquela moça era esquisita — adulta, mas com uma aparência tal que podia ser confundida com uma menor. Ele detinha o controle da vida dela — podia dispor de Lisbeth Salander. Era perfeito.

Ela fora declarada maior de idade incapaz e sua biografia, sob a forma de registros médicos, a transformava numa criatura sem credibilidade, caso lhe ocorresse a ideia de protestar. Também não se tratava do estupro de uma menina inocente — seu dossiê indicava que ela tivera uma porção de experiências sexuais e podia inclusive ser considerada como uma pessoa de hábitos dissolutos. O relatório de um assistente social revelava que aos dezessete anos Lisbeth provavelmente oferecia serviços sexuais mediante pagamento. O que originara esse relatório fora a notificação de uma patrulha policial que avistara um notório depravado na companhia de uma moça num banco do parque de Tantolunden. A viatura parou e os policiais interpelaram o casal; a moça se negou a responder às perguntas e o sujeito estava bêbado demais para dar uma explicação coerente sobre o que eles estavam aprontando.

Para o dr. Bjurman, a conclusão se impunha: Lisbeth era uma puta de baixa categoria. Estava em seu poder. Não havia o menor risco. Mesmo que ela protestasse junto à Comissão de Tutelas, ele poderia se apoiar em sua própria credibilidade e méritos para descartá-la enquanto mentirosa descarada.

Ela era o brinquedinho ideal — adulta, depravada, socialmente incompetente e entregue ao seu bel-prazer.

Era a primeira vez que ele se aproveitava de um cliente. Antes disso, nunca cogitara tirar vantagem de alguém com quem mantivesse relações profissionais. Para dar vazão a suas exigências peculiares em matéria de jogos sexuais, sempre recorrera a prostitutas. Era discreto e prudente e nunca economizara no preço; o único problema é que as prostitutas não o satisfaziam. Elas representavam, faziam de conta. Ele remunerava uma mulher que gemia, gritava e encenava um papel, mas aquilo era tão falso quanto uma imitação desastrosa do quadro de um mestre.

Ele tentara dominar sua mulher na época em que era casado, e acabara igualmente insatisfeito. Ela consentia, mas também nesse caso tudo não passava de encenação.

Lisbeth Salander era a pessoa ideal. Estava indefesa. Não tinha família nem amigos. Era a legítima vítima, totalmente vulnerável. A ocasião faz o ladrão.

E então, de repente, ela o aniquilara.

Ela revidara com uma força e uma resolução de que ele jamais teria suspeitado. Ela o humilhara. Ela o torturara. Ela praticamente o destruíra.

Durante os quase dois anos que haviam se passado, a vida de Nils Bjurman sofrera uma mudança radical. Nos primeiros tempos após a visita de Lisbeth Salander a seu apartamento naquela noite, ele ficara paralisado — incapaz de pensar ou agir. Trancara-se em casa, sem atender ao telefone e sem disposição para manter contato com seus clientes habituais. Depois de duas semanas, pedira uma licença médica. Sua secretária cuidava da correspondência no escritório, desmarcava os compromissos e procurava responder às perguntas dos clientes irritados.

Todos os dias, era obrigado a contemplar seu corpo no espelho da porta do banheiro. Por fim, havia tirado o espelho.

Só voltara ao escritório no início do verão. Selecionara alguns poucos clientes, encaminhando a maioria para colegas seus. Só ficou com as empresas para as quais fazia correspondências jurídicas, mas com as quais não precisava se envolver. A única cliente ativa que lhe restava era Lisbeth Salander — todo mês ele preparava um balanço financeiro e um relatório para a Comissão de Tutelas. Fazia exatamente o que ela mandara — os relatórios eram pura invenção e determinavam que de modo algum ela precisava de um tutor.

Cada relatório vinha dolorosamente lembrá-lo da existência de Lisbeth Salander, mas ele não tinha escolha.

Bjurman passara o verão e o outono numa ruminação que o impedia totalmente de agir. Em dezembro, enfim recomposto, comprou uma passagem de avião para a França. Marcara uma consulta numa clínica perto de Marselha que descobrira pela internet e foi consultar um cirurgião sobre a possibilidade de retirar a tatuagem.

O médico, estupefato, examinou sua barriga mutilada. Por fim, propôs um tratamento. O método mais simples seriam sessões de laser, mas a tatuagem era tão extensa e a agulha fora tão profundamente plantada que o único método realista talvez fosse uma série de transplantes de pele. Era caro e levaria tempo.

Nesses dois anos, ele só se encontrara uma vez com Lisbeth Salander.

Na noite em que o havia atacado e se apossara das rédeas de sua vida, ela se apropriara igualmente de uma cópia das chaves do seu escritório e do apartamento. Dissera que pretendia vigiá-lo e visitá-lo quando ele menos esperasse. Dez meses depois, ele já quase começava a acreditar que não passara de uma ameaça à toa, mas não se atreveu a trocar as fechaduras. A ameaça fora explícita — se ela o pegasse com alguma mulher na cama, tornaria pública a gravação de noventa minutos que o mostrava violentando-a da maneira mais brutal. Então, certa noite de meados de janeiro do ano anterior, ele acordara de repente às três da manhã. Não sabia o que o tinha feito acordar, acendeu a lâmpada de cabeceira e por pouco não urrou de terror quando a viu ali parada ao pé da cama. Era como um fantasma materializado em seu quarto. Seu rosto estava pálido e inexpressivo. Na mão, segurava aquele maldito cacetete elétrico. Ela o contemplou em silêncio por vários minutos.

— Bom dia, doutor Bjurman — acabou dizendo. — Lamento tê-lo acordado desta vez.

Meu Deus, isso significa que então ela já veio outras vezes? E eu estava dormindo.

Ele não conseguia definir se ela estava blefando ou não. Nils Bjurman limpou a garganta e abriu a boca. Ela o interrompeu com um gesto.

— Eu te acordei por um único motivo. Vou viajar em breve, e por um bom tempo. Você vai continuar redigindo os relatórios mensais, contando como estou indo bem, só que em vez de postar uma cópia para o meu endereço, vai mandar para um endereço do hotmail.

Ela tirou do bolso um papel dobrado ao meio e o deixou em cima da cama.

— Se a Comissão de Tutelas quiser entrar em contato comigo, ou se qualquer outra coisa exigir a minha presença, escreva um e-mail para este endereço. Entendeu?

Ele fez que sim com a cabeça.

— Entendi...

— Cala a boca. Não quero ouvir a sua voz.

Ele cerrou os dentes. Nunca se atrevera a entrar em contato com ela, já que ela o tinha expressamente proibido. Caso a contatasse, ela mandaria o vídeo às autoridades. Em vez disso, ficara meses cogitando no que lhe diria quando ela fizesse contato. Compreendera que não tinha argumento para justificar o que tinha feito. Só lhe restava apelar para a generosidade dela. Se ao menos Lisbeth lhe desse a oportunidade de falar, ele poderia convencê-la de que agira em estado de desatino passageiro — que se arrependia e queria se redimir. Concordaria em rastejar na poeira para amansá-la e desativar a ameaça que ela representava.

— Preciso falar com você — ele ensaiou, com uma voz patética. — Queria pedir que me perdoasse...

Ela recebeu seu surpreendente pedido com olhos inquiridores. Por fim, inclinou-se sobre a travessa inferior da cama e desfechou-lhe um olhar cruel.

— Escute aqui, seu gordo nojento: você é um lixo. Nunca vou te perdoar. Mas se você se comportar direitinho, vou te deixar em paz no dia em que revogarem a minha tutela.

Ela esperou até ele abaixar os olhos. *Ela está me obrigando a rastejar.*

— O que eu disse um ano atrás continua em vigor. Se você bobear, eu divulgo o vídeo. Se entrar em contato comigo de um jeito diferente do que eu determinei, eu divulgo o vídeo. Se eu por caso morrer num acidente, o vídeo será divulgado. Se você encostar em mim de novo, eu te mato.

Ele acreditou. Não havia espaço para dúvidas nem negociações.

— Outra coisa. No dia em que eu te deixar ir embora, você faz o que quiser. Mas até lá, não vai pôr os pés nessa clínica de cirurgia estética em Marselha. Se você voltar lá e começar um tratamento, eu faço outra tatuagem em você. E desta vez na testa.

Puta merda. Como é que ela soube de Marselha?

No instante seguinte, ela tinha desaparecido. Ele ouviu um cliquezinho quando ela girou a chave na porta de entrada. Era realmente como se tivesse recebido a visita de um fantasma.

Desde então, passara a odiar Lisbeth Salander com uma intensidade que flamejava em sua mente feito aço em brasa e transformava a sua existência numa insana ânsia de acabar com ela. Fantasiava sobre a morte dela. Imaginava que a forçava a rastejar para implorar o seu perdão. Ele seria impiedoso. Sonhava em lhe pôr as mãos em volta do pescoço e apertar até ela sufocar. Queria arrancar-lhe os olhos das órbitas e o coração da caixa torácica. Queria eliminá-la da superfície da terra.

Paradoxalmente, foi também nesse momento que ele sentiu que voltava a funcionar e recobrava um estranho equilíbrio mental. Sabia que estava obcecado por Lisbeth Salander e focava na existência dela cada minuto que passava acordado. Mas descobriu que voltara a pensar de forma racional. Para conseguir acabar com ela, precisava reassumir as rédeas de sua mente. Sua vida voltou a ter um objetivo.

Naquele dia, parou de fantasiar sobre a morte dela e começou a planejá-la.

Mikael Blomkvist passou a menos de dois metros atrás do dr. Nils Bjurman quando, no café Hedon, ziguezagueou com dois copos quentíssimos de *caffè latte* nas mãos até chegar à mesa de Erika Berger, diretora da *Millennium*. Nem ele nem Erika nunca tinham ouvido falar no dr. Nils Bjurman e não repararam nele.

Erika franziu o nariz e afastou um cinzeiro para dar espaço aos copos.

Mikael pendurou o paletó no encosto da cadeira, puxou o cinzeiro para o seu lado da mesa e acendeu um cigarro. Erika detestava fumaça de cigarro e olhou para ele com uma expressão desolada. Ele soprou a fumaça para o lado, como que se desculpando.

— Achei que você tivesse parado.

— Recaída temporária.

— Vou parar de dormir com homens que cheiram a fumaça — ela disse, com um sorriso adorável.

— *No problem*. Existe um monte de mulheres que não são tão exigentes — disse Mikael, retribuindo o sorriso.

Erika Berger ergueu os olhos para o alto.

— Qual é o problema? Tenho que encontrar com o Charlie daqui a vinte minutos. Vamos ao teatro.

Charlie era Charlotta Rosenberg, a mais antiga amiga de infância de Erika.

— A nossa estagiária está me provocando. É filha de uma amiga sua. Faz duas semanas que está com a gente e vai ficar mais oito na redação. Não demora, vou quebrar a cabeça dela.

— É, percebi que ela te come com os olhos. Espero, claro, que você se comporte como um *gentleman*.

— Erika, essa garota tem dezessete anos, e a idade mental dela é de cerca de dez anos, de modo que estou sendo generoso.

— Ela só está impressionada por te conhecer. Um pouco de idolatria, na certa.

— Ontem à noite, às dez e meia, ela tocou a campainha do meu prédio propondo que a gente dividisse uma garrafa.

— Uau! — fez Erika Berger.

— Uau para você! Ricky, essa fulana só tem vento na cabeça. Daria uma perfeita perua num *sitcom* da tevê. É um avião, belos peitos, bumbum bonitinho e *tutti quanti*. Se eu tivesse uns vinte anos menos, provavelmente não pensaria duas vezes para dar em cima dela. Mas, puxa, ela tem dezessete. E eu tenho quarenta e cinco.

— Não precisa me lembrar disso. Temos a mesma idade — disse Erika Berger.

Mikael Blomkvist recostou-se na cadeira e derrubou a cinza do cigarro.

* * *

Mikael Blomkvist observara, evidentemente, que o caso Wennerström lhe trouxera um curioso status de celebridade. Ao longo do ano, recebera convites para festas e eventos nos lugares mais improváveis e de vagos conhecidos em cuja casa nunca tinha estado e com os quais nunca tivera o menor contato.

É claro que quem o convidava desejava muito trazê-lo para o seu círculo; daí por que os beijinhos de boas-vindas de pessoas a quem ele quando muito havia apertado a mão algum dia, mas que queriam parecer seus amigos íntimos. Não eram tanto colegas de imprensa — que ele já conhecia e com quem mantinha um relacionamento bom ou ruim —, e sim as chamadas personalidades do mundo cultural, atores, polemistas mais ou menos conhecidos e semiestrelas. Dava prestígio ter Mikael Blomkvist como convidado no lançamento de um livro ou numa festa particular. Por isso a avalanche de convites e pedidos de participação neste ou naquele evento. Tinha se tornado uma espécie de hábito para ele responder com um "Eu adoraria mas, lamento, já tenho um compromisso".

Entre as desvantagens da condição de estrela, Mikael também descobrira, estavam os boatos que corriam à solta. Um conhecido seu ligara, muito preocupado com sua saúde; a pergunta tinha origem no boato de que ele dera entrada numa clínica a fim de se submeter a um tratamento de desintoxicação. Na verdade, o abuso de drogas de Mikael se resumia, desde a adolescência, a uns poucos baseados e ao fato de numa ocasião bem particular, quinze anos antes, ter experimentado cocaína com uma cantora holandesa de um grupo de rock. Já seu consumo de álcool era bem mais acentuado, embora se limitasse a algumas bebedeiras isoladas e turbinadas durante um jantar ou uma festa. Nos bares, pouco consumia além de uma boa cerveja de marca, e tomava um simples chope de bom grado. Em casa, tinha algumas garrafas de vodca ou uísque que ganhara de presente e as abria tão raramente que chegava a ser cômico.

Não era segredo para ninguém, tanto em seu círculo de amizades como fora dele, que Mikael era um solteiro com inúmeros relacionamentos e histórias de amor ocasionais, embora isso desse margem a outros boatos. Seu conhecido caso com Erika Berger fora objeto de incontáveis especulações ao longo dos anos. Ultimamente, às fofocas vinham se somando afirmações de que ele passava de uma cama para outra, flertava sem discernimento e aproveitava sua notoriedade para trepar com a inteira clientela feminina dos bares de Estocolmo. Um jornalista que ele mal conhecia chegara a lhe perguntar certa vez se ele já tinha consultado um profissional a respeito de sua compulsão por sexo, isso porque um famoso ator americano acabava de se internar com esse problema. Mikael respondera que não era um ator americano famoso e não sentia nenhuma necessidade de ajuda nessa área.

É certo que Mikael tivera inúmeros relacionamentos episódicos e até se embrenhara em vários casos ao mesmo tempo. Ele hesitava sobre que explicação dar a isso. Sabia que fisicamente não era de se jogar fora, mas nunca se achara superatraente. Em compensação, acabara percebendo que tinha, aparentemente, algo que interessava às mulheres. Erika Berger lhe explicara que ele transmitia ao mesmo tempo firmeza e segurança, e que tinha o dom de fazer as mulheres se sentirem, com ele, descontraídas e livres de obrigações. Ir para a cama com Mikael não era nem ameaçador, nem desgastante, nem complicado — era algo sem exigências e eroticamente agradável. Portanto, segundo Mikael, era como deveria ser.

Ao contrário do que a maioria de seus amigos imaginava, Mikael nunca fora um galinha. Na melhor das hipóteses, sinalizava que estava ali, disponível, mas sempre deixava a iniciativa para a mulher. A relação sexual surgia como decorrência natural do relacionamento. As mulheres com as quais ele dormia raramente eram anônimas de uma noite só — e, quando fora assim, a experiência se revelara um tanto insatisfatória. Os melhores relacionamentos de Mikael eram com pessoas que ele aprendera a conhecer em um ou outro contexto, e das quais gostava. Não por acaso, portanto, iniciara um caso com Erika Berger vinte anos atrás — eram amigos atraídos um pelo outro.

Sua recente celebridade, contudo, aumentara o interesse das mulheres de um jeito que ele achava estranho e incompreensível. O que mais o surpreendia é que mulheres bem mais jovens dessem impulsivamente em cima dele nas situações mais inesperadas.

O fascínio de Mikael, porém, voltava-se para um tipo de mulher muito diferente das menores de idade exaltadas, apesar de suas superminissaias e de seus corpos bem-proporcionados. Quando mais jovem, suas parceiras muitas vezes eram mais velhas que ele, e uma ou outra tinham até sido muito mais velhas e experientes. Com a idade, ampliara seu espectro, mas sua ligação com Lisbeth Salander, um ano antes — ela tinha então vinte e cinco anos —, certamente representava um declínio bastante claro da média de idade de suas parceiras habituais.

Esse era o motivo daquele encontro precipitado com Erika.

Para fazer um favor a uma amiga de Erika, a *Millennium* contratara uma estagiária de uma escola técnica de comunicação. Isso em si não tinha nada de extraordinário; todo ano eles contratavam vários estagiários. A moça em questão tinha dezessete anos. Mikael se mostrara educado com ela e rapidamente constatara que seu interesse por jornalismo era um tanto vago, a não ser pelo fato de que ela queria "aparecer na tevê" e, Mikael achava, poderia usar o prestígio de ter estagiado na *Millennium*.

Mikael logo percebeu que ela não perdia uma oportunidade de se debruçar em sua direção para valorizar os seios. Fingia não notar suas abordagens ostensivas, o que só a fez redobrar os esforços. Estava ficando difícil.

Erika Berger caiu na gargalhada.

— Não me diga, você vítima de assédio sexual no trabalho...

— Está mesmo difícil, Ricky. Não quero magoar nem constranger a menina. Mas ela é quase tão sutil como uma égua no cio. Fico pensando como vai ser a próxima investida.

— Mikael, ela tem só dezessete anos, está saturada de hormônios e provavelmente você a impressiona para valer. Está apaixonada por você, só que é jovem demais e não sabe como se expressar.

— Desculpe, mas você está enganada. Ela sabe muito bem como se expressar. Há algo perverso no jeito como ela age, e ela está ficando nervosa porque eu não mordo a isca. Além disso, não faço a menor ideia do que ela deve estar contando para as amigas. Eu passaria muito bem sem mais uma onda de boatos me transformando num velho libidinoso no cio à caça de carne fresca.

— Tudo bem, entendo o seu problema. Com que então ela foi tocar no seu interfone ontem à noite.

— Com uma garrafa de vinho. Disse que estava saindo da festa de um "xará" ali do bairro e tentou me explicar que, por "um acaso supermaneiro", estava passando perto da minha casa.

— O que você respondeu?

— Não deixei ela entrar. Menti que não era um bom momento, que eu estava com visita, uma mulher.

— E como ela reagiu?

— Ficou tiririca, mas foi embora.

— O que você quer que eu faça?

— Dê um jeito de me livrar dela. Segunda-feira, pretendo ter uma conversa com ela olho no olho. Ou ela para com essa palhaçada, ou mando ela embora da redação.

Erika Berger refletiu.

— Não — disse. — Não diga nada. Vou falar com ela.

— Não tenho escolha.

— Ela está querendo um amigo, não um amante.

— Não sei o que ela está querendo, mas...

— Mikael. Já estive no lugar dela. Estou dizendo que vou falar com ela.

Como todos que tinham assistido tevê ou lido jornal naquele ano, Nils Bjurman tinha ouvido falar em Mikael Blomkvist. Ainda assim, não o reconheceu e mesmo que reconhecesse não teria tido qualquer reação. Ignorava totalmente que existia um vínculo entre a redação da *Millennium* e Lisbeth Salander.

E mesmo que soubesse desse vínculo, nada garante que teria reagido — estava por demais imerso nos próprios pensamentos para reparar no mundo à sua volta.

Quando sua paralisia mental finalmente se atenuara, um ano antes, começou aos poucos a analisar sua situação pessoal, pondo-se a pensar numa maneira de aniquilar Lisbeth Salander.

O problema girava em torno de um único e exclusivo obstáculo.

Lisbeth Salander dispunha do vídeo de noventa minutos que tinha gravado com uma câmera oculta, no qual ele aparecia violentando-a. Ele assistira ao vídeo. O filme não deixava espaço para uma interpretação favorável. Se a fita chegasse às mãos de um procurador — ou, pior ainda, se chegasse às mãos da mídia — seria o fim da sua vida, da sua carreira e da sua liberdade. Conhecendo as penas cabíveis por violação agravada, abuso de pessoa em situação de dependência, golpes e ferimentos e golpes e ferimentos agravados, calculou que se arriscava a pegar seis anos de prisão. Um procurador zeloso até poderia usar uma sequência do filme para alegar tentativa de assassinato.

Ele quase a sufocara durante o estupro ao comprimir um travesseiro sobre seu rosto. Lamentava não ter ido até o fim — livrar-se do corpo lhe teria trazido menos problemas do que tê-la deixado viver.

Eles não entenderiam que ela estava jogando o tempo todo. Ela o tinha provocado, tinha jogado com seus adoráveis olhos infantis e o seduzira com o corpo que poderia ser o de uma menina de doze anos. Ela se deixara estuprar. Era culpa dela. Eles jamais entenderiam que ela, na verdade, produzira uma representação teatral. Ela tinha planejado...

Qualquer que fosse a atitude que tomasse, a condição *sine qua non* era obter pessoalmente aquele vídeo e se assegurar de que não existiam cópias. *Aí é que está o xis do problema.*

Muito provavelmente, uma sacana como Lisbeth Salander tivera tempo de criar muitos inimigos no decorrer dos anos. O dr. Bjurman, porém, possuía uma clara vantagem. Diferentemente de todos aqueles que, por um motivo ou outro, ela já havia tirado do sério, ele tinha acesso ilimitado a todas as suas fichas médicas, investigações sociais e avaliações psiquiátricas. Era uma das raras pessoas na Suécia que conhecia seus segredos mais íntimos.

O dossiê que a Comissão de Tutelas tinha lhe repassado quando ele aceitara a missão de ser seu tutor era sucinto e breve — pouco mais de quinze páginas forneciam uma visão principalmente de sua vida adulta, um resumo do diagnóstico fornecido pelos especialistas psiquiátricos juramentados, a decisão de colocação sob tutela do tribunal de instâncias e a análise de sua situação financeira no ano anterior.

Ele tinha lido e relido o dossiê. Depois, começou a reunir sistematicamente informações sobre o passado de Lisbeth Salander.

Como advogado, estava perfeitamente a par dos procedimentos necessários para colher informações nos registros oficiais das autoridades. Na qualidade de tutor de Lisbeth Salander era-lhe permitido penetrar no sigilo que cercava seus dossiês. Era um dos poucos que podiam obter qualquer documento a seu respeito.

No entanto, precisara de meses para reconstituir sua vida, detalhe por detalhe, desde as primeiras notas na escola primária até as investigações policiais e os autos do tribunal de instâncias. Entrara pessoalmente em contato com o dr. Jesper H. Löderman e discutira a situação com ele. Löderman era o psiquiatra que recomendara sua internação quando ela completara dezoito anos. Foram todos muito prestativos. Uma mulher da Comissão Social chegara a cumprimentá-lo por seu zelo em tentar compreender todos os aspectos da vida de Lisbeth Salander.

A verdadeira mina de informações foi o achado de dois cadernos numa caixa que estava mofando com um funcionário da Comissão de Tutelas. As anotações tinham sido redigidas pelo antecessor de Bjurman, o dr. Holger Palmgren, que aparentemente conhecera Lisbeth Salander melhor que ninguém. Palmgren conscienciosamente fornecera à comissão um breve relatório anual, mas Bjurman supunha que Lisbeth ignorasse o fato de Palmgren ter registrado com tantos detalhes cada um de seus encontros e suas próprias reflexões sob a forma de um diário. Tratava-se evidentemente de um material particular de trabalho, mas quando Palmgren sofrera um derrame dois anos antes, os cadernos tinham ido parar na Comissão de Tutelas, onde ninguém se dera ao trabalho de abri-los e lê-los.

Eram os originais. Não existiam cópias.

Perfeito.

Palmgren apresentava uma visão de Lisbeth Salander bem diferente da que se deduzia das investigações do Serviço Social. Bjurman acompanhara o difícil percurso da adolescente indócil que se tornou uma jovem adulta empregada na Milton Security — um trabalho obtido graças aos contatos de Palmgren. Cada vez mais surpreso, Bjurman se dera conta de que Lisbeth não era de forma alguma a subalterna encarregada da copiadora e da cafeteira — pelo contrário, tinha um trabalho qualificado, que consistia em investigar pessoas para o diretor da Milton, Dragan Armanskij. Ficava claro que Armanskij e Palmgren se conheciam e de vez em quando trocavam informações sobre sua protegida.

Nils Bjurman gravou o nome de Dragan Armanskij. Entre todos que figuravam na vida de Lisbeth Salander, só duas pessoas vinham a ser seus amigos e pareciam considerá-la uma protegida. Palmgren saíra de cena. Armanskij era o único que ainda poderia constituir uma ameaça em potencial. Bjurman poderia tê-lo contatado e pedido informações sobre Salander na qualidade de um tutor que se preocupava com ela, mas resolveu manter distância de Armanskij e evitar a todo custo encontrá-lo.

Assim, os cadernos tinham-lhe oferecido um bocado de explicações. Bjurman de repente compreendera como Lisbeth Salander conseguira saber tanto a seu respeito. Continuava sem entender como ela tivera conhecimento da visita extremamente discreta que ele fizera à clínica francesa de cirurgia estética, mas grande parte do mistério que a cercava se dissipara. Era a sua *profissão* vasculhar a vida privada das pessoas. Imediatamente passou a ficar mais atento a seus próprios movimentos. Já que Lisbeth Salander tinha acesso a seu apartamento, melhor não guardar ali documentos que diziam respeito a ela. Juntou toda a documentação numa caixa e a levou para a sua casa de campo em Stallarholmen, onde passava cada vez mais tempo remoendo sozinho no seu canto.

Quanto mais descobria a respeito de Lisbeth Salander, mais convencido ficava de que a garota era uma doente mental. Estremecia ao lembrar que ela o algemara à sua própria cama. Vira-se inteiramente entregue ao seu capricho, e crescia dentro de Bjurman a convicção de que ela cumpriria sem hesitar a ameaça de matá-lo, caso ele a provocasse.

Ela carecia de limites sociais. *Era uma psicopata doentia, uma maluca perigosa. Uma granada sem pino. Uma puta.*

O diário de Holger Palmgren também o pusera na pista da última chave. Em várias ocasiões, Palmgren fazia anotações um bocado pessoais sobre conversas que tivera com Lisbeth Salander. *Completamente gagá, pobre imbecil.* Duas vezes, ele mencionava a expressão "quando Todo o Mal aconteceu". Palmgren manifestamente transcrevia a expressão usada por Lisbeth Salander, mas não havia pistas do que ela poderia significar.

Bjurman anotou, perplexo, as palavras "Todo o Mal" e tentou interpretá-las. Os anos passados nas famílias adotivas? Algum tipo de abuso? Acabaria encontrando uma explicação na vasta documentação de que já dispunha.

Abriu o relatório do exame de psiquiatria legal de Lisbeth Salander, realizado quando ela completou dezoito anos, e o leu atentamente pela quinta ou sexta vez. E então percebeu que havia uma lacuna no que ele conhecia sobre Lisbeth Salander.

Ele dispunha de extratos de arquivos da escola, um certificado que atestava que a mãe de Lisbeth Salander era incapaz de tomar conta dela, relatórios de diversas famílias de adoção ao longo de sua adolescência e o exame psiquiátrico feito aos dezoito anos.

Alguma coisa desencadeara a loucura por volta de seus doze anos.

Também havia falhas em sua biografia.

Atônito, descobriu que, para começar, Lisbeth Salander tinha uma irmã gêmea sobre a qual não havia a menor referência nos documentos de que dispunha. *Meu Deus, são duas!* Mas não encontrou nenhuma menção sobre o que fora feito da irmã.

O pai era desconhecido, e faltava igualmente o motivo pelo qual sua mãe não podia mais tomar conta dela. Até então, Bjurman imaginara que ela havia ficado doente e que isso desencadeara todo o processo de internações de Lisbeth nos centros psiquiátricos. Agora estava convencido de que algo ocorrera com Lisbeth Salander quando ela tinha entre doze e treze anos. *Todo o Mal*. Uma espécie de trauma. Mas não havia nada específico.

No exame de psiquiatria legal, acabara encontrando uma menção a um anexo que faltava, remetendo a uma investigação policial datada de 12/3/1991. O número de referência estava anotado à mão na margem da cópia encontrada no depósito de Assuntos Sociais. Quando tentou solicitá-la para consulta, deparou com uma pedra no meio do caminho. A investigação era considerada segredo de Estado. Ele poderia formular um pedido junto ao governo.

Nils Bjurman estava perplexo. Que um relatório policial referente a uma menina de doze anos fosse secreto não tinha, em si, nada de mais — era normal, por razões de integridade. Mas ele era o tutor de Lisbeth Salander e tinha o direito de pedir qualquer documento em que constasse o nome dela. Não conseguia entender por que uma investigação era considerada tão secreta a ponto de ele ser obrigado a solicitar autorização do governo para ter acesso a ela.

Fez o pedido na mesma hora. Esperou dois meses até obter uma resposta. Para sua imensa surpresa, o pedido fora rejeitado. Não conseguia entender o que haveria de tão dramático numa investigação policial antiga de quase quinze anos referente a uma menina de doze anos, dramático a ponto de a investigação ser classificada objeto de segurança nacional, como se se tratasse da chave dos arquivos secretos do governo.

Retomou o diário de Holger Palmgren e releu linha por linha, tentando entender o que queria dizer "Todo o Mal". Mas o texto não fornecia nenhuma pista. O que quer que fosse, era obviamente um assunto que havia sido discutido apenas entre Holger Palmgren e Lisbeth Salander, sem nunca ter sido colocado preto no branco. As anotações sobre Todo o Mal apareciam no final do extenso diário. Palmgren simplesmente talvez não tivesse tido tempo de passar a limpo suas anotações antes de sofrer o derrame cerebral.

Com isso, os pensamentos do dr. Bjurman desandaram para outras direções. Holger Palmgren tinha sido o administrador *ad hoc* de Lisbeth Salander desde seus treze anos e seu tutor a partir dos dezoito. Ou seja, Holger Palmgren estivera presente pouco depois que Todo o Mal acontecera e quando Salander fora internada na psiquiatria infantil. Tudo levava a crer, portanto, que Palmgren sabia o que se passara.

Bjurman voltou aos arquivos da Comissão de Tutelas. Desta vez não pediu para ver os documentos referentes a Lisbeth Salander, e sim o descritivo da missão de Palmgren, tal como determinado pela Comissão dos Assuntos Sociais. Obteve documentos à primeira vista um tanto frustrantes. Duas páginas de informações breves. A mãe de Lisbeth Salander não tinha mais condições de tomar conta das filhas. Devido a circunstâncias particulares, as meninas deviam ser separadas. Camilla Salander foi encaminhada a uma família adotiva pelo Serviço Social. Lisbeth Salander foi encaminhada à clínica de psiquiatria infantil de Sankt Stefan. Não foi sugerida outra alternativa.

Por quê? Havia apenas uma frase enigmática. Com base nos acontecimentos de 12/3/1991, a Comissão de Assuntos Sociais decidiu... Em seguida, outra referência ao número do dossiê da misteriosa investigação policial mantida sob sigilo. Mas desta vez havia mais um detalhe — o nome do policial que conduzira a investigação.

O dr. Nils Bjurman leu o nome com espanto. Era um nome que ele conhecia bem. Bem até demais.

Isso alterava radicalmente a situação.

Precisou de mais dois meses para, por outro viés, ter a investigação em mãos — uma investigação policial de quarenta e sete páginas numa pasta A4, assim como atualizações em forma de notas somando pouco mais de sessenta páginas, acrescentadas ao longo de seis anos.

De início ele não entendeu o contexto.

Depois achou as fotos tiradas pelo médico-legista e conferiu o nome mais uma vez.

Meu Deus... não é possível!

Então entendeu por que o caso havia sido arquivado como segredo de Estado. O dr. Nils Bjurman acabava de tirar a sorte grande.

Bjurman não estava sozinho.

Ele tinha um aliado. O aliado mais improvável que poderia imaginar.

Devagar, começou a arquitetar um plano.

Foi arrancado de suas reflexões pela sombra que se abateu sobre sua mesa no café Hedon. Ergueu os olhos e viu um homem loiro, um gigante, pensaria mais tarde. Por um décimo de segundo, Nils Erik Bjurman recuou, então se recompôs e ergueu uma sobrancelha inquisitiva.

O homem que olhava para ele media mais de dois metros e tinha uma compleição sólida. Excepcionalmente sólida, aliás. Um *bodybuilder*, sem dúvida nenhuma. Bjurman não detectou o menor vestígio de gordura ou flacidez muscular. A impressão geral era de uma força assustadora.

O homem era loiro, cabelos cortados rente nas têmporas, com uma franja curta sobre a testa. O rosto era oval, estranhamente efeminado, quase infantil. Usava uma jaqueta curta de couro preto, camisa azul, gravata preta e calça preta. O que o dr. Bjurman notou em seguida foram as mãos. O homem era incontestavelmente grande, mas suas mãos eram enormes.

— Doutor Bjurman?

O homem falava com um sotaque estrangeiro carregado, mas a voz era tão estranhamente fina que Bjurman por pouco não esboçou um sorriso. Meneou a cabeça.

— A gente recebeu a sua carta.

— A gente quem? Era para eu me encontrar com...

O homem de mãos enormes ignorou a pergunta, interrompeu Bjurman e sentou-se à sua frente.

— Está se encontrando comigo. Diga o que quer de nós.

O dr. Nils Erik Bjurman teve um segundo de hesitação. Detestava a ideia de se abrir com um estrangeiro. Mas era preciso. Lembrou-se de que não era o único que odiava Lisbeth Salander. Precisava encontrar aliados. Em voz baixa, começou a explicar o que queria.

3. SEXTA-FEIRA 17 DE DEZEMBRO — SÁBADO 18 DE DEZEMBRO

Lisbeth Salander acordou às sete da manhã, tomou um banho e desceu para falar com Freddy McBain na recepção. Perguntou se havia um *beach buggy* disponível para alugar por um dia. Dez minutos depois, já tinha pago a caução, ajustado o banco e o retrovisor, verificado a ignição e conferido o combustível. Passou no bar para pedir um *caffè latte* e um sanduíche de queijo para o café da manhã, e uma garrafa de água mineral para levar. Durante o café da manhã, rabiscou uns números no guardanapo e refletiu sobre o ($x^3 + y^3 = z^3$) de Pierre de Fermat.

Pouco depois das oito, o dr. Forbes desceu até o bar. Estava bem barbeado e vestia um terno escuro, camisa branca e gravata azul. Pediu ovos, torradas, suco de laranja e café preto. Às oito e meia, levantou-se e foi para o táxi que o aguardava.

Lisbeth o seguiu a uma distância razoável. Forbes desceu do táxi no Seascape, bem no início do Carenage, e ficou passeando à beira d'água. Ela o ultrapassou, estacionou na metade do calçadão do porto e esperou pacientemente que ele passasse por ela antes de segui-lo a pé.

À uma da tarde, Lisbeth Salander estava encharcada de suor e com os pés em frangalhos. Caminhara quatro horas a fio, subindo e descendo as ruas de São Jorge. O ritmo tinha sido tranquilo, mas sem pausas, e as inúmeras subidas começavam a pôr seus músculos à prova. A energia do homem a deixava pasma. Tomou os últimos goles da água mineral e estava começando a cogitar abandonar o caso quando ele subitamente se encaminhou para o Turtleback. Ela esperou dez minutos antes de também entrar no restaurante e ir sentar-se na esplanada. Ocuparam os mesmos lugares do dia anterior e, como no dia anterior, ele tomou uma Coca-Cola contemplando as águas do porto.

Forbes era uma das raríssimas pessoas em Granada que usavam terno e gravata. Ela se espantava de ver como o calor parecia deixá-lo indiferente.

Às três horas, ele interrompeu o fio dos pensamentos de Lisbeth ao pagar a conta de repente e sair do restaurante. Andou pelo Carenage e fez sinal a um micro-ônibus que ia para Angra Grande. Lisbeth estacionou em frente ao Keys Hotel cinco minutos antes de o ônibus chegar e ele descer. Foi até o quarto, preparou um banho e mergulhou na banheira. Estava com dor nos pés. Sua testa exibia vincos fundos.

Os exercícios daquele dia tinham sido reveladores. O dr. Forbes saía todas as manhãs do hotel, bem barbeado e vestido com rigor, munido de sua pasta. Passava o dia sem fazer absolutamente nada que não fosse matar o tempo. O que quer que estivesse fazendo em Granada, o certo é que não estava se dedicando ao projeto de construção de uma nova escola, mas, por alguma razão, queria dar a entender que estava na ilha a negócios.

Por que a encenação?

A única pessoa de quem ele até poderia ter razões para esconder uma coisa desse gênero era sua mulher, e nesse caso precisava fazê-la acreditar que estava tremendamente ocupado durante o dia. Mas por quê? Os negócios tinham desandado e ele era orgulhoso demais para admiti-lo? Sua visita a Granada tinha um objetivo bem diverso? Estaria esperando alguém ou alguma coisa?

Ao olhar seu correio eletrônico, Lisbeth Salander encontrou quatro mensagens. A primeira era de Praga, que respondera uma hora depois de receber o e-mail de Lisbeth. A mensagem estava criptografada e continha uma pergunta lacônica: "Você ainda está viva?". Nunca fora o estilo de Praga escrever e-mails longos, carregados de emoção. Aliás, também não era o estilo de Lisbeth.

Os dois e-mails seguintes tinham sido enviados por volta das duas horas. Um deles continha informações criptografadas mandadas por Praga, dizendo que um conhecido da rede, que assinava Bilbo e morava justamente no Texas, respondera ao seu pedido. Praga informava o endereço de Bilbo e sua chave PGP. Minutos depois, o tal Bilbo lhe enviara um e-mail, de um endereço hotmail. A mensagem era breve e avisava que Bilbo acreditava estar em condições de fornecer informações sobre o dr. Forbes dentro de vinte e quatro horas.

O quarto e-mail, também assinado Bilbo, fora enviado no final da tarde. Continha o número criptografado de uma conta bancária e um endereço ftp. Lisbeth digitou o endereço e deparou com um arquivo ZIP de 390 kb, que ela baixou para o seu computador. O dossiê continha quatro fotos em baixa resolução e cinco documentos Word.

As quatro fotos estavam em formato jpg. Duas eram retratos do dr. Forbes, outra tinha sido tirada na estreia de uma peça de teatro e mostrava Forbes na companhia da mulher. A quarta foto mostrava Forbes no púlpito de uma igreja.

O primeiro documento tinha onze páginas de texto — era o relatório de Bilbo. O segundo, oitenta e quatro páginas de textos baixados da internet. Os dois documentos seguintes eram cópias escaneadas de recortes do jornal local *Austin-American Statesman*, e o último documento um panorama da congregação do dr. Forbes, a Presbyterian Church of Austin South.

Tirando o fato de que sabia o Levítico de cor — no ano anterior, fora levada a se interessar por castigos bíblicos — os conhecimentos de Lisbeth Salander em história das religiões eram modestos. Tinha uma vaga noção da diferença entre as religiões judia, presbiteriana e católica, e sabia que a igreja judia se chamava sinagoga. Por um breve instante, receou ter de assimilar detalhes teológicos, depois refletiu que não estava nem aí para o tipo de congregação a que Forbes pertencia.

O dr. Richard Forbes, também conhecido como reverendo Richard Forbes segundo o recorte anexado, tinha quarenta e dois anos. A tela de apresentação do site da Church of Austin South informava que a Igreja tinha sete funcionários, com o reverendo Duncan Clegg encabeçando a lista, o que dava a entender que era ele a figura teológica emblemática. Uma foto mostrava um homem robusto, com abundantes cabelos grisalhos e uma barba grisalha bem-cuidada.

Richard Forbes aparecia em terceiro lugar, como responsável pelas questões de educação. Associada a seu nome, estava a Holy Water Foundation, entre parênteses.

Lisbeth leu a introdução da mensagem da Igreja.

> Através da oração e das ações de graça, queremos servir o povo de Austin South oferecendo-lhe a estabilidade, a teologia e a ideologia repleta de esperança defendida pela Igreja Presbiteriana da América. Enquanto servos de Cristo, oferecemos refúgio às pessoas desesperadas e uma promessa de redenção através da oração e da bênção batista. Alegremo-nos no amor de Deus. Nosso dever é derrubar os muros existentes entre os homens e afastar as barreiras que prejudicam a compreensão da mensagem do amor de Deus.

Logo abaixo, vinha o número da conta-corrente da Igreja e a exortação a uma demonstração concreta de amor a Deus.

A biografia fornecida por Bilbo era breve e perfeita. Lisbeth descobriu que Richard Forbes nascera em Cedar's Bluff, em Nevada. Tinha sido agricultor, homem de negócios, guarda de escola, correspondente local de um jornal do Novo México e empresário de um grupo de rock cristão antes de aderir à Church of Austin South aos trinta e um anos de idade. Era formado em contabilidade e também estudara arqueologia. Bilbo não encontrara, no entanto, nenhum diploma de doutor.

Na congregação, Forbes conhecera Geraldine Knight, única filha do fazendeiro William F. Knight, também ele membro fundador de Austin South. Richard e Geraldine se casaram em 1997, após o que a carreira de Richard Forbes decolara no seio da congregação. Ele se tornara chefe da Fundação Santa Maria, cuja missão era "investir o dinheiro de Deus em projetos educacionais para os necessitados".

Forbes tinha sido preso em duas ocasiões. Aos vinte e cinco anos, em 1987, fora acusado de lesões corporais graves por ocasião de um acidente de carro. Foi absolvido no processo. Até onde Lisbeth pôde avaliar pela leitura dos recortes, ele era de fato inocente. Em 1995, fora acusado de desvio de dinheiro pelo grupo de rock do qual era empresário. Também dessa vez foi absolvido.

Em Austin, tornou-se uma figura conhecida, membro da Comissão de Educação do município. Era filiado ao Partido Democrata, participava assiduamente das festas beneficentes e angariava fundos para financiar a educação de crianças pobres. A Church of Austin South concentrava boa parte de suas atividades em famílias hispanoparlantes.

Em 2001, Forbes fora acusado de irregularidades nas contas da Fundação Santa Maria. O artigo de um jornal insinuava que ele aplicara em fundos de investimento uma quantia mais alta do que estipulava o estatuto. As acusações foram refutadas pela congregação, e o pastor Clegg apoiou firmemente Forbes na polêmica que se seguiu. Não houve nenhuma ação na Justiça, e uma investigação na contabilidade nada revelou.

Lisbeth dedicou um interesse reflexivo ao relatório sobre as contas pessoais de Forbes. Ele desfrutava de uma renda anual de sessenta mil dólares, o que era considerado um salário pertinente, mas não possuía bens pessoais. Quem respondia pela estabilidade econômica da família era Geraldine Forbes. Em 2002 falecera seu pai, o fazendeiro William Knight. A filha era a única herdeira de uma fortuna de mais de quarenta milhões de dólares. O casal não tinha filhos.

Richard Forbes dependia, portanto, da boa vontade da esposa. Lisbeth franziu o cenho. Não era a situação ideal para bater na mulher.

Lisbeth se conectou e mandou uma lacônica mensagem criptografada a Bilbo, agradecendo o relatório. Também transferiu quinhentos dólares para a conta corrente que ele indicara.

Foi até a sacada e debruçou-se na balaustrada. O sol estava se pondo. Súbito, notou que um vento crescente sacudia as folhas das palmeiras junto ao muro que dava para a praia. Granada estava no limiar da rota do Mathilda. Lisbeth seguiu o conselho de Ella Carmichael e enfiou na sacola de náilon o computador, *Dimensions in Mathemathics*, alguns objetos pessoais e uma muda de roupa, deixando-a depois em cima da cama. Em seguida, desceu para o bar e pediu um prato de peixe e uma garrafa de Carib.

O único fato digno de interesse que observou foi Forbes, no balcão do bar, inquirindo avidamente Ella Carmichael sobre as tribulações do Mathilda. Não parecia preocupado. Tinha mudado de roupa, usava sapatos esportivos, camisa polo clara e bermuda, uma corrente com crucifixo no pescoço, e estava superatraente.

Lisbeth Salander sentia-se exausta depois de ter passado o dia inteiro andando a esmo por toda São Jorge. Fez um rápido passeio depois do jantar, mas o vento soprava com força e a temperatura baixara sensivelmente. Resolveu ir para o quarto e se deitou às nove da noite. Escutou o barulho do vento rente à janela. Tinha pensado em ler um pouco, mas pegou no sono quase em seguida.

Acordou sobressaltada com uma enorme barulheira. Olhou o relógio: 23h15. Fez um esforço para sair da cama, abriu a porta da sacada e, sem querer, deu um passo atrás, surpreendida pelas rajadas de vento que se atiravam em cima dela. Apoiou-se no vão da porta, deu um passo cauteloso pela sacada e olhou ao redor.

Lâmpadas suspensas em volta da piscina, balançadas pelo vento, criavam no pátio um impressionante jogo de sombras. Avistou vários clientes do hotel enfileirados diante da abertura praticada no muro, olhando para a praia. Outros mantinham-se próximos do bar. Ao norte, avistavam-se as luzes de São Jorge. O céu estava encoberto, mas não chovia. Por causa da escuridão, não conseguia enxergar o mar, embora o som das ondas estivesse muito mais forte que de costume. Não fazia frio mas, pela primeira vez desde que chegara às Antilhas Menores, Lisbeth estremeceu de repente.

Estava ali parada quando alguém bateu com insistência à porta. Ela se enrolou num lençol e foi abrir. Freddy McBain parecia preocupado.

— Desculpe incomodar, mas a tempestade parece estar chegando.

— Mathilda.

— Mathilda — confirmou McBain. — Passou lá pelos lados de Tobago no final da tarde e estão falando em prejuízos consideráveis.

Lisbeth visualizou o mapa das Antilhas, Trinidad-Tobago situava-se a cerca de duzentos quilômetros a sudoeste de Granada. Fez uns cálculos de cabeça: um ciclone tropical podia sem problema nenhum se estender por um raio de cem quilômetros e seu olho podia se deslocar a uma velocidade de trinta a quarenta quilômetros por hora. O que queria dizer que Mathilda podia estar, naquele exato momento, prestes a bater às portas de Granada. Tudo dependia da direção que ele iria tomar.

— Não há perigo iminente — continuou McBain. — Mas não vamos correr nenhum risco. Queria que você pusesse seus objetos de valor numa sacola e fosse até a recepção. O hotel está oferecendo café e sanduíches.

Lisbeth seguiu seu conselho. Passou a cabeça debaixo da torneira para acordar direito, enfiou uma calça jeans, sapatos e uma camisa de flanela e jogou a sacola no ombro. Antes de sair do quarto, abriu a porta do banheiro e acendeu a luz. Nenhum lagarto verde à vista, ele já tinha se enfiado em algum buraco por aí. *Nada bobo, o bichinho.*

No bar, dirigiu-se tranquilamente para o seu lugar habitual e observou Ella Carmichael mandando os funcionários encherem as garrafas térmicas com bebidas quentes. Um instante depois, veio ter com Lisbeth.

— Olá. Você parece que acabou de acordar.

— Eu estava dormindo. O que vai acontecer agora?

— Vamos esperar. A tempestade está ao largo e recebemos de Trinidad um alerta de ciclone. Se piorar e se o Mathilda vier na nossa direção, vamos para o porão. Você podia dar uma mãozinha para a gente?

— O que quer que eu faça?

— Temos na recepção sessenta cobertores que precisam ser levados para o porão. E mais um monte de coisas para pôr ao abrigo.

Lisbeth passou a hora seguinte ajudando a carregar cobertores para o porão e a juntar vasos, mesas, espreguiçadeiras e outros objetos que estavam em volta da piscina. Satisfeita, Ella a dispensou agradecendo, então Lisbeth dirigiu-se até a abertura do muro que dava para a praia e andou uns passos no escuro. O mar rugia perigosamente e rajadas de vento a açoitaram com tamanha força que ela foi obrigada a se inclinar para conseguir ficar em pé. As palmeiras batiam a cadência ao longo do muro.

Voltou ao bar, pediu um *caffè latte* e sentou-se ao balcão. Era cerca de meia-noite. Um evidente clima de preocupação reinava entre hóspedes e funcionários. Nas mesas, as conversas seguiam em voz baixa entre pessoas que espiavam regularmente o céu. Ao todo, havia no Keys Hotel trinta e dois clientes e uma equipe de uns dez funcionários. De repente, Lisbeth notou Geraldine Forbes sentada a uma mesa bem ao fundo, para o lado da recepção. Seu semblante estava tenso e ela tinha um drinque na mão. Seu marido não estava por perto.

Lisbeth estava tomando seu café e começava a refletir sobre o teorema de Fermat quando Freddy McBain saiu do escritório e parou no meio do hall de entrada.

— Atenção, por favor. Acabo de receber a confirmação de que uma forte tempestade do tipo furacão atingiu a Pequena Martinica. Vou então pedir a todos que desçam até o porão.

Freddy McBain cortou qualquer tentativa de questionamento e conversa e conduziu os hóspedes para a escada de acesso ao porão, atrás da recepção. A Pequena Martinica era uma ilhota do arquipélago das Granadinas, situada a poucas milhas náuticas da ilha principal. Lisbeth olhou discretamente para Ella Carmichael e esticou o ouvido quando ela se aproximou de Freddy McBain.

— Está ficando ruim a esse ponto? — perguntou Ella.

— Não sei. O telefone parou de funcionar — respondeu McBain em voz baixa.

Lisbeth desceu para o porão e colocou sua sacola em cima de um cobertor a um canto. Refletiu alguns instantes e então subiu de volta, na contracorrente, até a recepção. Deteve Ella Carmichael e perguntou se podia ajudar em alguma coisa. Ella meneou a cabeça com ar compenetrado.

— Vamos ver o que acontece. Essa Mathilda é uma sacana.

Lisbeth reparou num grupo de cinco adultos e uma dúzia de crianças se engolfando na porta de entrada. Freddy McBain os acolheu e os encaminhou para a escada do porão.

Uma preocupação repentina tomou conta de Lisbeth.

— Imagino que a esta hora todo mundo esteja se escondendo no porão — ela disse em voz baixa.

Ella Carmichael olhou para a família em frente à escada.

— Infelizmente, o nosso é um dos raros porões de Angra Grande. Na certa, outras pessoas virão procurar abrigo aqui.

Lisbeth olhou atentamente para Ella.

— E os outros, fazem o quê?

— Os que não têm porão? — Ela riu com um riso amargo. — Se escondem dentro de casa ou se protegem do jeito que der. Entregam nas mãos de Deus.

Lisbeth deu meia-volta, atravessou correndo o hall de entrada e saiu pela porta.

George Bland.

Ouviu o chamado de Ella, mas não parou para explicar.

Ele mora numa casinha furreca que vai desabar na primeira rajada.

Assim que pôs os pés na estrada para São Jorge, o vento a apanhou e ela perdeu o equilíbrio. Apressou o passo com determinação. O vento vinha em sentido contrário e rajadas fortíssimas a faziam cambalear. Precisou de quase dez minutos para percorrer os quatrocentos metros que a separavam da casa de George Bland. Não avistou vivalma em todo o trajeto.

A chuva surgiu de repente do nada, feito uma ducha glacial lançada por uma mangueira, no exato momento em que Lisbeth bifurcava em direção ao galpão de George Bland e avistava a luz do lampião por uma fresta entre as tábuas. Num instante, ficou encharcada até os ossos e a visibilidade se reduziu a poucos metros. Tamborilou na porta. George Bland abriu e arregalou os olhos.

— O que está fazendo aqui? — ele berrou, para encobrir o vento.

— Vem. Você tem que vir para o hotel. Lá tem um porão.

George Bland parecia surpreso. Súbito, o vento bateu a porta e ele levou vários segundos até conseguir abri-la. Lisbeth agarrou-o pela camiseta e o puxou para fora. Enxugou a água que lhe escorria pelo rosto, pegou na mão dele e se pôs a correr. Ele a seguiu.

Optaram pelo caminho da praia, cem metros mais curto que a estrada, que fazia uma curva pelo interior. Na metade do trajeto, Lisbeth percebeu que fora provavelmente um erro. Na praia, não tinham nenhuma proteção. O vento e a chuva caíam sobre eles com tanta força que foram obrigados a parar. Areia e galhos de árvores voavam pelo ar. O barulho era de apavorar. Depois do que lhe pareceu ser uma eternidade, Lisbeth finalmente avistou o muro do hotel se materializando e apressou o passo. No instante em que se achavam em frente à porta, promessa de segurança, ela deu uma olhada por cima do ombro na direção da praia. Estacou de súbito.

Em meio a uma rajada, avistou dois vultos claros a uns cinquenta metros dali, na praia. George Bland puxou-a pelo braço para que ela atravessasse o portão. Ela rechaçou sua mão e se encostou no muro, tentando enxergar melhor. Por um momento, perdeu os vultos de vista através da chuva, até que um relâmpago iluminou o céu.

Ela já sabia que se tratava de Richard e Geraldine Forbes. Eles estavam mais ou menos no lugar em que ela observara as idas e vindas de Richard Forbes na noite anterior.

Quando o raio seguinte explodiu, viu que Richard Forbes parecia estar puxando a mulher e que ela resistia.

De repente, as peças do quebra-cabeça se encaixaram. A dependência econômica. As acusações de irregularidades financeiras em Austin. A errância inquieta dele e sua imóvel matutação no Turtleback.

Ele pretende assassiná-la. Quarenta milhões estão em jogo. O furacão vai servir de camuflagem. É agora ou nunca.

Lisbeth Salander empurrou George Bland portão adentro, olhou ao redor e viu a cadeira bamba do guarda-noturno, que, com a tempestade, tinham esquecido de guardar. Pegou a cadeira, quebrou-a com toda a força de encontro ao muro e armou-se de um de seus pés. Atônito, George Bland ficou gritando às suas costas enquanto ela disparava em direção à praia.

Cada rajada por pouco não a derrubava, mas ela cerrou os dentes e avançou, passo a passo. Estava quase chegando à altura do casal quando um raio iluminou a praia. Viu Geraldine Forbes de joelhos na beira d'água e Richard Forbes inclinado sobre ela, o braço erguido para bater nela. Ele empunhava alguma coisa parecida com um cano de metal. Viu o seu braço descrever um arco na direção da cabeça da mulher, que parou de se mexer.

Richard Forbes não viu Lisbeth Salander.

Só sentiu uma dor fulgurante quando ela bateu com o pé da cadeira em sua nuca. Ele caiu de bruços.

Lisbeth Salander se inclinou e agarrou Geraldine Forbes. Enquanto a chuva as açoitava, virou o corpo. Suas mãos ficaram cobertas de sangue. Geraldine Forbes estava com um ferimento grande na cabeça. Pesava toneladas e Lisbeth lançou um olhar desesperado em volta, perguntando-se como conseguiria carregar o corpo até o muro do hotel. No segundo seguinte, George Bland se materializou a seu lado. Gritou alguma coisa que Lisbeth não chegou a ouvir por causa da tempestade.

Lisbeth olhou de relance para Richard Forbes. Estava de costas para ela, mas se reerguendo, de quatro. Ela agarrou o braço esquerdo de Geraldine

Forbes, passou-o em volta de seu pescoço e fez sinal para que George Bland pegasse o outro braço. Começaram, com dificuldade, a arrastar o corpo pela praia.

A meio-caminho do muro do hotel, Lisbeth se sentiu absolutamente extenuada, como se todas as suas forças a estivessem abandonando. Seu coração deu um salto mortal dentro do peito quando sentiu de repente uma mão agarrando seu ombro. Soltou a cintura de Geraldine Forbes, virou-se e deu um pontapé com o pé direito na virilha de Richard Forbes. Ele cambaleou e caiu de joelhos. Ela tomou impulso e desfechou-lhe um pontapé no meio da cara. Lisbeth deparou com o olhar apavorado de George Bland. Deu-lhe meio segundo de atenção antes de tornar a agarrar Geraldine Forbes e recomeçar a carregá-la.

Segundos depois, virou-se novamente. Avistou Richard Forbes a uns dez metros atrás deles. Ele tinha se levantado e cambaleava feito um bêbado em meio às rajadas.

Mais um relâmpago riscou o céu e Lisbeth Salander arregalou os olhos.

Pela primeira vez, sentiu um pavor paralisante.

Atrás de Richard Forbes, a uns cem metros dentro d'água, enxergou o dedo de Deus.

Uma imagem instantânea, congelada à luz do relâmpago, uma coluna negra como tinta que se alçava e sumia no espaço onde os olhos não alcançavam.

Mathilda.

Não é possível.

Um furacão — sim.

Um tornado — impossível.

Granada não está situada numa zona de tornados.

Uma megatempestade maluca numa zona em que supostamente não se formam tornados.

Tornados não se formam no mar.

Ei, tem um erro científico aí!

Coisa de louco, essa história.

E essa coisa vai me arrastar para a porra desse céu de merda.

George Bland também tinha visto o tornado. De repente, os dois gritaram ao mesmo tempo para andarem depressa, sem escutar o que o outro dizia.

Ainda tinham vinte metros a percorrer até o muro. Dez. Lisbeth tropeçou e caiu de joelhos. Cinco. Chegada ao portão, Lisbeth olhou por cima do ombro. Teve um breve vislumbre de Richard Forbes sendo tragado pelas águas como por uma mão invisível. Então ele sumiu, e com a ajuda de George Bland ela arrastou seu fardo pela abertura do muro. Atravessaram o pátio cambaleando e, em meio à fúria da tempestade, Lisbeth escutou o barulho de vidraças se quebrando e um lamento dissonante de chapa metálica dobrando-se em algum lugar. Surgida não se sabe de onde, uma tábua passou voando rente ao nariz de Lisbeth. No instante seguinte, ela sentiu uma dor quando alguma coisa bateu em suas costas. A pressão do vento diminuiu quando eles conseguiram chegar ao hall de entrada.

Lisbeth deteve George Bland e o agarrou pela gola. Puxou-lhe a cabeça para pertinho de sua boca e gritou-lhe no ouvido:

— A gente encontrou ela na praia. Não vimos o marido. Entendeu?

Ele fez que sim com a cabeça.

Arrastaram Geraldine Forbes escada abaixo e Lisbeth deu um pontapé na porta do porão. Freddy McBain veio abrir e os fitou, boquiaberto. Então segurou Geraldine Forbes e os deixou entrar, batendo a porta em seguida.

Em um segundo, o barulho do ciclone baixou de uma quantidade insuportável de decibéis para um crepitar, com um trovejar em pano de fundo. Lisbeth inspirou profundamente.

Ella Carmichael serviu café quente num copinho e lhe ofereceu. Lisbeth Salander estava tão exausta que mal teve forças para estender o braço. Estava sentada no chão, passivamente recostada na parede. Alguém cobrira Lisbeth e George com cobertores. Encharcada até os ossos, tinha um ferimento abaixo do joelho que sangrava abundantemente. Em sua calça jeans havia um rasgo de dez centímetros cuja causa ela não recordava. Sem a menor emoção, observou Freddy McBain e alguns hóspedes cuidarem de Geraldine Forbes e colocarem uma bandagem em sua cabeça. Pescou umas palavras soltas aqui e ali e entendeu que havia um médico no grupo. Notou que o porão estava lotado e que pessoas de fora tinham se juntado aos hóspedes no abrigo.

Por fim, Freddy McBain veio ter com Lisbeth e se agachou.

— Ela está viva.

Lisbeth não respondeu.

— O que aconteceu?

— A gente encontrou ela na praia, perto do muro.

— Faltavam três pessoas quando contei os clientes aqui no porão. Você e o casal Forbes. Ella me disse que você saiu feito louca na hora que a tempestade começou.

— Fui buscar o meu amigo George. — Lisbeth indicou seu companheiro com um gesto de cabeça. — Ele mora mais adiante na estrada, num barraco que a esta hora certamente não está mais de pé.

— Foi um gesto idiota, e sem dúvida muito corajoso — disse Freddy McBain, olhando para George Bland. — Vocês viram o marido dela, Richard Forbes?

— Não — respondeu Lisbeth com um olhar inexpressivo.

George Bland olhou para Lisbeth e meneou a cabeça.

Ella Carmichael fitou Lisbeth Salander com um olhar severo. Lisbeth retribuiu, sem a menor expressão nos olhos.

Geraldine Forbes voltou a si por volta das três da manhã. Lisbeth Salander dormia, a cabeça apoiada no ombro de George Bland.

Milagrosamente, Granada sobreviveu àquela noite. Quando amanheceu, a tempestade amainara e fora substituída pela pior chuva que Lisbeth já tinha visto. Freddy McBain convidou os hóspedes a subir para o hotel.

O Keys teria de realizar enormes reparos. A devastação do hotel, como em toda a costa, era considerável. O bar externo de Ella Carmichael, sob um toldo em frente à piscina, desaparecera por completo, e uma varanda estava inteiramente destruída. Venezianas haviam sido arrancadas em toda a fachada, e uma parte saliente do telhado se dobrara ao meio. A recepção era um verdadeiro caos de materiais diversos. Mas, no conjunto, o hotel continuava no lugar.

Cambaleando, Lisbeth conduziu, vacilando, George Bland para o seu quarto. Pendurou provisoriamente um cobertor em frente ao vão da janela vazia, para impedir que a chuva entrasse. George Bland cruzou o olhar com o dela.

— A gente vai ter menos coisa para explicar se dissermos que não vimos o marido — disse Lisbeth, antes de ele ter tempo de fazer perguntas.

Ele assentiu com a cabeça. Ela tirou a roupa, deixou-a amontoada no chão e bateu na beira da cama a seu lado. Mais uma vez ele assentiu com a cabeça, despiu-se e se deitou junto dela. Caíram quase imediatamente no sono.

Despertou por volta do meio-dia, com o sol brilhando por uns rasgos entre as nuvens. Cada músculo de seu corpo doía e seu joelho estava tão inchado que ela mal conseguia dobrar a perna. Saiu devagarinho da cama e entrou no chuveiro, dirigindo um cumprimento de cabeça ao lagarto verde que estava de volta à parede, debaixo do teto. Enfiou um short e uma regata e saiu do quarto mancando, sem acordar George Bland.

Ella Carmichael ainda estava atarefada. Parecia cansada, mas já pusera o bar em funcionamento no hall de entrada. Manquejando, Lisbeth foi sentar-se a uma mesa perto do balcão, pediu café e um sanduíche. Olhou pelas janelas desfeitas da entrada e viu um carro de polícia estacionado. Acabavam de lhe entregar o café quando Freddy McBain saiu de sua sala, atrás do balcão da recepção, seguido por um sujeito de uniforme. McBain avistou-a e disse alguma coisa ao policial antes de ir até a mesa de Lisbeth.

— Esse é o agente Fergusson. Ele quer lhe fazer umas perguntas.

Lisbeth concordou educadamente com a cabeça. O agente Fergusson parecia cansado. Pegou um bloco e uma caneta e anotou o nome de Lisbeth.

— Miss Salander, eu soube que a senhorita, junto com um amigo, encontrou a senhora Richard Forbes durante a tempestade desta noite.

Lisbeth assentiu com a cabeça.

— Onde encontrou a senhora Forbes?

— Na praia, perto do portão — respondeu Lisbeth. — A gente praticamente tropeçou nela.

Fergusson tomou nota.

— Ela disse alguma coisa?

Lisbeth negou com a cabeça.

— Ela estava desmaiada?

Lisbeth meneou a cabeça com ar entendido.

— Ela estava com um ferimento feio na cabeça.

Lisbeth meneou mais uma vez a cabeça.

— Sabe o que causou esse ferimento?

Lisbeth balançou a cabeça. Fergusson parecia meio irritado com a falta de respostas.

— Havia um monte de destroços voando pra tudo quanto era lado — disse ela, cooperativa. — Por pouco não levei uma tábua na cabeça.

Fergusson meneou a cabeça, sério.

— A senhorita machucou a perna?

Fergusson apontou para o curativo de Lisbeth. Ela assentiu com a cabeça.

— O que houve?

— Não sei. Só vi o ferimento quando cheguei no porão.

— A senhorita estava com um rapaz.

Lisbeth meneou a cabeça.

— Qual o nome dele?

— George Bland.

— Onde ele mora?

— No galpão atrás do Coconut, na estrada que vai para o aeroporto. Quer dizer, se é que ainda existe galpão.

Lisbeth se absteve de mencionar que, no momento, George Bland dormia em sua cama no andar de cima.

— A senhorita viu o marido dela, o Richard Forbes?

Lisbeth balançou a cabeça.

O agente Fergusson aparentemente não tinha mais nada a perguntar e fechou seu bloco de anotações.

— Obrigado, senhorita Salander. Tenho que ir registrar o óbito.

— Ela morreu?

— A senhora Forbes? Não, está no hospital de São Jorge. Ela sem dúvida deve agradecer à senhorita e ao seu amigo por estar viva. Mas o marido morreu. Foi encontrado no estacionamento do aeroporto duas horas atrás.

Mais de seiscentos metros ao sul!

— Estava bem machucado — explicou Fergusson.

— Coitado — disse Lisbeth Salander, sem dar mostras de estar muito chocada.

Depois que McBain e Fergusson foram embora, Ella Carmichael apareceu e sentou-se à mesa de Lisbeth. Trazia dois copinhos de rum. Lisbeth interrogou-a com os olhos.

— Depois de uma noite dessas, a gente precisa de um revigorante. A rodada é por minha conta. Também estou pagando o seu café da manhã.

As duas mulheres se olharam. Então, ergueram os copos e brindaram.

* * *

Mathilda ainda seria por muito tempo objeto de estudos científicos e debates nos institutos meteorológicos das Antilhas e dos Estados Unidos. Tornados da envergadura do Mathilda eram quase desconhecidos na região. Era até mesmo considerado impossível que se formassem no mar. Por fim, os especialistas chegaram a um consenso e declararam que uma configuração particularmente estranha de frentes meteorológicas havia criado um pseudotornado — de fato, não se tratava de um legítimo tornado, só parecia ser um. Alguns opositores aventaram teorias envolvendo o efeito estufa e um desequilíbrio ecológico.

Lisbeth Salander não prestou atenção à discussão teórica. Ela sabia o que tinha visto e resolveu tentar evitar para todo o sempre ficar no caminho de alguma irmã de Mathilda.

Várias pessoas tinham saído feridas naquela noite. Por milagre, só havia uma morte a lamentar.

Ninguém conseguia entender o que levara Richard Forbes a sair em meio ao furacão, a não ser, eventualmente, a imprudência que sempre parecia estar associada aos turistas americanos. Geraldine Forbes não tinha nenhuma explicação a oferecer. Estava com um grave traumatismo craniano e só guardava imagens fragmentadas do que acontecera naquela noite.

Em compensação, estava inconsolável por se encontrar viúva.

II. DA RÚSSIA COM AMOR
10 DE JANEIRO A 23 DE MARÇO

Uma equação contém em geral uma ou várias incógnitas, muitas vezes designadas por x, y, z etc. Diz-se que os valores dessas incógnitas, que garantem a igualdade efetiva dos dois membros da equação, satisfazem a equação ou constituem sua solução.

Exemplo: $3x + 4 = 6x - 2$ $(x = 2)$

4. SEGUNDA-FEIRA 10 DE JANEIRO — TERÇA-FEIRA 11 DE JANEIRO

Lisbeth Salander aterrissou no aeroporto de Estocolmo às seis e meia da manhã. Viajara vinte e seis horas, nove das quais passadas no aeroporto Grantly Adams de Barbados, onde a British Airways negara-se a autorizar a decolagem do avião sem antes neutralizar uma ameaça terrorista e isolar um passageiro de aparência árabe suspeita, a fim de interrogá-lo. Em Londres, perdera a conexão do último voo para a Suécia e tivera de esperar durante horas até que encontrassem um lugar para ela no primeiro voo da manhã.

Lisbeth se sentia um saco de bananas esquecido ao sol uma tarde inteira. Só levava uma bagagem de mão, com seu PowerBook, o *Dimensions* e algumas roupas bem compactadas. Passou pela porta verde da alfândega sem que lhe perguntassem nada. No ponto de ônibus, foi recebida pela lama da neve e uma temperatura próxima de zero.

Hesitou um instante. A vida inteira, por causa de suas evidentes limitações materiais, sempre optara pela alternativa mais barata, e ainda era difícil para ela se habituar à ideia de que dispunha de perto de três bilhões de coroas que roubara astuciosamente, utilizando a internet e um bom velho golpe à antiga. Um minuto foi suficiente para ela deixar para lá a regra geral e acenar para um táxi. Deu seu endereço na Lundagatan e adormeceu quase imediatamente no banco traseiro.

Quando o táxi parou na Lundagatan e o motorista a acordou, percebeu que tinha dado o endereço errado. Corrigiu-se e pediu que ele fosse até a Götgatsbacken. Pagou em dólares americanos, deixando uma generosa gorjeta, e soltou um palavrão ao pisar numa poça d'água na sarjeta. Vestia calça jeans, camiseta e uma jaqueta leve. Nos pés, usava sandálias e meias finas. Foi, vacilante, até o supermercado da esquina, onde comprou xampu, pasta de dentes, sabonete, coalhada, queijo, ovos, pão, pãezinhos de canela congelados, café, chá em saquinhos, pepinos em conserva, maçãs, um pacote gigante de Billys Pan Pizza e um maço de Marlboro light. Pagou com cartão Visa.

Ao voltar para a rua, ficou em dúvida quanto ao caminho a seguir. Podia escolher a Svartensgatan, onde já estava, ou a Hökensgatan, mais para baixo na direção de Slussen. A desvantagem da Hökensgatan é que teria de passar bem em frente à redação da *Millennium*, onde sempre corria o risco de cruzar com Mikael Blomkvist. Acabou decidindo que não ia ficar dando voltas só para evitar Mikael. Tomou, portanto, a direção de Slussen, embora na verdade se tratasse de um pequeno desvio, e virou à direita pela Hökensgatan até a praça de Mosebacke. Passou pela estátua das Irmãs na frente do Södra Teatern e chegou à Fiskaregatan pela escadaria. Lá, parou e contemplou pensativamente um edifício. Não conseguia sentir que era de fato "a sua casa".

Olhou ao redor. Em todos os sentidos do termo, tratava-se de um recanto isolado em pleno Södermalm. Nenhuma grande artéria de tráfego, o que lhe convinha muito bem. Dali também se identificava rapidamente quem quer que passasse pelas redondezas. Talvez fosse um lugar de passeio apreciado no verão, mas no inverno só passava gente com algum motivo para estar naquele bairro. Não havia absolutamente ninguém à vista — principalmente ninguém que ela conhecesse e que por conseguinte também poderia reconhecê-la. Teve de colocar o saco do supermercado na lama da neve para pegar a chave. Foi de elevador até o último andar e abriu a porta em que estava escrito o nome V. Kulla.

Uma das primeiras medidas que havia tomado no ano anterior, quando de uma hora para a outra se vira de posse de uma quantia confortável, tornando-se assim economicamente independente pelo resto da vida (ou, pelo menos, pelo tempo que imaginava poder viver com quase três bilhões de coroas), fora sair para procurar outro apartamento. As transações imobiliárias eram para ela uma experiência nova. Nunca na vida tinha investido dinheiro em algo mais importante que objetos utilitários que podia pagar em dinheiro ou mediante um crédito razoável. Os dois maiores débitos da sua contabilidade tinham sido o equipamento de informática e sua Kawasaki de baixa cilindrada, adquirida por sete mil coroas, uma oportunidade inesperada. Comprara peças avulsas por mais ou menos a mesma quantia e passara ela própria vários meses desmontando e ajeitando a moto. Teria preferido um carro, mas hesitara em comprar um sem saber como iria financiá-lo.

Já um apartamento, ela percebeu, era um negócio de dimensões bem diferentes. Começara lendo anúncios de apartamentos à venda na edição *on-line* do *Dagens Nyheter*. Uma legítima ciência à parte, como ela não demorou a se dar conta.

Apto qto sl + s. jant. boa local. prox. estação. P: 2,7 U. Condom. 5510/ mês.

Apto 2 dorm, vista p/ parque, Högalid. 2,9 U

Apto qto sl, 47m², banh. reform, encanam. novo 1998. Gotlandsgatan. 1,8 U. Condom: 2200.

Ela coçara a cabeça e tentara ligar para alguns anúncios ao acaso, mas não sabia o que deveria perguntar e logo se sentiu tão ridícula que interrompeu o exercício. Depois, no primeiro domingo de janeiro, se aventurara a visitar alguns apartamentos à venda. Um deles situava-se no Vindragarvägen sobre o Reimersholme, e o outro na Heleneborgsgatan, perto de Horntull. O de Reimersholme era um três dormitórios claro e espaçoso com vista para Långholmen e Essingen. Teve a impressão de que poderia se sentir bem ali. O apartamento da Heleneborgsgatan era um reduto sórdido com vista para o prédio da frente.

O problema é que ela não sabia como queria morar, que cara deveria ter a sua casa e o que ela deveria exigir do seu domicílio enquanto moradora. Nunca imaginara que poderia ter mais do que os quarenta e nove metros quadrados da Lundagatan, onde passara a infância e cujo usufruto lhe cabia desde a maioridade graças a seu tutor Holger Palmgren. Então se acomodara no sofá embolotado da sua sala-escritório integrada para refletir.

O apartamento da Lundagatan ficava no fundo de um pátio interno, era exíguo e pouco confortável. Da janela do quarto avistava a parede cega do prédio vizinho. A janela da cozinha dava para os fundos do edifício principal e para uma entrada de porão. Da sala, avistava-se um poste de iluminação e uns galhos de bétula.

A primeira exigência era que seu novo apartamento tivesse uma vista bonita.

Ela gostava de sacadas e sempre invejara seus vizinhos mais favorecidos dos andares superiores do prédio, que passavam os dias quentes de verão na sacada, à sombra de um toldo e com uma cerveja fresca. A segunda exigência era que sua nova moradia tivesse uma sacada.

Como deveria ser esse apartamento? Pensou no apartamento de Mikael Blomkvist — um único cômodo de sessenta e cinco metros quadrados num *loft* da Bellmansgatan com vista para a prefeitura e Slussen. Sentira-se bem na casa dele. Queria um apartamento agradável, fácil de mobiliar e de manter. Esse foi o terceiro ponto da sua lista de exigências.

Fazia anos que vivia apertada. Na sua cozinha de dez metros quadrados, mal dava para acomodar uma mesinha e duas cadeiras. A sala tinha vinte metros quadrados, o quarto doze. Sua quarta exigência era que a nova moradia fosse espaçosa e provida de vários armários. Queria uma verdadeira sala de trabalho e um quarto grande onde pudesse se esparramar.

Seu atual banheiro era um reduto sem janela, com lajotas de cimento cinza no piso, uma banheira de assento antiga com um revestimento de plástico que continuava encardido mesmo depois de esfregado horas a fio. Ela agora queria cerâmica e uma banheira grande. Queria ter sua própria lavadora de roupas no apartamento e não ter mais que usar a máquina comunitária dos inquilinos num porão úmido. Queria seu banheiro com um cheiro bom, e poder arejá-lo.

Então entrou na internet para procurar imobiliárias. No dia seguinte, levantou cedo e foi até a Nobel, que tinha fama de ser a melhor imobiliária de Estocolmo. Vestia sua calça jeans preta surrada, botinas e uma jaqueta de couro preta. Foi até o balcão e olhou distraidamente para uma mulher loira de uns trinta anos que estava ocupada atualizando o site da imobiliária e carregando fotos de apartamentos. Por fim, um homem rechonchudo de uns quarenta anos, cabelos ruivos e finos, veio atendê-la. Lisbeth perguntou que apartamentos eles tinham para oferecer, e por alguns instantes ele olhou para ela estupefato, antes de adotar um tom paternal e zombeteiro.

— Então, senhorita, seus pais sabem que está pretendendo abandonar o ninho?

Lisbeth Salander o fitou em silêncio com seus olhos imensos até que a risadinha dele cessasse.

— Preciso de um apartamento — ela especificou.

Ele deu uma tossidinha e olhou de relance para a colega.

— Entendo. E o que a senhorita tem em mente?

— Quero um apartamento no Söder. Tem que ter uma sacada e vista para a água, pelo menos três dormitórios, e um banheiro com janela e espaço para uma máquina de lavar roupa. E precisaria ter um lugar com chave para eu guardar a minha moto.

A mulher ao computador interrompeu seu trabalho e virou-se para encarar Lisbeth, curiosa.

— Moto? — perguntou o homem de cabelos finos.

Calmamente, Lisbeth assentiu com a cabeça.

— Posso perguntar... hã, qual o seu nome?

Lisbeth Salander se apresentou. Fez por sua vez a mesma pergunta e o homem se apresentou como Joakim Persson.

— Bem, quer dizer... um apartamento aqui em Estocolmo custa relativamente caro...

Lisbeth olhou para ele em paciente silêncio. Perguntou que apartamentos ele tinha para oferecer e disse que não se preocupava muito com o preço.

— A senhorita trabalha em que ramo?

Lisbeth refletiu por um instante. Formalmente, ela era sua própria chefe. Na prática, só trabalhara para Dragan Armanskij na Milton Security, mas isso fora de maneira irregular durante o ano anterior, e nos últimos três meses não assumira nenhuma missão.

— No momento, não estou fazendo nada em especial — respondeu com franqueza.

— Entendo... estudante, imagino.

— Não, não sou estudante.

Joakim Persson viera até o lado de cá do balcão e, delicadamente, pusera um braço em volta dos ombros de Lisbeth. Deu uma risadinha enquanto a conduzia com gentileza até a porta.

— Pois é, senhorita, será muito bem-vinda daqui a alguns anos, mas terá que trazer um pouco mais do que o dinheiro do seu cofrinho. Aqui a sua mesada não chega a ser suficiente, sabe. — Deu-lhe um beliscão paternal na bochecha. — Mas não hesite em nos procurar, vamos tentar achar algo simpático para a senhorita.

Lisbeth Salander ficou plantada na calçada em frente à imobiliária Nobel durante uns bons minutos. Perguntava-se o que Joakim Persson iria achar se ela jogasse um coquetel Molotov na vitrine. Então, voltou para casa e ligou o PowerBook.

Levou dez minutos para piratear a rede interna da Nobel graças aos códigos de acesso que ela observara distraidamente quando a mulher de trás do balcão se conectara para baixar as fotos. Levou mais três minutos para perceber que o computador da mulher era também o servidor da empresa — *será possível ser tão burro?* — e outros três para ter acesso aos catorze computadores que compunham a rede. Em pouco mais de duas horas, esmiuçou a contabilidade de Joakim Persson e constatou que ele sonegara ao fisco perto de setecentos e cinquenta mil coroas nos últimos dois anos.

Baixou todos os arquivos indispensáveis e os reuniu num pacote coerente, que enviou por e-mail para o Tesouro Público usando o endereço anônimo de um fornecedor de acesso americano. Feito isso, expulsou Joakim Persson do pensamento.

Dedicou o restante do dia a percorrer as ofertas de apartamentos interessantes da imobiliária Nobel. O imóvel mais caro era um pequeno castelo próximo a Mariefred, onde ela não tinha a menor vontade de se instalar. Só para perturbar, escolheu o segundo imóvel mais caro entre as ofertas da Nobel, um apartamento grandioso na Fiskaregatan, perto de Mosebacke Torg.

Passou um bom tempo examinando as fotos e estudando o mapa da cidade. Por fim, concluiu que o apartamento da Fiskaregatan preenchia perfeitamente todas as exigências de sua lista. O antigo proprietário era um diretor da ABB que saíra de cena depois de conceder a si mesmo um sensacional e criticadíssimo pacote de demissão de um bilhão de coroas.

À noite, pegou o telefone e ligou para Jeremy MacMillan, um dos sócios do escritório de advocacia MacMillan & Marks em Gibraltar. Já tivera assuntos a tratar com MacMillan. Fora ele quem, mediante uma generosa remuneração, criara para ela um certo número de empresas de fachada. Essas empresas eram titulares das contas bancárias que geriam a fortuna que ela surrupiara do financista Hans-Erik Wennerström no ano anterior.

Tornou a solicitar os serviços de MacMillan. Desta vez, pediu que ele atuasse em nome de sua empresa Wasp Enterprises e entabulasse negociações com a imobiliária Nobel no intuito de adquirir o gracioso apartamento da Fiskaregatan, próximo a Mosebacke Torg. A transação durou quatro dias, e a fatura final representava uma quantia que a fez erguer uma sobrancelha. Mais cinco por cento de comissão para MacMillan. Antes do final da semana, ela já tinha feito a mudança de duas caixas de roupas, roupa de cama, um colchão e alguns poucos utensílios de cozinha. Então habitara — ou pelo menos dormira num colchão — o apartamento por três semanas, durante as quais tratara de procurar clínicas de cirurgia estética, resolver algumas pendências administrativas (entre elas, uma conversa noturna com um certo dr. Nils Bjurman) e pagar antecipadamente algumas despesas fixas, condomínio, energia elétrica etc.

Depois disso, comprara a passagem para ir até a clínica na Itália. Quando, uma vez efetuada a cirurgia, tivera alta da clínica, hospedara-se num hotel em Roma a fim de pensar sobre o que iria fazer. Deveria voltar à Suécia e começar a organizar sua vida, mas, por diversos motivos, só de pensar em Estocolmo lhe dava náuseas.

Não tinha uma profissão de fato. A impressão é de que não havia futuro para ela na Milton Security. Não por culpa de Dragan Armanskij. Ele gostaria que ela integrasse o quadro de funcionários fixos e se tornasse um elemento importante dentro da empresa, mas, aos vinte e cinco anos, ela ainda não possuía nenhuma formação. Não queria chegar aos cinquenta anos para descobrir que ainda passava a vida investigando delinquentes do mundo empresarial. Aquilo era um passatempo divertido, não a vocação de uma vida.

Um dos motivos de sua resistência a voltar para Estocolmo atendia pelo nome de Mikael Blomkvist. Em Estocolmo, ela corria seriamente o risco de topar com aquele Maldito Super-Blomkvist, o que no momento era uma das últimas coisas que ela queria. Ele a machucara. Tinha a honestidade de reconhecer que ele não tivera essa intenção. Só podia culpar a si mesma por ter se apaixonado por ele. A mera palavra "apaixonado" era uma contradição, tratando-se dessa Maldita Babaca da Lisbeth Salander, um metro e cinquenta e uma aparência física que necessariamente suscitava comentários, sem esquecer uma bagagem social que a transformava em atração onde quer que aparecesse.

Mikael Blomkvist era um notório mulherengo. Ela representava, quando muito, uma diversão agradável aceita com compaixão num momento em que ele tinha precisado dela e não achara nada melhor, mas ele passaria rapidamente para outra cama com uma companhia muito mais interessante. Ela não tinha a menor chance nessa área e amaldiçoava a si mesma por ter baixado a guarda e deixado ele se aproximar. Como pudera imaginar algo diferente?

Quando se refizera, cortara qualquer contato com ele. Tinha sido doloroso, mas conseguira se blindar. A última vez que o vira, fora na estação de metrô Gamla Stan — ela estava na plataforma e ele, num trem em direção ao centro. Ficara olhando para ele durante um minuto e então resolvera que não nutria nem um átimo de sentimento por ele, pois isso significaria sangrar até morrer. *Vá se danar!* Ele a avistara no exato momento em que as portas se fechavam e fixara os olhos nela antes que ela desse meia-volta e fosse embora enquanto o metrô se punha em movimento.

Ela não entendia por que ele teimava em querer manter contato com ela, em mandar e-mails, como se ela fosse para ele um maldito projeto social. Enfurecia-se ao constatar que ele aparentemente não se dava conta de que a cada e-mail que mandava, e que ela apagava sem ler, era como se seu coração se despedaçasse.

Não, Estocolmo não a atraía nem um pouco. Tirando o dono da Milton Security, alguns antigos parceiros de cama e as meninas do ex-grupo de rock Evil Fingers, com quem mantinha uma amizade superficial e tomava uma cerveja no Moulin uma vez por mês, não conhecia praticamente ninguém na sua cidade natal.

A única pessoa por quem nutria um respeito desconfortável era Dragan Armanskij. Achava difícil definir seu sentimento por ele. Sempre se sentira vagamente confusa por experimentar essa atração um tanto incômoda. Se ele não fosse casado, se fosse um pouco mais moço e um pouco menos conservador no seu modo de encarar a vida, ela poderia ter cogitado chegar mais perto para ver.

Por fim, pegara a agenda e a abrira na parte do atlas. Nunca tinha ido para a Austrália nem para a África. Tinha visto as pirâmides e Angkor Vat em fotos, mas nunca ao vivo. Nunca andara no *Star Ferry* entre Kowloon e Victoria em Hong Kong, nunca praticara mergulho nas Antilhas, nunca fora a uma praia da Tailândia. Com exceção de algumas viagens rápidas de trabalho para os países bálticos e países nórdicos e, evidentemente, Zurique e Londres, nunca na vida tinha saído da Suécia. Na verdade, raras vezes saíra de Estocolmo.

Não tivera condições para isso.

No hotel de Roma, ficou na janela contemplando a via Garibaldi. Roma era uma cidade que lembrava um monte de ruínas. Ela então se decidiu, vestiu a jaqueta e foi até a recepção perguntar se havia uma agência de viagens ali perto. Na agência, comprou uma passagem de ida para Tel-Aviv e, nos dias seguintes, passeou pela antiga Jerusalém, contemplando a mesquita Al-Aqsa e o Muro das Lamentações. Desconfiada, observou em cada esquina os soldados armados até os dentes, em seguida voou para Bangcoc e prosseguiu assim até o final do ano.

Só lhe restava uma coisa importante a fazer. Foi até Gibraltar, para ver quem era o homem a quem confiara a gestão de seu dinheiro e conferir se ele estava fazendo o seu trabalho direito.

Girar a chave do apartamento que agora lhe pertencia foi uma sensação esquisita.

Largou a sacola de compras e a bolsa de viagem no hall de entrada e teclou rapidamente o código de quatro algarismos que desligava o alarme eletrônico. Tirou a roupa molhada e deixou-a cair no chão. Completamente nua, deu uma voltinha na cozinha, ligou a geladeira e guardou as compras antes de ir para o banheiro. Passou os dez minutos seguintes debaixo do chuveiro. Comeu uma maçã em fatias e uma Billys Pan Pizza, que aqueceu no micro-ondas. Abriu uma das caixas da mudança e achou um travesseiro, lençóis e um cobertor com um cheiro suspeito, depois de ter passado um ano encaixotado. Arrumou a cama num colchão, no chão do quarto contíguo à cozinha.

Levou dez segundos para pegar no sono depois que pôs a cabeça no travesseiro, dormiu quase doze horas seguidas e acordou pouco antes da meia-

-noite. Levantou-se, fez café e se enrolou num cobertor. Pôs o travesseiro diante de uma janela e se instalou com um cigarro para ficar olhando o parque de Djurgården e a baía de Saltsjön. As luzes a fascinavam. No escuro, refletiu sobre sua vida.

No dia seguinte, Lisbeth Salander teve uma agenda cheia. Fechou a porta de seu apartamento às sete horas. Antes de descer, abriu uma janela de ventilação na escada e pendurou uma cópia da chave com um fino fio de cobre que amarrou atrás da calha. Escaldada por experiências anteriores, aprendera como era útil sempre ter à mão uma cópia da chave.

Fazia um frio de rachar. Ela vestia uma velha calça jeans gasta com um rasgo debaixo do bolso de trás, que deixava ver sua calcinha azul. Enfiara uma camiseta e uma blusa de gola alta cuja costura estava soltando no pescoço. Tirara da caixa sua velha jaqueta de couro surrado, com rebites nos ombros. Concluiu que teria sido melhor deixá-la num costureiro para ele arrumar o forro rasgado e quase inexistente dos bolsos. Estava com meias grossas e sapatos fortes. No geral, sentia calor.

Pegou a Sankt Paulsgatan para ir até o bairro de Zinkensdamm e ao seu antigo endereço na Lundagatan. Primeiro, conferiu se a sua Kawasaki ainda estava em seu lugar no porão. Para abrir a porta do antigo apartamento, precisou empurrar uma pilha imensa de folhetos publicitários.

Antes de sair da Suécia, um ano antes, hesitara sobre o que fazer com aquele apartamento, e a solução mais simples fora o sistema de débito automático para pagar todas as despesas fixas. Ainda restavam alguns móveis, juntados a muito custo em diversos caminhões de lixo seco, canecos rachados, dois computadores velhos e uma considerável papelada. Mas nada de valor.

Pegou na cozinha um saco de lixo preto e levou cinco minutos separando a correspondência da publicidade. A maior parte da pilha foi direto para o lixo. Tinha recebido cartas pessoais do gênero extrato bancário, declaração de rendimentos da Milton Security para o Imposto de Renda ou publicidade disfarçada. Uma vantagem da tutela é que ela nunca precisara tratar da papelada dos impostos — que brilhava pela ausência. Afora isso, durante aquele ano inteiro só recebera três cartas em seu nome.

A primeira era de uma advogada, Greta Molander, que tinha sido a administradora *ad hoc* legal de sua mãe. A carta comunicava sucintamente que o inventário de sua mãe estava concluído e que Lisbeth Salander e sua irmã Camilla Salander eram herdeiras de 9312 coroas cada uma. Essa quantia fora depositada na conta da srta. Salander. Ela poderia, por gentileza, confirmar o recebimento? Lisbeth guardou a carta no bolso interno da jaqueta.

A segunda carta era da sra. Mikaelsson, diretora da casa de saúde de Äppelviken, gentilmente comunicando que ainda estava lá uma caixa com os pertences de sua mãe — ela poderia ter a delicadeza de entrar em contato com Äppelviken para dar instruções a respeito? A diretora concluía informando que se não tivessem notícias de Lisbeth ou de sua irmã (cujo endereço desconheciam) antes do final do ano, jogariam fora os pertences. Verificou o cabeçalho da carta, datada do mês de junho, e pegou o celular. Precisou esperar até que lhe passassem a pessoa certa, e então descobriu que a caixa ainda não havia sido jogada fora. Desculpou-se por não ter dado notícias mais cedo e prometeu aparecer no dia seguinte para apanhar as coisas.

A terceira carta pessoal era de Mikael Blomkvist. Ela pensou um pouco, mas concluiu que ler a carta ainda seria muito doído e jogou-a no lixo.

Acomodou numa caixa alguns objetos e quinquilharias que queria guardar e pegou um táxi para a Fiskaregatan. Subiu rapidamente ao apartamento para se maquiar, pôr óculos, uma peruca loira semilonga, e enfiar na bolsa um passaporte norueguês em nome de Irene Nesser. Olhou-se no espelho e constatou que, embora Irene Nesser fosse um pouco parecida com Lisbeth Salander, tratava-se de uma mulher muito diferente.

Depois de almoçar rapidamente uma baguete com queijo brie e um *caffè latte* no Éden da Götgatan, foi até a autolocadora de Ringvägen, onde Irene Nesser alugou uma Nissan Micra. Então dirigiu-se à Ikea de Kungens Kurva, onde passou três horas percorrendo toda a loja e anotando as referências de que precisava. Tomou decisões bastante rápidas.

Comprou dois estofados cor de areia, cinco poltronas de estrutura flexível, um par de gueridons de bétula envernizados, uma mesa de centro e algumas mesinhas de apoio. Pediu dois armários modulados, duas estantes para livros, um *rack* para a televisão e uma estante com portas. Completou com um armário de três portas acoplado a um módulo de canto e duas cômodas combinando.

Ficou um bom tempo escolhendo uma cama, para a qual levou também colchão e acessórios. Por precaução, comprou além disso uma cama para o quarto de hóspedes. Não esperava de fato ter visitas algum dia, mas já que tinha um quarto de hóspedes não custava mobiliá-lo.

O banheiro do apartamento novo já vinha inteiramente equipado com armários e uma lavadora de segunda mão. Contentou-se em comprar um cesto de roupa barato.

Em compensação, faltavam-lhe móveis de cozinha. Depois de hesitar um pouco, escolheu uma mesa de carvalho maciço com tampo de vidro temperado e quatro cadeiras de cores vivas.

Também precisava de móveis para a sua sala de trabalho e ficou boquiaberta ao ver algumas "estações de trabalho" com arranjos engenhosos para a CPU e o teclado. Porém, balançou a cabeça e pediu uma escrivaninha absolutamente comum de aglomerado, revestida com laminado de faia, curvo e com ângulos arredondados, e um armário do mesmo modelo. Demorou-se escolhendo a cadeira — na qual provavelmente iria passar longas horas — e optou por uma das poltronas giratórias mais caras.

Para terminar, deu uma volta e comprou um estoque considerável de lençóis, fronhas, toalhas, edredons, cobertores, um kit de instalação que incluía talheres de todo tipo, louça e panelas, tábuas de corte, e acrescentou três tapetes grandes, várias luminárias de trabalho e uma boa quantidade de material de escritório sob a forma de arquivos, cesto de papel, caixas organizadoras, entre outros.

Terminada a volta na loja, passou no caixa com sua lista. Pagou com o cartão da Wasp Enterprises e mostrou o passaporte de Irene Nesser para comprovar sua identidade. Também pagou adiantado a entrega e a montagem. O total chegava a pouco mais de noventa mil coroas.

Retornou ao Söder por volta das dezessete horas e ainda teve tempo de dar um pulo rápido na Axelssons Radio-Televisão, onde comprou um televisor de dezoito polegadas e um radiocassete. Entrou numa loja da Hornsgatan pouco antes do fechamento e comprou um aspirador. Na Mariahallen, adquiriu um escovão, sabão, um balde, sabão em pó, escova de dentes e um pacote grande de papel higiênico.

Saiu exausta de sua louca jornada de compras. Colocou as últimas aquisições na Nissan Micra alugada, foi até a Hornsgatan e desabou no primeiro andar do café Java. Pegou um jornal da tarde na mesa ao lado e descobriu que o partido socialdemocrata continuava com maioria no governo e que nada de capital importância parecia ter acontecido no país durante sua ausência.

Voltou ao apartamento às oito da noite. Aproveitou que estava escuro, descarregou o carro e levou tudo para o apartamento de V. Kulla. Deixou as compras jogadas no hall de entrada e passou meia hora procurando um lugar numa rua lateral para estacionar o carro alugado. Ao retornar, preparou um banho e ficou uma hora naquele spa em que pelo menos três pessoas poderiam entrar sem se espremer. Por um momento, pensou em Mikael Blomkvist. Até ver a carta, pela manhã, havia meses que não pensava nele. Perguntou-se se ele estaria em casa e se Erika Berger estaria lhe fazendo companhia.

Depois de algum tempo, respirou profundamente, inclinou a cabeça e mergulhou o rosto na água. Colocou as mãos nos seios, beliscou os mamilos com força e prendeu a respiração por vários minutos, até que seus pulmões começassem a doer terrivelmente.

Erika Berger, diretora da *Millennium*, olhou ostensivamente para o relógio quando Mikael Blomkvist chegou quase quinze minutos atrasado à sacrossanta reunião de planejamento de toda segunda terça-feira do mês, onde se definiam as linhas gerais da programação editorial e se tomavam as decisões de longo prazo.

Mikael desculpou-se pelo atraso e resmungou uma explicação que ninguém ouviu, ou que pelo menos ninguém registrou. Além de Erika, estavam presentes à reunião a assistente de redação Malu Eriksson, o sócio e diretor de arte Christer Malm, a jornalista Monika Nilsson e os *freelancers* Lottie Karim e Henry Cortez, que trabalhavam na revista em tempo parcial. Todos tinham a obrigação de participar da reunião de terça-feira, cujo item principal da pauta era o planejamento da edição seguinte. Mikael Blomkvist reparou imediatamente na ausência da jovem estagiária sedutora e na presença de um rosto desconhecido, embora fosse raro alguém de fora ser autorizado a participar das reuniões de planejamento da *Millennium*.

— Quero apresentar a vocês o Dag Svensson— disse Erika Berger. — Vamos comprar um texto dele.

Mikael Blomkvist meneou a cabeça e apertou-lhe a mão. Loiro de olhos azuis, Dag Svensson tinha cabelos bem curtos e uma barba de três dias. Estava em torno dos trinta anos e exalava força e saúde.

— Como todo ano, vamos lançar um ou dois números temáticos — prosseguiu Erika. — Eu queria este assunto para o número de maio. A gráfica já está reservada para 27 de abril. Isso nos dá três meses para produzir os textos.

— E qual é o tema? — perguntou Mikael.

— Dag Svensson veio me ver, semana passada, com o esboço de um assunto. Pedi a ele que viesse à reunião. Ele vai poder explicar melhor que eu — disse Erika, voltando-se para Dag.

— Tráfico de mulheres — disse Dag Svensson. — Ou seja, exploração sexual de mulheres. No caso, são principalmente mulheres originárias dos países bálticos e do Leste europeu. Na verdade, estou escrevendo um livro sobre o assunto, por isso entrei em contato com a Erika — já que vocês também têm uma editora.

Todo mundo pareceu achar graça. Até agora, a Millennium Editora só tinha publicado um livro, que vinha a ser o tijolão de Mikael Blomkvist sobre o império financeiro do bilionário Wennerström, lançado um ano antes. O livro estava na sexta edição na Suécia, fora publicado em norueguês, alemão e inglês e estava sendo traduzido para o francês. Aquele sucesso comercial lhes parecia um tanto incompreensível, considerando-se que a história já estava para lá de conhecida e tinha sido contada em inúmeros jornais.

— A nossa produção de livros não é das mais consistentes — disse Mikael, cauteloso.

Dag Svensson esboçou um sorriso.

— Isso eu já entendi. Ainda assim, vocês são uma editora.

— Existem outras maiores — observou Mikael.

— Sem dúvida — disse Erika Berger. — Mas faz um ano que estamos discutindo se partimos de fato para a edição de livros. Levantamos o assunto em duas reuniões do conselho administrativo, e todos se mostraram muito receptivos. A ideia é uma política editorial limitada a três, quatro livros por ano, que seriam apenas, grosso modo, reportagens sobre diferentes temas. Ou seja, típicos produtos jornalísticos. O livro de Dag se inscreve perfeitamente dentro dessa óptica.

— Tráfico de mulheres — disse Mikael Blomkvist. — Fale mais a respeito.

— Estou há quatro anos trabalhando no assunto. De certa forma, fui levado a ele pela minha companheira. Ela se chama Mia Bergman, é criminologista e a pesquisa dela se encaixa nesta área. Ela trabalhou no Conselho de Prevenção Criminal e pesquisou a legislação relacionada ao comércio sexual.

— Conheço a Mia Bergman — interveio Malu Eriksson. — Fiz uma entrevista com ela, dois anos atrás, quando ela publicou um relatório comparativo sobre o tratamento dado a homens e mulheres num tribunal.

Dag Svensson meneou a cabeça e sorriu.

— É verdade, esse relatório foi muito comentado — disse. — Ela vem pesquisando sobre o tráfico de seres humanos de uns cinco, seis anos para cá. Foi assim que a gente se conheceu. Eu estava investigando o comércio do sexo via internet e me aconselharam a conversar com ela. Resumindo, começamos a trabalhar juntos, eu como jornalista e ela como pesquisadora, no meio da história viramos um casal e já faz um ano que moramos juntos. Ela está fazendo doutorado, vai defender a tese na primavera. O tema é o tráfico de mulheres.

— Quer dizer que ela escreve a tese e você...?

— Eu escrevo a versão grande público da tese, acrescentando meu trabalho pessoal. E também uma versão resumida em forma de artigo, que foi o que passei para a Erika.

— Certo, vocês formam uma equipe. E qual é a história?

— Grosso modo... temos um governo que aprovou uma lei rigorosíssima para o comércio sexual, temos uma polícia para cuidar da aplicação dessa lei e tribunais para julgar criminosos sexuais — qualificamos os clientes como criminosos sexuais, já que virou crime pagar por serviços sexuais —, temos uma mídia que escreve textos moralizantes e indignados sobre o assunto, e *tutti quanti*. Mas, paralelamente, a Suécia é um dos maiores consumidores *per capita* de prostitutas originárias da Rússia e dos países bálticos.

— E você tem como provar?

— Não é nenhum segredo. O assunto, inclusive, está longe de ser novidade. Agora, a novidade é que nós interrogamos uma dúzia de Lilya 4-ever.* São, na maioria, garotas entre quinze e vinte anos, estagnadas na miséria

* Filme de 2002 do diretor sueco Lukas Moodysson que aborda o tema do tráfico de mulheres com base na história da adolescente soviética Lilya. (N. T.)

social dos países do Leste europeu, trazidas para cá com promessas variadas de emprego e que no fim das contas caem nas garras de uma máfia do sexo absolutamente inescrupulosa. Algumas experiências dessas garotas fazem do *Lilya 4-ever* um entretenimento familiar. E não digo isso desmerecendo o filme de Moodysson, que é excelente. O que eu quero dizer é que essas garotas viveram coisas que simplesmente não dá para descrever num filme.

— Certo.

— Este, por assim dizer, é o cerne da tese da Mia. Mas não do meu livro.

Um silêncio instalou-se em volta da mesa.

— Enquanto Mia entrevistava as garotas, eu, por minha vez, estabeleci uma cartografia dos fornecedores e da clientela.

Mikael nunca estivera com Dag Svensson antes, mas de repente sentiu que ele era exatamente o tipo de jornalista que ele apreciava, desses que sabiam se ater ao essencial. Para Mikael, a regra de ouro do jornalismo era que sempre há um responsável. *O malvado*.

— E você descobriu fatos interessantes?

— Sim, tenho condições de provar que um funcionário do Ministério da Justiça, que trabalhou na elaboração da lei do comércio sexual, explorou no mínimo duas garotas que chegaram aqui através da máfia do sexo. Uma delas tinha quinze anos.

— Uau!

— Estou nessa história há três anos. O livro apresenta estudos com exemplos de clientes sexuais. Tenho pelo menos três tiras, sendo que um deles trabalha na Säpo* e outro na Polícia de Costumes. Tenho cinco advogados, um procurador e um juiz. Peguei também três jornalistas, sendo que um deles escreveu vários textos sobre comércio sexual. Na vida privada, ele se entrega a delírios de estupro com uma prostituta adolescente de Tallinn... e nesse caso não se trata exatamente de preferências sexuais partilhadas. Pretendo divulgar os nomes. A minha documentação é superconsistente.

Mikael Blomkvist deu um assobio. Então, parou de sorrir.

— Como voltei a ser o editor responsável pela publicação, faço questão de examinar esses documentos com lente de aumento — disse. — A última

* O serviço de segurança sueco. (N. T.)

vez que descuidei na conferência das minhas fontes, acabei pegando três meses de cadeia.

— Se vocês aceitarem publicar minha história, ponho à disposição os documentos que quiser. Mas só vendo o assunto para a *Millennium* com uma condição.

— Dag quer que a gente também publique o livro — disse Erika Berger.

— De fato, quero que o livro seja publicado. Quero que ele caia feito uma bomba, e no momento a *Millennium* é a revista com maior credibilidade e mais impertinente da cidade. Dificilmente outra editora ousaria publicar um livro como esse.

— Ou seja, sem livro não há artigo — resumiu Mikael.

— Por mim, acho que faz sentido — disse Malu Eriksson.

— Artigo e livro são duas coisas diferentes. No caso do artigo na revista, Mikael é o responsável pela publicação. No que diz respeito ao livro, o autor é que é responsável.

— Eu sei — disse Dag Svensson. — Isso não me preocupa. No exato momento da publicação do livro, Mia vai denunciar todos os caras que eu cito.

— Vai ser um auê — disse Henry Cortez.

— Isso é só metade da história — disse Dag Svensson. — Também investiguei as redes que ganham dinheiro com esse comércio. Porque se trata realmente de crime organizado.

— E quem você descobriu?

— Aí é que a coisa fica especialmente trágica. A máfia do sexo não passa de um bando sórdido de pés-rapados. Não sei bem o que eu esperava quando comecei a pesquisa, mas de algum modo fomos levados a pensar — ou pelo menos eu fui levado a pensar — que essa "máfia" era um bando de gente chique da elite social, que circula em carros de luxo. Imagino que alguns filmes americanos que abordam o tema contribuíram para eu formar essa imagem. O seu trabalho sobre o Wennerström — Dag lançou um olhar para Mikael — mostrou que esse pode ser o caso. Mas o Wennerström era uma das exceções. Eu me deparei foi com um amontoado de cretinos sádicos e brutais que mal sabem ler e escrever, e são uns perfeitos idiotas no que se refere a organização e estratégia. Esses caras trabalham em associação com grupos de motoqueiros e outros círculos um pouco mais estruturados, mas, no geral, o comércio sexual é tocado por um bando de gente burra.

— Isso transparece claramente no seu artigo — disse Erika Berger. — Nós temos leis, um corpo policial e uma justiça financiados por milhões de coroas saídos do bolso do contribuinte, que supostamente deveriam cuidar dessa delinquência lucrativa, e não conseguem prender um bando de idiotas.

— O inteiro comércio sexual não passa de uma grande violação dos direitos humanos, e as garotas envolvidas estão num nível tão baixo da escala social que juridicamente não apresentam o menor interesse. Elas não votam. Tirando o vocabulário necessário para fechar um negócio, elas mal falam sueco. Dos crimes ligados ao comércio sexual, 99,9% nunca foram registrados na polícia e muito menos chegam aos tribunais. É provavelmente o maior iceberg na paisagem da criminalidade sueca. Imaginem se os assaltos a mão armada fossem tratados com o mesmo descaso, e só uma ínfima parte fosse denunciada. Minha conclusão é que essa atividade não continuaria nem mais um dia sequer não fosse o fato de que a Justiça simplesmente *não* quer pôr um fim a ela. Os abusos sexuais contra adolescentes de Tallinn e Riga simplesmente não são uma questão prioritária. Uma puta é uma puta. Faz parte do sistema.

— É... triste realidade — disse Monika Nilsson.

— Então, o que vocês acham? — perguntou Erika Berger.

— A ideia me atrai — disse Mikael Blomkvist. — Vamos nos arriscar, mas esse era o objetivo quando lançamos a *Millennium* anos atrás.

— É por isso que eu ainda trabalho aqui. O gerente é capaz de dar um salto mortal de vez em quando — disse Monika Nilsson.

Todo mundo riu, menos Mikael.

— É, o Mikael foi o único bobo o suficiente para aceitar ser o responsável pela publicação — disse Erika Berger. — Vamos pegar esse assunto para maio. Com o livro saindo na esteira.

— O livro está pronto? — perguntou Mikael.

— Não. Estou com a sinopse toda, mas ainda falta redigir metade. Se vocês concordarem em publicar e me derem um adiantamento, posso trabalhar nele em tempo integral. A pesquisa está praticamente concluída. Só falta completar alguns anexos, na verdade confirmações daquilo que eu já sei — e ainda tenho que me encontrar com os clientes que vou denunciar.

— Vamos fazer o que fizemos com o livro do Wennerström. Nunca entendi por que os editores costumam exigir dezoito meses para produzir um livro de umas poucas centenas de páginas. Precisamos de uma semana para a diagramação — Christer Malm assentiu com a cabeça — e duas para a impressão. Fazemos as revisões em março e abril e um resumo de quinze páginas, que vão ser as últimas. Precisamos do manuscrito fechado em 15 de abril, para dar tempo de checar todas as fontes.

— Como funciona o contrato e essas coisas todas?

Erika Berger franziu o cenho:

— Nunca redigi um contrato de edição, vou ter que ver isso com o nosso advogado. Mas proponho empregar você por quatro meses, de fevereiro a março, até você terminar o projeto. E saiba que nossos salários não são mirabolantes.

— Para mim está bem. Preciso de um salário-base para poder me concentrar no livro em tempo integral.

— Fora isso, em regra, meio a meio sobre as vendas do livro, uma vez deduzidas as despesas. O que você acha?

— Parece perfeito — disse Dag Svensson.

— Divisão de tarefas — disse Erika Berger. — Malu, quero você de assistente editorial deste número temático. Vai ser a sua tarefa a partir do mês que vem; você vai trabalhar com Dag Svensson na redação do manuscrito. Lottie, isso quer dizer que você vai assumir temporariamente a assistência de redação, de março a maio. Vai passar a trabalhar em período integral, e Malu ou Mikael vão lhe dar uma mão dependendo da disponibilidade deles.

Malu Eriksson assentiu com a cabeça.

— Mikael, faço questão que você seja o editor desse livro. — Erika olhou para Dag Svensson. — Mikael não gosta de admitir, mas ele escreve muito bem e, além disso, tem experiência em pesquisa. Ele vai pôr cada palavra do seu livro num microscópio. Para mim, é uma honra você querer publicar esse livro com a gente, mas saiba que na *Millennium* temos problemas bem específicos. Temos alguns desafetos que adorariam nos ver enfiar os pés pelas mãos. Quando a gente se atreve a publicar alguma coisa, ela tem que estar cem por cento irretocável. Não podemos nos permitir nada menos que isso.

— Nem eu gostaria que fosse diferente.

— Ótimo. Mas você vai aguentar uma pessoa em cima de você, enchendo você de críticas a primavera inteira?

Dag Svensson riu e olhou para Mikael.

— Vai, pode começar.

Mikael meneou a cabeça. Erika prosseguiu:

— Se vamos fazer um número temático, precisamos de mais artigos. Mikael, quero que você escreva algo sobre as finanças do comércio sexual. Quanto ele consome anualmente? Quem acumula os lucros e onde vai parar o dinheiro? Temos como provar que parte dele se encontra nos cofres do Estado? Monika, quero que você trabalhe no abuso sexual em geral. Contate o SOS-Mulheres, pesquisadores, médicos e autoridades. Monika e Mikael, portanto, mais o Dag, assinam os textos principais. Henry, quero uma entrevista com a companheira do Dag, Mia Bergman. Dag, logicamente, não pode fazer isso. Um perfil: quem é ela, os temas que ela pesquisa e quais são suas conclusões. Também gostaria que você se detivesse em alguns casos esmiuçados em investigações policiais. Christer: fotos. Não sei como vamos poder ilustrar isso. Pense no assunto.

— Pois esse tema é dos mais fáceis de ilustrar. Tem muita força. Não tem problema.

— Se me permitem acrescentar uma coisa — disse Dag Svensson. — Alguns tiras fazem realmente um bom trabalho. Talvez valesse a pena entrevistar um deles.

— Você tem nomes? — perguntou Henry Cortez.

— Tenho até os telefones — respondeu Dag Svensson.

— Perfeito — disse Erika Berger. — O tema do número de maio será, portanto, o comércio sexual. Com ele, teria que ficar claro que o tráfico de mulheres é um legítimo atentado aos direitos humanos e que os criminosos que o organizam têm de ser presos e tratados como qualquer criminoso de guerra ou de esquadrão da morte. Bem, crianças, ao trabalho!

5. QUARTA-FEIRA 12 DE JANEIRO — SEXTA-FEIRA 14 DE JANEIRO

Äppelviken lhe passou a impressão de um lugar estranho e desconhecido quando Lisbeth, pela primeira vez em um ano e meio, dirigiu-se para os prédios ao volante da sua Nissan Micra alugada. Desde seus quinze anos, algumas vezes por ano, visitava regularmente a mãe, que fora acolhida nesta casa de saúde depois que Todo o Mal acontecera.

Chamava-se Agneta Sofia Salander. Seus catorze últimos anos tinham sido marcados por uma sequência reiterada de pequenos derrames cerebrais, rupturas de vasos sanguíneos finos como fios de cabelo, que a impediram de cuidar de si mesma e de realizar as tarefas cotidianas. Em certos momentos, estivera incapaz de se comunicar, tivera dificuldade em reconhecer Lisbeth e formular seus pensamentos em palavras.

Lisbeth Salander não gostava muito de pensar na mãe. Tais pensamentos a conduziam invariavelmente a um sentimento de vulnerabilidade e noite escura. Sua atitude neste assunto era de uma profunda ambivalência. Por um lado, tentara realmente estabelecer contato com a mãe. Na adolescência, fantasiara uma possível recuperação da mãe e um tipo de relacionamento que elas poderiam ter. Intelectualmente, sabia que esse jamais seria o caso.

De baixa estatura, sua mãe tinha sido magra, mas não ao estilo anoréxico de Lisbeth, longe disso. Pelo contrário, sempre fora uma mulher bonita, bem-proporcionada. Como a irmã de Lisbeth.

Camilla.

Lisbeth evitava pensar na irmã.

Considerava a diferença entre ela e a irmã uma brincadeira do destino. Eram gêmeas, nascidas com vinte minutos de intervalo.

Lisbeth era a primeira. Camilla era bonita.

Eram tão diferentes que parecia improvável terem se formado no mesmo útero, e mais estranho ainda serem geneticamente consideradas gêmeas univitelinas, que deveriam ser idênticas. Não fosse um defeito no código genético de Lisbeth Salander, ela teria sido tão bonita como a irmã.

E provavelmente tão debiloide quanto.

Desde a mais tenra idade, Camilla fora extrovertida, popular e coberta de êxito na escola. Lisbeth fora calada e fechada, raramente respondia às perguntas dos professores, obtendo, desse modo, médias bastante baixas. Desde a escola primária, Camilla se distanciara de tal modo da irmã que elas até iam para a escola por caminhos diferentes. Os professores e demais alunos notavam que as duas meninas nunca se falavam nem sentavam uma ao lado da outra. A partir do ginásio, não ficaram na mesma classe. Com doze anos, e depois que Todo o Mal aconteceu, haviam crescido cada qual na sua família adotiva. Não se viam desde que fizeram dezessete anos, e naquele dia o encontro terminara com um olho roxo para Lisbeth e um lábio partido para Camilla. Lisbeth não sabia por onde Camilla andava e também não tinha procurado saber.

Não existia amor entre as irmãs Salander.

Aos olhos de Lisbeth, Camilla era hipócrita, depravada e manipuladora. No entanto, fora em Lisbeth que a decisão do tribunal recaíra, determinando que ela não tinha juízo perfeito.

Deixou o carro no estacionamento para visitantes, abotoou a jaqueta surrada e, debaixo de chuva, subiu para a entrada principal. Parou diante de um banco do jardim e olhou ao redor. Fora ali, naquele banco, que vira sua mãe pela última vez, um ano e meio antes. Passara sem avisar na casa de saúde de Äppelviken, quando estava ajudando o Super-Blomkvist a pegar um assassino em série, louco sem dúvida, mas perfeitamente articulado. Sua mãe estava agitada, não a reconheceu, e mesmo assim não queria deixá-la ir embora. Tinha segurado sua mão e pousado na filha um olhar perplexo. Lisbeth estava com pressa. Soltara a mão, dera um abraço na mãe e correra até a moto para ir embora.

A diretora de Åppelviken, Agnes Mikaelsson, pareceu contente em ver Lisbeth. Cumprimentou-a com simpatia e a acompanhou ao lugar onde estava guardada a caixa. Lisbeth ergueu-a. Pesava poucos quilos e não tinha muito a exibir como patrimônio de uma vida.

— Eu não sabia o que fazer com as coisas da sua mãe — disse a sra. Mikaelsson. — Mas tinha o sentimento de que você ia aparecer um dia.

— Eu estava viajando — disse Lisbeth.

Agradeceu-lhe por ter guardado a caixa, carregou-a até o carro e foi embora de Äppelviken pela última vez.

Lisbeth voltou à Fiskaregatan pouco depois do meio-dia e levou a caixa de sua mãe até o apartamento marcado V. Kulla. Guardou-a sem abrir no armário da entrada e tornou a sair.

Ao abrir a porta do prédio, viu um carro de polícia passando com a velocidade de uma lesma. Lisbeth deteve-se e observou atentamente a autoridade diante de seu prédio. Como os tiras não parecessem querer partir para o ataque, ela os deixou passar.

À tarde, foi à H & M e à Dressman renovar seu guarda-roupa. Adquiriu um legítimo enxoval de roupas básicas sob a forma de calças, jeans, camisetas e meias. As caras roupas de marca não a interessavam, mas mesmo assim sentiu certo prazer em poder comprar meia dúzia de jeans de uma vez sem ser obrigada a contar moedinhas.

Comprou um bom par de sapatos de inverno na Skoman e dois pares mais leves, para interiores. Depois cedeu ao impulso de levar também uma botina preta de salto alto, que a deixava alguns centímetros mais alta. Além disso, achou um casaco quente de inverno, de camurça marrom e gola de pele.

Sua aquisição mais extravagante foi na Twilfit, onde comprou uma verdadeira coleção de calcinhas e sutiãs. Eram, de novo, artigos básicos, mas, depois de meia hora de uma constrangida hesitação, levou também um conjunto que ela considerava "sexy", ou até "safado", e que antes nunca teria pensado em comprar. À noite, quando experimentou o conjunto, sentiu-se de um ridículo sem tamanho. O que ela via no espelho era uma garota de corpo magro e tatuado, paramentada com uma fantasia grotesca. Livrou-se dos penduricalhos e jogou tudo no lixo.

Mia Bergman, futura doutora em criminologia, partiu a *cheesecake* e decorou-a com sorvete de framboesa. Serviu primeiro Erika Berger e Mikael Blomkvist, e em seguida Dag Svensson e ela própria. Malu Eriksson se negara categoricamente a comer sobremesa e se contentou com um café preto servido numa xícara de porcelana florida tremendamente retrô.

— Esta louça era da minha avó — disse Mia, ao ver que Malu examinava a xícara.

— A Mia morre de medo que quebrem uma dessas xícaras — disse Dag Svensson. — Só usamos com convidados especiais.

Mia Bergman sorriu.

— Eu me criei, por vários anos, na casa da minha avó e essas xícaras são praticamente tudo que me restou dela.

— São mesmo encantadoras — disse Malu. — Eu, de louça, só tenho da cem por cento Ikea.

Mikael, que não estava nem um pouco interessado em xícaras de café floridas, lançou um olhar desconfiado para o prato de *cheesecake*. Considerou inclusive a hipótese de afrouxar o cinto. Erika estava pensando o mesmo.

— Ai, ai, ai, eu não deveria ter aceitado a sobremesa — disse, olhando de relance para Malu como que se desculpando, antes de pegar a colher com uma mão firme.

O jantar era supostamente uma reuniãozinha de trabalho para, por um lado, selar sua colaboração e, por outro, continuar discutindo a edição do número temático da *Millennium*. Dag Svensson propusera que se encontrassem em sua casa para comerem alguma coisa, e Mia Bergman aproveitara a oportunidade para servir o melhor frango agridoce que Mikael já tinha comido. A refeição foi regada com duas garrafas de vinho espanhol encorpado, e Dag aproveitou a sobremesa para perguntar se alguém aceitava uma taça de Tullamore Dew. Erika foi a única a cometer a besteira de dizer não, e Dag pegou as taças.

Dag Svensson e Mia Bergman moravam num quarto-e-sala em Enskede.

Já namoravam havia alguns anos, e um ano antes tinham resolvido se mudar para aquele apartamento.

Haviam se encontrado por volta das seis e, duas horas e meia depois, terminada a sobremesa, nenhuma palavra ainda fora dita sobre o verdadeiro objetivo do jantar. Em compensação, Mikael descobrira que gostava de Dag Svensson e Mia Bergman, e que apreciava a companhia deles.

Foi Erika quem por fim encaminhou a conversa para o assunto que supostamente deveriam discutir. Mia Bergman foi buscar uma cópia de sua tese e a colocou em cima da mesa diante de Erika. O título era, no mínimo, irônico — "Da Rússia com amor", alusão evidente ao clássico 007 de Ian Fleming. O subtítulo já era bem menos irônico: *Tráfico de mulheres, crime organizado e medidas tomadas pelas autoridades*.

— Que fique bem clara a diferença entre a minha tese e o livro do Dag — disse ela. — O livro é a versão de um agitador, focada nos beneficiários do tráfico de mulheres. Já a minha tese é composta de estatísticas, pesquisa de campo, textos da lei e uma análise do comportamento da sociedade e dos tribunais com relação às vítimas.

— Ou seja, as garotas.

— Sim, e garotas jovens, em geral entre quinze e vinte anos, da classe operária, com baixo nível de educação. Muitas vezes são meninas vindas de um meio familiar conturbado, que muitas vezes já foram vítimas de uma ou outra forma de abuso na infância — se vieram para a Suécia é porque, obviamente, alguém contou a elas um monte de lorotas.

— Os mercadores do sexo.

— Um aspecto que a minha tese põe bem em perspectiva é a diferença entre homens e mulheres. É raro um pesquisador ter condições de estabelecer tão claramente os papéis entre os sexos. Garotas: as boazinhas; homens: os malvados. Com exceção de algumas poucas mulheres que se beneficiam do comércio do sexo, não existe nenhuma outra forma de criminalidade em que os papéis masculino e feminino sejam condição indispensável para o crime. Também não existe outra forma de criminalidade com tão ampla aceitação na sociedade e tão pouco empenho para acabar com ela.

— Se eu entendi bem, a Suécia, apesar de tudo, dispõe de uma legislação bastante rigorosa contra o tráfico de mulheres e o comércio do sexo — disse Erika.

— Não me faça rir. Centenas de meninas, não existem estatísticas precisas, são trazidas todo ano para a Suécia para servirem de puta, o que concretamente significa entregar o corpo a estupros sistemáticos. Desde que entrou em vigor, a lei do tráfico de mulheres só foi aplicada umas poucas vezes pela Justiça. A primeira vez foi em abril de 2003, no caso daquela velha cafetina maluca que mudou de sexo. E que, evidentemente, foi inocentada.

— Espere, eu achei que ela tivesse sido condenada.

— Sim, como dona de bordel. Mas se livrou da acusação de tráfico de mulheres. Ocorre que as meninas, as vítimas, que também eram as testemunhas de acusação, voltaram para os países bálticos. As autoridades tentaram trazê-las para o processo, a Interpol chegou a ir buscá-las. Mas elas tinham sumido sem deixar rastro nos seus países de origem e não foram encontradas depois de meses de buscas.

— Bem. E o que aconteceu com elas?

— Nada. O programa *Insider*, da tevê, retomou a investigação e enviou uma equipe até Tallinn. Os repórteres levaram uma tarde, mais ou menos, para achar duas dessas meninas, que estavam morando com os pais. A terceira tinha ido morar na Itália.

— Ou seja, a polícia de Tallinn não se mostrou muito eficiente.

— Depois disso, conseguimos obter algumas condenações, mas em geral para indivíduos interpelados por outros crimes, ou que tinham sido de uma estupidez tão espantosa que não havia como não prendê-los. Essa lei é uma cortina de fumaça. Não é aplicada.

— Percebo.

— O problema é que, atualmente, os crimes são estupro agravado, não raro acompanhado de golpes e ferimentos, também agravados, e ameaças de morte, em alguns casos acrescidas de sequestro — acrescentou Dag Svensson. — Essa é a sina diária de muitas dessas meninas, que são maquiadas, vestidas com minissaias e trancadas numa casa de subúrbio. Elas não têm opção. Ou bem aceitam transar com um cara nojento, ou bem se arriscam a serem maltratadas e torturadas pelo cafetão. Não têm como fugir; não falam a língua, não conhecem as leis nem a regulamentação e não sabem a quem recorrer. Não têm como voltar para seu país. Uma das primeiras medidas é confiscar o passaporte delas, e no caso da cafetina as meninas estavam sequestradas dentro de um apartamento.

— É muito parecido com escravidão. Essas meninas ganham alguma coisa?

— Ganham, sim — respondeu Mia Bergman. — Para pôr panos quentes, dão a elas uma parte do bolo. Elas trabalham, em média, uns dois ou três meses antes de poderem voltar para casa. Em geral, levam uma bela quantia: vinte, até trinta mil coroas, o que em moeda russa representa uma pequena fortuna. Infelizmente, também voltam com graves problemas de álcool ou drogas, e um nível de consumo que faz com que torrem rapidamente o dinheiro. Conclusão, o sistema é autossuficiente; depois de algum tempo elas retornam, por assim dizer, de livre e espontânea vontade, para o seu carrasco.

— Qual o faturamento anual dessa atividade? — perguntou Mikael.

Mia Bergman virou-se para Dag Svensson e pensou um instante antes de responder.

— É muito difícil dar uma resposta precisa para esta pergunta. Já fizemos todo tipo de cálculo, mas muitos dos nossos números acabam não passando de estimativa.

— E grosso modo?

— Bem, sabemos, por exemplo, que a cafetina, essa que foi condenada por proxenetismo e inocentada do tráfico de mulheres, mandou trazer, em cerca de dois anos, trinta e cinco mulheres do Leste. Ficavam aqui por períodos que variavam de algumas semanas a alguns meses. No processo, se ficou sabendo que naqueles dois anos elas engordaram o caixa em pouco mais de dois milhões de coroas. Calculei que uma garota rende quase sessenta mil coroas por mês, das quais umas quinze mil são deduzidas para despesas diversas: deslocamentos, roupas, moradia etc. Não é uma vida luxuosa, e muitas vezes elas são obrigadas a dividir um apartamento fornecido pelos traficantes. Das quarenta e cinco mil coroas restantes, o bando retém entre vinte e trinta mil. O chefe embolsa a metade, digamos quinze mil, e reparte a outra metade entre seus funcionários: motorista, capangas e outros. Sobram de dez a doze mil coroas para a garota.

— Por mês...

— Digamos que um bando tenha duas ou três garotas na labuta. Isso quer dizer que elas rendem mais de duzentas mil coroas por mês. Cada bando é constituído por duas ou três pessoas que vivem disso. É mais ou menos assim que funciona a economia do estupro.

— E isso envolve quantas pessoas... calculando por cima?

— Considere que sempre há cerca de cem garotas em atividade, que de um modo ou de outro são vítimas do tráfico de mulheres. Isso significa que o faturamento total na Suécia gira, todo mês, em torno de seis milhões de coroas, o que dá mais ou menos cerca de setenta milhões de coroas por ano. E só estamos falando nas garotas que são vítimas do tráfico de mulheres.

— É mixaria, ao que parece.

— De fato, mixaria. Só que, para juntar essas modestas quantias, cem meninas precisam ser estupradas. Fico louca com isso.

— Você não parece ser uma pesquisadora objetiva. Mas se são necessários três caras para uma menina, quer dizer que entre quinhentos e seiscentos homens enchem os bolsos dessa maneira.

— Menos, provavelmente. Eu diria pouco mais de trezentos.

— Não parece um problema insuperável — disse Erika.

— Nós votamos leis e nos indignamos na mídia, mas quase ninguém já conversou com uma prostituta da ex-União Soviética nem ninguém tem a mínima ideia do que seja a vida dela.

— Como é que a coisa funciona? Quero dizer, na prática. Deve ser meio difícil trazer de Tallinn uma menina de dezesseis anos sem ninguém perceber. O que acontece quando elas chegam? — perguntou Mikael.

— Quando comecei a pesquisar o assunto, achava que fosse uma atividade muito bem organizada, gerida por uma espécie de máfia profissional que fazia as meninas atravessarem a fronteira com alguma elegância.

— Não é o caso? — perguntou Malu Eriksson.

— O tráfico até que é organizado, mas fiquei, se é que posso falar assim, profundamente decepcionada ao descobrir que, na verdade, são vários bandos, pequenos e meio desorganizados. Esqueçam os ternos vistosos e o carro esporte — o bando médio tem dois ou três membros, a metade é de russos ou bálticos, a outra metade de suecos. Quanto ao chefe, imaginem um sujeito de uns quarenta anos, camiseta regata, entornando uma cerveja e coçando a barriga, socialmente retardado em alguns aspectos e tendo tido problemas a vida inteira.

— Mas que romântico.

— A imagem que ele tem das mulheres data da idade da pedra. É conhecido por sua violência, volta e meia fica bêbado e arrebenta a cara de quem quer que se atreva a protestar. No bando, cada um tem seu lugar na hierarquia e os colaboradores geralmente têm medo dele.

Os móveis da Ikea foram entregues três dias depois, por volta das nove e meia da manhã. Dois grandalhões apertaram a mão da loira Irene Nesser, que falava com um divertido sotaque norueguês. Depois, fizeram o transporte num elevador subdimensionado e trataram de montar mesas, armários e camas. Os homens eram de uma eficiência assustadora e pareciam saber de cor o manual de instalação. Irene foi até a feira de Söder comprar comida grega para viagem e os convidou para almoçar.

Os homens da Ikea terminaram às cinco da tarde, juntaram todas as caixas e levaram tudo embora. Depois que eles saíram, Lisbeth Salander tirou a peruca e ficou andando pelo apartamento se perguntando se ia se sentir bem na nova casa. A mesa da cozinha parecia elegante demais para seu estilo. No cômodo contíguo, que dava tanto para o hall de entrada como para a cozinha, ela instalara a sua sala de estar, com sofás modernos e um conjunto de poltronas em volta de uma mesinha em frente à janela. Estava satisfeita com seu quarto, e sentou-se de mansinho no colchão para testar o quanto era confortável.

Deu uma olhada na sala de trabalho com vista para as águas do Saltsjön. *Aprovado, funciona. Vou poder trabalhar aqui.*

Não sabia exatamente no que ia trabalhar e, quanto ao resto, sentia-se hesitante e crítica ao olhar para os móveis.

Bem, vamos ver no que vai dar.

Lisbeth passou o resto da tarde abrindo pacotes e organizando suas coisas. Arrumou a cama e guardou toalhas, lençóis e fronhas no armário. Abriu as sacolas com as roupas novas e pendurou no guarda-roupa. Apesar do volume das compras, só preencheu uma ínfima parte do espaço. Instalou as luminárias e guardou panelas, louça e talheres nos armários da cozinha.

Olhou perplexa para as paredes vazias e se deu conta de que deveria ter comprado pôsteres, quadros, coisas do gênero. Pessoas normais tinham isso nas paredes e ela deveria ter também. Uma planta também não cairia mal.

Em seguida, abriu as caixas que trouxera da Lundagatan e separou livros, jornais, recortes e a documentação acumulada em suas pesquisas, que ela na certa deveria jogar fora. Despachou generosamente camisetas velhas e meias furadas. De repente, deparou com um pênis artificial ainda na embalagem. Deu um sorriso de esguelha. Tinha sido um dos presentes de aniversário birutas de Mimmi, dois anos antes, e ela se esquecera totalmente de sua existência, nunca o tinha sequer experimentado. Decidiu corrigir isso e colocou o pênis, erguido em sua base, sobre a cômoda perto da cama.

Então tornou a ficar séria. *Mimmi*. Sentia uma pontinha de remorso. Tinha saído meio regularmente com Mimmi durante um ano e depois a abandonara por Mikael Blomkvist sem nenhuma explicação. Nem sequer se despedira ou comunicara sua intenção de deixar a Suécia. Nem sequer avisara sobre a viagem ou trocara qualquer palavra com Dragan Armanskij ou as meninas do Evil Fingers, que deviam achar que ela tinha morrido. A não ser que tivessem se esquecido dela — Lisbeth nunca fora uma figura central no grupo. Era como se tivesse dado as costas a todo mundo. De repente se lembrou que também não se despedira de George Bland em Granada e se perguntou se ele continuava esperando por ela na praia. Refletiu sobre o que Mikael Blomkvist lhe dissera a respeito da amizade. *Eu não cuido dos meus amigos*. Perguntou-se se Mimmi ainda existia, ali, na cidade, em algum lugar, e se deveria lhe dar notícias.

Ficou até tarde da noite organizando documentos em sua sala de trabalho, instalando o computador e navegando na internet. Conferiu seus investimentos e constatou que estava mais rica do que um ano atrás.

Fez um controle de rotina no computador do dr. Nils Erik Bjurman, mas não achou nada interessante nos e-mails e concluiu que ele estava se precavendo. Não encontrou nenhum sinal de que tivesse tido contato com a clínica de Marselha. Bjurman até dava a impressão de ter reduzido suas atividades pessoais e profissionais, e passar a vida vegetando. Raramente usava o correio eletrônico e, quando navegava na rede, era mais para visitar sites pornográficos.

Ela só se desconectou lá pelas duas da manhã. Foi para o quarto, despiu-se e jogou a roupa numa cadeira. Depois foi ao banheiro. O canto perto da porta tinha espelhos em ângulo do piso ao teto. Ficou um bom tempo se olhando. Examinou atentamente o rosto anguloso e enviesado, os seios novos e a enorme tatuagem nas costas. Era bonita, um longo dragão serpenteante, vermelho, verde e preto, que começava no ombro e cuja cauda fina se estendia por toda a nádega direita, indo terminar na coxa. No ano em que estivera viajando, deixara crescer o cabelo até os ombros, mas na última semana em Granada pegara de repente a tesoura e o cortara bem curto. Ainda estava com pontas desfiadas para todos os lados.

Súbito, sentiu que uma mudança fundamental tinha ocorrido, ou estava para ocorrer, em sua vida. Talvez fosse esse o perigo de a gente de repente dispor de bilhões e não ser mais obrigada a pensar em cada centavo. Talvez fosse também o mundo adulto começando a contaminá-la. Talvez fosse o fato de perceber que a morte de sua mãe pusera um ponto final em sua infância.

Durante as viagens do ano anterior, tinha se desfeito de muitos de seus *piercings*. Na clínica de Gênova, uma argola no mamilo fora abolida por razões puramente médicas, relacionadas à cirurgia. Em seguida, tirara a argola do lábio inferior e, em Granada, a argola sutilmente situada entre as coxas, que a machucava, e ela nem sabia mais direito por que tinha posto um *piercing* naquele lugar.

De repente, abriu a boca e desatarraxou o pino que atravessava sua língua e que ela já usava havia sete anos. Deixou-o numa tigela, na prateleira ao lado da pia. Sua boca parecia vazia. Com exceção de algumas argolas na orelha, só lhe restavam dois *piercings*, uma argola na sobrancelha esquerda e uma joia no umbigo.

Quando, mais tarde, enfiou-se debaixo do edredom novinho, descobriu que a cama que tinha comprado era gigantesca e que só ocupava uma mínima parte dela. Tinha a impressão de estar deitada na beira de um campo de futebol. Enrolou o corpo no edredom e ficou um bom tempo refletindo.

6. DOMINGO 23 DE JANEIRO — SÁBADO 29 DE JANEIRO

Lisbeth Salander pegou o elevador do estacionamento no subsolo até o quarto andar, o último dos três andares do edifício comercial de Slussen ocupado pela Milton Security. A cópia de uma chave mestra que ela tivera o cuidado de conseguir anos atrás ainda funcionava. Consultou maquinalmente o relógio de pulso ao sair no corredor mergulhado no escuro. Três horas e dez minutos da madrugada de domingo. O guarda-noturno estava no centro de vigilância do segundo andar e ela sabia que muito provavelmente estaria sozinha no quarto andar.

Como sempre, ficou pasma ao verificar que uma empresa especializada em segurança deixava brechas tão óbvias no seu próprio sistema.

Poucas coisas haviam mudado no corredor do quarto andar naquele ano. Foi primeiro até sua própria sala, um cubículo atrás de uma divisória de vidro no corredor, onde Dragan Armanskij a instalara. A porta não estava trancada. Uma mesa, uma cadeira de escritório, um cesto de papel e uma estante vazia, o velho PC Toshiba de 1997 com um disco rígido mixuruca; Lisbeth não levou nem trinta segundos para constatar que naquele seu ano de ausência absolutamente nada tinha mudado em "sua" sala, afora alguém ter deixado uma caixa com uma papelada antiga no chão, bem do lado da porta.

Nada indicava que Dargan tivesse posto outra pessoa ali. Viu nisso um bom sinal, embora sabendo que não significava nada. Os quatro metros quadrados daquela salinha não podiam mesmo ser de grande utilidade.

Lisbeth fechou a porta e andou silenciosamente por todo o corredor conferindo se algum notívago não estaria trabalhando em algum canto. Estava sozinha. Parou em frente à máquina de café e pegou um copinho de *capuccino* antes de seguir até a sala de Dragan Armanskij e abrir a porta com sua chave pirateada.

A sala de Armanskij estava, como sempre, irritantemente arrumada. Deu uma volta, e uma olhada na estante antes de se sentar à mesa e ligar o computador.

Tirou um CD do bolso interno do casaco de camurça novinho e o inseriu no leitor para abrir um programa chamado Asphyxia 1.3, que ela mesma criara e cuja única função era atualizar o Internet Explorer no disco rígido de Armanskij. O processo durou cerca de cinco minutos.

Feito isso, tirou o CD do leitor e reiniciou o computador com a nova versão do Internet Explorer. O programa parecia ser a antiga versão e se comportou de modo exatamente igual, só estava um átimo mais pesado e um microssegundo mais lento. Todas as configurações eram idênticas ao original, inclusive a data de instalação. Do novo arquivo, nem vestígio.

Entrou no endereço de um servidor ftp na Holanda e obteve um menu. Clicou no ícone *copy*, digitou *Armanskij/MiltSec* e clicou em Entrar. O computador imediatamente começou a copiar o disco rígido de Dragan Armanskij no servidor holandês. Um relógio avisou que o processo levaria trinta e quatro minutos.

Durante a transferência, pegou a cópia da chave da mesa de Armanskij, que ele guardava num vaso decorativo sobre a estante. Passou a meia hora seguinte atualizando-se nos dossiês da gaveta superior direita, onde Armanskij costumava guardar os casos em andamento e urgentes. Quando o computador avisou que a transferência estava concluída, recolocou os dossiês exatamente na ordem em que os tinha encontrado.

Em seguida desligou o computador, apagou a luminária de mesa e pegou o copinho de *capuccino* vazio. Eram 4h12 quando entrou no elevador. Saiu da Milton Security do mesmo jeito que tinha entrado.

Voltou a pé para a Fiskaregatan, sentou-se diante de seu PowerBook, conectou-se ao servidor holandês e abriu uma cópia do Asphyxia 1.3. Uma vez aberto o programa, apareceu uma janela com uma seleção de discos rígidos. Havia cerca de quarenta opções, e ela rolou a barra do menu. Passou pelo disco rígido de *NilsEBjurman*, que ela abria mais ou menos a cada dois meses. Parou um instante em *MikBlom/laptop* e *MikBlom/office*. Não clicava nesses ícones havia mais de um ano e cogitou vagamente mandá-los para a lixeira. Por princípio, porém, resolveu mantê-los — já que um dia ela havia clonado esses computadores, seria bobagem apagar a informação para, quem sabe, um dia ter de refazer todo o processo. Isso também valia para um ícone intitulado *Wennerström*, que não abria havia muito tempo. O dono tinha morrido. O ícone *Armanskij/MiltSec* era o último a ter sido criado e se achava bem no final da lista.

Ela poderia ter clonado o disco rígido dele antes, mas nunca se dera ao trabalho porque, trabalhando na Milton Security, tinha todas as condições de pôr a mão em informações que Armanskij queria ocultar das pessoas que o cercavam. A invasão de seu computador não tinha nenhuma má intenção. Ela só queria saber no que a empresa vinha trabalhando e qual era sua situação geral. Clicou e abriu-se instantaneamente uma nova pasta intitulada [ARMANSKIJDD]. Confirmou que conseguia abrir o disco rígido e constatou que todos os arquivos estavam no lugar.

Ficou no computador, lendo os relatórios, balanços financeiros e e-mails de Armanskij, até as sete da manhã. Por fim, balançou a cabeça, preocupada, e desligou o computador. Foi ao banheiro escovar os dentes e depois seguiu para o quarto, onde se despiu, deixando a roupa amontoada no chão. Deitou-se e dormiu até meio-dia e meia.

Na última sexta-feira de janeiro, teve lugar a assembleia geral anual da *Millennium*. Participavam o contador da empresa, um auditor fiscal, os quatro sócios — Erika Berger (detentora de trinta por cento das ações), Mikael Blomkvist (vinte por cento), Christer Malm (vinte por cento) e Harriet Vanger (trinta por cento). Fora igualmente convocada para a reunião a assistente de redação Malu Eriksson, representante dos funcionários na qualidade de presidente da unidade sindical da revista, composta por ela própria, Lottie Karim, Henry Cortez, Monika Nilsson e Sonny Magnusson, responsável pela publicidade. Era a primeira vez que Malu participava de uma assembleia geral da diretoria da empresa.

A reunião teve início às quatro da tarde em ponto e terminou pouco mais de uma hora depois. Grande parte dela foi dedicada ao balanço financeiro e ao detalhamento do saldo. A assembleia pôde constatar facilmente que a *Millennium* estava com uma base financeira estável se comparada ao período de crise que atingira a empresa dois anos antes. O saldo apresentava um excedente de 2,1 milhões de coroas, dos quais um milhão provinha das vendas do livro de Mikael Blomkvist sobre o caso Wennerström.

Por sugestão de Erika Berger, ficou decidido que um milhão seria aplicado visando estancar futuras crises, duzentas e cinquenta mil coroas seriam investidas numa reforma da área de redação, na compra de novos computadores e outros equipamentos técnicos, e trezentas mil seriam aproveitadas para um aumento geral dos salários e a proposta de período integral a Henry Cortez. Para o restante, a proposta era repassar cinquenta mil coroas a cada sócio e um bônus salarial de cem mil coroas a ser equanimemente dividido entre os quatro colaboradores fixos, quer trabalhassem meio período, quer período integral. O responsável pela publicidade, Sonny Magnusson, não receberia bônus, já que por contrato lhe cabia uma percentagem sobre os anúncios que conseguia, o que às vezes o tornava o assalariado mais bem pago de todos. A proposta foi aceita por unanimidade.

Uma proposta de Mikael Blomkvist suscitou um breve debate sobre a possibilidade de reduzir o orçamento para *freelancers* e investir futuramente em mais um funcionário de meio período. Mikael pensava em Dag Svensson, que assim poderia usar a *Millennium* como base de uma atividade *freelancer* e, quem sabe mais tarde, passar para período integral. A proposta contou com a oposição de Erika Berger, que achava que seria difícil a revista não recorrer a frilas. Erika teve o apoio de Harriet Vanger, enquanto Christer Malm se absteve. Ficou então decidido não se mexer no orçamento dos frilas. Todos, porém, tinham muita vontade de trabalhar com Dag Svensson pelo menos em período parcial.

Depois de uma rápida discussão sobre o futuro direcionamento e os projetos em andamento, Erika Berger foi reeleita presidente do conselho administrativo para o exercício seguinte. Com isso, a assembleia foi encerrada.

Malu Eriksson não pronunciara uma só palavra durante esse seu primeiro conselho administrativo; um breve cálculo de cabeça lhe permitira constatar que os funcionários iriam receber um bônus de vinte e cinco mil coroas, ou seja, mais de um mês de salário. Não viu nenhum motivo para protestar contra essa decisão.

Terminada a assembleia geral, Erika Berger convocou os sócios para uma reunião extraordinária. Erika, Mikael, Christer e Harriet permaneceram na sala, enquanto os demais se retiraram. Assim que fecharam a porta, Erika começou a reunião.

— Temos um único item em pauta. Harriet, segundo o acordo firmado com Henrik Vanger, sua participação seria por um período de dois anos. Chegamos ao fim do contrato. Portanto precisamos saber o que vai ser da sua participação — ou, mais precisamente, a de Henrik.

Harriet meneou a cabeça.

— Todo mundo aqui sabe que a participação de Henrik resultou de um impulso diante de uma situação bem específica — disse ela. — Essa situação não existe mais. Gostaria de saber a opinião de vocês a respeito.

Christer Malm se mexeu na cadeira. Era o único na sala que não sabia exatamente que situação específica era aquela. Sabia que Mikael e Erika lhe escondiam uma história, mas Erika explicara que se tratava de um assunto altamente pessoal, que dizia respeito a Mikael e sobre o qual ele não queria falar de jeito nenhum. Christer não era bobo e entendeu que o silêncio de Mikael estava ligado aos acontecimentos de Hedestad e a Harriet Vanger. Entendia também que não precisava saber mais que isso para tomar uma decisão de princípios, e respeitava Mikael o suficiente para não criar caso por isso.

— Conversamos, os três, sobre a questão e chegamos a um consenso — disse Erika. Fez uma pausa e fitou Harriet dentro dos olhos. — Antes de expor nosso ponto de vista, gostaríamos de saber qual a sua posição.

O olhar de Harriet Vanger passou de Erika para Mikael, depois para Christer. Seus olhos se demoraram em Mikael, mas não conseguiu ler nada no rosto deles.

— Se quiserem comprar a minha parte de volta, isso lhes custaria três milhões de coroas mais os juros, quantia que a família Vanger investiu na *Millennium*. Vocês têm condições de pagar? — perguntou Harriet suavemente.

— Sim, temos condições — disse Mikael com um sorriso.

Henrik Vanger pagara cinco milhões de coroas pelo trabalho que Mikael realizara para ele. Detalhe irônico: um dos objetivos da missão tinha sido encontrar Harriet Vanger.

— Nesse caso, a decisão está na mão de vocês — disse Harriet. — O contrato determina que a partir de hoje vocês podem abrir mão da participação dos Vanger. De minha parte, nunca teria formulado um contrato tão vago como este do Henrik.

— Poderíamos comprar a sua parte se fôssemos obrigados a isso — disse Erika. — A questão, portanto, é saber o que você pretende. Você dirige um grupo empresarial, dois grupos, para ser mais precisa. O nosso orçamento anual equivale ao que vocês negociam no intervalo do cafezinho. Que interesse você poderia ter em desperdiçar seu tempo em algo tão modesto como a *Millennium*? Reunimos o conselho administrativo a cada três meses, e desde que substituiu o Henrik você tem conscienciosamente se dado ao trabalho de estar presente a todas as reuniões.

Harriet Vanger encarou a presidente do conselho administrativo com um olhar doce. Guardou silêncio por um longo momento. Então disse, voltando-se para Mikael:

— Desde o dia em que nasci, sempre fui proprietária de uma coisa ou de outra. E passo os meus dias dirigindo um grupo onde há mais intrigas que num romance popular. Quando comecei a participar deste conselho, era para cumprir um dever ao qual não podia me furtar. Mas vou dizer uma coisa: nesse último ano e meio, descobri que este é o conselho administrativo do qual eu mais gosto de participar.

Mikael meneou a cabeça com ar compenetrado. Harriet olhou para Christer.

— Estar na *Millennium* é como brincar de conselho administrativo. Os problemas aqui são mínimos, compreensíveis e visíveis. A empresa tem, evidentemente, a obrigação de gerar lucro e ganhar dinheiro, é uma condição *sine qua non*. Mas o objetivo da atividade se situa num outro nível: vocês querem fazer as coisas avançar.

Tomou um gole de água e fitou Erika.

— O que isso significa exatamente ainda é um pouco vago para mim. Vocês não são um partido político, não são uma organização sindical. Não têm contas a prestar a ninguém a não ser vocês mesmos. Mas apontam para falhas na sociedade e não hesitam em perturbar as personalidades que não lhes agradam. Vocês, muitas vezes, querem mudar as coisas. Mesmo que finjam ser uns cínicos e uns niilistas, é a moral de vocês, e mais nada, que aponta o rumo da revista, e tive a oportunidade de constatar que a moral de vocês é muito especial. Não sei que nome dar a isso, mas a *Millennium* tem alma. É o único conselho administrativo de que me orgulho de participar.

Calou-se e ficou em silêncio por tanto tempo que Erika, de repente, começou a rir.

— Isso é muito bacana. Mas você ainda não respondeu à pergunta.

— Eu me sinto bem na companhia de vocês, me faz um bem incrível participar disto aqui. É a coisa mais maluca e esquisita que já vivenciei. Se quiserem que eu fique, para mim será um prazer.

— Bem — disse Christer. — Nós discutimos todos os aspectos e estamos todos de acordo. Vamos romper o contrato hoje e comprar sua parte de volta.

Os olhos de Harriet se arregalaram ligeiramente.

— Vocês querem se livrar de mim?

— Quando assinamos o contrato, estávamos com o pescoço na forca, só esperando que puxassem a corda. Não tínhamos escolha. Desde então, ficamos só esperando o dia de poder comprar de volta a parte de Henrik Vanger.

Erika abriu uma pasta e pôs sobre a mesa uns documentos que ela empurrou na direção de Harriet Vanger com um cheque no valor exato indicado por Harriet. Esta percorreu o contrato com os olhos. Sem uma palavra, pegou uma caneta e assinou.

— Pronto — disse Erika. — Simples como o quê. Eu queria agradecer ao Henrik Vanger por esse tempo que passamos juntos e sua contribuição para a *Millennium*. Obrigada, desde já, por transmitir isso a ele.

— Vou transmitir — respondeu Harriet Vanger em tom neutro.

Ela não demonstrava o que sentia, mas estava ao mesmo tempo magoada e profundamente decepcionada por eles a terem deixado dizer que gostaria de permanecer no conselho para em seguida a expulsarem com tamanha leviandade. *Parecia tão desnecessário, não dava para entender.*

— Por outro lado, gostaria de chamar sua atenção para um outro contrato, bem diferente — disse Erika Berger.

Pegou outro maço de papéis e o empurrou sobre a mesa.

— Queríamos saber se você gostaria de se tornar pessoalmente sócia da

Millennium. O custo é exatamente a quantia que você acaba de receber. A diferença é que este contrato não estipula prazo nem tem cláusulas de exclusão. Você entraria na empresa como sócia efetiva, com responsabilidades e deveres iguais aos nossos.

Harriet ergueu as sobrancelhas.

— Por que proceder assim?

— Porque cedo ou tarde teríamos que passar por isso — disse Christer Malm. — Poderíamos ir renovando o outro contrato ano após ano, de uma assembleia para outra, ou até a gente brigar para valer no conselho e expulsar você. Era imprescindível uma revisão.

Harriet se apoiou num cotovelo e perscrutou-o com o olhar. Seus olhos passaram em seguida para Mikael e Erika.

— Acontece que assinamos o contrato com o Henrik por pura necessidade econômica — disse Erika. — Já este novo contrato nós estamos propondo porque é nosso desejo. E, contrariamente ao que estipulava o anterior, não vai ser muito fácil tirar você no futuro.

— Isso faz uma diferença enorme para a gente — disse Mikael em voz baixa.

Essa foi sua única contribuição na discussão.

— A gente simplesmente acha que você traz para a *Millennium* algo mais do que as garantias econômicas ligadas ao nome Vanger — disse Erika Berger. — Você é uma pessoa sensata e ponderada e encontra soluções construtivas. Até agora esteve retraída, como um observador de passagem. Mas você traz a esta diretoria uma estabilidade e uma firmeza que nunca tivemos antes. Você entende de negócios. Você um dia me perguntou se podia confiar em mim, e eu me fazia mais ou menos a mesma pergunta a seu respeito. Hoje nós duas sabemos onde estamos pisando. Gosto muitíssimo de você — todos nós gostamos. Não queremos você aqui por uma obrigação formulada e registrada em papel num momento de desespero. Queremos você como nossa parceira e sócia efetiva.

Harriet pegou o contrato e o leu escrupulosamente linha por linha durante cinco minutos. Por fim, levantou a cabeça.

— E vocês três concordam com isso? — perguntou.

Os três aquiesceram. Harriet pegou a caneta e assinou. Empurrou o cheque para o outro lado da mesa. Mikael rasgou-o.

* * *

Os sócios da *Millennium* jantaram no Samirs Gryta em Tavastgatan. Um bom vinho e cuscuz de cordeiro constituíram o menu de uma reunião tranquila para festejar a nova sociedade. A conversa estava descontraída e Harriet, visivelmente mexida. Pairava no ar um leve toque de primeiro encontro, quando as duas partes sabem que algo vai acontecer, mas ainda não sabem exatamente o quê.

Às sete e meia da noite, Harriet Vanger deixou o restaurante, dizendo que precisava ir para o hotel dormir. Erika Berger tinha que ir para casa ao encontro do marido e acompanhou Harriet por um trecho do caminho. Despediram-se em Slussen. Mikael e Christer ainda se demoraram um pouco, até que chegou a vez de Christer se levantar e ir para casa.

Harriet Vanger pegou um táxi para o hotel Sheraton e subiu até seu quarto no sexto andar. Despiu-se, tomou banho, enxugou-se e enfiou o roupão oferecido pelo hotel. Depois se sentou diante da janela para apreciar a vista sobre Riddarholmen. Abriu um maço de Dunhill e acendeu um cigarro. Fumando três ou quatro cigarros por dia, ela se via praticamente como uma não-fumante, o que lhe permitia desfrutar umas tragadas travessas sem se sentir culpada.

Às nove, bateram à sua porta. Ela abriu e deixou Mikael Blomkvist entrar.

— Safado — disse ela.

Mikael sorriu e deu-lhe um beijo.

— Por um segundo, achei mesmo que vocês estivessem me dispensando.

— A gente nunca teria te dispensado dessa maneira. Entendeu por que queríamos refazer o contrato?

— Sim. Parece bastante honesto.

Mikael abriu o roupão, pôs uma mão em seu seio e apertou suavemente.

— Safado — ela repetiu.

Da rua, ela avistara a janela iluminada, e agora ouvia música lá dentro. Lisbeth Salander parou em frente à porta onde estava escrito Wu. Deduziu que Miriam Wu ainda morava em sua quitinete na Tomtebogatan, próximo à praça Sankt Eriksplan. Era noite de sexta-feira e Lisbeth, de certa forma, torcia para que Mimmi tivesse saído para alguma balada e que o apartamento estivesse escuro e silencioso. Restava saber se Mimmi ainda a queria e se estaria sozinha e disponível.

Tocou a campainha.

Mimmi abriu a porta e ergueu as sobrancelhas, surpresa. Então se encostou no batente da porta, mão no quadril.

— Salander! Pensei que você tivesse morrido ou qualquer coisa assim.

— Qualquer coisa assim — disse Lisbeth.

— O que você quer?

— Existem muitas respostas para essa pergunta.

Miriam Wu deixou os olhos vagarem pela escada antes de tornar a pousá-los em Lisbeth.

— Fale uma delas, só para eu ver.

— Bem, conferir se você ainda está solteira e se gostaria de companhia hoje à noite.

Mimmi ficou boquiaberta alguns segundos, antes de repentinamente cair na gargalhada.

— Só conheço uma pessoa capaz de aparecer na minha casa depois de um ano e meio de silêncio para me perguntar se estou a fim de trepar.

— Quer que eu vá embora?

Mimmi parou de rir. Permaneceu calada por alguns segundos.

— Lisbeth... meu Deus, você está falando sério!

Lisbeth aguardou.

Por fim, Mimmi suspirou e abriu toda a porta.

— Entre. Posso pelo menos te oferecer um café.

Lisbeth a seguiu e sentou num dos dois banquinhos que Mimmi tinha posto de um lado e outro de uma mesa de jantar, na entrada, bem atrás da porta. O apartamento de vinte e quatro metros quadrados compunha-se de uma sala exígua e de uma entrada onde mal e mal dava para colocar alguns móveis. A cozinha encontrara um lugar num cantinho da entrada, onde Mimmi instalara água corrente puxando um cano do banheiro.

Enquanto Mimmi preparava o café, Lisbeth a olhou disfarçadamente. Miram Wu era filha de uma chinesa de Hong Kong e um sueco de Boden. Usava o sobrenome da mãe. Lisbeth sabia que os pais dela continuavam casados e moravam em Paris. Mimmi estava matriculada no curso de sociologia da Universidade de Estocolmo. Tinha uma irmã mais velha que estudava antropologia nos Estados Unidos. Os genes de sua mãe se manifestavam sob a forma de cabelos negros lisos, que ela usava bem curtos, e vagas feições asiáticas. Do pai herdara olhos azuis que lhe davam um aspecto singular. A boca era larga, e ela tinha covinhas que não vinham nem da mãe nem do pai.

Tinha trinta e um anos. Gostava de ostentar roupas de vinil e frequentar boates que apresentavam shows, dos quais ela própria às vezes participava. Lisbeth não punha os pés numa boate desde os dezesseis anos.

Além de fazer sociologia, Mimmi trabalhava um dia por semana como vendedora na Domino Fashion, numa rua transversal da Sveavägen. A clientela da Domino tinha uma necessidade vital de roupas provocativas, do tipo uniforme de enfermeira de látex ou conjunto de bruxa em couro preto, e a loja respondia pelo design e fabricação dessas peças. Mimmi era coproprietária da butique com umas amigas, o que representava alguns milhares de coroas por mês para reforçar o crédito estudantil. Lisbeth Salander descobrira Mimmi alguns anos antes, quando ela se apresentava num show durante a Gay Pride; mais tarde naquela noite cruzara com ela numa barraca de cerveja. Mimmi usava um vestido esquisito de plástico verde-limão, que mais mostrava do que escondia. Lisbeth teve dificuldade em encontrar alguma nuança erótica naquela vestimenta, mas estava bêbada o bastante para, de repente, sentir vontade de dar em cima de uma mulher fantasiada de limão. Para a imensa surpresa de Lisbeth, o limão concedera-lhe um olhar e a beijara sem nenhum constrangimento, dizendo: *Quero você!* Tinham ido para a casa de Lisbeth e feito amor a noite inteira.

— Eu sou assim — disse Lisbeth. — Caí fora para me afastar de tudo e de todos. Deveria ter me despedido de você.

— Pensei que tinha acontecido alguma coisa com você. Mas é verdade que a gente não vinha tendo muito contato nos últimos meses antes de você sumir.

— Eu estava superocupada.

— Você é mesmo uma garota misteriosa. Nunca fala de você, não sei onde você trabalha, e eu não sabia para quem ligar quando parou de atender o celular.

— No momento estou sem nenhum trabalho específico e, dá licença, você era exatamente igual a mim. Queria trepar comigo, mas não estava particularmente interessada em mim, e prefere viver sozinha. Não é verdade?

Mimmi olhou para Lisbeth.

— É verdade — disse por fim.

— E comigo era igual. Eu queria trepar, mas não queria ser um casal com você. Eu nunca prometi nada.

— Você mudou — disse Mimmi.

— Nem tanto.

— Parece mais velha. Mais madura. Está vestida diferente. E recheou o sutiã com alguma coisa.

Lisbeth se remexeu na cadeira, mas não respondeu. Mimmi acabava de tocar no ponto sensível, e ela não conseguia definir como ia explicar o assunto para as pessoas que a conheciam. Mimmi a tinha visto nua e necessariamente iria notar uma mudança. Por fim, baixou os olhos e murmurou:

— Eu mandei colocar uns seios.

— O que você está dizendo?

Lisbeth ergueu os olhos e falou mais alto, sem perceber o tom desafiador que estava adotando.

— Estive numa clínica, na Itália, para fazer uns implantes. Foi por isso que eu sumi. Depois, eu simplesmente continuei viajando. Agora estou de volta.

— Está brincando?

Lisbeth fitou Mimmi com um olhar inexpressivo.

— Ah, que boba que eu sou. Você nunca brinca, *mademoiselle Spock*.

— Eu sou assim e não pretendo me desculpar. Estou sendo honesta com você. Se quiser que eu vá embora, é só dizer. Quer que eu vá embora?

— Espera aí, você realmente fez implante de seios?

Lisbeth meneou a cabeça. Mimmi Wu caiu na gargalhada. Lisbeth murchou.

— Seja como for, você nem pense em ir embora sem eu ver. Por favor, minha linda. *Please*.

— Mimmi, eu sou assim. Você também. Você dá em cima de tudo o que tem seios, e até de alguém como eu, que não tinha seio nenhum. Por isso é que eu gostava tanto de trepar com você. Você não botava o nariz nas minhas histórias e se eu estivesse ocupada procurava outra. E você não dá a mínima para o que as pessoas acham de você.

Mimmi meneou a cabeça. Entendera que era lésbica já na época do colégio e, depois de alguns tateios difíceis, fora finalmente iniciada nos mistérios do erotismo aos dezessete anos, quando, por acaso, acompanhara uma amiga a uma festa organizada pela Associação pela Igualdade Sexual de Göteborg. A partir dali, nunca sequer cogitara viver de outra maneira. Uma única vez, estava então com vinte e três anos, tentara fazer amor com um homem. Cumprira o ato e fizera tudo aquilo que se esperava dela. Não sentira prazer algum. Em compensação, as mulheres, de todo tipo e formato, despertavam nela um desejo infinito. Ela pertencia também à minoria dentro da minoria das que não experimentavam nem casamento, nem fidelidade, nem noites aconchegantes em casa.

— Voltei para a Suécia faz umas poucas semanas. Só queria saber se preciso sair caçando por aí ou se você ainda está topando.

Mimmi se levantou e se acercou de Lisbeth. Inclinou-se e beijou-a suavemente na boca.

— Eu pretendia trabalhar hoje à noite.

Abriu o primeiro botão da camisa de Lisbeth.

— Puxa vida...

Beijou-a de novo e abriu outro botão.

— Eu tenho que ver isso.

Mais um beijo.

— Que bom que você voltou.

Harriet Vanger adormeceu por volta das duas da manhã, enquanto Mikael Blomkvist ficou acordado escutando sua respiração. Acabou se levantando e roubando um cigarro na bolsa dela. Sentou-se, nu, numa cadeira ao lado da cama e ficou olhando para ela.

Mikael não planejara tornar-se amante ocasional de Harriet. Pelo contrário, depois do período passado em Hedestad, sua vontade era manter distância da família Vanger. Reencontrara-se com Harriet na primavera, nas reuniões do conselho administrativo, e mantivera uma distância polida; cada um conhecia os segredinhos do outro e os guardava para si, mas, a não ser pelas obrigações de Harriet na diretoria da *Millennium*, nada mais os ligava em termos de trabalho.

No ano anterior, depois de meses sem aparecer em sua cabana de Sandham, Mikael passara um tempo lá no feriado de Pentecostes, só para ficar em paz, sentar em frente ao mar e ler um romance policial. Na sexta-feira à tarde, poucas horas depois de sua chegada, quando foi a pé até o quiosque para comprar cigarros, topou inopinadamente com Harriet Vanger. Ela sentira vontade de se afastar de Hedestad e fizera uma reserva de fim de semana no hotel de Sandham, lugar que não via desde a infância. Tinha dezesseis anos quando fugira da Suécia, e cinquenta e três quando voltara, depois que Mikael encontrara sua pista.

A surpresa de se encontrarem assim por acaso tinha sido mútua. Depois de algumas frases banais, ela se calou, constrangida. Mikael conhecia a história dela. E ela sabia que ele cedera em seus princípios para encobrir os terríveis segredos da família Vanger. Entre outras coisas, para poupá-la.

Mikael a convidara para conhecer sua cabana. Tinham ficado um bom tempo no pontão, batendo papo. Era a primeira vez que conversavam seriamente depois que ela voltara para a Suécia. Mikael tinha que fazer a pergunta.

— O que vocês fizeram com tudo aquilo que estava no porão de Martin Vanger?

— Você quer mesmo saber?

Ele meneou a cabeça.

— Eu mesma fiz a faxina. Queimei tudo o que era possível queimar. Mandei derrubar a casa. Não teria conseguido morar lá, nem vender ou deixar outra pessoa morar ali. Para mim, ela estava totalmente associada ao mal. Pretendo mandar construir outra casa, menor, naquele terreno.

— E ninguém reclamou quando você mandou derrubar? Afinal, era uma magnífica mansão moderna.

Ela sorriu.

— Dirch Frode espalhou o boato de que havia tamanho problema de umidade na casa que ficaria mais caro mandar consertar.

Dirch Frode era o advogado e faz-tudo da família Vanger.

— Como vai o Frode?

— Está para fazer setenta anos. Eu o mantenho ocupado.

Jantaram juntos e Mikael de repente se deu conta de que Harriet estava lhe contando os detalhes mais íntimos e pessoais de sua vida. Ele a interrompeu e perguntou por quê. Ela refletiu um instante e respondeu que talvez ele fosse a única pessoa no mundo de quem não tinha motivo para esconder o que quer que fosse. Além do quê, achava difícil guardar segredos de um menino do qual fora *baby-sitter* quarenta anos antes.

Ela experimentara o sexo com três homens em sua vida. Primeiro seu pai, depois seu irmão. Matara o pai e fugira para longe do irmão. De um jeito ou de outro, sobrevivera, encontrara um homem e construíra uma vida nova.

— Ele era carinhoso e muito amoroso. A gente não... quero dizer, a gente não tinha uma vida íntima exuberante, mas ele era honesto e me dava segurança. Fui feliz com ele. Vivemos juntos vinte anos, até ele ficar doente.

— Por que nunca se casou de novo?

Ela deu de ombros.

— Eu era mãe de dois filhos na Austrália, e proprietária de uma grande empresa agrícola. Imagino que eu nunca tive de fato disponibilidade para escapar em fins de semana românticos. Sexo nunca me fez falta.

Ficaram um momento calados.

— Está tarde. Preciso voltar para o hotel.

Mikael concordou com a cabeça.

— Você está a fim de me seduzir?

— Sim — ele respondeu.

Mikael se levantou, pegou-a pela mão, eles entraram na cabana e subiram até o mezanino. Ela o deteve.

— Não sei bem como me comportar — disse. — Não é todo dia que faço essas coisas.

Passaram o fim de semana juntos e, desde então, viam-se uma noite a cada três meses, quando se reunia o conselho administrativo da *Millennium*. Não era uma relação muito prática nem duradoura. Harriet Vanger trabalhava vinte e quatro horas por dia e viajava a maior parte do tempo. Ela passava um mês na Suécia e outro na Austrália. Contudo, começara a apreciar aqueles encontros irregulares e esporádicos com Mikael.

Duas horas depois, Mimmi preparava o café enquanto Lisbeth permanecia deitada, nua e suada, em cima da colcha. Fumou um cigarro, contemplando as costas de Mimmi pela porta entreaberta. Invejava o corpo dela, com seus músculos impressionantes. Mimmi se exercitava três noites por semana, uma delas treinando luta tailandesa ou alguma coisa parecida com caratê, que deixara seu corpo naquele insolente condicionamento físico.

Ela era simplesmente gostosa. Não era bonita como uma modelo, mas era atraente. Mimmi adorava provocar e excitar. Quando se fazia de louca numa festa, vestida com seus trajes singulares, conseguia fascinar qualquer pessoa. Podia seduzir quem quisesse. Lisbeth não entendia por que Mimmi se interessava por uma bobinha anoréxica como ela.

Mas ficava contente que fosse assim. Trepar com Mimmi era tão libertador que Lisbeth se soltava, gozava, dava e tomava.

Mimmi voltou com duas canecas e as colocou sobre um banquinho. Subiu na cama e se inclinou para beijar um dos seios de Lisbeth.

— Bem, dão para o gasto — disse.

Lisbeth não falou nada. Olhou para os seios de Mimmi, diante de seus olhos. Mimmi também tinha seios um tanto pequenos, mas pareciam totalmente naturais no corpo dela.

— Sinceramente, Lisbeth, você está mais do que atraente.

— Não brinque comigo. Os seios não mudam nada, mas pelo menos agora eu tenho seios.

— Você tem uma fixação com corpo.

— Logo quem falando, você se exercita feito uma maluca.

— Eu me exercito feito uma maluca porque gosto de me exercitar. É que nem tomar uma dose, quase tão forte como sexo. Você devia experimentar.

— Eu faço boxe — disse ela.

— Sei. Você só ia de dois em dois meses, e isso porque sentia um prazer maligno em encher de porrada aqueles babacas que ficavam se pavoneando. Isso não é treinar para se sentir bem.

Lisbeth deu de ombros. Mimmi se escarranchou em cima dela.

— Lisbeth, você é tão egocêntrica e fixada no próprio corpo que até me irrita. Tente entender: se eu gostava de ter você na minha cama, não era pelo seu físico, mas pelo seu comportamento. Para mim, você é tremendamente sexy. E você sabe como é que eu funciono.

— Você também. Por isso estou voltando para você.

— Então não é amor? — perguntou Mimmi com uma voz fingidamente magoada.

Lisbeth balançou a cabeça.

— Você está com alguém?

Mimmi hesitou um instante antes de menear a cabeça.

— Pode ser. De certa forma. Pode-se dizer que sim. É meio complicado.

— Não estou te perguntando mais nada.

— Eu sei. Eu é que quero falar. Digamos que estou com uma mulher que trabalha na faculdade, um pouco mais velha que eu. Está casada há vinte anos e a gente, de certa forma, se encontra escondido do marido dela. Sabe como é, casarão no subúrbio, essa coisa toda. Uma sapata enrustida.

Lisbeth assentiu com a cabeça.

— O marido dela viaja um bocado, de modo que a gente se encontra de tempos em tempos. Já dura desde o outono e está meio que começando a cair na rotina. Mas ela é realmente bonita. Fora isso, continuo me encontrando com o pessoal de sempre, claro.

— A minha pergunta, na verdade, era: posso voltar aqui para te ver?

Mimmi fez que sim com a cabeça.

— Sim, quero muito que você me dê notícias.

— Mesmo que eu suma de novo por seis meses?

— Mantenha contato. Faço questão de saber se você ainda está viva. E, acredite se quiser, lembro do dia do seu aniversário.

— Sem cobranças?

Mimmi suspirou e sorriu.

— Sabe, você é uma mulher com quem eu poderia viver. Você ia me deixar na minha quando me dá vontade de ficar na minha.

Lisbeth não disse nada.

— Além do quê, na verdade, você não é lésbica. Não de fato. Bissexual, talvez. Acho que, acima de tudo, você é difícil de definir sexualmente. Ou seja: você gosta de sexo, não importa com quem seja. Tenho a impressão de que você, antes de mais nada, é um fator de caos permanente.

— Eu não sei o que eu sou — disse Lisbeth. — Mas voltei para Estocolmo e não sou muito boa em relacionamentos. Resumindo, não conheço absolutamente ninguém aqui. Você é a primeira pessoa com quem eu estou falando desde que cheguei.

Mimmi encarou-a com um jeito sério.

— Você está mesmo querendo conhecer pessoas? Você, a mulher mais anônima e inacessível que eu conheço?

Ficaram um momento caladas.

— Mas esses seios novos estão realmente ótimos.

Pôs um dedo sob um mamilo e puxou a pele.

— Ficam muito bem em você. Não são nem muito grandes nem muito pequenos.

Lisbeth suspirou de alívio ao ver que as críticas iam pelo caminho certo.

— E, quando a gente toca, parecem de verdade.

Ela apertou com tanta força que Lisbeth abriu a boca, sem fôlego. Elas se olharam. Então Mimmi se inclinou e a beijou gulosamente. Lisbeth apertou Mimmi junto a si. O café esfriou antes que elas o tomassem.

7. SÁBADO 29 DE JANEIRO – DOMINGO 13 DE FEVEREIRO

O gigante loiro entrou na aldeia de Svavelsjö, entre Järna e Vagnhärad, por volta das onze da manhã de sábado. O lugarejo compunha-se de umas quinze casas. Parou o carro na última construção, cerca de cento e cinquenta metros fora da aldeia. Era um antigo prédio industrial desbotado onde antes funcionara uma gráfica, mas que, de acordo com uma placa, hoje sediava o Moto Clube de Svavelsjö. Embora o tráfego fosse inexistente, ele olhou em volta com atenção antes de abrir a porta. O ar estava frio. Vestiu luvas de couro marrom e tirou uma sacola esportiva do porta-malas.

Não que receasse ser notado. A velha gráfica estava localizada de tal modo que era quase impossível estacionar um carro sem ser visto. Se os tiras quisessem vigiar a construção, teriam de equipar seus homens com roupa de camuflagem e posicioná-los numa vala do outro lado do pasto, munidos de telescópios. Seriam rapidamente avistados pelas pessoas da aldeia, que comentariam e, como três daquelas casas pertenciam a membros do Moto Clube, em pouco tempo a notícia chegaria ao diretor do clube.

Em compensação, não queria entrar na casa. Os tiras já tinham feito duas ou três blitze na sede do clube, e vá saber se não tinham instalado um discreto sistema de escuta. Isso fazia que as conversas lá dentro se limitassem a carro, mulher e cerveja, ou até a projetos econômicos, e raramente girassem em torno de segredos de importância capital.

O gigante loiro esperou pacientemente, portanto, que Carl-Magnus Lundin saísse para o pátio. Magge Lundin, trinta e seis anos, era o presidente do clube. A princípio de constituição magra, tinha adquirido tantos quilos em alguns anos que ostentava a barriga característica dos bebedores de cerveja. Seu cabelo loiro era preso num rabo de cavalo e ele usava botinas, calça jeans preta e um casaco grosso de inverno. O sujeito tinha cinco condenações no currículo. Duas por pequenas infrações ligadas a droga, uma por receptação agravada e uma por roubo de carro e dirigir embriagado. A quinta condenação, mais séria, valera-lhe um ano de prisão por golpes e ferimentos agravados, um ato desnecessário e inteiramente gratuito cometido vários anos antes, quando, sob efeito do álcool, detonara um bar em Estocolmo.

Apertaram-se as mãos. Magge Lundin fez um sinal com a cabeça e eles puseram-se a andar devagar ao longo da cerca do pátio.

— Fazia meses que a gente não se via — disse Magge.

O gigante loiro assentiu com a cabeça.

— Estamos num golpe. Mais de três quilos de metanfetamina, 3060 gramas para ser mais preciso.

— Igual à outra vez?

— Meio a meio.

Magge Lundin tirou um maço de cigarros do bolso interno do casaco. Meneou a cabeça. Gostava de fazer negócios com o gigante loiro. A metanfetamina era revendida nas ruas entre cento e sessenta e duzentas e trinta coroas por grama, conforme a oferta do momento. Aqueles 3060 gramas representavam mais de seiscentas mil coroas. Concretamente, o MC Svavelsjö distribuiria os três quilos em porções de cerca de duzentos e cinquenta gramas para revendedores fixos. Naquele elo da corrente, o preço era apenas cento e vinte ou cento e trinta coroas por grama, o que evidentemente reduzia o lucro teórico.

Era um bom negócio para o MC Svavelsjö. Diferentemente dos outros fornecedores, o gigante loiro nunca insistia para ser pago adiantado e nem impunha seus preços. Entregava a mercadoria e exigia cinquenta por cento dos lucros, um quinhão perfeitamente razoável. As duas partes sabiam, grosso modo, o quanto ganhariam com um quilo de metanfetamina; o valor exato dependeria da eficiência de Magge Lundin na hora da venda. Previa-se uma diferença de algumas cédulas de mil para mais ou para menos, mas, uma vez terminado o negócio, o gigante loiro voltaria para embolsar uma quantia de cerca de cento e noventa mil coroas e o mesmo tanto ficaria no caixa do MC Svavelsjö.

Fazia muitos anos que o negócio entre eles funcionava nesse sistema. Magge Lundin sabia que o gigante loiro poderia duplicar seus ganhos tratando pessoalmente da distribuição. Sabia também por que o gigante loiro aceitava um lucro menor: permanecia na moita, enquanto o MC Svavelsjö assumia todos os riscos. E, à diferença de todos os outros fornecedores que Lundin conhecia, a relação se baseava nos princípios comerciais do crédito e da boa vontade. Nunca se elevava o tom de voz, nunca havia complicações ou ameaças.

Uma vez, inclusive, num fornecimento de armas que tinha dado errado, o gigante loiro tivera de engolir um prejuízo de quase cem mil coroas. Magge Lundin não conhecia ninguém no ramo capaz de absorver um prejuízo desses com uma calma tão estoica. Ele próprio estava apavorado de ter de se encontrar com ele para contar o que tinha acontecido. Explicara em detalhes por que o negócio tinha gorado, e por que um tira do Centro de Prevenção Criminal dera uma batida na casa de um dos membros da Fraternidade Ariana no Värmland. O gigante, porém, nem sequer levantou a sobrancelha. Até se mostrou simpático. Essas coisas aconteciam. Magge Lundin não tivera o lucro esperado e cinquenta por cento de nada era igual a zero. Assunto encerrado.

Magge Lundin não era desprovido de inteligência. Compreendia que um lucro menor, mas com relativamente pouco risco, era simplesmente uma boa ideia comercial.

Nunca cogitara enrolar o gigante loiro. Não teria sido *fair-play*. O gigante loiro e seus sócios aceitavam um lucro pequeno desde que as contas fossem honestas. Se ele tentasse enrolar o gigante, o cara viria ter com ele de qualquer jeito, e Magge Lundin tinha todos os motivos para achar que nessa ele perderia a vida. De modo que nem pensar em discutir.

— Quando você pode entregar?

O gigante loiro largou a sacola esportiva no chão.

— Está entregue.

Magge Lundin não se deu ao trabalho de abrir a sacola e conferir o conteúdo. Contentou-se em estender a mão para demonstrar que eles tinham um acordo e que cabia a ele cumprir sua parte.

— Tem outra coisa — disse o gigante loiro.

— O quê?

— A gente queria te contratar para um serviço especial.

— Pode falar.

O gigante loiro pegou um envelope do bolso interno da jaqueta. Magge Lundin o abriu e tirou uma foto de identidade e um papel contendo dados pessoais. Ergueu as sobrancelhas num ponto de interrogação.

— Ela se chama Lisbeth Salander, mora na Lundagatan, no Södermalm, em Estocolmo.

— Está anotado.

— Ela deve estar no exterior no momento, mas vai acabar aparecendo uma hora dessas.

— A gente vai estar lá.

— O meu patrão queria ter uma conversinha particular com ela sem ser incomodado. Ela precisa ser entregue viva. Por exemplo, naquele hangar perto de Yngern. Tem que providenciar alguém para fazer uma faxina depois da conversa. Ela deve sumir sem deixar rastro.

— Dá para fazer. Como a gente vai saber que ela chegou?

— Eu aviso quando for a hora.

— Quanto?

— Dez milhões no total. Não é um serviço complicado. Você vai até Estocolmo, pega a moça e me entrega.

Apertaram-se as mãos mais uma vez.

Na sua segunda visita à Lundagatan, Lisbeth se sentou no sofá para refletir. Precisava tomar algumas decisões estratégicas, e uma delas era resolver se ficava ou não com aquele apartamento.

Acendeu um cigarro, soprou a fumaça para o teto e jogou a cinza numa latinha vazia de Coca.

Não havia nenhum motivo para ela gostar do apartamento, para o qual se mudara com a mãe e a irmã quando tinha quatro anos. A mãe ocupava a sala, ao passo que ela e Camilla dividiam o quartinho. Com doze anos, quando Todo o Mal acontecera, ela primeiro tinha sido internada numa clínica pediátrica e depois, aos quinze anos, passara por diferentes famílias adotivas. Seu administrador *ad hoc* legal, Holger Palmgren, sublocara o apartamento e dera um jeito para que ela o recuperasse quando atingiu a maioridade e precisou de um lugar para morar.

Nunca fora para ela um apartamento da felicidade, mas representara um ponto de referência durante a maior parte de sua existência. Embora não precisasse dele, a ideia de abandoná-lo e que estranhos viessem andar em seu piso a revoltava.

O problema logístico era que toda a sua correspondência oficial — até onde ela recebia correspondência — chegava na Lundagatan. Abandonar o apartamento a obrigaria a adotar um novo endereço. Lisbeth Salander não tinha muita vontade de ser uma pessoa concretamente presente em arquivos de todos os tipos. Mentalmente, funcionava no âmbito da paranoia e ela não tinha motivo nenhum para confiar nas autoridades nem, aliás, em quem quer que fosse.

Pela janela, viu o muro do pátio dos fundos que contemplara a sua vida inteira. Súbito, sentiu-se aliviada por ter decidido sair do apartamento. Nunca se sentira à vontade ou em segurança dentro dele. Sóbria ou bêbada de cair, cada vez que virava a esquina e se aproximava do portão do prédio dava uma boa olhada nos arredores, nos carros estacionados, nos pedestres. Tinha todos os motivos para achar que em algum lugar havia pessoas querendo lhe fazer mal, e muito provavelmente essas pessoas passariam ao ataque quando ela estivesse entrando ou saindo de casa.

Nunca houvera, no entanto, nenhuma agressão nem acontecera absolutamente nada. Mas nem por isso ela relaxava a vigilância. O endereço da Lundagatan estava em todos os arquivos oficiais, e em todos aqueles anos ela nunca tivera como incrementar sua segurança senão ficando permanentemente alerta. Não queria, de jeito nenhum, que alguém soubesse do seu novo endereço na Fiskaregatan. Seu instinto lhe dizia para se manter tão anônima quanto possível.

Isso, porém, não resolvia a questão do que ela deveria fazer com o apartamento. Ficou mais algum tempo quebrando a cabeça, depois pegou o celular e ligou para Mimmi.

— Oi, sou eu.

— Oi, Lisbeth. Desta vez está dando notícias depois de uma semana?

— Estou na Lundagatan.

— Sei.

— Fiquei pensando se você se interessaria em ficar com o meu apartamento.

— Como assim, ficar com o seu apartamento?

— Você mora numa caixa de sapatos.

— Mas me sinto bem aqui. Você pretende se mudar?

— Eu já me mudei. O apartamento está vazio.

Mimmi hesitou do outro lado da linha.

— E está me perguntando se quero ficar com ele? Ora, Lisbeth, não tenho condições para isso.

— Ele está quitado. São 1480 coroas de condomínio por mês, o que deve ser menos do que você paga pela sua caixa de sapatos. E já está pago por um ano.

— Mas você pretende vender. Quero dizer, ele deve valer muito mais que um milhão.

— Um e meio, segundo os anúncios das imobiliárias.

— Eu não tenho condições.

— E eu não tenho intenção de vender. Você pode se mudar ainda hoje, pode morar aqui o tempo que quiser e não vai ter condomínio para pagar durante um ano. Não tenho o direito de sublocar, mas posso mencionar no contrato que você é minha companheira, assim você evita problemas com o condomínio.

— Espera aí, Lisbeth, você está me pedindo em casamento! — riu Mimmi.

O rosto de Lisbeth ficou de uma seriedade papal.

— O apartamento não me serve para nada e não tenho a intenção de vender.

— Quer dizer que eu posso morar aí de graça... Não é gozação?

— Não.

— Por quanto tempo?

— Pelo tempo que você quiser. Te interessa?

— Mas claro. Não é todo dia que me oferecem um apartamento de graça no Söder, e morar num bairro chique é tentador.

— Só tem uma coisa.

— Eu sabia.

— Você pode morar aqui o tempo que quiser, mas este vai continuar sendo o meu endereço, e a minha correspondência vai vir para cá. Só o que eu te peço é para pegar a correspondência e me avisar se tiver algo que interesse.

— Lisbeth, você é a mulher mais maluca que eu conheço. O que você está aprontando? Onde vai morar?

— A gente fala nisso outra hora — disse Lisbeth, evasiva.

Combinaram de se encontrar mais no final da tarde para que Mimmi conhecesse o apartamento. Com as coisas assim acertadas, Lisbeth se sentiu bem melhor. Consultou o relógio e concluiu que ainda tinha muito tempo antes de Mimmi chegar. Levantou-se e foi a pé até o Handelsbanken, na Hornsgatan, onde pegou uma senha e esperou pacientemente até um caixa ficar livre.

Mostrou sua carteira de identidade e explicou que tinha ficado algum tempo fora do país e queria consultar o extrato de sua poupança. Seu capital oficialmente declarado era de 82 670 coroas. A conta tinha ficado parada por mais de um ano, a não ser por um depósito de 9312 coroas feito no outono. A herança de sua mãe.

Lisbeth Salander sacou a quantia correspondente à herança. Refletiu um momento. Queria usar esse dinheiro em alguma coisa que teria agradado à sua mãe. Alguma coisa especial. Foi até a agência de correios da Rosenlundsgatan e, sem que ela própria entendesse o porquê desta escolha, fez uma doação anônima na conta do SOS-Mulheres.

Eram oito da noite de sexta-feira, quando Erika desligou o computador e se espreguiçou. Tinha passado nove horas fazendo a última revisão da edição de março da *Millennium* e, como Malu Eriksson estava trabalhando em tempo integral no número temático de Dag Svensson, ela mesma tivera de fazer boa parte da redação. Henry Cortez e Lottie Karim até tinham lhe dado uma mão, mas eles tinham mais experiência como correspondente e repórter do que em escrever.

De modo que Erika Berger se sentia cansada, e com o traseiro dolorido, mas no conjunto estava satisfeita com o seu dia e com a vida em geral. As finanças da revista andavam estáveis, as curvas dos gráficos estavam na direção certa, os textos chegavam antes do prazo-limite ou, pelo menos, sem muito atraso, os funcionários estavam satisfeitos e, passado um ano, continuavam estimulados pela injeção de adrenalina que o caso Wennerström representara.

Passou uns momentos tentando massagear a nuca, pensou que uma chuveirada lhe faria muito bem e cogitou utilizar o banheirinho que ficava atrás da copa. Mas sentiu preguiça e contentou-se em descansar os pés sobre a mesa, constatando que ia fazer quarenta e cinco anos dali a três meses e que o tal futuro de que todo mundo falava estava começando a fazer cada vez mais parte do passado. O contorno dos seus olhos e boca já apresentava uma fina rede de pequenas rugas, mas ela sabia que ainda era bonita, e sua rotina incluía duas sessões infernais de academia por semana. Reconhecia que andava tendo mais dificuldade para subir no topo do mastro, quando fazia cruzeiros com o marido. Era sempre ela que subia quando necessário — Lars, seu marido, sofria de vertigem.

Também ponderou que seus primeiros quarenta e cinco anos de vida, apesar de alguns altos e baixos, no geral haviam sido felizes. Ela tinha dinheiro, status social, uma casa sensacional e um trabalho que adorava. Tinha um marido carinhoso que a amava e pelo qual ainda era, depois de quinze anos de casados, loucamente apaixonada. E, além disso, um amante agradável e aparentemente incansável que sem dúvida não satisfazia sua alma, mas seu corpo, nos momentos de necessidade urgente.

Sorriu, de repente, ao pensar em Mikael Blomkvist. Perguntou-se quando ele iria criar coragem para lhe confessar que tinha um caso com Harriet Vanger. Nem Mikael nem Harriet haviam sequer mencionado seu relacionamento, mas Erika não tinha nascido ontem. Por causa de um súbito palpite durante a reunião de agosto do conselho administrativo, e de uma troca de olhares entre Mikael e Harriet, ela percebera que havia alguma coisa entre os dois. Esperta, tentara ligar mais à noite para o celular de um e de outro e não se surpreendeu ao ver que estavam desligados. Claro que isso em si não constituía uma prova decisiva, mas nas reuniões seguintes observou que Mikael também nunca era encontrado à noite. Foi até engraçado ver com que rapidez Harriet deixara o restaurante depois da assembleia geral, pretextando cansaço e necessidade de dormir. Erika não sentia ciúmes nem vontade de levar a investigação adiante, mas pretendia mexer com os dois a respeito.

Nem pensava em se meter nas histórias de Mikael com as mulheres — que eram muitas e complicadas; só esperava que a relação dele com Harriet não resultasse em problemas na diretoria. Mas não chegava a se preocupar; Mikael não só era mestre em deixar suas amizades femininas bobas de satisfação como sabia terminar um caso sem criar nenhum drama. Sempre se tornava um bom amigo de suas ex-amantes e muito raramente se vira em dificuldades.

Quanto a Erika, adorava ser amiga e confidente de Mikael. Em certos aspectos, ele era absolutamente tapado e em outros, tão perspicaz que parecia um oráculo. Mikael nunca compreendera o amor que ela nutria pelo marido. Achava difícil aguentar Lars Beckman e nunca entendera por que Erika o considerava um ser fascinante, ardoroso, excitante e generoso, e, principalmente, desprovido dos tantos defeitos que ela detestava em muitos homens. Lars era o homem com quem ela queria envelhecer. Queria ter tido filhos com ele, mas isso se revelara impossível e agora já era tarde demais. Em sua escolha por um parceiro de vida, porém, não podia imaginar alternativa melhor e mais estável — um homem em quem podia confiar totalmente e estava sempre presente quando precisava dele.

Mikael era diferente. Era um homem com traços de caráter tão cambiantes que, a seu ver, às vezes parecia dotado de múltiplas personalidades. No lado profissional, era teimoso e quase doentiamente focado no trabalho. Apossava-se de uma história e ia avançando obstinadamente por ela até o ponto, próximo à perfeição, em que todos os fios se desatavam. Nos seus melhores momentos, era simplesmente brilhante e quando acontecia de ele ser ruim, ainda assim era muito acima da média. Parecia possuir um talento quase intuitivo para pôr o dedo em histórias que tinham dente-de-coelho e deixar para lá as que nunca passariam de bagatelas sem interesse. Nunca, em momento algum, Erika Berger se arrependera de ter se associado a Mikael.

Também nunca se arrependera de ter se tornado sua amante.

O único que entendia a paixão sexual de Erika Berger por Mikael Blomkvist era seu marido, e entendia porque ela tinha coragem de conversar sobre suas necessidades com ele. Não se tratava de infidelidade, mas de um desejo. Dormir com Mikael mergulhava-a em delícias que nenhum outro homem, inclusive Lars, sabia lhe dar.

O sexo era importante para Erika Berger. Ela perdera a virgindade aos catorze anos e passara boa parte de sua adolescência frustrada buscando a satisfação. Adolescente, experimentara de tudo: flertes avançados com colegas de escola, relação complicada com um professor bem mais velho, sexo por telefone e sexo com um neurótico. Provara de tudo o que lhe interessava no campo do erotismo. Se ensaiara em práticas sadomasoquistas, fora membro do clube Xtreme, que organizava festas pouco recomendáveis. Em várias oportunidades, experimentara o sexo com outras mulheres e concluíra, decepcionada, que não era a praia dela e que as mulheres eram incapazes de excitá-la como um homem. Ou dois homens. Experimentara o sexo com dois homens — Lars e um conhecido galerista. Percebera que seu marido tinha uma tendência bissexual muito acentuada, e que ela própria ficava quase paralisada de gozo ao sentir dois homens acariciando-a e satisfazendo-a, assim como sentia um túrbido prazer ao ver seu marido ser acariciado por outro homem. Lars e ela tinham repetido essa prática com parceiros regulares e a apreciaram.

Assim, não é que sua vida sexual com Lars fosse tediosa ou insatisfatória. É que simplesmente Mikael Blomkvist lhe oferecia uma experiência muito diversa.

Ele tinha talento. Era simplesmente um Amante Danado de Bom.

Tão bom que ela tinha a impressão de ter alcançado o equilíbrio perfeito com Lars como marido e Mikael como amante substituto segundo as necessidades. Não podia passar sem nenhum dos dois e não tinha a menor intenção de optar por um deles.

O que mais a atraía na relação com Mikael é que ele não tinha a menor propensão para controlá-la. Não era nem um pouco ciumento, e se ela própria tivera várias crises de ciúmes no início do seu relacionamento, vinte anos atrás, descobrira que, no caso dele, não tinha por que ter ciúmes. Sua relação era baseada na amizade, e ele era de uma lealdade sem limites na amizade. Sua relação podia sobreviver aos piores golpes.

Erika Berger tinha consciência de pertencer a um círculo de pessoas cujo estilo de vida não seria aprovado pela Associação das Donas de Casa

Cristãs da Suécia Profunda. O que para ela não era nenhum problema. Desde jovem resolvera que o que ela fazia na cama e o seu jeito de viver a vida só diziam respeito a si mesma. Mas ficava irritada de ver tantos amigos seus comentarem sua relação com Mikael Blomkvist, e sempre pelas costas.

Mikael era homem. Podia ir de uma cama a outra sem que ninguém sequer piscasse. Ela era mulher, e o fato de ter um amante, um só, e isso com a aprovação do marido — e ainda por cima ser fiel a esse amante há vinte anos —, suscitava conversas no mínimo interessantes nos jantares da cidade. *As pessoas realmente não têm mais o que fazer!* Refletiu um instante, então pegou o telefone e ligou para o marido.

— Sou eu. Querido, o que você está fazendo?

— Estou escrevendo.

Lars Beckman não era apenas artista plástico; era sobretudo especialista em história da arte e autor de vários livros sobre o assunto. Participava regularmente de debates públicos, e grandes empresas de arquitetura o consultavam com frequência. Nos últimos seis meses, vinha trabalhando na importância da decoração artística dos edifícios e a questão do bem-estar que as pessoas sentiam em certos prédios e em outros não. O livro assumira ares de panfleto sobre funcionalidade e, na opinião de Erika, iria sacudir o debate estético.

— Tudo bem com você?

— Tudo. Tudo tranquilo. E com você?

— Acabo de fechar o último número. Ele vai para a gráfica na quinta-feira.

— Parabéns.

— Estou absolutamente exausta.

— Tenho a impressão que você está tramando alguma coisa.

— Você planejou alguma coisa para hoje à noite? Ficaria muito chateado se eu não dormisse em casa hoje?

— Diga ao Blomkvist que ele está brincando com fogo — disse Lars.

— Acho que ele não liga.

— Certo. Diga a ele que você é uma bruxa insaciável e que ele vai envelhecer antes do tempo.

— Ele já sabe.

— Nesse caso, só me resta o suicídio. Vou ficar escrevendo até cair de sono. Divirta-se.

Trocaram beijos ao telefone e então Erika ligou para Mikael. Ele estava na casa de Dag Svensson e Mia Bergman, em Enskede, acabavam de acertar alguns detalhes meio confusos do livro de Dag. Ela perguntou se ele tinha algum compromisso à noite ou se aceitaria fazer massagem numas costas doloridas.

— Você tem a chave — disse Mikael. — Sinta-se em casa.

— É o que eu pretendo fazer — ela respondeu. — Nos vemos em uma hora.

Levou dez minutos para ir a pé até a Bellmansgatan. Despiu-se, tomou um banho, preparou um *espresso*, enfiou-se na cama de Mikael e esperou, nua e impaciente.

Ocorreu-lhe que a satisfação ideal para ela provavelmente seria um *ménage à trois* com seu marido e Mikael Blomkvist, o que, com uma probabilidade próxima dos cem por cento, jamais aconteceria. Mikael era tão hétero que, só para provocá-lo, ela o acusava de ser homofóbico. Ele nunca sequer experimentara com homens. Suspiro. Era apenas a prova de que não se pode ter tudo neste mundo.

Irritado, o gigante loiro franziu o cenho enquanto, ao volante do carro, avançava a quinze quilômetros por hora numa pista florestal tão malcuidada que por um breve instante chegou a pensar que de algum modo tinha entendido errado as indicações que lhe deram. Começava a anoitecer quando a estrada se fez mais larga e a casa, enfim, apareceu. Estacionou, desligou o motor e olhou em volta. A casa estava a uns bons cinquenta metros.

Ficava próxima de Stallarholmen, não muito longe de Mariefred. Era uma casinha bem simples dos anos 1950, construída em plena mata. Em meio às árvores, avistava uma faixa clara de gelo sobre o lago Mälaren.

Tinha a maior dificuldade em entender como alguém podia gostar de passar seu tempo livre num mato isolado daqueles. Desceu do carro, fechou a porta e imediatamente se sentiu pouco à vontade. A mata lhe parecia imensa e ameaçadora. Sentia-se observado. Começou a andar em direção ao pátio, então escutou um súbito farfalhar que o fez estacar.

Olhou fixamente para a mata. Estava tudo quieto e calmo no crepúsculo. Permaneceu uns dois minutos parado, os sentidos alertas, até avistar com o rabo dos olhos um vulto se mexendo de mansinho entre as árvores. Quando focou o olhar, o vulto ficou absolutamente imóvel, a uns trinta metros mato adentro, e o encarou.

O gigante loiro teve uma vaga sensação de pânico. Procurou distinguir mais detalhes. Viu um rosto sombrio e anguloso. A criatura parecia um anão de cerca de um metro de altura, e usava roupas de camuflagem que lembravam uma fantasia feita de musgo e ramos de pinheiro. *Um gnomo da floresta? Um duende? Será que eram perigosos?*

Por um instante, o gigante loiro prendeu a respiração. Sentiu os cabelos se eriçarem na cabeça.

Então piscou vigorosamente os olhos e balançou a cabeça. Quando tornou a olhar, a criatura tinha se deslocado uns dez metros para a direita. *Não havia nada.* Ele sabia que estava tendo uma alucinação. Mesmo assim, enxergava com nitidez a criatura no meio das árvores. E, de repente, a criatura se mexeu, aproximando-se. Parecia avançar depressa e descrever um semicírculo irregular para se pôr em posição de ataque.

O gigante loiro se recompôs e tratou de alcançar a casa. Bateu à porta meio forte demais, de um jeito meio ansioso demais. Assim que escutou movimentos humanos lá dentro, o pânico o abandonou. Deu uma olhada por cima do ombro. *Não havia nada.*

Só relaxou, porém, quando a porta se abriu. O dr. Nils E. Bjurman o cumprimentou educadamente e o convidou a entrar.

Miriam Wu estava sem fôlego quando voltou da lixeira, para onde descera o último saco de lixo das coisas deixadas por Lisbeth Salander. O apartamento estava assepsiado e cheirava a sabão, tinta e café quente. Este último era obra de Lisbeth. Sentada num banquinho, ela contemplava, pensativa, o apartamento vazio em que as cortinas, os tapetes, os cupons de desconto grudados na geladeira e sua tradicional bagunça no hall de entrada tinham desaparecido milagrosamente. Estava surpresa de ver o quanto o apartamento agora parecia grande.

Miriam Wu e Lisbeth Salander não tinham o mesmo gosto, quer se tratasse de roupas, mobília ou estímulo intelectual. Mais especificamente: Miriam Wu tinha preferências e opiniões precisas quanto a decoração, os móveis que queria e as roupas que tinham estilo. Lisbeth Salander, segundo Mimmi, não tinha gosto nenhum.

Depois de ela inspecionar o apartamento da Lundagatan com um olhar especulativo, ambas conversaram e Mimmi concluiu que teria de tirar mais ou menos tudo o que havia ali. Principalmente o sofá amarronzado puído da sala. Lisbeth queria ficar com alguma coisa? *Não*. Mimmi passara então alguns dias, e algumas horas toda noite durante quinze dias, jogando fora os velhos móveis resgatados nos caminhões de lixo seco, limpando os armários, areando, esfregando a banheira e pintando a cozinha, a sala, o quarto e o hall de entrada, passando sinteco no assoalho da sala.

Lisbeth era absolutamente refratária a esse tipo de exercício, mas aparecera para dar uma olhada e descobrira, fascinada, a obra de Mimmi. O apartamento estava vazio, com exceção de uma pequena mesa de cozinha de madeira maciça que Mimmi pretendia lixar e envernizar, dois sólidos banquinhos de que Lisbeth se apossara quando um morador do prédio fizera uma limpa no sótão e uma estante robusta na sala, na qual Mimmi achava que podia dar um jeito.

— Estou me mudando no fim de semana. Tem certeza de que não vai se arrepender?

— Eu não preciso deste apartamento.

— Mas é um apê irado. Quero dizer, existem outros maiores e melhores, mas não aqui no Söder, e o condomínio é baixíssimo. Lisbeth, você está abrindo mão de uma fortuna não vendendo isto aqui.

— Tenho o suficiente para me virar.

Mimmi se calou, sem saber direito como interpretar os comentários lacônicos de Lisbeth.

— Onde você vai morar?

Lisbeth não respondeu.

— Posso ir te visitar?

— Por enquanto não.

Lisbeth abriu a bolsa e pegou uns documentos que entregou a Mimmi.

— Já cuidei do contrato com o condomínio. Como eu te falei, não posso sublocar. O mais simples, portanto, é eu declarar que você mora comigo e que estou te vendendo metade do apartamento. O preço de venda é uma coroa. Você tem que assinar o contrato.

Mimmi pegou a caneta e pôs sua assinatura e data de nascimento no documento.

— É só isso?

— Só isso.

— Lisbeth, eu não questionei o seu bom senso, mas você se dá conta de que está me dando metade deste apartamento de presente? Nada contra, mas não queria que você de repente se arrependesse e isso gerasse um problema entre nós.

— Não vai haver problema nenhum. Eu quero que você more aqui. Para mim está bem.

— Mas assim, sem nada em troca? Você está louca.

— Você vai cuidar da minha correspondência. É a única condição.

— Vai me custar quatro segundos por semana. Você pretende aparecer de vez em quando para fazer amor?

Lisbeth fitou Mimmi. Não falou nada por alguns instantes.

— Mimmi, tenho muita vontade de fazer amor com você, mas isso não faz parte do contrato. Você pode recusar quando quiser.

Mimmi suspirou.

— E eu que estava justamente começando a gostar da ideia de ser uma mulher teúda e manteúda. Sabe, com uma patroa que me paga um apartamento e dá as caras de vez em quando para uma transa. Lisbeth, saiba que eu te acho completamente biruta.

Lisbeth não respondeu. Então Mimmi se levantou, decidida, foi até a sala e apagou a lâmpada que pendia do teto.

— Vem cá.

Lisbeth a seguiu.

— Eu nunca fiz amor no chão de um apartamento recém-pintado e sem nenhum móvel dentro. Mas um dia assisti a um filme com o Marlon Brando, ele estava com uma garota, era em Paris.

Lisbeth baixou os olhos para o chão.

— Estou a fim de me divertir. E você?

— Estou quase o tempo todo a fim.

— Hoje estou a fim de brincar de dominadora. Sou eu quem decide. Tire a roupa.

A fisionomia de Lisbeth se iluminou de repente num sorriso de esguelha. Ela se despiu. Levou dez segundos.

— Deite no chão. De bruços.

Lisbeth obedeceu. O assoalho estava frio e ela logo ficou toda arrepiada. Mimmi pegou a camiseta de Lisbeth, com os dizeres *You have the right to remain silent*, para lhe amarrar as mãos nas costas.

Lisbeth lembrou de repente que o canalha do dr. Nils Bjurman a tinha amarrado do mesmo jeito dois anos antes.

Mas as semelhanças acabavam aí.

Com Mimmi, Lisbeth só experimentava uma espera abarrotada de desejo. Submeteu-se com docilidade quando Mimmi rolou-a de costas e abriu suas pernas. Na penumbra, observou enquanto Mimmi se despia por sua vez, e ficou fascinada com a curva dos seios dela. Então Mimmi tapou-lhe os olhos com a camiseta que acabava de tirar. Lisbeth escutou as roupas farfalhando enquanto Mimmi acabava de se despir. Segundos depois, sentiu a língua de Mimmi em sua barriga, logo acima do umbigo, e seus dedos entre suas coxas. Ficou subitamente mais excitada do que havia muito tempo não ficava. Cerrou os olhos por trás da venda e deixou que Mimmi ditasse o ritmo.

8. SEGUNDA-FEIRA 14 DE FEVEREIRO — SÁBADO 19 DE FEVEREIRO

Dragan Armanskij ergueu os olhos ao ouvir a batidinha dada na porta com a ponta de um sapato e avistou Lisbeth Salander. Ela vinha equilibrando dois copinhos trazidos da máquina de *capuccino*. Devagar, ele largou a caneta e empurrou o relatório para o lado.

— Oi — disse ela.

— Oi — respondeu Armanskij.

— Visita de amiga — disse ela. — Posso entrar?

Dragan Armanskij fechou os olhos por um segundo. Depois apontou a poltrona dos visitantes. Deu uma olhada no relógio. Seis e meia da tarde. Lisbeth Salander lhe ofereceu um dos copinhos e se sentou. Permaneceram algum tempo se observando.

— Mais de um ano — disse Dragan.

Lisbeth assentiu com a cabeça.

— Está chateado?

— Deveria estar?

— Eu não me despedi.

Dragan fez um muxoxo. Era um alívio constatar que pelo menos Lisbeth não estava morta. Sentiu também uma violenta irritação, e cansaço.

— Não sei o que dizer. Você não tem nenhuma obrigação de me prestar contas das suas idas e vindas. O que você quer?

Sua voz soava mais fria do que ele gostaria.

— Não sei exatamente. Acho que só passei mesmo para dar um oi.

— Está precisando de trabalho? Não tenho mais intenção de contar com você.

Ela balançou a cabeça.

— Está trabalhando em outro lugar?

Ela balançou novamente a cabeça. Parecia estar procurando as palavras. Dragan esperou.

— Eu estive viajando — ela disse por fim. — Faz pouco tempo que voltei à Suécia.

Armanskij meneou a cabeça, pensativo, e examinou-a. Percebeu de repente que Lisbeth Salander tinha mudado. Havia uma espécie de nova... maturidade na escolha das roupas e no comportamento. E também tinha posto um enchimento no sutiã.

— Você está mudada. Por onde andou?

— Por aí... — ela respondeu, evasiva, mas se endireitou ao ver o olhar irritado dele. — Estive na Itália, aí segui pelo Oriente Médio e depois Hong-Kong, via Bangcoc. Fiquei um pouco na Austrália e na Nova Zelândia e dei um pulo nas ilhas do Pacífico. Passei um mês no Taiti. Depois atravessei os Estados Unidos e, nos últimos meses, fiquei nas Antilhas.

Ele meneou a cabeça.

— Não sei por que eu não me despedi.

— Porque, para dizer as coisas como elas são, você não liga a mínima para os outros — disse Dragan Armanskij com um tom objetivo.

Lisbeth Salander mordeu os lábios. Ficou um momento pensativa. O que ele estava dizendo talvez fosse verdade, mas mesmo assim sentia que a acusação era injusta.

— Em geral, os outros é que não ligam a mínima para mim.

— Que nada — respondeu Armanskij. — Você tem um problema de atitude e trata feito lixo quem realmente tenta ser seu amigo. É simples assim.

Silêncio.

— Quer que eu vá embora?

— Faça como quiser. É o que você sempre fez. Mas se for embora agora, não quero te ver nunca mais.

Súbito, Lisbeth Salander teve medo. Sentiu que aquele homem, que ela respeitava, estava rejeitando-a. Não sabia o que dizer.

— Faz dois anos que Holmer Palmgren teve o derrame. Você não foi visitá-lo nem uma vez — prosseguiu Armanskij, inexorável.

Lisbeth fitou Armanskij com olhos repentinamente chocados.

— Palmgren está vivo?

— Quer dizer que você nem sabe se ele está vivo ou morto?

— Os médicos disseram que ele...

— Os médicos disseram muita coisa sobre ele — interrompeu Armanskij. — Ele estava muito mal e não podia se comunicar. Neste último ano, o estado dele melhorou bastante. Está com dificuldade para falar, gagueja, e a gente tem que prestar muita atenção para entender o que ele diz. Precisa de ajuda para muita coisa, mas pode ir ao banheiro sozinho. As pessoas que se importam com ele vão visitá-lo.

Lisbeth ficou calada. Fora ela quem achara Palmgren sem sentidos em seu apartamento, quando ele tivera o ataque dois anos atrás. Chamara a ambulância, e os médicos tinham balançado a cabeça dizendo que o prognóstico não era nada animador. Na primeira semana, ela acampara no hospital até um deles lhe dizer que Palmgren estava em coma e havia pouquíssimos sinais indicando que ele haveria de acordar um dia. Naquele momento, deixara de se preocupar e o riscara de sua vida. Levantara-se e deixara o hospital sem olhar para trás. E ao que parece, sem conferir os fatos.

Franziu o cenho. A partir de então o dr. Nils Bjurman começara a perturbar sua vida, e o canalha tinha monopolizado boa parte de sua atenção. Mas ninguém, nem mesmo Armanskij, lhe dissera que Palmgren ainda vivia, e muito menos que talvez estivesse se recuperando. Quanto a ela, nunca sequer aventara essa possibilidade.

De repente sentiu os olhos se encherem de lágrimas. Nunca tinha se achado tão desprezível, pequena e egoísta. E nunca tinha levado uma bronca num tom tão duro e contido. Abaixou a cabeça.

Permaneceram calados por alguns instantes. Foi Armanskij quem quebrou o silêncio.

— Como você está?

Lisbeth deu de ombros.

— Está vivendo do quê? Está trabalhando?

— Não, não estou trabalhando e não sei em que tipo de coisa quero trabalhar. Mas tenho dinheiro suficiente para me virar.

Armanskij perscrutou-a com seu olhar penetrante.

— Só passei para dar um oi... não estou procurando trabalho. Não sei... ainda assim, eu talvez gostasse de fazer um serviço para você, se uma hora você precisar de mim, mas teria de ser algo interessante.

— Imagino que você não queira me contar o que aconteceu em Hedestad no ano passado?

Lisbeth não disse nada.

— Aconteceu alguma coisa. O Martin Vanger morreu num acidente de carro depois que você esteve aqui pedindo equipamento de vigilância emprestado porque vocês tinham sofrido ameaças. E a irmã dele ressuscitou dos mortos. Que foi um furo, isso foi.

— Eu prometi não falar sobre isso.

Armanskij assentiu com a cabeça.

— E imagino que você também não possa falar sobre o seu papel no caso Wennerström?

— Eu ajudei o Super-Blomkvist nas pesquisas. — A voz dela esfriou de repente. — Só isso. Não quero ser envolvida.

— Mikael Blomkvist procurou por você feito louco. Liga pelo menos uma vez por mês para saber se tive notícias suas. Ele também está apreensivo.

Lisbeth ficou calada, mas Armanskij notou que sua boca se transformara num traço rígido.

— Não sei o que pensar sobre esse homem — prosseguiu Armanskij. — Mas, como eu, ele se preocupa seriamente com você. Encontrei com ele no outono. Ele também não queria falar sobre Hedestad.

Lisbeth Salander não queria falar sobre Mikael Blomkvist.

— Só passei para dar um oi e comunicar que estou de volta à cidade. Não sei se vou ficar. Aqui está o número do meu celular e o meu novo endereço de e-mail, se precisar falar comigo.

Ela estendeu um papel para Armanskij e se levantou. Ele o pegou. Ela já tinha alcançado a porta quando ele a chamou.

— Espere um pouco. O que você vai fazer?

— Vou visitar Holger Palmgren.
— Muito bem. Mas eu quis dizer... que trabalho?
Ela olhou para ele com um olhar pensativo.
— Não sei.
— Mas você precisa ganhar a vida.
— Já disse que tenho o suficiente para me virar.
Armanskij se recostou na poltrona e refletiu. Tratando-se de Lisbeth Salander, ele nunca sabia direito como interpretar suas palavras.

— Fiquei tão furioso depois que você sumiu que praticamente decidi nunca mais contar com você... — Ele fez uma careta. — Você não é confiável. Mas é uma fuçadora excepcional. Tenho um trabalho que talvez lhe interesse.

Ela balançou a cabeça. Mas voltou para a mesa dele.

— Eu não quero seu trabalho. Quero dizer, não estou precisando de dinheiro. Falando sério. Sou financeiramente independente.

Dragan Armanskij franziu o cenho num gesto de dúvida. Por fim, meneou a cabeça.

— Certo, você é financeiramente independente, seja lá o que isso signifique. Acredito na sua palavra. Mas se precisar de trabalho...

— Dragan, você é a segunda pessoa que eu procurei desde que voltei. Não preciso do seu dinheiro. Agora, durante anos você foi uma das raras pessoas que eu respeitei.

— Está bem. Mas todo mundo precisa ganhar a vida.

— Sinto muito, mas não estou mais interessada em fazer investigações para você. Só me chame se estiver com um problema de verdade.

— Que tipo de problema?

— Um problema do tipo que você não consegue resolver. Se empacar, se ficar sem saber o que fazer e a situação for desesperadora. Para eu trabalhar para você, teria de me oferecer uma coisa que me interesse. Quem sabe na linha da intervenção.

— Intervenção? Você? Que desaparece sem deixar rastro quando bem entende?

— Pare com isso. Eu nunca furei depois de aceitar um trabalho.

Dragan Armanskij fitou-a, desamparado. A noção de unidade de intervenção era um jargão deles que significava trabalho de campo. Ia desde proteção cerrada por um guarda-costas até missões de vigilância particular em exposições de arte. Sua equipe de intervenção constituía-se de veteranos robustos e sólidos, não raro com um passado na polícia. Além disso, noventa por cento eram homens. Lisbeth Salander era o extremo oposto de todos os critérios que ele estabelecera para o pessoal das unidades de intervenção da Milton Security.

— Bem... — disse ele, hesitante.

— Não precisa ficar quebrando a cabeça. Só aceito trabalhos que me interessem, quer dizer que as chances de eu recusar são altas. Me avise se estiver com um problema realmente difícil. Eu sou boa em enigmas.

Girou os calcanhares e saiu pela porta. Dragan Armanskij balançou a cabeça. *Ela é doida mesmo. Doida de atar.*

No instante seguinte, Lisbeth Salander estava de novo à sua porta.

— A propósito... Dois dos seus homens ficaram um mês protegendo aquela atriz, a Christine Ruterford, do louco que escreve cartas de ameaça anônimas para ela. Pelos detalhes que o remetente sabe da vida dela, vocês estão achando que é coisa de uma pessoa próxima.

Dragan Armanskij fitou Lisbeth Salander. Uma corrente elétrica percorreu seu corpo. *Lá vem ela de novo.* E falando de um assunto que ela não tinha mesmo como conhecer. *Ela não pode estar sabendo.*

— Ééé...?

— Esqueça. É uma farsa. Ela e o namorado é que escrevem as cartas para chamar a atenção. Ela vai receber mais uma carta daqui uns dias e eles vão deixar vazar para a imprensa na semana que vem. Tem grandes chances de ela acusar a Milton por esse vazamento. Você deveria riscá-la da sua lista de clientes.

Antes que Dragan Armanskij tivesse tempo de formular uma pergunta, ela já havia sumido. Ele fitou a porta vazia. Ela não tinha como saber do caso Ruterford. Obviamente, tinha um informante dentro da Milton. Mas ele próprio, o chefe do grupo de intervenção e as poucas pessoas que estavam investigando as ameaças... eram todos profissionais seguros e confiáveis. Armanskij coçou o queixo. Ou então, por um incrível acaso, ela talvez conhecesse Christine Ruterford ou algum amigo dela, ou...

Ele olhou para a sua mesa de trabalho. O dossiê do caso Ruterford estava trancado a chave na gaveta. A mesa era ligada ao alarme. Mordeu os lábios, pensativo, verificou novamente as horas e concluiu que Harry Fransson, o chefe do setor técnico, já tinha ido embora. Abriu o programa de correio eletrônico e mandou uma mensagem para Fransson, pedindo que ele instalasse em sua sala uma câmera de vigilância oculta no dia seguinte.

Lisbeth voltou direto para casa, na Fiskaregatan. Apressou o passo, com um súbito sentimento de urgência.

Ligou para o hospital de Söder e, depois de algum tempo insistindo em diferentes setores, conseguiu localizar Holger Palmgren. Ele estava há catorze meses no centro de reabilitação de Ersta. Vieram-lhe à mente imagens da casa de saúde onde sua mãe estivera internada, não devia ser muito diferente. Quando ligou, disseram que ele estava dormindo, mas que ela poderia ir visitá-lo no dia seguinte.

À noite, Lisbeth ficou andando para lá e para cá no apartamento. Sentia-se incomodada. Finalmente, foi se deitar cedo e adormeceu quase imediatamente. Acordou às sete horas, tomou uma ducha e foi tomar o café da manhã no 7-Eleven. Por volta das oito, foi à locadora de Ringvägen. *Eu preciso ter um carro*. Alugou o mesmo Nissan Micra no qual tinha ido buscar as coisas de sua mãe.

Sentiu um súbito nervosismo ao estacionar no centro de Ersta, mas criou coragem, entrou na recepção e pediu para visitar Holger Palmgren.

A recepcionista, Margit, de acordo com o crachá, consultou uns documentos e explicou que ele estava na sessão de fisioterapia e só voltaria depois das onze. Lisbeth poderia aguardar na sala de espera ou então voltar mais tarde. Lisbeth retornou ao estacionamento, sentou-se no carro e fumou três cigarros enquanto esperava. Às onze horas, voltou à recepção. Indicaram-lhe o refeitório, à direita no corredor e depois à esquerda.

Parou na porta e procurou Holger Palmgren com os olhos no refeitório semivazio. Seu rosto estava voltado em sua direção, mas toda a sua atenção se concentrava num prato. Ele segurava o garfo com mão desajeitada e fazia um esforço enorme para levar os alimentos à boca. Fracassava em média uma a cada três vezes, derrubando o conteúdo do garfo.

Estava sombrio e prostrado, e aparentava ter cem anos. O rosto parecia estranhamente rígido. Estava numa cadeira de rodas. Só então Lisbeth

Salander aceitou o fato de que ele estava vivo e que Armanskij não havia mentido.

Holger Palmgren blasfemou intimamente quando, pela terceira vez, tentou juntar com o garfo uma porção de macarrão gratinado. Aceitava o fato de não poder andar e não poder realizar uma série de gestos. Mas odiava não conseguir comer direito e babar que nem bebê.

Racionalmente, sabia o que precisava fazer. Inclinar o garfo na direção certa, empurrar, erguer e levá-lo à boca. Mas havia um problema de coordenação. A mão parecia ter vida própria. Quando ele dava a ordem de levantar, a mão empurrava lentamente para o lado. Quando levava o garfo à boca, a mão mudava de direção na última hora e escapava para a bochecha ou o queixo.

Mas ele sabia que a fisioterapia estava dando resultados. Apenas seis meses antes, sua mão tremia de tal maneira que ele não conseguia levar uma garfada à boca sozinho. Atualmente, as refeições ainda transcorriam devagar, sem dúvida, mas ele já conseguia se alimentar sozinho. Não tinha a intenção de desistir enquanto não recuperasse o controle de todos os seus membros.

Estava baixando o garfo para juntar mais uma garfada, quando uma mão adiantou-se por trás, pegando o garfo com delicadeza. Reconheceu imediatamente a mão fina de boneca, virou-se e deu com os olhos de Lisbeth Salander a menos de dez centímetros de seu rosto. Seu olhar era de expectativa. Ela parecia angustiada.

Palmgren permaneceu imóvel alguns instantes, fitando o rosto dela. Seu coração de repente pôs-se a bater de um jeito incrível. Então ele abriu a boca e aceitou o alimento.

Ela o alimentou, garfada por garfada. Em geral, Palmgren detestava ser assistido nas refeições, porém compreendeu a necessidade de Lisbeth Salander. Não se tratava dele, um fardo impotente. Ela o alimentava numa espécie de gesto de humildade — atitude afetuosa extremamente rara nela. Preparava as garfadas no tamanho certo e esperava que ele acabasse de mastigar. Quando ele apontou o copo com o canudo, ela o estendeu calmamente para que ele bebesse.

Não trocaram uma palavra durante toda a refeição. Quando ele engoliu a última garfada, ela largou o garfo e o interrogou com os olhos. Ele fez que não com a cabeça. *Não, obrigado, não quero mais.*

Holger Palmgren se recostou na cadeira de rodas e respirou profundamente. Lisbeth pegou o guardanapo e limpou-lhe a boca. De repente ele se sentiu como o padrinho da máfia de um filme americano a quem um *capo di tutti capi* manifestasse seu respeito. Imaginou-a depositando um beijo em sua mão, e essa imagem esquisita o fez sorrir.

— Você acha que é possível conseguir um café? — ela perguntou.

Ele gaguejou. Seus lábios e língua não queriam articular corretamente os sons. Sua boca estava rígida.

— Crinho dsrvs ncan. *Carrinho de serviço ali no canto.*

— Você quer? Com leite e sem açúcar como antes?

Ele fez que sim com a cabeça. Ela retirou a bandeja e voltou um minuto depois com duas xícaras de café. Ele reparou que ela estava tomando café preto, o que era inusitado. Sorriu ao ver que ela guardara o canudo do copo de leite para a xícara de café. Não falaram nada. Holger Palmgren tinha mil coisas para dizer, mas de repente era incapaz de articular uma sílaba que fosse. Em compensação, os olhos dos dois se cruzaram várias vezes. Lisbeth Salander parecia estar se sentindo tremendamente culpada. Por fim, ela quebrou o silêncio.

— Eu pensei que você tivesse morrido — disse. — Juro, eu não sabia que você estava vivo. Se eu soubesse, jamais teria... eu teria vindo te visitar há muito tempo.

Ele meneou a cabeça.

— Me perdoe.

Ele meneou a cabeça novamente. Sorriu. Um sorriso enviesado, uma curvatura de lábios.

— Você estava em coma e os médicos diziam que ia morrer. Achavam que ia morrer dali a vinte e quatro horas, e eu simplesmente fui embora. Será que um dia você vai conseguir me perdoar?

Ele ergueu a mão e colocou-a sobre a mãozinha de Lisbeth. Segurou-a com firmeza, apertou-a e enfim respirou.

— Ctim smidu. *Você tinha sumido.*

— Você conversou com o Dragan Armanskij.

Ele assentiu com a cabeça.

— Eu viajei. Fui obrigada a ir embora. Não me despedi de ninguém e me fui, simplesmente. Você ficou preocupado comigo?

Ele balançou a cabeça.

— Você nunca vai ter que se preocupar comigo.

— Nca mprocpei. Cesempr sdabe. Mas Armsji tva procpad. *Eu nunca me preocupei. Você sempre se dá bem. Mas o Armanskij estava preocupado.*

Ela sorriu pela primeira vez e Holger Palmgren relaxou. Era o seu sorriso de esguelha de sempre. Ele a examinou, comparou a lembrança que tinha dela com a moça que via à sua frente. Ela havia mudado. Estava bem-arrumada, limpa e cuidada. Não estava mais com a argola no lábio e... hmm... a tatuagem do marimbondo no pescoço também sumira. Ela estava com um jeito adulto. Súbito, ele riu pela primeira vez em muitas semanas. Parecia um acesso de tosse.

O sorriso de Lisbeth ficou ainda mais oblíquo e então ela sentiu um calor lhe invadir o coração, um calor que havia muito não sentia.

— Ceci deube. *Você se deu bem.*

Apontou para as roupas dela. Ela assentiu.

— Estou me dando muito bem.

— Cmé unov ttor? *Como é o novo tutor?*

Holger Palmgren viu o rosto de Lisbeth se alterar e ensombrecer. A boca se contraiu um pouco. Ela olhou para ele com olhos cândidos.

— É legal... estou com ele na palma da mão.

As sobrancelhas de Palmgren se contraíram em um ponto de interrogação. Lisbeth olhou em redor, a sala de jantar, e mudou de assunto.

— Faz quanto tempo que você está aqui?

Palmgren não tinha nascido ontem. Sofrera um derrame e estava com dificuldade para falar e coordenar os movimentos, mas sua capacidade de compreensão estava intacta e seu radar captou de imediato a mudança no tom de voz de Lisbeth Salander. Nos anos em que convivera com ela, aprendera que ela nunca mentia diretamente, mas que tampouco era inteiramente sincera. Seu jeito de mentir consistia em desviar a atenção. Era óbvio que o novo tutor não constava na sua lista de pessoas preferidas. O que não surpreendia Holger Palmgren nem um pouco.

Súbito, sentiu-se triste. Diversas vezes tivera a intenção de entrar em contato com seu colega Nils Bjurman para perguntar como ia Lisbeth Salander, e se abstivera outras tantas vezes. E por que não questionara a colocação de Lisbeth sob tutela, quando ainda tinha energia para fazê-lo? Sabia por quê — muito egoisticamente, queria manter-se em contato com ela. Gostava daquela pivete danada de complicada como se fosse a filha que ele não teve, e queria um motivo para manter esse contato. E agora também era muito difícil, e pesado demais para um fardo como ele, numa casa de saúde, começar a investigar a situação, no estado em que se achava, sem sequer conseguir abrir sozinho o zíper da calça quando ia ao banheiro. Tinha a impressão de que, na verdade, ele é que traíra Lisbeth Salander. *Mas ela ainda sobrevive... É a pessoa mais competente que já conheci.*

— O trbn.

— Não entendi.

— O tribnal.

— O tribunal? O que você quer dizer?

— Temq nul su cl... colc colcas...

O rosto de Holger Palmgren ficou vermelho e se contorceu, porque ele não conseguia articular as palavras. Lisbeth pôs a mão em seu braço e apertou-o suavemente.

— Holger... Não se preocupe comigo. Tenho planos de cuidar em breve da minha colocação sob tutela. Não é mais tarefa sua se preocupar com isso... mas é possível que eu precise dos seus conselhos no momento oportuno. Está bem assim? Você pode ser meu advogado se eu precisar de você?

Ele balançou a cabeça.

— Mto vlho. — Ele bateu na mesa com as articulações da mão. — Vlho... bbo.

— Sim, você vai ser um velho bobo babaca se adotar essa atitude. Preciso de um advogado. E é você que eu quero. Você pode não conseguir fazer um arrazoado no tribunal, mas vai poder me aconselhar quando preciso. Combinado?

Ele balançou a cabeça mais uma vez. E depois, assentiu.

— Ta tra?

— Não entendi.

— Ta trab nquê? Não Rmskich. *Está trabalhando no quê? Não é com o Armanskij.*

Lisbeth hesitou um instante, enquanto pensava na melhor maneira de explicar a situação. Estava ficando complicado.

— Holger, não estou mais trabalhando para o Armanskij. Não preciso mais trabalhar para ele para ganhar o meu pão. Tenho dinheiro e estou bem.

As sobrancelhas de Palmgren se contraíram outra vez.

— Pretendo vir te visitar regularmente a partir de agora. Vou te contar... mas vamos com calma. Agora, neste momento, tem outra coisa que estou com vontade de fazer.

Ela se inclinou, puxou uma sacola para cima da mesa e lá de dentro tirou um tabuleiro de xadrez.

— Faz dois anos que não tenho a oportunidade de ganhar de você.

Ele se resignou. Ela estava tramando alguma coisa suspeita que não queria contar. Tinha certeza de que ela seria reticente, mas também confiava nela o suficiente para saber que o que quer que Lisbeth fizesse, embora pudesse ser juridicamente duvidoso, não seria um crime contrário às Leis de Deus. Pois, à diferença da maioria das pessoas, Holger Palmgren tinha certeza de que Lisbeth Salander era uma pessoa autenticamente moral. O problema era que a moral dela nem sempre correspondia ao que preconizava a lei.

Ela dispôs o tabuleiro à sua frente e ele percebeu, com um choque, que era o seu próprio tabuleiro. *Ela provavelmente o roubara no seu apartamento depois do derrame. Como recordação?* Ela lhe passou as brancas. Súbito, sentiu-se feliz como um garoto.

Lisbeth Salander permaneceu duas horas com Holger Palmgren. Já o derrotara três vezes quando uma enfermeira veio interromper a batalha dos dois em torno do tabuleiro, explicando que estava na hora da sessão de fisioterapia da tarde. Lisbeth juntou as peças e dobrou o tabuleiro.

— A senhora poderia me dizer no que consiste essa fisioterapia? — perguntou à enfermeira.

— Exercícios musculares e de coordenação. E estamos fazendo progressos, não estamos?

A pergunta era endereçada a Holger Palmgren. Ele meneou a cabeça.

— O senhor já consegue andar vários metros. No verão, vai poder passear sozinho no parque. É a sua filha?

Os olhos de Lisbeth e Holger se cruzaram.

— Fi dtiva. *Filha adotiva.*

— Que bacana você ter vindo. *Tradução: caraca, por onde você andou esses meses todos?*

Lisbeth ignorou a crítica subentendida. Inclinou-se e beijou-o no rosto.

— Venho te ver na sexta-feira.

Holger Palmgren se levantou da cadeira de rodas com esforço. Ela foi com ele até o elevador, e ali se separaram. Assim que as portas do elevador se fecharam, ela correu para a recepção e pediu para falar com o responsável. Indicaram-lhe um certo dr. A. Sivarnandan, que ela encontrou numa sala mais adiante no corredor. Apresentou-se e explicou que era a filha adotiva de Holger Palmgren.

— Eu queria saber como ele está e o que vai acontecer com ele.

O dr. Sivarnandan abriu a pasta de Holger Palmgren e leu as primeiras páginas. Tinha a pele marcada pela varíola e um bigode fino que irritava Lisbeth. Acabou levantando os olhos. Surpreendentemente, falava com sotaque finlandês. Lembrava, sem tirar nem pôr, uma personagem do Moomin.*

— Não tenho aqui nenhum registro de que o sr. Palmgren tenha uma filha, ou filha adotiva. Na verdade, seu parente mais próximo parece ser um primo de oitenta e seis anos residente no Jämtland.

— Ele cuidou de mim desde os meus treze anos até ter o derrame. Nessa época eu tinha vinte e quatro.

Ela procurou no bolso interno do casaco e jogou uma caneta na mesa, diante do dr. A. Sivarnandan.

— Meu nome é Lisbeth Salander. Anote na pasta dele. Sou sua parente mais próxima neste mundo.

— Pode ser — respondeu A. Sivarnandan, inabalável. — Mas se você é a parente mais próxima, vamos reconhecer que demorou para dar notícias. Até onde eu sei, só uma pessoa, que nem é da família, vem visitá-lo de vez em quando. É a pessoa que deve ser avisada caso o estado dele se agrave ou ele venha a falecer.

* Herói da série de livros escritos pelo autor finlandês Tove Marika Jansson, publicada no Brasil pelas Edições de Ouro na década de 70, com tradução de Carlos Heitor Cony. (N. T.)

— Dragan Armanskij, sem dúvida.

O dr. A. Sivarnandan ergueu as sobrancelhas e meneou pensativamente a cabeça.

— O nome é esse. Então você o conhece.

— Pode ligar para ele e verificar quem eu sou.

— Não vai ser necessário. Acredito em você. Me contaram que você ficou duas horas jogando xadrez com o sr. Palmgren. Mas, seja como for, não posso falar com você sobre o estado de saúde dele sem que ele consinta.

— Ele nunca que vai consentir, teimoso como é, essa mula velha. Ele cismou que não tem que me passar os sofrimentos dele e que ainda é responsável por mim, não o contrário. Vou lhe explicar... por dois anos, pensei que Palmgren estivesse morto. Só ontem soube que estava vivo. Se eu tivesse sabido que... é difícil explicar, mas quero saber qual é o prognóstico e se ele vai se recuperar.

O dr. Sivarnandan pegou a caneta e anotou minuciosamente o nome de Lisbeth Salander na pasta de Holger Palmgren. Pediu o número de sua identidade e do telefone.

— Está bem, agora você é oficialmente a filha adotiva dele. Talvez não seja lá muito conforme as regras, mas afinal você é a primeira pessoa que vem visitá-lo desde o Natal, quando o sr. Armanskij esteve aqui... Você o viu há pouco e pôde constatar que ele tem problemas de coordenação e dificuldade para falar. Ele teve um derrame cerebral.

— Eu sei. Fui eu que o encontrei e chamei a ambulância.

— Ah... Pois saiba que ele passou três meses na UTI. Ficou em coma por um longo período. No mais das vezes, os pacientes não costumam sobreviver, mas acontece. Ao que parece, não era a hora dele. Primeiro foi transferido para um serviço de geriatria para doentes crônicos totalmente incapazes de cuidar de si mesmos. Contra todas as expectativas, apresentou sinais de melhora e então o transferimos para a fisioterapia, nove meses atrás.

— E o prognóstico?

O dr. A. Sivarnandan afastou as mãos num gesto de impotência.

— Para isso eu teria que ter uma bola de cristal melhor do que a minha. Para ser sincero, não faço a menor ideia. Ele pode ter outro derrame esta noite e estar morto amanhã de manhã. Como pode ter uma vida relativamente normal por mais vinte anos. Não sei. Digamos que Deus é quem decide.

— E se ele viver mais vinte anos?

— A fisioterapia tem sido árdua para ele, e só nos últimos meses é que pudemos notar uma sensível melhora. Há seis meses, ele ainda não conseguia comer sozinho. Há um mês, praticamente não conseguia se levantar da cadeira, inclusive porque seus músculos se atrofiaram pelo tanto que ele permaneceu de cama. Hoje ele pelo menos consegue andar distâncias curtas.

— Ele vai ficar melhor?

— Vai. Bem melhor, até. Foi difícil transpor o primeiro degrau, mas agora observamos progressos a cada dia que passa. Ele perdeu quase dois anos de vida. Daqui alguns meses, no verão, espero vê-lo passeando sozinho ali no parque.

— E a fala?

— O problema é que o centro da palavra foi atingido, junto com a motricidade. Ele permaneceu muito tempo em estado vegetativo. Depois, foi estimulado a readquirir o controle de seu corpo e a reaprender a falar. Tem dificuldade em se lembrar do termo que precisa usar, vai ter que se reapropriar das palavras. Mas também não é como ensinar uma criança a falar — ele compreende o sentido da palavra, só não consegue expressá-la. Dê a ele mais uns meses e vai ver que a fala vai melhorar muito se comparada com hoje. A mesma coisa quanto à orientação. Nove meses atrás, era difícil para ele perceber a diferença entre direita e esquerda, e subir ou descer de elevador.

Lisbeth meneou a cabeça, pensativa. Refletiu alguns minutos e de repente se deu conta de que gostava do dr. A. Sivarnandan, com sua cara de índio e sotaque finlandês.

— O que significa o A.? — perguntou bruscamente.

Ele lançou-lhe um olhar divertido.

— Anders.

— Anders?

— Eu nasci no Sri Lanka, mas fui adotado em Åbo quando tinha poucos meses.

— Muito bem. Anders, me diga no que posso ajudar o Holger.

— Visite-o. Ofereça-lhe um estímulo intelectual.

— Posso vir todos os dias.

— Não quero você aqui todos os dias. Se ele gosta de você, prefiro que ele se anime com a expectativa das visitas, e que elas não o aborreçam.

— Será que algum tipo de tratamento especializado poderia aumentar as chances dele? Eu pago o que for preciso.

Ele sorriu de repente para Lisbeth Salander, e então, também de repente, voltou a ficar sério.

— Receio que o tratamento especializado sejamos nós mesmos. Claro que eu gostaria de dispor de mais recursos e que parassem de cortar a nossa verba, mas posso garantir que ele tem sido tratado com muita competência.

— E se não houvesse essa preocupação com o corte de verbas? O que poderiam lhe oferecer?

— Se eu dispusesse dos recursos necessários... bem, o ideal para pacientes como Holger Palmgren seria, evidentemente, um terapeuta ocupacional particular em tempo integral. Mas faz muito tempo que não dispomos de verbas para esse fim na Suécia.

— Contrate um.

— Como?

— Contrate um terapeuta ocupacional para Holger Palmgren. O melhor. E faça isso amanhã. Providencie para que ele tenha o necessário em termos de equipamento técnico, essas coisas todas. Vou fazer que o dinheiro para o salário dele e o equipamento necessário seja depositado antes do final da semana.

— Isso é alguma brincadeira?

Lisbeth fitou o dr. Anders Sivarnandan com seus grandes olhos inexpressivos, destituídos de qualquer traço de humor.

Mia Bergman freou e parou o Fiat rente à calçada em frente à estação de metrô Gamla Stan, no seu caminho de volta para casa. Dag Svensson abriu a porta e sentou-se no banco do passageiro. Inclinou-se e deu-lhe um beijo enquanto ela movimentava o carro de volta para o fluxo de automóveis, pondo-se atrás de um ônibus.

— Oi — disse ela, sem tirar os olhos do trânsito. — Você estava com uma cara séria quando eu cheguei. Aconteceu alguma coisa?

Dag Svensson suspirou e pôs o cinto de segurança.

— Não, nada sério. Estou penando um pouco com o texto.

— Ou seja?...

— Só falta um mês para o *deadline*. Fiz nove das vinte e duas confrontações previstas. Estou tendo problemas com o Björck, da Säpo. O babaca está de licença médica e não atende o telefone em casa.

— Será que ele não está no hospital?

— Não sei. Você por acaso já tentou conseguir uma informação na Säpo? Eles nem sequer confirmam se o cara trabalha para eles.

— Você não tentou os pais dele?

— Mortos, os dois. Ele não é casado. Tem um irmão que mora na Espanha. O fato é que não sei o que fazer para encontrar o Björck.

Mia Bergman deu uma olhada de esguelha para o companheiro, enquanto pilotava o carro pelo cruzamento da Slussen em direção ao túnel de Nynäshamnsleden.

— Na pior das hipóteses, a gente tira a parte sobre o Björck. O Blomkvist faz questão que todos os caras que vamos citar tenham a oportunidade de serem ouvidos antes de serem denunciados.

— Seria uma pena deixar de lado um representante da polícia secreta frequentador das putas. O que você vai fazer?

— Procurar por ele, e encontrar, claro. E você, como andam as coisas?

— Mais calma que eu, só morrendo.

Ele fez cócegas nas costelas dela.

— Não está nervosa?

— Nem um pouco. Daqui a um mês vou defender minha tese e virar doutora, e me sinto absolutamente serena.

— Você domina bem o assunto. Então, por que se preocupar?

— Dê uma olhada no banco de trás.

Dag Svensson se virou e viu uma sacola. Enfiou a mão lá dentro e...

— Mia... está pronta! — ele exclamou.

E agitou no ar uma tese impressa.

Da Rússia com amor
Tráfico de mulheres, crime organizado
e medidas adotadas pelas autoridades
por Mia Bergman

— Pensei que só fosse ficar pronta na semana que vem. Caramba... chegando em casa, temos que abrir uma garrafa de vinho. Parabéns, doutora.

Ele se inclinou e lhe deu outro beijo no rosto.

— Calma lá... Só vou ser doutora daqui a três semanas. E segure as suas mãos quando estou dirigindo.

Dag Svensson riu. E tornou a ficar sério.

— A propósito, só para dar uma de desmancha-prazeres... você entrevistou uma moça chamada Irina P., um ano atrás.

— Irina P., vinte e dois anos, de São Petersburgo. Veio à Suécia pela primeira vez em 1999, depois disso foi e voltou mais algumas vezes. Por quê?

— Estive hoje com o Gulbrandsen. O policial que conduziu a investigação sobre o bordel de Södertälje. Você leu, semana passada, que eles acharam uma garota boiando no canal de Södertälje. Deu manchete nos jornais da tarde.

— Sei.

— Era a Irina P.

— Que horror!

Passaram em frente ao Skanstull em silêncio.

— Ela aparece na minha tese — disse afinal Mia Bergman. — Sob o pseudônimo de Tamara.

Dag Svensson abriu "Da Rússia com amor" na parte das entrevistas e folheou até chegar em Tamara. Leu concentradamente enquanto Mia passava por Gullmarsplan e Globen.

— Quem trouxe ela para cá foi alguém que você chama de Anton.

— Não quis usar os nomes verdadeiros. Me avisaram que posso ser criticada por isso na defesa, mas não quero divulgar o nome das garotas. Elas correriam o risco de ser espancadas até a morte. Portanto, também não posso divulgar o nome dos canalhas: eles iam descobrir rapidinho que garotas eu entrevistei. Por isso só ponho pseudônimos e pessoas anônimas em todos os meus estudos de caso, sem detalhes particulares.

— Quem é Anton?

— Ele provavelmente se chama Zala. Nunca consegui identificá-lo, mas acho que é polonês ou iugoslavo, e que na verdade seu nome é outro. Falei com Irina P. quatro ou cinco vezes, e foi só no quarto encontro que ela me deu o nome dele. Ela estava botando a vida em ordem e pretendia parar com tudo, mas tinha um medo tremendo dele.

— Hmmm... — fez Dag Svensson.

— Hmmm o quê?

— Estou pensando... topei com o nome de Zala uma semana, ou duas, atrás.

— Onde?

— Fiz uma confrontação com o Sandström. Você sabe, o escroto do cliente jornalista. Droga. Esse cara é um verdadeiro calhorda.

— Como assim?

— Na verdade, ele não é jornalista. Ele cria folhetos publicitários para empresas. Mas tem umas fantasias realmente doentias ligadas a estupro, que ele põe em prática com essa garota...

— Eu sei. Fui eu que a entrevistei.

— Bem, mas você sabe que foi ele que coordenou a produção de um *folder* sobre doenças sexualmente transmissíveis para o Instituto de Saúde Pública?

— Eu não sabia.

— Encurralei o cara na semana passada. Um verdadeiro lixo. Claro, ele desabou quando peguei toda a documentação e perguntei por que ele usa putas menores de idade dos países do Leste europeu para praticar suas fantasias. Ele acabou me dando uma espécie de explicação.

— Ah, é?

— No passado, Sandström se viu numa situação em que não era apenas cliente da máfia do sexo, mas também lacaio. Ele me deu os nomes que conhecia e mencionou o nome de Zala. Não falou nada em especial sobre ele, mas não é um nome muito comum.

Mia Bergman olhou-o de relance e franziu o cenho.

— Você não sabe quem ele é? — perguntou Dag.

— Não. Não consegui identificar. Continua sendo só um nome que surge de vez em quando. As mulheres parecem morrer de medo dele e ninguém falou nada.

— Hmm — fez Dag Svensson.

9. DOMINGO 6 DE MARÇO — SEXTA-FEIRA 11 DE MARÇO

O dr. A. Sivarnandan diminuiu o passo ao avistar Holger Palmgren e Lisbeth Salander pelo corredor envidraçado da sala de jantar. Estavam debruçados sobre um tabuleiro de xadrez. Ela parecia ter criado o hábito de visitá-lo uma vez por semana, geralmente aos domingos. Chegava sempre por volta das três da tarde e ficava algumas horas jogando xadrez com ele. Ia embora lá pelas oito horas, quando ele tinha de ir se deitar. Observara que ela o tratava sem o menor sinal de desrespeito, e como se ele não estivesse doente — pelo contrário, pareciam brigar carinhosamente e ela aceitava naturalmente ser servida, deixando que ele fosse buscar o café.

O dr. A. Sivarnandan franziu o cenho. Não conseguia definir essa moça estranha que se considerava filha adotiva de Holger Palmgren. Sua aparência era absolutamente singular e ela dava a impressão de espreitar todos à sua volta com a maior desconfiança. Brincar com ela era algo impossível.

Também parecia quase impossível manter uma conversa normal com ela. Certa vez, tinha lhe perguntado qual era sua profissão e ela respondera de forma muito evasiva.

Dias depois da primeira visita, voltara com um calhamaço de documentos anunciando a criação de uma fundação que tinha por objetivo patrocinar a casa de saúde em seu trabalho de restabelecimento de Holger Palmgren. O presidente da fundação era um advogado domiciliado em Gibraltar. O escritório constituía-se de duas pessoas — outro advogado residente em Gibraltar e um auditor fiscal chamado Hugo Svensson, de Estocolmo. A fundação destinara dois milhões e meio de coroas, das quais o dr. A. Sivarnandan podia dispor como bem lhe aprouvesse, sendo que o objetivo expresso era que a verba fosse empregada para oferecer a Holger Palmgren todos os cuidados imagináveis. Para poder utilizar esses fundos, Sivarnandan precisava endereçar um pedido ao auditor, que em seguida efetuava os depósitos.

Era um arranjo simplesmente inusitado, para não dizer único.

Sivarnandan refletira durante alguns dias sobre a possibilidade de esse arranjo conter algum aspecto contrário à ética. Não encontrou nada reprovável e resolveu, então, contratar Johanna Karolina Oskarsson, de trinta e nove anos, como assistente e terapeuta ocupacional particular de Holger Palmgren. Ela era fisioterapeuta formada, com especialização em psicologia e uma grande experiência em tratamentos de reabilitação. Oficialmente, era empregada da fundação e, para imensa surpresa de Sivarnandan, a primeira mensalidade foi paga adiantada, logo após a assinatura do contrato. Até então ele se perguntara vagamente se não se tratava de algum tipo de brincadeira idiota.

E os resultados não tardaram a aparecer. No decorrer do último mês, a coordenação e o estado geral de Holger Palmgren tinham apresentado uma melhora considerável, como atestavam os testes semanais. Sivarnandan se perguntou até onde deveria atribuí-los à terapia ocupacional ou às visitas de Lisbeth Salander. Saltava aos olhos que, como um garoto à espera de Papai Noel, Holger Palmgren se esforçava ao máximo e ficava feliz com a expectativa das visitas. E dava a impressão de que era um prazer para ele ser regularmente derrotado no xadrez.

O dr. Sivarnandan lhes tinha feito companhia durante uma partida. Partida engraçada. Holger Palmgren estava com as brancas, fizera uma abertura siciliana conforme as regras. Refletira demoradamente antes de cada jogada. Fossem quais fossem suas limitações físicas decorrentes do derrame, sua acuidade intelectual funcionava à perfeição.

Lisbeth Salander estava mergulhada num livro sobre o estranhíssimo tema da calibragem de frequência dos radiotelescópios em estado de microgravidade. Pusera uma almofada sobre a cadeira para alcançar uma altura aceitável à mesa. Quando Palmgren mexeu seu peão, ela ergueu os olhos e movimentou uma peça, aparentemente sem nem refletir, e em seguida retomou a leitura. Palmgren capitulara na vigésima sétima jogada. Salander erguera outra vez a cabeça e contemplara o tabuleiro por alguns segundos, testa franzida.

— Não — disse ela. — Você tem chance de fazer um pate.

Palmgren suspirou e examinou o tabuleiro durante cinco minutos. Por fim, fitou Lisbeth Salander nos olhos.

— Me mostre.

Ela girou o tabuleiro e assumiu o jogo de Palmgren. Conseguiu o pate na trigésima nona jogada.

— Caramba — disse Sivarnandan.

— Ela é a-a-ssi-sim. Nunca jogue com ela a dinheiro — disse Palmgren. Ele ainda gaguejava um pouco.

Sivarnandan jogava xadrez desde menino e, adolescente, participara do campeonato de Åbo, ficando em segundo lugar. Considerava-se um amador competente. Percebeu que Lisbeth Salander era uma jogadora temível. Aparentemente, nunca jogara por um clube e, quando ele mencionou que aquela partida parecia ser uma variante de uma clássica partida de Lasker, ela mostrou-se perplexa. Parecia nunca ter ouvido falar em Emmanuel Lasker. Ele morria de vontade de perguntar se o talento dela era inato e, se fosse, se tinha outros talentos que poderiam interessar a um psicólogo.

Mas não perguntou nada. Só constatou que Holger Palmgren parecia se sentir melhor do que nunca desde a chegada de Lisbeth Salander a Ersta.

O dr. Nils Bjurman chegou em casa tarde da noite. Passara quatro semanas seguidas na casa de campo perto de Stallarholmen. Estava abatido. Tirando o fato de que o gigante loiro trouxera o recado de que a proposta dele os interessava — o que lhe custaria cem mil coroas —, não acontecera nada que mudasse fundamentalmente sua mísera situação.

Um monte de correspondência se acumulara atrás da porta do hall de entrada. Juntou os envelopes e deixou-os na mesa da cozinha. Sentia um imenso vazio e desenvolvera um acentuado desinteresse por tudo que se referia ao trabalho e ao mundo exterior. Só mais tarde da noite seu olhar recaiu sobre a pilha de correspondência e ele a folheou meio distraído.

Um dos envelopes trazia o logotipo do Handelsbanken. Abriu-o e quase teve um choque ao descobrir que era a cópia de um extrato de débito de 9 312 coroas efetuado na conta de Lisbeth Salander.

Ela estava de volta.

Foi até o escritório e pôs o documento sobre a escrivaninha. Contemplou-o com um olhar cheio de ódio por mais de um minuto, enquanto se recuperava do susto. Precisava achar o número do telefone. Então, pegou o aparelho e discou o número de um celular anônimo, de cartão. Visualizou o gigante loiro com o ligeiro sotaque.

— Sim?

— Aqui é o Nils Bjurman.

— O que você quer?

— Ela voltou para a Suécia.

Um breve silêncio se fez do outro lado da linha.

— Certo. Não ligue mais para este número.

— Mas...

— Em breve você vai receber instruções.

Para sua grande irritação, a ligação foi cortada. Bjurman blasfemou consigo mesmo. Foi até o bar e se serviu de uns dez centilitros de *bourbon*. Esvaziou o copo em duas talagadas. *Preciso reduzir o álcool*, pensou. Em seguida, serviu-se de mais um fundo de copo e o levou consigo para o escritório, onde mais uma vez contemplou o extrato do Handelsbanken.

Miriam Wu massageava as costas e a nuca de Lisbeth Salander. Fazia uns bons vinte minutos que ela amassava aplicadamente uma Lisbeth que, em suma, contentava-se em soltar um ou outro suspiro de satisfação. Ser massageada por Mimmi era incrivelmente bom e Lisbeth se sentia como um gatinho que só deseja uma coisa: dormir e agitar as patinhas.

Conteve um suspiro de decepção quando Mimmi lhe deu uns tapinhas no bumbum, informando que já estava bem assim. Ficou um instante sem se mexer, na vã esperança de que a amiga continuasse, mas quando ouviu Mimmi pegar uma taça de vinho, virou-se de costas.

— Obrigada — disse.

— Desconfio que você passa o dia parada na frente do computador. Por isso é que está com dor nas costas.

— Eu distendi um músculo, só isso.

As duas estavam nuas na cama de Mimmi, no apartamento da Lundagatan. Algumas taças de vinho as tinham deixado meio altas. Lisbeth franziu o cenho. Desde que retomara o contato com Miriam Wu, parecia que nunca se fartava. Adquirira o péssimo hábito de ligar para Mimmi o tempo todo — para ser sincera, com muito mais frequência do que exigiria um mero e saudável desejo. Olhou para Mimmi e repetiu a si mesma que de modo algum podia se apegar novamente a uma pessoa. No fim da história, só sobrariam machucados.

Súbito, Miriam Wu inclinou-se para trás, sobre a borda da cama, e abriu a gaveta do criado-mudo. Pegou um pacotinho achatado embrulhado num papel de presente florido e preso com uma fita dourada, e o jogou no colo de Lisbeth.

— O que é isso?

— Seu presente de aniversário.

— Falta mais de um mês para o meu aniversário.

— Do aniversário do ano passado. Não consegui te achar na época. Encontrei o pacote quando fiz a mudança.

Lisbeth ficou um instante calada.

— Abro?

— Claro, se quiser.

Ela largou o copo, chacoalhou o pacote e abriu devagarinho. Era uma linda cigarreira de metal preto e azul, ornada com símbolos chineses.

— Você devia parar de fumar — disse Miriam Wu. — Mas se tiver mesmo que continuar, pelo menos guarde os cigarros numa embalagem com alguma estética.

— Obrigada — disse Lisbeth. — Você é a única pessoa que me dá presentes de aniversário. Você sabe o que significam esses símbolos?

— Como vou saber? Não sei chinês. É só uma coisinha que eu achei num mercado das pulgas.

— É uma cigarreira muito bonita.

— Uma bobagem. Mas achei que você ia gostar. Sabe que não temos mais nada para beber?… Vamos sair para tomar uma cerveja em algum lugar?

— Quer dizer que a gente tem que levantar e se vestir?

— Acho que sim. De que serve morar num bairro como o Söder se a gente não vai num bar de vez em quando?

Lisbeth suspirou.

— Vamos — disse Miriam Wu, brincando com a bijuteria no umbigo de Lisbeth. — Você está fixada em sexo. Mas a gente pode voltar para cá depois.

Lisbeth suspirou de novo, pôs um pé no chão e se esticou para pegar a calcinha.

Dag Svensson estava instalado a uma mesa que tinham lhe cedido a um canto da redação da *Millennium*, quando se surpreendeu com o ruído da fechadura da porta de entrada. Olhou para o relógio e percebeu que já eram nove da noite. Mikael Blomkvist ficou tão surpreso quanto ele ao topar com uma pessoa na redação.

— Então, fazendo hora extra? Olá, Micke. Eu, trabalhando no livro, nem vi o tempo passar. O que o traz aqui?

— Só passei para pegar um livro que eu esqueci. Está tudo certo?

— Está, bem, não… Faz três semanas que estou tentando achar uma pista desse canalha do Björck, da Säpo. Até parece que ele foi raptado por algum serviço de informações estrangeiro. Nem sinal dele.

Dag relatou seus reveses. Mikael pegou uma cadeira, sentou-se e refletiu alguns instantes.

— Você tentou o truque do sorteio premiado?

— Como?

— Crie um logotipo grandiloquente, escreva uma carta comunicando que ele ganhou um celular com GPS ou coisa do gênero. Imprima direitinho na sua impressora e mande para o endereço dele — no caso, a caixa postal. A manha é falar que ele já ganhou o celular. Ele só precisa dizer onde quer ir pegá-lo. E como ele tem direito ao bônus, é uma das vinte pessoas que ainda podem ganhar cem mil coroas. Tudo que ele precisa fazer é participar de uma pesquisa sobre diversos produtos. A pesquisa seria realizada em uma hora, por um pesquisador profissional. Depois… bem, você entendeu.

Dag Svensson olhou para Mikael, boquiaberto.

— Está falando sério?

— Por que não? Você já tentou de tudo, e até um figurão da Säpo deveria ser capaz de entender que a chance de ganhar cem mil coroas é bem aceitável, se ele já é um dos vinte selecionados.

Dag Svensson, de repente, deu por si chorando de rir.

— Você é completamente doido. Isso é legal?

— Acho difícil achar que seria ilegal dar um celular de presente.

— Puta merda! Você é mesmo incrível.

Dag Svensson ainda ficou rindo mais algum tempo. Mikael hesitou. Na verdade, estava indo para casa e não tinha o hábito de frequentar bares, mas gostava da companhia de Dag Svensson.

— O que você acha de a gente tomar uma cerveja? — perguntou.

Dag Svensson consultou o relógio.

— Acho tentador — disse. — Por que não? Mas tem que ser rapidinho. Vou dar uma ligada para a Mia. Ela saiu com umas amigas, ficou de me pegar na volta.

Foram até o Moulin, principalmente por ser mais prático, era pertinho. Dag Svensson volta e meia caía na risada enquanto compunha de cabeça a carta que ia escrever para Björck. Mikael olhou de esguelha, cético, para aquele seu colaborador tão fácil de divertir. Um casal estava saindo na hora em que chegaram, e ficaram com a mesa deles, bem perto da porta. Cada um pediu um chope, aproximaram-se um do outro e se puseram a conversar sobre o tema que, no momento, monopolizava a vida profissional de Dag Svensson.

Mikael Blomkvist não viu Lisbeth Salander no bar com Miriam Wu. Lisbeth deu um passo atrás de modo a deixar Mimmi entre ela e Mikael. Com o semblante neutro, observou-o por cima do ombro de Mimmi.

Era a primeira vez que ela saía desde que voltara à Suécia, e é claro que tinha que topar logo com ele. Maldito Super-Blomkvist.

Era a primeira vez que o via em mais de um ano.

— O que houve? — perguntou Mimmi.

— Nada — disse Lisbeth Salander.

Continuaram a conversar. Ou melhor, Mimmi continuou contando a história de uma garota que ela havia conhecido durante uma viagem a Londres alguns anos antes. Tinha a ver com uma galeria de arte e uma situação que ia ficando cada vez mais cômica à medida que Mimmi tentava dar em cima dela. Lisbeth meneava a cabeça de vez em quando e, como sempre, perdeu o ponto alto da história.

Constatou que Mikael Blomkvist não tinha mudado muito. Estava tremendamente bonito; descontraído e de bem consigo, mas ainda assim com um ar sério. Escutava o que seu companheiro de mesa dizia e meneava regularmente a cabeça. A conversa não parecia estar muito divertida.

Lisbeth transferiu o olhar para o amigo de Mikael. Um rapaz loiro de cabelos muito curtos, alguns anos mais jovem que Mikael, que falava com ar compenetrado e parecia estar explicando alguma coisa. Ela nunca vira o cara antes e não fazia a mínima ideia de quem ele era.

Súbito, um grupo de pessoas acercou-se da mesa de Mikael para cumprimentá-lo. Uma das mulheres lhe deu um tapinha amigável no rosto e disse algo que fez todo mundo rir. Mikael pareceu constrangido, mas riu com os outros. Era claramente tratado como celebridade desde seu sucesso no caso Wennerström.

Lisbeth Salander franziu o cenho.

— Você não está me escutando — disse Mimmi.

— Estou, sim.

— Você não é de nada como companheira de bar. Desisto. Quer ir embora e transar?

— Daqui a pouco — disse Lisbeth.

Chegou mais perto de Mimmi, pôs uma mão em seu quadril e deslizou discretamente o indicador debaixo da blusa dela para acariciar sua barriga. Mimmi baixou os olhos para ela.

— Estou a fim de te dar um beijo na boca.

— Não faça isso.

— Está com medo que as pessoas pensem que você é lésbica?

— Neste exato momento eu não quero chamar a atenção.

— Então vamos embora. Estou a fim de me divertir.

— Agora não. Espera um pouquinho.

* * *

Não precisaram esperar muito. Vinte minutos depois que eles chegaram, o homem que estava com Mikael recebeu uma ligação no celular. Esvaziaram seus copos de chope e se levantaram ao mesmo tempo.

— Ei, olhe aquele cara — disse Mimmi. — É o Mikael Blomkvist. Ficou famoso que nem estrela de rock depois do caso Wennerström.

— Ah, é? — fez Lisbeth.

— Você perdeu essa. Foi mais ou menos na época em que você se mandou para o exterior.

— Eu ouvi falar.

Lisbeth esperou mais cinco minutos antes de encarar Mimmi.

— Você estava a fim de me beijar na boca.

Mimmi olhou para ela, surpresa.

— Era para implicar com você.

Lisbeth se ergueu na ponta dos pés, puxou o rosto de Mimmi para perto do seu e tascou-lhe um beijo de dois minutos. As pessoas bateram palmas.

— Você é completamente biruta — disse Mimmi.

Lisbeth Salander só voltou para casa por volta das sete da manhã. Puxou a camiseta para cheirar as axilas, pensou em tomar um banho, mas deixou para lá. Largou a roupa amontoada no chão e se deitou. Dormiu até as quatro da tarde, levantou-se e foi tomar café da manhã no Mercado do Söder.

Pensava em Mikael Blomkvist e em sua própria reação ao se defrontar com ele. Sua presença a incomodara demais, mas constatou também que já não doía vê-lo. Ele tinha virado um pontinho no horizonte, uma ligeira perturbação em sua existência.

Havia perturbações muito piores na vida.

Lamentou de repente não ter tido coragem de ir cumprimentá-lo.

Ou, no outro extremo, de espancá-lo.

Ela hesitava entre as duas possibilidades, e de repente ficou muito curiosa para saber no que ele estava trabalhando. À tarde, fez algumas compras, voltou para casa lá pelas sete horas, ligou o PowerBook e iniciou o programa Asphyxia 1.3. O ícone *MikBlom/laptop* ainda constava no servidor holandês.

Clicou duas vezes e abriu uma cópia do disco rígido de Mikael Blomkvist. Era sua primeira visita ao computador dele desde que deixara a Suécia havia mais de um ano. Notou, satisfeita, que ele ainda não atualizara a última versão do MacOS, o que teria significado a eliminação do Asphyxia e o fim da clonagem. Pensou também que teria de reescrever o software para evitar que uma atualização o destruísse.

O volume do disco rígido aumentara 6,9 gb desde sua última visita. Boa parte desse aumento consistia em arquivos PDF e cópias Quark de todos os números da *Millennium*. Os documentos Quark não ocupavam tanto espaço, à diferença dos arquivos de imagens, mesmo as comprimidas. Desde que voltara a ser o editor responsável pela publicação, ele aparentemente arquivara uma cópia de cada número da revista.

Ela organizou o disco rígido por data, com os documentos mais antigos em cima, e observou que nos últimos meses Mikael se ocupara principalmente de uma pasta intitulada [DAG SVENSSON], que era manifestamente o projeto de um livro. Depois abriu os e-mails de Mikael e passou em revista sua lista de contatos.

A certa altura, franziu o cenho. Dia 26 de janeiro, Mikael recebera um e-mail da Maldita Harriet Vanger. Abriu o e-mail e leu umas poucas linhas sobre uma assembleia geral da *Millennium* que aconteceria em breve, que terminavam com a informação de que Harriet tinha reservado o mesmo quarto de hotel que da outra vez.

Lisbeth levou um breve instante para digerir a informação. Depois deu de ombros e baixou os e-mails de Mikael Blomkvist, o manuscrito de Dag Svensson intitulado *Os sanguessugas*, com o subtítulo *Os beneficiários da indústria da prostituição*. Achou também a cópia de uma tese intitulada "Da Rússia com amor", escrita por uma tal de Mia Bergman.

Ela se desconectou e foi até a cozinha ligar a cafeteira. Depois se acomodou no sofá novo da sala com seu PowerBook. Abriu a cigarreira que Mimmi lhe dera, acendeu um Marlboro light e dedicou-se à leitura.

Por volta das nove da noite, concluiu a leitura da tese de Mia Bergman. Mordeu, pensativa, o lábio inferior.

Às dez e meia, terminou o livro de Dag Svensson. E percebeu que a *Millennium* não demoraria para voltar às manchetes.

* * *

Às onze e meia, quando estava acabando a leitura dos e-mails de Mikael Blomkvist, ergueu-se de repente, arregalando os olhos.

Sentiu um arrepio percorrer suas costas.

Tratava-se de um e-mail de Dag Svensson para Mikael Blomkvist.

Svensson dizia que andava se fazendo algumas perguntas sobre um gângster do Leste europeu, um tal de Zala, que poderia, eventualmente, virar, sozinho, um capítulo do livro — mas constatava que não lhe restava muito tempo até a data de entrega do manuscrito. Mikael não respondera a esse e-mail.

Zala.

Lisbeth Salander permaneceu imóvel, refletindo, até que interveio o protetor de tela.

Dag Svensson largou seu bloco de anotações e coçou a cabeça. Contemplou, pensativo, a única palavra escrita bem no alto da página aberta. Quatro letras.

Zala.

Desconcertado, passou uns três minutos rabiscando uma série de círculos labirínticos em volta do nome. Então levantou-se e foi pegar uma xícara de café na copa. Olhou o relógio e pensou que deveria ir para casa dormir, mas descobrira que gostava de ficar trabalhando até tarde na redação da *Millennium*, quando o local estava calmo e tranquilo. O prazo-limite para a entrega dos originais se aproximava inexoravelmente. Ele dominava bem o tema, mas, pela primeira vez desde que entrara no projeto, sentia uma vaga dúvida. Perguntava-se se poderia estar deixando passar um detalhe essencial.

Zala.

Até então, estivera impaciente para terminar o manuscrito e ver o livro publicado. Agora, gostaria de poder dispor de mais tempo.

Pensou no relatório da autópsia que o inspetor Gulbrandsen tinha lhe dado para ler. Irina P. fora encontrada no canal de Södertälje, vítima de extrema violência, provavelmente por meio de uma ferramenta pesada. Seu rosto e a caixa torácica apresentavam marcas fortes de contusão. A *causa mortis* tinha sido a nuca quebrada, mas pelo menos dois outros ferimentos foram considerados fatais. Ela estava com seis costelas quebradas e o pulmão esquerdo perfurado. O baço estava estraçalhado devido às pavorosas pancadas que levara. A origem dos ferimentos era difícil de determinar. A autópsia aventara a hipótese de um malho de madeira enrolado num pano. Ninguém conseguia explicar por que um assassino teria forrado a arma com tecido, mas os ferimentos não apontavam para nada que fosse característico dos instrumentos corriqueiros.

O crime ainda não fora desvendado, e Gulbrandsen observara que as chances de se encontrar um culpado eram extremamente escassas.

O nome de Zala tinha surgido em quatro oportunidades no material que Mia Bergman acumulara nos últimos anos, mas sempre de maneira periférica, fugidio como um fantasma. Ninguém sabia quem ele era ou mesmo se existia de fato. Algumas meninas referiam-se a ele como as crianças costumam falar no Bicho-Papão ou em algum monstro impreciso — uma ameaça não identificada que constituía um perigo para os desobedientes. Ele passara uma semana tentando obter mais informações sobre Zala, tinha questionado policiais, jornalistas e as diversas fontes relacionadas ao comércio sexual que ele havia reunido.

Mais uma vez fizera contato com o jornalista Per-Åke Sandström, que ele pretendia denunciar sem pruridos em seu livro. A esta altura, Sandström tinha começado a perceber que a situação era séria. Suplicara a Dag Svensson que tivesse piedade dele. Oferecera-lhe dinheiro. Como Dag Svensson pretendia mesmo denunciá-lo, valera-se, sem pudor nenhum, de sua posição de força para arrancar o máximo de Sandström.

O resultado foi frustrante. Sandström era um canalha corrompido que fizera o jogo da máfia do sexo. Nunca tinha estado com Zala, mas falara com ele por telefone e sabia que ele existia. Talvez. Não, não tinha o telefone dele. Não, não podia revelar quem fizera o contato. *Piedade, eu lhe imploro.*

De repente, Dag Svensson compreendeu que Per-Åke Sandström estava com medo. Um medo maior que a ameaça de ser denunciado. Ele temia por sua vida. *Por quê?*

10. SEGUNDA-FEIRA 14 DE MARÇO — DOMINGO 20 DE MARÇO

Usar o transporte coletivo para ir até o centro de reabilitação de Ersta representava uma enorme perda de tempo e era quase tão complicado quanto alugar um carro toda vez que visitava Holger Palmgren. Em meados de março, Lisbeth Salander resolveu comprar um carro e começou a procurar um estacionamento. O que se revelou mais problemático do que a compra do carro.

Ela dispunha de uma vaga na garagem do subsolo de seu prédio da Fiskaregatan, mas não tinha a menor intenção de usá-la. O carro ficaria associado ao proprietário e Lisbeth não queria que houvesse nenhuma ligação entre ela e o prédio. Em compensação, muitos anos antes, ela se candidatara a uma vaga na garagem de seu antigo apartamento na Lundagatan, para o caso de um dia vir a comprar um carro. Ligou para saber como estava a espera e descobriu que ela já era a primeira da lista. Melhor ainda: no próximo mês haveria uma vaga livre. Uma sorte e tanto. Ligou para Mimmi e pediu que ela corresse para assinar os papéis. No dia seguinte, saiu em busca de um carro; levou exatamente quatro horas e vinte minutos para encontrar um.

Tinha dinheiro suficiente para comprar um Rolls-Royce ou uma Ferrari cor de tangerina, mas não fazia questão de um automóvel vistoso que chamasse a atenção das pessoas. Esteve em dois revendedores de carros usados em Nacka e escolheu um velho Honda cor de vinho com câmbio automático. Durante uma hora, para imenso desespero do vendedor, examinou a fundo o motor. Regateou por uma questão de princípio, conseguiu baixar o preço em algumas notas de mil, e então pagou em dinheiro.

Depois foi dirigindo o Honda até a Lundagatan e subiu ao apartamento de Mimmi para deixar uma cópia das chaves. Mimmi poderia usar o carro, claro, desde que avisasse antes. Como a vaga da garagem só estaria disponível no começo do mês, enquanto isso deixaram o carro estacionado na rua.

Mimmi estava de saída para um encontro seguido de cinema, atividade tão excitante para Lisbeth quanto um debate orçamentário no Parlamento. Além do que, ia sair com uma amiga da qual Lisbeth nunca tinha ouvido falar. Como Mimmi estava exageradamente maquiada, vestia uma roupa *trash* e ostentava uma espécie de coleira de cachorro no pescoço, Lisbeth imaginou que se tratava de uma de suas namoradas e, embora Mimmi a convidasse para ir junto, ela recusou. Não tinha a menor vontade de se envolver num drama triangular com uma das amigas de Mimmi, de pernas longas, provavelmente supersexy e que a faria sentir-se uma idiota. Foram juntas até o metrô Hötorget, e ali se separaram.

Lisbeth fez a pé o trajeto até a OnOff de Sveavägen e entrou na loja dois minutos antes de ela fechar. Comprou um cartucho para a sua impressora a laser e pediu que o retirassem da embalagem para poder levá-lo na mochila.

Ao sair da loja, estava com um vaziozinho no estômago. Foi até o Stureplan, onde entrou, por puro acaso, no Café Hedon, um lugar descolado onde nunca tinha estado. Reconheceu imediatamente o doutor Nils Erik Bjurman, quase de costas, e recuou para perto da porta. Colocou-se próxima ao janelão que dava para a calçada e esticou o pescoço a fim de observar seu tutor, protegida por um balcão.

A visão de Bjurman não despertou nenhuma emoção especial em Lisbeth Salander. Não sentiu raiva, ódio ou medo. No que lhe dizia respeito, o mundo seria, sem dúvida alguma, um lugar melhor sem aquele cara, mas ele estava vivo porque ela resolvera que ele lhe seria mais útil assim. Voltou o olhar para o homem sentado em frente a ele e sobressaltou-se quando o homem se levantou de repente.

Clique.

O homem era particularmente alto, dois metros de altura pelo menos, e muito bem-apessoado. Excepcionalmente bem-apessoado, aliás. Tinha um rosto delicado, cabelos loiros rente às têmporas e uma franja curta. A impressão geral, porém, era de uma forte virilidade.

Lisbeth viu o gigante loiro inclinar-se e sussurrar algo para Bjurman, que meneou a cabeça. Apertaram-se as mãos e Lisbeth reparou que Bjurman retirava rapidamente a sua.

Ora, ora, quem é você? E o que está fazendo aí com o Bjurman?

Lisbeth Salander desceu depressa alguns metros rua abaixo e se postou à entrada de uma tabacaria. Estava observando as manchetes dos jornais quando o loiro saiu do Hedon e pegou à esquerda sem olhar para os lados. Passou a menos de trinta centímetros das costas de Lisbeth. Ela lhe deu uma vantagem de quinze metros e começou a segui-lo.

O passeio a pé não se estendeu. O gigante loiro entrou em seguida no metrô da Birger Jarlsgatan e comprou um bilhete na máquina. Esperou na plataforma da direção sul — que de todo modo era a direção de Lisbeth — e entrou no metrô para Norsborg. Desceu em Slussen e tomou a direção de Farsta, mas logo desceu em Skanstull e foi caminhando até o Café Blomberg, na Götgatan.

Lisbeth ficou do lado de fora. Observou, pensativa, o homem com quem o gigante loiro foi se sentar. *Clique*. Lisbeth lhe atribuiu o perfil *más notícias*. Um sujeito gordo, com um rosto magro e uma barriga de bebedor de cerveja. Tinha cabelos loiros presos num rabo de cavalo e um bigode loiro. Vestia jeans preto, uma jaqueta jeans e usava botinas de salto. No dorso da mão direita, tinha uma tatuagem cujo desenho Lisbeth não conseguia distinguir àquela distância. Usava uma corrente de ouro no pulso e fumava Lucky Strike, a julgar pelo maço em cima da mesa. Lisbeth reparou no seu olhar errante, que ela associava a pessoas que se dopam. Reparou também que ele usava um colete por baixo da jaqueta jeans. Fez imediatamente a associação com motoqueiros.

O gigante loiro não fez nenhum pedido. Parecia falar em voz baixa. Explicava alguma coisa. O homem da jaqueta jeans meneava regularmente a cabeça, mas parecia não contribuir para o diálogo. *Droga, por que não estou com meu microfone ultrassensível?*

Passados cinco minutos, o gigante loiro se levantou e deixou o Café Blomberg. Lisbeth afastou-se depressa, mas ele nem sequer olhou em sua direção. Andou uns quarenta metros e subiu a escadaria da Allhelgonagatan, onde entrou num Volvo branco. Deu a partida e entrou devagarinho na rua. Lisbeth estava tão perto que teve tempo de anotar o número da placa antes de ele dobrar a esquina e sumir.

Lisbeth ficou alguns segundos pensativa, olhando para o lugar onde o Volvo estivera estacionado. Então voltou correndo ao Café Blomberg. Ausentara-se menos de três minutos, mas a mesa já estava vazia. Deu meia-volta, verificou a calçada nas duas direções, e não viu o homem de rabo de cavalo e jaqueta jeans. Então olhou do outro lado da rua e o avistou empurrando a porta do McDonald's.

Foi obrigada a entrar para poder vê-lo outra vez. Estava sentado no fundo, na companhia de outro homem que usava roupas semelhantes às dele e claramente conotativas. Este usava o colete por cima da jaqueta jeans. Lisbeth leu os dizeres. MOTO-CLUB SVAVELSJÖ. Com uma roda de moto estilizada que lembrava a cruz celta enfeitada com um machado.

Lisbeth saiu para a rua e ficou um momento indecisa antes de pegar a direção norte e voltar para casa. Caminhava com a sensação de que todo o seu sistema de alarme tinha disparado.

Lisbeth parou no 7-Eleven da Götgatan para fazer as compras da semana: um pacote grande de pizzas congeladas, três peixes gratinados, três tortas de bacon, um quilo de maçãs, dois pães, um pedaço grande de queijo, leite, café, um pacote de Marlboro light e os jornais da tarde. Pegou a Svartensgatan para subir na direção da Fiskaregatan e olhou atentamente em volta antes de digitar o código do prédio. Pôs uma das tortas de bacon no micro-ondas e tomou leite direto da caixa. Ligou a cafeteira elétrica e em seguida se instalou na frente do computador. Clicou em Asphyxia 1.3, entrou no servidor holandês e depois na reprodução do disco rígido do dr. Bjurman. Passou o conteúdo do computador dele a pente fino.

Não encontrou absolutamente nada digno de interesse. Bjurman parecia usar muito pouco o correio eletrônico e ela só achou uma dúzia de e-mails breves e pessoais trocados com amigos. Nada na correspondência dele tinha alguma relação com Lisbeth Salander.

Achou um arquivo novo com fotos de pornografia explícita que mostravam que ele ainda se interessava por mulheres submetidas a situações sádicas. Seu olhar se endureceu um pouco, mas aquilo não constituía uma transgressão à regra que o proibia de frequentar mulheres.

Copiou o arquivo que continha os documentos relativos à missão de Bjurman como tutor da denominada Lisbeth Salander e leu com atenção os relatórios mensais. Todos correspondiam escrupulosamente às cópias que ela ordenara que ele enviasse por e-mail para um de seus inúmeros endereços no hotmail.

Estava tudo absolutamente normal.

Com exceção, talvez, de uma pequena variante... Quando conferiu a listagem, constatou que ele em geral criava os documentos bem no início do mês, dedicava uma média de quatro horas para redigir cada relatório e o enviava pontualmente à Comissão de Tutelas todo dia 20 do mês. Estavam em meados de março e ele ainda não cuidara do relatório mensal. *Negligência? Atraso? Ocupado com outras coisas? Tramando algo suspeito?* Uma ruga vincou a testa de Lisbeth Salander.

Desligou o computador, sentou-se no recanto da janela e abriu a cigarreira que Mimmi lhe dera. Acendeu um cigarro e fitou a escuridão lá fora. Dava-se conta de que descuidara sua vigilância sobre Bjurman. *Esse canalha é mais traiçoeiro que uma hiena.*

Foi sendo tomada por uma profunda inquietação. *Primeiro o Maldito Super-Blomkvist, depois Zala e agora o Maldito Canalha do Nils Bjurman na companhia de um macho inflado de anabolizantes e em contato com uma gangue de motoqueiros.* Em poucos dias, tinham aparecido várias pedrinhas na existência organizada que Lisbeth Salander estava tentando construir.

Às duas e meia daquela madrugada, Lisbeth Salander abriu a porta do prédio em que o dr. Nils Bjurman morava. Parou na frente do apartamento, levantou bem devagarinho a portinhola da correspondência e introduziu o microfone extremamente sensível que tinha adquirido na Counterspy Shop de Mayfair, em Londres. Nunca tinha ouvido falar em Ebbe Carlsson, mas naquela mesma loja ele comprara o famoso material de escuta que, no final dos anos 1980, obrigara o ministro da Justiça sueco a se demitir bruscamente. Colocou as escutas no lugar e ajustou o volume.

Escutou o zumbido surdo de um refrigerador e os sonoros tiquetaques de pelo menos dois relógios, um deles um relógio de parede na sala, à esquerda da porta de entrada. Ajustou o volume e escutou, prendendo a respiração. Ouviu todo tipo de estalidos e ruídos no prédio, mas nenhum som de atividade humana. Levou um minuto para identificar os fracos ruídos de uma respiração pesada e regular.

Nils Bjurman estava dormindo.

Tirou o microfone e o enfiou no bolso interno da jaqueta de couro. Vestia uma calça jeans escura e tênis. Sem fazer barulho, introduziu a chave na fechadura e entreabriu a porta. Antes de abri-la totalmente, tirou do bolso um cacetete elétrico. Não trouxera nenhuma outra arma. Não julgava precisar de mais que isso para dominar Bjurman.

Entrou no hall, fechou a porta e deslizou pé ante pé pelo corredor até o quarto dele. Estacou ao perceber a luz de uma lâmpada, mas àquela altura já conseguia escutar os roncos sem a ajuda do microfone. Deslizou até o quarto. Na beira da janela havia uma luz acesa. *O que há com você, Bjurman? Está com medo de dormir no escuro?*

Aproximou-se da cama e o contemplou por vários minutos. Estava envelhecido e parecia desmazelado. Um cheiro dentro do quarto indicava que vinha negligenciando a higiene.

Não sentiu a menor compaixão. Por um segundo, o clarão de um ódio implacável brilhou em seus olhos em geral tão inexpressivos. Reparou num copo no criado-mudo e se inclinou para cheirá-lo. Álcool.

Por fim, saiu do quarto. Deu uma voltinha na cozinha, não encontrou nada de especial, continuou pela sala e se deteve à porta do escritório. Tirou do bolso uma dúzia de pedacinhos de torrada e os jogou no escuro pelo chão. Se alguém se esgueirasse pela sala, o ruído a alertaria.

Instalou-se à escrivaninha do dr. Nils Bjurman e deixou o cacetete elétrico ao alcance da mão. Pôs-se a vasculhar metodicamente as gavetas. Examinou os extratos bancários das contas pessoais de Bjurman e deu uma olhada nas diversas operações efetuadas. Notou que ele estava ficando desorganizado e mais esporádico nas atualizações, mas não encontrou nada digno de interesse.

A última gaveta da escrivaninha estava fechada a chave. Lisbeth Salander franziu o cenho. Quando o visitara um ano atrás, todas as gavetas estavam abertas. Seu olhar se turvou quando tentou imaginar o conteúdo da gaveta. Na época, havia nela uma câmera fotográfica, uma teleobjetiva, um pequeno dictafone Olympus, um álbum de fotos encadernado em couro e uma caixinha com colares, joias e uma aliança de ouro com a inscrição *Tilda e Jacob Bjurman — 23 de abril de 1951*. Lisbeth sabia que eram os nomes dos pais dele e que os dois já eram falecidos. Imaginou que ele guardava a aliança como recordação. Em suma, objetos que tinham algum valor afetivo. *Certo, ele tranca a chave o que considera precioso.*

Começou a examinar a prateleira com porta de correr que ficava atrás da escrivaninha e tirou duas pastas relativas à sua missão como tutor. Passou quinze minutos lendo minuciosamente todos os documentos, folha por folha. Os relatórios eram impecáveis e davam a entender que Lisbeth Salander era uma jovem boazinha e cuidadosa. Quatro meses antes, apresentara um relatório declarando que a seu ver ela parecia tão racional e competente que seria certamente o caso, quando da avaliação do ano seguinte, de se abrir uma discussão sobre a pertinência de se manter a tutela. Estava elegantemente formulado e constituía a primeira pedra para a anulação de sua colocação sob tutela.

A pasta continha igualmente anotações manuscritas mostrando que Bjurman fora procurado por uma certa Ulrika von Liebenstaahl, da Comissão de Tutelas, para uma conversa sobre a situação de Lisbeth. Estavam sublinhadas as palavras "necessidade de uma avaliação psiquiátrica".

Lisbeth fez um muxoxo, guardou as pastas no lugar e olhou em volta.

À primeira vista, não havia do que reclamar. Bjurman parecia estar se comportando escrupulosamente segundo suas instruções. Mordeu os lábios. Mesmo assim, tinha a impressão de que alguma coisa estava errada.

Levantou-se, e já ia apagar a luz quando se deteve. Tornou a pegar as pastas e examinou-as outra vez. Estupefata.

Elas deveriam conter muito mais que aquilo. Um ano antes, havia um resumo da Comissão de Tutelas cobrindo sua vida desde a infância. Esse relatório não estava mais lá. *Por que Bjurman tiraria documentos de uma pasta?* Franziu o cenho. Não conseguia pensar em nenhum motivo válido. A menos que ele guardasse outras informações em outro lugar. Deu uma olhada na prateleira de portas de correr e então baixou os olhos para a última gaveta da escrivaninha.

Não tinha trazido chave mestra e voltou pé ante pé ao quarto de Bjurman. Pescou seu molho de chaves no paletó pendurado no cabide. Na gaveta estavam os mesmos objetos de um ano atrás. Mas à coleção se somara uma caixa rasa com a foto de um Colt 45 Magnum na tampa.

Seu olhar se turvou mais uma vez ao repassar mentalmente a pesquisa que fizera sobre Bjurman dois anos antes. Ele praticava tiro num clube. Tinha porte de armas para um Colt 45 Magnum.

A contragosto, concluiu que ele estava certo em manter a gaveta trancada a chave.

Aquele estado de coisas não lhe agradava, mas no momento não via nenhum motivo para acordar Bjurman e quebrar a cara dele.

Mia Bergman acordou às seis e meia. Ouviu, baixinho, o noticiário da tevê na sala e sentiu cheiro de café. Também ouviu o som do teclado do iBook de Dag Svensson. Sorriu.

Nunca tinha visto seu companheiro tão envolvido numa tarefa. A *Millennium* era um trabalho legal. Dag ainda era um pouco convencido, mas o contato com Blomkvist, Berger e os demais estava sendo benéfico para ele. Era cada vez mais frequente ele voltar para casa abatido depois de Blomkvist lhe apontar algumas falhas e desmontar algum raciocínio seu. Depois disso, trabalhava duas vezes mais.

Pôs a mão sobre o ventre e se perguntou se aquele seria o momento certo de perturbar a concentração dele. Sua menstruação estava três semanas atrasada. Não tinha certeza, mas um teste de gravidez da farmácia acabaria com a dúvida.

Perguntava-se se era mesmo um bom momento.

Ia fazer trinta anos. Dali a um mês, defenderia sua tese. Doutora Bergman! Sorriu novamente e resolveu não dizer nada a Dag antes de ter certeza, ou quem sabe até ele terminar o livro e ela própria festejar sua tese.

Ficou mais dez minutos na cama antes de se levantar e ir até a sala, enrolada num lençol. Ele ergueu os olhos.

— Sabe que não são nem sete horas? — perguntou ela.

— É o Blomkvist esmiuçando detalhes de novo — ele respondeu.

— Ele foi malvado com você? Isso não é ruim para você. Você gosta dele, não é?

Dag Svensson se recostou no sofá e seus olhares se encontraram. Passados alguns instantes, ele assentiu com a cabeça.

— A *Millennium* é um bom lugar para se trabalhar. Conversei com o Mikael no Moulin, outra noite, antes de você me pegar. Ele perguntou quais eram os meus planos depois que eu terminar este projeto.

— A-há... E o que você respondeu?

— Que eu não sabia. Faz tantos anos que estou ralando como frila. Queria um troço mais estável.

— A *Millennium*.

Ele fez que sim com a cabeça.

— Micke sondou o terreno, perguntou se meio período me interessava. Um contrato igual ao do Henry Cortez e da Lottie Karim. Eu teria uma sala e a *Millennium* me pagaria um salário-base, e o resto ficaria por minha conta.

— Você acha bom?

— Se eles me fizerem uma proposta concreta, sim.

— Certo, mas ainda não são nem sete horas e hoje é sábado.

— Tss. Eu só queria mexer em mais uma coisinha aqui num capítulo.

— E eu acho que você devia era voltar para a cama e mexer em outra coisinha lá.

Ela lhe lançou um bonito sorriso e abriu um lado do lençol. Ele colocou o computador em espera.

Lisbeth Salander passou a maior parte dos dias e noites seguintes na frente do PowerBook, pesquisando em diferentes direções; houve momentos em que já nem sabia exatamente o que procurava.

Parte do levantamento de dados era simples. Com base em arquivos da imprensa, reconstituiu o histórico do MC Svavelsjö. O clube aparecia pela primeira vez nas notas dos jornais em 1991, com o nome Tälje Hog Riders, quando a polícia fizera uma blitz em sua sede, na época uma escola abandonada nas proximidades de Södertälje. Vizinhos preocupados tinham avisado a polícia sobre tiros ouvidos na antiga escola; os tiras chegaram em peso, interrompendo uma festa copiosamente regada a cerveja e que havia descambado para um concurso de tiro com um rifle AK4, que se descobriu ter sido roubado do antigo 20º regimento de infantaria de Västerbotten no início dos anos 1980.

De acordo com o quadro traçado por um jornal vespertino, o MC Svavelsjö contava com seis ou sete membros e uma dúzia de *hangarounds*. Todos os membros efetivos haviam sido uma ou mais vezes condenados pela justiça por crimes relativamente pequenos mas que não excluíam a violência. Dois sujeitos do clube se destacavam. O chefe do MC Svavelsjö era um tal Carl-Magnus, o "Magge" Lundin, de quem o site do *Aftonbladet* traçava o perfil depois de a polícia ter feito outra blitz na sede do clube em 2001. Lundin fora condenado cinco vezes entre o final dos anos 1980 e início dos anos 1990. Três condenações por roubo, receptação e infrações ligadas à droga. Uma delas decorria de um registro criminal mais sério, com golpes e ferimentos agravados que lhe valeram dezoito meses de xadrez. Lundin foi solto em 1995 e promovido, pouco depois, a "presidente" dos Tälje Hog Riders, rebatizados de MC Svavelsjö.

O número dois do clube, de acordo com a polícia, era um tal de Benny Nieminen, de trinta e sete anos, com nada menos que vinte e três condenações registradas na ficha policial. Dando início à sua carreira com dezesseis anos de idade, fora submetido a um controle judiciário e medidas educativas. Durante os dez anos seguintes, Benny Nieminen fora condenado cinco vezes por roubo, uma vez por roubo agravado, duas por ameaça, duas por infrações relacionadas com drogas, chantagem, violência contra um funcionário público, duas vezes por porte ilegal de armas e uma por porte ilegal de arma agravado, direção em estado de embriaguez e nada menos que seis casos de golpes e ferimentos. Segundo um critério incompreensível para Lisbeth Salander, tinha sido condenado, além do controle judiciário, a multas e a períodos de um ou dois meses de prisão, até ser condenado em 1989 a dez meses de detenção por golpes e ferimentos agravados e roubo seguido de violência. Libertado meses depois, ficara quieto até outubro de 1990, quando seu envolvimento numa briga de bar em Södertälje, seguida de assassinato, resultara numa pena de seis anos de prisão. Nieminen tornara a sair em 1995 e, desde então, era o amigo mais chegado de Magge Lundin.

Em 1996, foi preso por cumplicidade no assalto a mão armada de um carro-forte. Não participara diretamente do assalto, mas fornecera as armas necessárias a três jovens. Foi sua segunda derrocada. Condenado a quatro anos de prisão, foi solto em 1999. Depois disso, Nieminen conseguira o milagre de não ser pego por outros crimes. Segundo um artigo publicado num jornal em 2001, que não citava seu nome mas fornecia um histórico tão detalhado que não era difícil perceber de quem se tratava, Nieminen era suspeito de cumplicidade em pelo menos um assassinato, quando um membro do clube tinha sido morto.

Lisbeth baixou umas fotos de Nieminen e Lundin. Nieminen tinha um rosto bonito, cabelos castanhos crespos e olhos agressivos. Magge Lundin tinha cara de débil mental. Identificou facilmente Lundin como o homem que se encontrara com o gigante loiro no Café Blomberg, e Nieminen como o homem que o esperava no McDonald's.

Uma invasão no Registro de Minas permitiu que encontrasse a pista do proprietário do Volvo branco usado pelo gigante loiro. Tratava-se de uma autolocadora, a Auto-Expert, de Eskilstuna. Discou o número, e do outro lado da linha atendeu um tal de Refik Alba.

— Alô, bom dia, meu nome é Gunilla Hansson. Meu cachorro foi atropelado ontem por um carro que não parou. O canalha fugiu, mas o número da placa mostra que o carro foi alugado aí. Era um Volvo branco.

Ela deu o número.

— Sinto muito.

— Exijo mais que isso. Quero o nome desse escroto para mandar para ele um pedido de indenização.

— A senhora deu parte à polícia?

— Não, prefiro resolver essa história amigavelmente.

— Sinto muito, mas não posso fornecer o nome dos nossos clientes se não houver um boletim de ocorrência.

A voz de Lisbeth Salander murchou. Perguntou se era mesmo uma boa política da empresa obrigá-la a denunciar seus clientes em vez de tentar um acordo amigável. Refik Alba lamentou mais uma vez e disse que infelizmente não podia fazer nada. Ela ainda argumentou por mais alguns minutos, mas não conseguiu obter o nome do gigante loiro.

* * *

O nome de Zala também parecia conduzir a um beco sem saída. Com dois intervalos para comer uma pizza acompanhada de uma garrafa grande de Coca, Lisbeth Salander passou a maior parte das vinte e quatro horas seguintes na frente do computador.

Encontrou centenas de Zalas — desde atletas italianos de alto nível até um compositor argentino —, mas não o que estava procurando.

Tentou Zalachenko, e não encontrou nada que prestasse.

Frustrada, finalmente cambaleou até o quarto e dormiu doze horas seguidas. Acordou às onze da manhã, ligou a cafeteira e preparou um banho de hidromassagem com óleo espumante. Levou o café e fatias de pão para o banheiro e tomou o café da manhã refestelada na banheira, sonhando com a presença de Mimmi a seu lado. Mas isso era impossível. Ainda nem tinha lhe contado onde morava.

Por volta do meio-dia, saiu da água, se secou e enfiou um roupão. Tornou a ligar o computador.

Obteve melhores resultados com os nomes de Dag Svensson e Mia Bergman. Conseguiu rapidamente ter uma ideia das atividades dos dois nos últimos anos. Baixou algumas cópias de artigos de Dag e achou uma foto dele à guisa de assinatura. Sem grande surpresa, constatou que era o homem que vira em companhia de Mikael Blomkvist no Moulin dias antes. Agora o nome tinha um rosto, e vice-versa.

Achou vários textos sobre, ou de, Mia Bergman. Anos antes destacara-se com um relatório sobre as diferentes maneiras como homens e mulheres eram tratados pela Justiça. O relatório tinha sido citado em editoriais e artigos de opinião nas revistas de várias organizações feministas; a própria Mia Bergman contribuíra para o debate com diversos artigos. Lisbeth Salander leu com bastante atenção. Algumas feministas julgavam suas conclusões importantes, ao passo que outras criticavam Mia Bergman e a acusavam de "espalhar ilusões burguesas", mas nem por isso esclarecendo que ilusões burguesas seriam essas.

Por volta das duas da tarde, entrou no Asphyxia 1.3, mas em vez de *MikBlom/laptop* escolheu *MikBlom/office*, o computador de Mikael Blomkvist na redação da *Millennium*. Sabia, por experiência própria, que o computador da sala de Mikael não continha praticamente nada. Embora o utilizasse vez ou outra para navegar na internet, ele trabalhava quase o tempo todo no seu iBook. Em compensação, Mikael tinha o direito de controlar toda a redação da *Millennium*. Ela encontrou rapidamente a informação necessária com o código de acesso à rede interna da revista.

Para entrar nos demais computadores da *Millennium*, o espelhamento do disco rígido no servidor holandês não bastava; o original do *MikBlom/office* tinha de estar ligado e conectado à rede interna. Ela estava com sorte, Mikael Blomkvist parecia estar na revista e seu computador estava ligado. Esperou dez minutos e não percebeu nenhum sinal de atividade. Interpretou isso como um indício de que Mikael tinha ligado o computador ao chegar ao escritório, talvez o tivesse usado para navegar na internet e o deixara ligado enquanto cuidava de outras coisas ou trabalhava em seu computador portátil.

Precisava ir com calma. Durante uma hora, Lisbeth Salander pirateou os computadores um por um e carregou e-mails de Erika Berger, Christer Malm e uma tal de Malu Eriksson, que ela não conhecia. Por fim, achou o computador de Dag Svensson, segundo a informação do sistema um velho Macintosh PowerPC com disco rígido de 750 MB, ou seja, uma máquina antiga que provavelmente só era usada por usuários ocasionais para tratamento de texto. Estava ligado, o que significava que Dag Svensson se encontrava na redação da *Millennium* naquele momento. Ela carregou seu correio eletrônico e percorreu seu disco rígido. Encontrou um arquivo intitulado, simplesmente, [ZALA].

O gigante loiro estava insatisfeito e incomodado. Acabava de obter duzentas e três mil coroas em dinheiro, o que era mais do que ele esperava pelos três quilos de metanfetamina entregues a Magge Lundin no final de janeiro. Era igualmente um lucro razoável para umas poucas horas de trabalho efetivo — pegar a anfetamina com o intermediário, guardá-la por algum tempo, entregá-la a Magge Lundin e então embolsar cinquenta por cento do lucro. O MC Svavelsjö parecia não ter nenhuma dificuldade em levantar mensalmente uma quantia daquelas, e o bando de Magge Lundin era apenas um entre três operadores similares — os outros dois operavam nas áreas de Göteborg e Malmö. Juntos, os três bandos chegavam a render mais de meio milhão de coroas de lucro líquido por mês.

No entanto, sentia-se tão incomodado que parou no acostamento e desligou o motor. Não dormia havia quase trinta horas e se sentia entorpecido. Abriu a porta para esticar as pernas e urinou na beira da estrada. Fazia frio e o céu estava limpo. Estava em frente a um campo, nas proximidades de Järna.

O conflito era antes de natureza ideológica. A oferta de metanfetamina a menos de quatrocentos quilômetros de Estocolmo era ilimitada. A demanda no mercado sueco, indiscutível. O resto não passava de logística — como transportar o produto de um ponto A até um ponto B ou, mais precisamente, de um porão de Tallinn para o porto franco de Estocolmo?

Esse problema logístico se apresentava o tempo todo — como garantir um transporte regular da Estônia para a Suécia? Era o ponto crucial e o elo realmente frágil da cadeia, já que, depois de muitos anos de esforço, ainda estavam no nível da improvisação constante e das soluções temporárias.

O problema era que, nos últimos tempos, a engrenagem andava emperrando demais. Ele se orgulhava de seu talento para a organização. Em apenas poucos anos, criara uma engrenagem bem azeitada de contatos, mantidos com doses bem calculadas de cenoura e chicote. Ele é que tinha administrado o aspecto prático, identificado os parceiros, negociado acordos e cuidado para que a entrega chegasse ao lugar certo.

A cenoura era o estímulo oferecido a intermediários como Magge Lundin — um bom lucro praticamente sem riscos. O sistema era impecável. Magge Lundin nunca precisara levantar um só dedo para que lhe entregassem os produtos — nada de viagens complicadas nem negociações obrigatórias com todo tipo de gente, desde tiras da Brigada de Entorpecentes até a máfia russa, que poderia muito bem lhe passar a perna. Lundin sabia que o gigante loiro entregava e depois embolsava seus cinquenta por cento.

O chicote era necessário, já que cada vez mais vinha entrando areia na engrenagem. Um traficantezinho de bairro bom de faro acabara sabendo demais e por pouco não comprometera o MC Svavelsjö. O loiro fora obrigado a intervir e punir.

O gigante loiro era bom em punições.

Suspirou.

Sentia que a atividade estava se ampliando demais. Estava simplesmente diversificada *demais*.

Acendeu um cigarro e esticou as pernas na beira da estrada.

A metanfetamina era uma excelente fonte de renda, discreta e fácil de lidar — lucro amplo com risco mínimo. O negócio de armas se justificava até certo ponto, quando serviços embutidos pouco pertinentes podiam ser identificados e evitados. Considerando-se os riscos, o fato é que não era economicamente defensável fornecer dois revólveres por umas míseras notas de mil a uns pivetes muito doidos que sonhavam assaltar o quiosque da esquina.

Alguns casos de espionagem industrial ou contrabando de componentes eletrônicos para países do Leste até se justificavam, embora o mercado tivesse encolhido dramaticamente nos últimos anos.

Em compensação, as putas dos países bálticos eram indefensáveis do ponto de vista econômico. As putas só davam dinheiro para o gasto e representavam, antes de mais nada, uma complicação capaz de a qualquer momento suscitar matérias hipócritas na mídia e debates naquele estranho Parlamento sueco, chamado Riksdag, onde as regras do jogo, na opinião do gigante loiro, eram no mínimo pouco claras. A vantagem das putas é que elas não representavam praticamente nenhum risco jurídico. Todo mundo gosta de puta — o procurador, o juiz, os tiras e um parlamentar aqui e ali. Ninguém ia ficar cavoucando para pôr um fim a essa atividade.

E uma puta morta não causava necessariamente complicações. Se a polícia conseguisse prender um suspeito óbvio em poucas horas, e se o suspeito ainda estivesse com sangue na roupa, ele evidentemente era condenado a alguns anos de prisão ou internado em algum obscuro estabelecimento psiquiátrico. Mas se nenhum suspeito fosse encontrado em quarenta e oito horas, o loiro sabia por experiência que a polícia não demorava a ir cuidar de coisas mais importantes.

De qualquer modo, o gigante loiro não gostava do comércio de putas. Não gostava das putas, com seus rostos exageradamente maquiados e suas risadas estridentes de alcoólatras. Não eram puras. Eram capital humano, do tipo que dá tanta despesa quanto lucro. E tratando-se de capital humano, sempre havia o risco de uma das putas ter um surto e achar que podia pedir demissão ou começar a fazer denúncias para tiras, jornalistas e outros bisbilhoteiros. Então ele era obrigado a intervir e punir. E se as revelações fossem suficientemente precisas, a rede de procuradores e tiras era obrigada a agir — para não haver gritaria no maldito Parlamento. O comércio de putas só dava confusão.

Os irmãos Atho e Harry Ranta eram um exemplo típico de confusão — dois parasitas inúteis que sabiam muito mais do que deveriam sobre a atividade. Por ele, teria amarrado uma corrente no pescoço deles e afundado os dois no porto. Em vez disso, acompanhara esses senhores à balsa para Tallinn e pacientemente esperou que embarcassem. As férias forçadas se deviam a um maldito jornalista que começara a fuçar nas histórias deles, e a saída tinha sido eles permanecerem invisíveis até que o alerta passasse.

Suspirou mais uma vez.

O gigante loiro não gostava, principalmente, de serviços paralelos do tipo Lisbeth Salander. No que lhe dizia respeito, ela não oferecia o menor interesse. Não representava nenhum lucro.

Ele não gostava do dr. Nils Bjurman e não conseguia entender por que tinham resolvido acatar o seu pedido. Mas agora a bola já estava rolando. Ordens tinham sido dadas e a missão, terceirizada com o MC Svavelsjö.

O fato era que a atual conjuntura não lhe agradava. Estava com um mau pressentimento.

Ao jogar fora o cigarro no barranco, seus olhos passaram pelo campo mergulhado na escuridão. De repente, captou um movimento com o canto do olho. Imobilizou-se, apurou o olhar. Não havia luz alguma além de uma tênue lua crescente, mas ainda assim conseguia distinguir o contorno de uma figura sombria rastejando em sua direção a uns trinta metros da estrada. A criatura avançava lentamente, fazendo pequenas pausas.

O gigante sentiu de repente um suor frio na testa.

Detestava a criatura do campo.

Ficou mais de um minuto praticamente paralisado, olhos grudados no avanço lento, mas constante, do vulto. Quando este chegou tão perto que ele conseguiu distinguir seus olhos cintilando no escuro, deu meia-volta e correu para o carro. Abriu a porta com um gesto seco e procurou nervosamente pela chave. Sentiu o pânico crescer até que por fim conseguiu dar a partida e ligar os faróis. A criatura tinha alcançado a estrada e o gigante loiro pôde enfim enxergá-la em detalhe à luz dos faróis. Parecia uma enorme raia-manta se arrastando pelo chão. Tinha um ferrão igual ao do escorpião.

Uma coisa era certa. Não era uma criatura deste mundo. Não estava descrita em nenhum livro de fauna conhecido. Era um monstro saído diretamente do inferno.

Engatou a primeira marcha e arrancou, cantando os pneus. Quando o carro passou pela criatura, viu que ela tentou um ataque, sem conseguir atingi-lo. Ele só parou de tremer muitos quilômetros depois.

Lisbeth Salander passou a noite lendo o resultado das investigações de Dag Svensson e da *Millennium* sobre o tráfico de mulheres. Aos poucos, foi obtendo um quadro bastante completo, ainda que baseado em fragmentos enigmáticos extraídos do correio eletrônico a que ela recorria para montar o seu quebra-cabeça.

Erika Berger mandava uma pergunta a Mikael Blomkvist sobre o andamento das confrontações; ele sucintamente respondia que estavam tendo dificuldades para achar o homem da Tcheka. Ela deduziu que um dos indivíduos a serem desmascarados na reportagem trabalhava na Säpo. Malu Eriksson anexava para Dag Svensson o resumo de uma pesquisa, com cópia para Mikael Blomkvist e Erika Berger. Svensson e o Super-Blomkvist respondiam com comentários e sugestões de aprofundamentos. Mikael e Dag trocavam e-mails várias vezes ao dia. Dag Svensson relatava uma confrontação que tivera com um tal de Per-Åke Sandström, jornalista.

Vendo os e-mails de Dag Svensson, pôde também constatar que ele se comunicava com um certo Gulbrandsen por um endereço Yahoo. Levou algum tempo até entender que Gulbrandsen devia ser um tira e que a comunicação entre eles se dava de forma confidencial através de um endereço neutro, e não pelo endereço de Gulbrandsen na polícia. O sujeito era, portanto, uma fonte.

A pasta [ZALA] era de uma exiguidade frustrante, continha apenas três documentos Word. O maior, de 128 kb, tinha o nome [Irina P.] e continha fragmentos da vida de uma prostituta. Pelo relatório de autópsia fornecido por Dag Svensson, Lisbeth compreendeu que a garota estava morta.

Até onde Lisbeth conseguia entender, Irina P. tinha sofrido violências tão intensas que três de seus ferimentos foram mortais.

Lisbeth reconheceu no texto uma citação, palavra por palavra, da tese de Mia Bergman. Na tese, tratava-se de uma mulher chamada Tamara. Lisbeth deduziu que Irina P. e Tamara eram a mesma pessoa, e leu atentamente o trecho da entrevista com ela na tese.

O segundo documento, [Sandström], era muito mais sucinto. Continha o mesmo resumo enviado por Dag Svensson num e-mail ao Super-Blomkvist, demonstrando que um jornalista chamado Per-Åke Sandström era um dos clientes sexuais que explorara uma menina de um país báltico, mas também tinha sido o homem da máfia do sexo e fora pago em drogas ou em sexo. Lisbeth ficou fascinada ao ver que em paralelo à sua produção de jornais empresariais, Sandström também tinha escrito diversos artigos num jornal diário condenando com indignação o comércio do sexo. Revelava entre outras coisas que um empresário sueco, cujo nome omitia, andara frequentando um bordel em Tallinn.

O nome de Zala não aparecia nem em [Sandström] nem em [Irina P.], mas Lisbeth imaginou que se os dois arquivos estavam guardados numa pasta intitulada [ZALA] havia necessariamente uma relação. O terceiro e último documento da pasta [ZALA] também se chamava [ZALA]. Era sucinto, redigido em forma de lista.

De acordo com Dag Svensson, o nome Zala aparecera nove vezes, vinculado a entorpecentes, armas ou prostituição, desde meados dos anos 1990. Ninguém parecia saber quem era Zala, mas diferentes fontes o mencionavam como iugoslavo, polonês e, eventualmente, tcheco. Todas as informações eram de segunda mão; nenhuma das pessoas com quem Dag Svensson conversara parecia ter alguma vez se encontrado com Zala.

Dag Svensson conversara extensamente sobre Zala com a *fonte* G. (Gulbrandsen?) e aventava a teoria de que Zala poderia ser o responsável pelo assassinato de Irina P. Se, por um lado, não se mencionava a opinião da *fonte* G. sobre tal teoria, Lisbeth descobriu que, por outro, um ano antes Zala fora tema de discussão numa reunião do "grupo especial de investigação sobre o crime organizado". O nome aparecera tantas vezes que a polícia começou a fazer perguntas e tentou formar uma opinião sobre a realidade da existência de Zala.

Segundo o que Dag Svensson conseguira descobrir, o nome Zala surgira pela primeira vez por ocasião do assalto de um carro-forte em Örkelljunga, em 1996. Os assaltantes puseram as mãos em mais de três milhões e trezentas mil coroas, mas pisaram tanto na bola que em vinte e quatro horas a polícia identificou e prendeu a quadrilha. No dia seguinte mais uma pessoa foi presa: o criminoso profissional Benny Nieminen, membro do MC Svavelsjö, suspeito de ter fornecido as armas utilizadas no assalto, o que lhe valeu sua segunda condenação de peso, com quatro anos de xadrez.

Uma semana depois do assalto ao carro-forte de 1996, mais três pessoas foram detidas como cúmplices. A quadrilha compunha-se, portanto, de oito pessoas, das quais sete se negaram categoricamente a falar. A oitava, um garoto de apenas dezenove anos, Birger Nordman, não aguentou e entregou tudo nos interrogatórios. O processo foi uma vitória fácil para o procurador, o que poderia explicar (sugeria a fonte policial de Dag Svensson) por que, dois anos mais tarde, depois de desfrutar de uma autorização para sair e se divertir, Birger Nordman foi achado enterrado num areal de Värmland.

De acordo com a *fonte* G., a polícia suspeitava que Benny Nieminen era o homem-chave por trás da gangue. Suspeitava também que Nordman havia sido morto por ordem de Benny Nieminen, mas nada confirmava essas suposições. Nieminen era considerado extremamente perigoso e desprovido de escrúpulos. Na cadeia, estabelecera-se um vínculo entre Nieminen e a Fraternidade Ariana, uma organização nazista dentro das prisões, ligada por sua vez à Fraternidade Wolfpack e a outras, tanto gangues criminosas no universo dos motoqueiros como diversas organizações nazistas idiotas e violentas no estilo Movimento de Resistência Sueca etc.

O interesse de Lisbeth Salander, porém, era por algo bem distinto. Durante os interrogatórios, o assaltante Birger Nordman confessara que as armas usadas no assalto provinham de Nieminen, que por sua vez as obtivera de um iugoslavo que Nordman não conhecia, denominado "Sala".

Dag Svensson concluía que se tratava de um sujeito muito discreto no mundo do crime. Como o nome Zala não correspondia a ninguém no registro civil, Dag imaginava se tratar de um apelido, mas também podia ser um delinquente especialmente precavido agindo sob nome falso.

O último ponto da lista consistia num breve relatório das informações sobre Zala fornecidas por Sandström, o jornalista cliente. Era muito pouco. Segundo Dag Svensson, Sandström certa vez falara ao telefone com uma pessoa com esse nome. As anotações não mencionavam o conteúdo da conversa.

Por volta das quatro da manhã, ela desligou o PowerBook, sentou-se no recanto da janela e contemplou a baía de Saltsjön. Permaneceu umas duas horas imóvel, fumando pensativamente um cigarro atrás do outro. Ia ser obrigada a tomar algumas decisões estratégicas e precisava fazer uma análise das consequências.

Começava a pensar que era chegada a hora de encontrar Zala e, de uma vez por todas, pôr fim aos probleminhas entre eles.

No sábado à noite da semana anterior à Páscoa, Mikael Blomkvist foi visitar uma antiga namorada na Slipgatan, perto de Hornstull. Fato raríssimo, tinha aceitado seu convite para uma festa. Ela hoje estava casada e nem um pouco interessada num relacionamento mais profundo com Mikael, mas trabalhava na imprensa e eles trocavam um alô quando se cruzavam. Ela acabava de publicar um livro gestado por pelo menos dez anos, que abordava o curioso tema de como era vista a mulher no mundo da mídia. Como contara um pouco com a colaboração de Mikael, convidara-o para a festa.

A participação de Mikael limitara-se à pesquisa de uma questão bem simples. Ele pegara os planos de igualdade entre os sexos que a agência de notícias TT, *Dagens Nyheter*, *Rapport* e alguns outros veículos afirmavam respeitar, e então assinalara quem era homem e quem era mulher na direção dessas empresas nos cargos superiores a assistente de redação. O resultado foi lamentável. Presidente: homem. Presidente do conselho administrativo: homem. Redator-chefe: homem. Responsável do domínio estrangeiro: homem. Diretor de redação: homem... e assim por diante, até que aparecesse a primeira mulher, geralmente uma exceção do tipo Christina Jutterström ou Amelia Adamo.

A festa daquela noite era particular e os convidados, principalmente pessoas que de um modo ou de outro tinham trazido alguma contribuição ao livro.

A reunião estava muito festiva, a comida, boa, e a conversa, descontraída. Mikael pretendia ir embora cedo, mas a maioria dos convidados eram velhos conhecidos que raramente se encontravam. Sem contar que, só para variar, ninguém insistiu em falar no caso Wennerström. A animação foi se estendendo e só lá pelas duas da manhã de domingo é que o grosso do pessoal começou a ir embora. Desceram juntos até a Långholmsgatan, onde se separaram.

Mikael viu o ônibus noturno passando antes de ele conseguir chegar ao ponto, mas a noite estava agradável e ele resolveu voltar a pé em vez de esperar pelo ônibus seguinte. Seguiu pela Högalidsgatan até a igreja e dobrou na Lundagatan, o que imediatamente lhe despertou antigas recordações.

Desde dezembro Mikael vinha mantendo sua promessa de parar de passar pela Lundagatan na esperança de topar com Lisbeth Salander. Nesta noite, parou na calçada defronte ao prédio dela. Sentiu vontade de atravessar a rua e tocar a campainha dela, mas ponderou que era muito improvável ela estar de volta e com vontade de falar com ele.

Por fim, deu de ombros e prosseguiu sua caminhada na direção de Zinkensdamm. Tinha percorrido uns cinquenta metros quando escutou um barulho. Virou a cabeça e seu coração disparou. Dificilmente alguém se confundiria ao ver aquele corpo raquítico. Lisbeth Salander acabava de sair do prédio e ia se afastando. Ela parou diante de um carro estacionado.

Mikael estava abrindo a boca para chamá-la quando de repente as palavras travaram em sua garganta: avistou um vulto surgindo de um dos carros estacionados rente à calçada. Era um homem, indo na direção de Lisbeth Salander. Mikael teve a impressão de que ele era alto e tinha uma barriga proeminente. O cabelo estava preso num rabo de cavalo.

Lisbeth Salander escutou um barulho e percebeu um movimento com o rabo dos olhos no momento em que ia introduzir a chave na fechadura do Honda cor de vinho. Ele chegou meio de lado, por trás, e ela se virou um segundo antes que ele a atingisse. Identificou-o imediatamente: Carl-Magnus, vulgo "Magge" Lundin, trinta e seis anos, do MC Svavelsjö, que dias antes estivera com o gigante loiro no Café Blomberg.

Notou os cento e vinte quilos de Magge Lundin e suas más intenções. Usou as chaves do carro como um soco-inglês e não hesitou um microssegundo sequer antes de retalhar-lhe profundamente o rosto, da base do nariz até a orelha, com uma rapidez reptilínea. O punho de Lundin deu um soco no ar, e então Lisbeth Salander pareceu sumir dentro da terra.

Mikael Blomkvist viu quando Lisbeth Salander atacou seu agressor. Um décimo de segundo depois, ela jogou-se no chão e rolou entre as rodas do carro.

* * *

Quase instantaneamente, Lisbeth se pôs de pé do outro lado do carro, pronta para a luta ou para a fuga. Cruzou o olhar com o inimigo por sobre o capô e no ato optou pela segunda possibilidade. Do rosto do homem escorria sangue. Antes de ele sequer ter tempo de vê-la direito, ela já corria pela Lundagatan em direção à igreja de Högalid.

Mikael ficou petrificado e boquiaberto vendo o agressor acelerar de repente e se lançar rua afora ao encalço de Lisbeth Salander. Parecia um tanque de assalto perseguindo um brinquedinho.

Lisbeth galgou, de quatro em quatro, os degraus da escadaria da Lundagatan. Ao chegar lá em cima, deu uma olhada por sobre o ombro e viu seu perseguidor colocando o pé no primeiro degrau. *Puta merda, esse cara corre rápido!* Quase tropeçou, mas no último instante avistou as placas de sinalização e os montes de areia de uma obra da prefeitura.

Magge Lundin já estava quase chegando ao topo da escadaria quando Lisbeth Salander voltou a entrar em seu campo de visão. Teve tempo de perceber que ela estava atirando alguma coisa, mas não de reagir antes que o paralelepípedo atingisse sua têmpora. Não foi um golpe preciso, mas a pedra era pesada e abriu um segundo corte em seu rosto. Sentiu que perdia o equilíbrio e que o mundo oscilava quando caiu de costas na escadaria. Conseguiu interromper a queda segurando-se no corrimão, mas perdera vários segundos.

A paralisia de Mikael cessou quando o homem desapareceu perto da escadaria. Berrou para que ele parasse imediatamente.

Lisbeth já tinha atravessado metade do pátio quando ouviu a voz de Mikael Blomkvist. *Que merda é esta?* Mudou de direção e olhou sobre a grade de segurança do terraço. Três metros abaixo, viu Mikael Blomkvist na rua, um pouco mais adiante. Hesitou um décimo de segundo antes de voltar a correr.

Enquanto saía correndo em direção à escadaria, Mikael viu um Dodge Van arrancando em frente ao prédio de Lisbeth Salander, bem ao lado do carro que ela tinha tentado abrir. O veículo passou por Mikael na direção de

Zinkensdamm, e ele chegou a vislumbrar um rosto. A placa estava ilegível sob a luz fraca da iluminação pública.

Indeciso, Mikael ficou olhando para a caminhonete enquanto corria ao encalço do perseguidor de Lisbeth. Alcançou-o no alto da escadaria. O homem tinha parado de costas para Mikael, estava imóvel, olhando ao redor.

Quando Mikael estava quase alcançando-o, ele se virou e desfechou-lhe um violento tapa no rosto. Mikael foi pego totalmente de surpresa. Despencou de cabeça por todos os degraus.

Lisbeth ouviu o grito abafado de Mikael e quase parou. *O que está acontecendo, porra?* Então olhou por cima do ombro e viu Magge Lundin, uns quarenta metros atrás dela, dando um pique na sua direção. *Ele é mais rápido. Vai me alcançar.*

Não teve dúvida, virou à esquerda e subiu a toda uns poucos degraus até o terraço entre os prédios. Desembocou num pátio onde não havia o menor lugar para se esconder e percorreu a distância até a esquina seguinte num tempo que teria arrancado um bocado de medalhas de Caroline Klüft nos jogos olímpicos. Virou à direita, percebeu que estava entrando num beco sem saída e deu uma guinada de cento e oitenta graus. Nenhum esconderijo à vista, e no exato momento em que chegava ao ângulo do prédio seguinte avistou Magge Lundin no alto da escada que dava para o pátio. Continuou fora do seu campo de visão por mais alguns metros e mergulhou atrás de um pé de rododendro, num canteiro rente ao prédio.

Escutou, sem vê-lo, os passos pesados de Magge Lundin. Permaneceu totalmente imóvel atrás do arbusto, espremida contra a parede do prédio.

Lundin passou em frente ao esconderijo e parou a menos de cinco metros. Demorou-se uns dez segundos e então continuou correndo pelo pátio. Um minuto depois, estava de volta. Deteve-se no mesmo lugar. Desta feita, ficou parado por uns trinta segundos. Lisbeth contraiu os músculos, pronta para fugir imediatamente caso fosse descoberta. Então ele recomeçou a andar. Passou a menos de dois metros de onde ela estava. Ela escutou seus passos se afastarem do pátio.

A nuca e o maxilar de Mikael doíam quando ele a muito custo conseguiu ficar de pé. Sentia gosto de sangue no lábio rebentado. Experimentou dar alguns passos, e tropeçou.

Tornou a subir a escadaria e olhou em volta. Viu as costas do agressor a cem metros, lá embaixo na rua. O homem do rabo de cavalo parou para espiar entre os prédios, em seguida recomeçou a correr. Segundos depois, sumiu no fim da rua. Mikael foi até o parapeito e procurou-o com os olhos. O homem estava atravessando a Lundagatan e entrando no Dodge Van que já estava arrancando em frente ao prédio de Lisbeth. Logo depois o carro sumiu na esquina, para os lados de Zinkensdamm.

Mikael subiu devagar a Lundagatan à procura de Lisbeth Salander. Não a viu em lugar nenhum. Aliás, não viu uma alma sequer e ficou espantado de constatar como uma rua de Estocolmo podia estar tão vazia às três da manhã de um domingo de março. Instantes depois, voltou para a frente do prédio de Lisbeth, mais abaixo na Lundagatan. Ao passar pelo local onde ocorrera a agressão, pisou em alguma coisa e descobriu que era o chaveiro de Lisbeth. Quando se abaixou para apanhá-lo, viu a bolsa dela debaixo do carro.

Mikael ficou um bom tempo esperando, em dúvida sobre que atitude tomar. Por fim, foi testar as chaves na porta do prédio. Não eram as chaves certas.

Lisbeth Salander ficou escondida por quinze minutos atrás do arbusto, só se mexendo para olhar o relógio. Pouco depois das três, escutou uma porta se abrindo e fechando, e passos se dirigindo ao bicicletário do pátio.

Quando o ruído cessou, ela se ajoelhou devagar e apontou a cabeça para fora do arbusto. Examinou os mínimos recantos do pátio mas não viu Magge Lundin em parte alguma. Voltou para a rua com passos leves, o tempo todo prestes a dar meia-volta e fugir. Parou no alto da escadaria, perscrutou a parte baixa da Lundagatan e, súbito, avistou Mikael Blomkvist em frente ao seu prédio. Estava com a sua bolsa na mão.

Ela permaneceu absolutamente imóvel, escondida por um poste de luz, quando o olhar de Mikael Blomkvist percorreu o parapeito do nível superior. Ele não a viu.

Mikael Blomkvist ficou na frente do seu prédio por quase meia hora. Ela o observou pacientemente, sem se mexer, até que ele resolveu ir embora, na direção de Zinkensdamm. Depois que ele sumiu, ela ainda esperou algum tempo antes de começar a refletir sobre os acontecimentos.

Mikael Blomkvist.

Era difícil entender como ele tinha entrado em cena daquele jeito, surgindo do nada. Quanto à agressão em si, não dava margem a muita interpretação.

O canalha do Carl-Magnus Lundin.

Magge Lundin havia estado com o gigante loiro que ela avistara em companhia do dr. Nils Bjurman.

O maldito canalha do Nils Bjurman.

Esse escroto nojento pagou um maldito macho de merda para acabar comigo. E olhe que eu expliquei direitinho para ele que consequência isso poderia ter.

Súbito, Lisbeth Salander começou a ferver por dentro. Estava tão furiosa que chegou a sentir um gosto de sangue na boca. Desta vez, seria obrigada a puni-lo.

III. EQUAÇÕES IMPOSSÍVEIS
23 DE MARÇO A 2 DE ABRIL

As equações absurdas, para as quais nenhuma solução é adequada, são qualificadas de impossíveis.

$$(a + b)(a - b) = a^2 - b^2 + 1$$

11. QUARTA-FEIRA 23 DE MARÇO — QUINTA-FEIRA 24 DE MARÇO

Mikael Blomkvist pousou a ponta da caneta vermelha na margem do manuscrito de Dag Svensson e escreveu um ponto de exclamação seguido de "nrp". O que significava que ele queria uma nota de rodapé referindo a fonte do que estava sendo afirmado.

Era quarta-feira, véspera da Quinta-feira Santa, e a *Millennium* fizera mais ou menos feriado a semana toda. Monika Nilsson estava no exterior. Lottie Karim tinha ido para as montanhas com o marido. Henry Cortez viera atender o PABX por algumas horas, mas Mikael o tinha liberado, pois não havia ninguém telefonando e, de todo modo, ele próprio ia ficar na redação. Com um sorriso pasmo, Henry se escafedeu para ir se encontrar com a namorada da vez.

Dag Svensson não tinha aparecido. Mikael estava sozinho, revisando seu manuscrito. Tinha acabado por definir que o livro teria duzentas e noventa páginas divididas em doze capítulos. Dag Svensson entregara a versão final de nove capítulos, Mikael Blomkvist esmiuçara cada palavra e devolvera o texto para que ele esclarecesse ou reformulasse alguns pontos de acordo com suas indicações.

Mikael, no entanto, considerava Dag Svensson um ótimo escritor, e sua contribuição se limitava a algumas observações marginais. Tinha dificuldade, inclusive, em achar onde aplicar seu rigor. No decorrer das semanas em que o calhamaço do manuscrito fora se avultando sobre a mesa de Mikael, só tinham discordado num trecho de mais ou menos uma página, que Mikael queria eliminar e Dag defendera com diversos argumentos. Mikael vencera. Mas eram ninharias.

Em suma, o livro que a *Millennium* tinha no prelo era sólido e Mikael estava convencido de que ia dar no que falar. Dag Svensson era tão impiedoso em sua denúncia dos clientes sexuais, e amarrava tão bem a história, que ninguém mais poderia ignorar as deficiências do sistema. A redação era perfeita e os dados apresentados por Dag Svensson seguiam um método tradicional, sem dúvida, porém mais que eficaz.

Nesses últimos meses, Mikael descobrira três coisas acerca de Dag. Era um jornalista meticuloso que amarrava cuidadosamente todos os fios. Não empregava a retórica que costuma carregar tantas reportagens sobre a sociedade, deixando-as incompreensíveis. O livro era mais que uma reportagem; era uma declaração de guerra. Mikael sorriu tranquilo. Dag Svensson era quase quinze anos mais moço que ele, mas Mikael reconhecia facilmente sua própria paixão quando, um dia, saíra em cruzada contra os jornalistas econômicos medíocres e escrevera um livro escandaloso que algumas redações ainda não tinham lhe perdoado.

O problema era que o livro de Dag Svensson tinha que aguentar firme até o fim. Um jornalista que aceita um desafio deste porte precisa estar cem por cento seguro do terreno em que está pisando, senão mais vale desistir de publicar. Dag Svensson estava noventa e oito por cento seguro. Ainda faltava esmiuçar alguns pontos fracos e afirmações que, no entender de Mikael, ele não documentara a contento.

Por volta das cinco e meia, abriu a gaveta da mesa e pegou um cigarro. Erika Berger decretara proibição absoluta de se fumar nas salas, mas ele estava sozinho e ninguém iria aparecer durante o feriadão. Trabalhou por mais quarenta e cinco minutos antes de juntar as folhas e deixar o capítulo na mesa de Erika para ela ler. Dag Svensson se comprometera a enviar por e-mail a versão final dos três capítulos restantes na manhã seguinte, o que daria a Mikael a possibilidade de relê-los no feriado. Estava marcada uma reunião para a terça-feira depois da Páscoa, na qual Dag, Erika, Mikael e Malu iriam dar sinal verde para a versão final do livro, e também para os artigos da *Millennium*. Só faltava a diagramação, que cabia a Christer Malm, e depois mandar para a gráfica. Mikael nem sequer fizera uma licitação — resolvera confiar mais uma vez na Hallvigs Reklam de Morgongåva, que imprimira o livro sobre o caso Wennerström e oferecia um preço e um serviço incomparáveis no mercado.

Mikael olhou as horas e presenteou-se com mais um cigarro clandestino. Sentou-se à janela e contemplou a Götgatan lá embaixo. Com a ponta da língua, tocou de leve no corte na parte interna do lábio. Estava cicatrizando. Pela milésima vez, perguntou-se o que realmente tinha se passado na frente do prédio de Lisbeth Salander na Lundagatan.

Suas únicas certezas eram que Lisbeth Salander estava obviamente viva e de volta à cidade.

Durante a semana, tentara entrar em contato com ela todos os dias. Tinha mandado e-mails para o endereço que ela usava mais de um ano antes, sem obter resposta. Passara diariamente pela Lundagatan. Estava começando a perder as esperanças.

A placa de identificação tinha mudado para Salander-Wu. Havia duzentos e trinta Wu no registro civil, dos quais pouco mais de cento e quarenta habitavam a área de Estocolmo. Mas nenhum residia na Lundagatan. Mikael não tinha a menor ideia de quem poderia estar morando com Lisbeth, se ela estava com um namorado ou sublocando o apartamento. Ninguém tinha atendido quando ele tocara a campainha.

Por fim, resolvera escrever uma boa e velha carta à moda antiga.

Olá Sally,

Não sei o que aconteceu um ano atrás, mas a esta altura até o pateta que eu sou já entendeu que você cortou qualquer relação comigo. É um direito e um privilégio seu escolher com quem você quer conviver e não tenho intenção de insistir. Constato simplesmente que ainda a considero minha amiga, sinto falta da sua companhia e seria um prazer tomar um café com você, se a ideia lhe atrai.

Não sei no que você anda metida, mas a briga na Lundagatan me preocupa. Se precisar de ajuda, pode me ligar a qualquer hora. Como sabe, tenho uma dívida imensa com você.

Além disso, estou com a sua bolsa. Se quiser pegá-la, basta dar um sinal de vida. Se não quiser se encontrar comigo, é só deixar um endereço para onde eu possa mandá-la. Você já demonstrou claramente que não quer nenhum contato comigo, portanto não vou tentar te ver.

MIKAEL

É claro que não obtivera resposta.

Ao voltar para casa naquela manhã, depois da agressão na Lundagatan, ele abrira a bolsa de Lisbeth e enfileirara o conteúdo sobre a mesa da cozinha. Havia uma carteira com um cartão de conta dos Correios, cerca de seiscentas coroas suecas e duzentos dólares americanos, assim como um cartão mensal de transportes coletivos em Estocolmo. Um maço de Marlboro light aberto, três isqueiros descartáveis, uma caixa de pastilhas para a garganta, um pacote de lenços de papel, uma escova, uma pasta de dentes e três tampões num bolso à parte, um pacote intacto de preservativos cuja etiqueta revelava que haviam sido comprados no Gatwick Airport de Londres, um caderninho capa dura formato A5, cinco canetas esferográficas, uma bomba lacrimogênea, um estojinho com batom e maquiagem, um rádio FM com fones de ouvido mas sem pilhas e o *Aftonbladet* da véspera.

O objeto mais fascinante da bolsa era um martelo facilmente acessível num bolso externo. O ataque, porém, fora tão brutal que Lisbeth não tivera tempo de pegar nem o martelo nem a bomba lacrimogênea. Aparentemente, usara as chaves como soco-inglês — ainda apresentavam vestígios de sangue e pele.

O chaveiro continha seis chaves. Três eram chaves típicas de apartamento — uma da porta da rua, uma comum da porta do apartamento e uma para a fechadura de segurança. Nenhuma delas, porém, abria a porta da Lundagatan.

Mikael tinha aberto e folheado página por página do caderninho. Reconheceu a letra miúda e caprichada de Lisbeth e logo constatou rapidamente que não se tratava exatamente do diário íntimo e secreto de uma moça. Cerca de três quartos estavam cobertos do que pareciam ser rabiscos matemáticos. No alto da primeira página estava uma equação que ele reconhecia, mesmo não sendo a matemática nem um pouco a sua praia.

$(x^3 + y^3 = z^3)$

Mikael Blomkvist nunca tivera dificuldade com números. Passara no vestibular com as melhores notas em matemática, o que não queria dizer que tivesse jeito para a coisa, e sim que simplesmente soubera aproveitar o ensino do colégio. As páginas do caderninho de Lisbeth Salander continham uma rabiscalhada que ele não entendia e não tinha a menor intenção de tentar entender. Uma equação se estendia por duas páginas inteiras e acabava com rasuras e alterações. Era difícil para ele definir se eram fórmulas matemáticas sérias com soluções acertadas, mas, conhecendo os talentos de Lisbeth Salander, imaginou que os cálculos deviam estar corretos e conter algum significado hermético.

Ficou um bom tempo folheando o caderninho. As equações eram mais ou menos tão compreensíveis para ele como se tivesse nas mãos um caderno de signos chineses. Mas entendeu o que ela estava tentando fazer. $x^3 + y^3 = z^3$. Ficara fascinada pelo enigma de Fermat, um clássico de que ele tinha ouvido falar. Suspirou profundamente.

A última folha do caderninho trazia uma anotação sucinta e misteriosa que não tinha absolutamente nada a ver com matemática mas mesmo assim lembrava algum tipo de fórmula.

(Loiro + Magge) = NEB

Estava sublinhada e enquadrada, e não explicava estritamente nada. Bem embaixo da página estava o número de telefone de uma autolocadora, a Auto-Expert de Eskilstuna.

Mikael não procurou interpretar essas anotações. Concluiu que eram rabiscos que ela fizera enquanto refletia sobre alguma coisa.

Por fim, apagou o cigarro, vestiu o casaco, ligou o alarme da redação e foi caminhando até o terminal de Slussen, onde pegou o ônibus para Lännersta, o bairro *yuppie* da moda. Tinha sido convidado para jantar com sua irmã Annika Blomkvist, cujo sobrenome de casada era Giannini, para festejar seus quarenta e dois anos.

Erika Berger começou o feriadão de Páscoa com uma corrida, três quilômetros de preocupações e raiva que terminaram no pontão da balsa em

Saltsjöbaden. Ela relaxara sua frequência à academia nos últimos meses e se sentia enrijecida e fora de forma. Voltou para casa caminhando normalmente. Seu marido estava dando uma palestra numa exposição do Museu de Arte Moderna e não voltaria antes das oito. Erika planejava abrir uma boa garrafa de vinho, ligar a sauna e seduzir seu marido. Isso a distrairia do problema que vinha remoendo.

Quatro dias antes, tinha sido convidada para almoçar pelo diretor de um dos grupos de mídia mais importantes da Suécia. Entre duas garfadas de salada e com muita seriedade na voz, ele lhe comunicara a intenção de contratá-la como redatora-chefe do *Svenska Morgon-Posten*, o maior jornal diário do grupo, o Grande Dragão como era chamado no meio jornalístico. *A diretoria considerou vários nomes e todos nós pensamos que você seria um trunfo sensacional para o jornal. Queremos você.* A proposta de trabalho vinha acompanhada de um salário que fazia soar como brincadeira o que ela ganhava na *Millennium*.

A oferta caíra feito um raio e a deixara estupefata. *Por que justo eu?*

De início, ele fora vago, mas acabara confessando que ela era famosa, respeitada e considerada por todos uma executiva competente. Era impressionante o modo como arrancara a *Millennium* do lamaçal em que a revista atolara dois anos antes. Em seguida, confessou que o Grande Dragão precisava de sangue novo. O jornal tinha um ar antiquado, que vinha reduzindo constantemente o número de assinantes da nova geração. Erika era conhecida por ser uma jornalista ousada. Era atraente. Colocar uma mulher, feminista ainda por cima, à frente da instituição mais conservadora da Suécia dos Machos era um desafio, era ousado. Estavam todos de acordo. Quase todos, digamos. Quem de fato contava estava de acordo.

— Mas eu não partilho a visão política de base do jornal.

— Não faz mal. Você também não chega a ser uma adversária declarada. Você seria a chefe — não um supervisor político — e, quanto à questão editorial, dá-se um jeito.

Ele não disse, mas era também uma questão de classe social. Erika tinha um passado adequado, e vinha do meio social adequado.

Ela respondeu que estava inclinada a considerar a proposta, mas não podia responder de imediato. Primeiro precisava refletir, e eles combinaram que ela lhe comunicaria sua decisão nos próximos dias. O diretor explicou que se o motivo de sua hesitação era o salário, era provável que ela pudesse negociar aqueles valores para cima. Talvez lhe propusessem, além disso, um pacote de demissão particularmente atrativo. *Está na hora de você começar a pensar na aposentadoria, colega.*

Ela estava chegando aos quarenta e cinco anos. No início, comera o pão que o diabo amassou. Conseguira criar a *Millennium* e se tornara diretora da publicação por seus próprios méritos. Aproximava-se inexoravelmente a hora em que seria obrigada a pegar o telefone para dizer sim ou não, e ela não sabia o que responder. Durante a semana, tivera várias vezes a intenção de conversar com Mikael a respeito, o que acabara não acontecendo. Sabia que, pelo contrário, tinha lhe ocultado a história, o que a deixava com uma pontinha de sentimento de culpa.

As desvantagens eram óbvias. Um sim significaria romper sua parceria com Mikael. Ele jamais iria com ela para o Grande Dragão, mesmo que ela lhe fizesse uma proposta com cobertura de chocolate. Ele não precisava do dinheiro e estava, muito-bem-obrigado, cuidando de seus próprios textos no seu próprio ritmo.

Ela se sentia bem no seu papel de chefe da *Millennium*. Ele lhe propiciara, no meio jornalístico, uma posição que ela julgava quase imerecida. Não era ela quem produzia as informações. Não era a sua praia — não achava que tinha um especial talento para a escrita. Em contrapartida, era uma boa jornalista de rádio e televisão e, principalmente, uma diretora brilhante. Gostava do trabalho de improvisação que seu papel de diretora da *Millennium* lhe impunha.

Mas Erika Berger sentia-se tentada. Nem tanto pelo salário como pelo fato de que aquele emprego a transformaria definitivamente numa das personagens mais influentes do mundo da mídia. *Não vai haver uma segunda oferta*, dissera o diretor.

Quando passou em frente ao hotel de Saltsjöbaden percebeu, para seu grande desespero, que não conseguiria dizer não. E tremia só de pensar em comunicar a notícia a Mikael Blomkvist.

Como sempre, o jantar com a família Giannini transcorreu numa doce atmosfera de caos. Annika tinha dois filhos — Monica, de treze anos, e Jennie, de dez. Seu marido, Enrico Giannini, que dirigia na Escandinávia uma empresa de biotecnologia internacional, tinha a guarda de Antonio, dezesseis anos, filho de um primeiro casamento. Os demais convidados eram Antonia, mãe de Enrico; Pietro, irmão de Enrico; sua mulher, Eva-Lotta; e seus dois filhos, Peter e Nicola. E ainda a irmã de Enrico, Marcella, que morava no mesmo bairro com seus quatro filhos. Também fora convidada tia Angelina, considerada pela família extremamente esquisita ou, em todo caso, extremamente excêntrica, que vinha acompanhada de seu novo namorado.

O fator caos estava, portanto, relativamente elevado em volta da mesa de jantar de generosas dimensões. A conversa ou, às vezes, várias conversas simultâneas, transcorria numa mescla dissonante de sueco e italiano, e a situação de Mikael não ficava melhor com Angelina perguntando a noite inteira por que ele ainda estava solteiro e sugerindo candidatas adequadas entre suas amigas. Mikael acabou declarando que até se casaria de bom grado não fosse a sua amante infelizmente já ser casada. Com isso, calou a boca de Angelina por algum tempo.

Às sete e meia, o celular de Mikael tocou. Ele pensou que o tivesse desligado e por pouco não perdeu a chamada tentando tirá-lo às pressas do bolso interno do casaco, que alguém pusera no cabide para chapéus no hall de entrada. Era Dag Svensson.

— Estou atrapalhando?

— Não muito. Estou jantando na casa da minha irmã, com um forte contingente da família do marido dela. O que foi?

— Duas coisas. Estou tentando falar com o Christer Malm, mas ele não atende o telefone.

— Ele e o namorado iam ao teatro hoje à noite.

— Droga. Combinei de me encontrar com ele na redação amanhã de manhã e levar as fotos e ilustrações que queremos pôr no livro. Christer ficou de dar uma olhada durante o feriado. Mas a Mia acaba de decretar que quer ir para Dalécarlie na Páscoa, visitar os pais e mostrar a tese para eles. De modo que estamos viajando amanhã de manhã.

— Certo.

— Não posso mandar por e-mail, é um material impresso. Eu poderia mandar alguém levar para você hoje à noite?

— Bem, sim... mas, olha só, estou no Lännersta. Vou ficar mais um tempo por aqui e depois vou para casa. Não vai ser uma volta muito grande passar por Enskede. Posso pegar as fotos na sua casa. Tudo bem se eu chegar por volta das onze?

Para Dag Svensson estava ótimo.

— Outra coisa... e acho que você não vai gostar.

— Fale.

— Estou com um problema no texto.

— Sei.

— Topei aqui com uma coisa que eu queria conferir antes de o livro ir para a gráfica.

— O que é?

— Zala, com Z.

— Zala, o que é isso?

— Zala é um gângster, provavelmente de algum país do Leste, Polônia quem sabe. Eu te falei nele num e-mail, uma ou duas semanas atrás.

— Desculpe, eu tinha esquecido.

— Ele está sempre aparecendo aqui e ali nas minhas histórias. As pessoas parecem ter medo, ninguém quer falar nele.

— Ah, é?

— Faz alguns dias, topei com o nome dele de novo. Acho que ele está na Suécia e que deveria fazer parte da lista dos clientes sexuais do capítulo sete.

— Dag, você não vai alterar tudo faltando três semanas para o livro ser impresso.

— Eu sei. Mas ele é uma espécie de curinga que reaparece constantemente no jogo. Conversei com um tira que também tinha ouvido falar em Zala e... acho que vale a pena dedicar uns dias da semana que vem para verificar isso.

— Por quê? Você já está com escrotos suficientes nesse texto.

— Esse me parece ser um escroto bem especial. Ninguém sabe de fato quem ele é. Tem um passarinho me contando que pode ser interessante fuçar mais um pouco.

— Nunca se deve subestimar os passarinhos — disse Mikael. — Mas sinceramente... não dá para adiar o *deadline* a esta altura do campeonato. A data está reservada na gráfica e o livro tem que sair junto com a *Millennium*.

— Eu sei — respondeu Dag Svensson com um tom de voz abatido.

Mia Bergman acabava de fazer café e colocá-lo na garrafa térmica quando tocaram a campainha. Eram quase nove da noite. Dag Svensson estava mais perto da porta e, achando que era Mikael Blomkvist chegando mais cedo que o previsto, abriu imprudentemente a porta sem olhar pelo olho mágico. Em vez de Mikael, viu-se diante de uma moça que lhe era uma total estranha, uma moça miudinha que parecia uma boneca e que ele confundiu com uma adolescente.

— Eu queria falar com Dag Svensson e Mia Bergman — disse a moça.

— Eu sou Dag Svensson.

— Queria falar com o senhor.

Dag consultou o relógio maquinalmente. Mia Bergman apareceu no hall de entrada e mostrou um rosto curioso atrás de seu companheiro.

— Acho que está meio tarde para uma visita — disse Dag.

A moça olhou para ele, calada e cheia de paciência.

— Qual seria o assunto? — ele perguntou.

— Queria falar sobre o livro que você pretende publicar na *Millennium*.

Dag e Mia trocaram um olhar.

— E você, quem é?

— O assunto me interessa. Posso entrar ou vamos ficar de papo aqui na porta?

Dag Svensson hesitou um momento. A moça era sem dúvida uma total desconhecida e o horário da visita não era dos mais habituais, mas parecia suficientemente inofensiva para que ele abrisse a porta toda. Conduziu-a até a mesa de jantar da sala.

— Aceita um café? — perguntou Mia.

Dag olhou irritado para a companheira.

— Quem sabe você responde a minha pergunta: quem é você?

— Aceito, obrigada. Quero dizer, o café. Meu nome é Lisbeth Salander.

Mia deu de ombros e abriu a garrafa térmica. Já tinha trazido as xícaras prevendo a visita de Mikael Blomkvist.

— E o que a leva a crer que pretendo publicar um livro pela *Millennium*? — perguntou Dag Svensson.

Súbito, foi tomado por uma forte desconfiança, mas a moça o ignorou e, em vez disso, encarou Mia Bergman. Fez uma careta que podia ser interpretada como um sorriso de esguelha.

— É uma tese interessante — disse ela.

Mia Bergman ficou estupefata.

— O que você sabe sobre a minha tese?

— Topei com uma cópia dela — respondeu a moça, misteriosa.

A irritação de Dag Svensson duplicou.

— Agora, acho que está na hora de você me dizer o que quer — falou com voz rude.

O olhar da moça cruzou com o seu. Ele observou, de repente, que sua pupila era tão escura que, na luz, seus olhos pareciam carvão. Compreendeu que se enganara quanto à sua idade — ela era mais velha do que ele julgara de início.

— Quero saber por que você anda fazendo perguntas sobre Zala, Alexander Zala, por toda parte — disse Lisbeth Salander. — E antes de mais nada, quero saber exatamente o que você sabe sobre ele.

Alexander Zala — pensou Dag Svensson, subitamente chocado. — Nunca tinha escutado o primeiro nome antes.

Dag Svensson examinou a moça à sua frente. Ela ergueu a xícara e tomou um gole de café sem desviar o olhar do dele. Seus olhos eram desprovidos de calor. De repente ele se sentiu vagamente incomodado.

Ao contrário de Mikael e outros adultos do grupo, e embora fosse o seu aniversário, Annika Giannini tomara apenas uma cerveja. Abstivera-se de beber vinho ou *aquavit** no jantar. De modo que, por volta das dez e meia, estava absolutamente sóbria e, como em determinadas circunstâncias considerava seu irmão mais velho um perfeito imbecil que precisava de cuidados, ofereceu-se generosamente para levá-lo em casa de carro, via Enskede. De qualquer modo, já tinha planejado levá-lo até o ponto de ônibus de Värmdövägen, e esticar até o centro não tomaria muito mais tempo.

— Por que não compra um carro? — queixou-se assim mesmo, enquanto Mikael punha o cinto de segurança.

— Porque, ao contrário de você, moro suficientemente perto do meu trabalho para ir a pé, e só preciso de carro mais ou menos uma vez por ano.

* Aguardente escandinava, aromatizada com cominho e anis. (N. T.)

Além do mais, eu não poderia dirigir, já que o seu marido me fez tomar não sei quantos copos de *aquavit*.

— Ele está virando sueco. Dez anos atrás, teria te empurrado alguma bebida italiana.

Aproveitaram o trajeto de carro para ter uma conversa de irmãos. Tirando uma tia muito resistente do lado paterno, duas tias um pouco menos resistentes do materno e alguns primos-irmãos ou primos distantes, Mikael e Annika eram os únicos remanescentes da família. Seus três anos de diferença de idade os mantiveram um pouco afastados na adolescência, mas, uma vez adultos, se redescobriram até melhor.

Annika se formara em direito e Mikael a considerava a mais brilhante dos dois. Fizera o curso de vento em popa, passara alguns anos trabalhando num tribunal rural e depois como assistente de um dos mais famosos advogados suecos, até que pediu demissão e abriu seu próprio escritório. Annika se especializara em direito de família, o que aos poucos se transformara num projeto igualitário. Engajara-se como advogada de mulheres maltratadas, escrevera um livro sobre o assunto e se tornara um nome respeitado entre as feministas. Para completar, alinhara-se politicamente com os socialdemocratas, o que dava a Mikael motivo para caçoar dela e chamá-la de oportunista. Mikael, por seu lado, desde muito jovem decidira que não poderia aderir a nenhum partido político se quisesse manter sua credibilidade como jornalista. Até evitava votar e, nas vezes em que o fizera, sempre se negara a revelar em quem, inclusive para Erika Berger.

— Como é que você está? — perguntou Annika enquanto eles passavam pela ponte de Skurubron.

— Estou bem.

— Então qual é o problema?

— Problema?

— Eu te conheço, Micke. Você passou todo o jantar com aquele seu ar pensativo.

Mikael ficou um instante calado.

— É uma história complicada. Estou com dois problemas. Um tem a ver com uma garota que eu conheci há uns dois anos e que me ajudou no caso Wennerström. Aí ela sumiu da minha vida sem uma palavra de explicação. Não tive nenhuma notícia dela por mais de um ano, até a semana passada.

Mikael contou a agressão na Lundagatan.

— Você deu queixa? — Annika logo perguntou.

— Não.

— Por que não?

— Essa garota é muito ciosa da sua vida pessoal. Ela é que foi agredida. Cabe a ela dar queixa.

Mikael desconfiava que essa não devia ser a prioridade de Lisbeth Salander.

— Teimoso — disse Annika dando um tapinha no rosto de Mikael. — Sempre querendo cuidar de tudo. E o segundo problema?

— Estamos para publicar na *Millennium* uma matéria que vai fazer barulho. Passei a noite me perguntando se eu não deveria te consultar. Quero dizer, como advogada.

Annika olhou, surpresa, para o irmão.

— Me consultar! — exclamou. — Essa é nova.

— A matéria em questão tem a ver com tráfico de mulheres e violência contra a mulher. Você trabalha com violência contra a mulher e é advogada. Eu sei que você não lida com liberdade de imprensa, mas gostaria muito que lesse o texto que vamos publicar. São artigos para a revista e também um livro, é um bocado de coisa para ler.

Annika não disse nada enquanto virava na altura da zona industrial de Hammarby e passava pela eclusa de Sickla. Pegou umas ruazinhas estreitas, paralelas à Nynäsvägen, até subir a Enskedevägen.

— Sabe, Mikael, eu só fiquei realmente chateada com você uma vez na vida.

— Ah, é? — fez Mikael, surpreso.

— Quando você foi condenado no caso Wennerström e pegou aqueles três meses de prisão por difamação. Quase explodi de raiva com você.

— Por quê? Eu me enganei, só isso.

— Você já se enganou um monte de vezes na vida. Mas daquela vez precisava de um bom advogado e o único que você não procurou fui eu. Em vez disso, deixou que te arrastassem na lama, tanto na mídia como no julgamento. Você nem sequer se defendeu. Aquilo me deixou louca.

— Era uma situação especial. Você não podia fazer nada.

— Não, mas isso eu só entendi um ano depois, quando a *Millennium* voltou à cena e vocês reduziram o Wennerström à condição de pano de chão. Até aí, fiquei muito decepcionada com você.

— Você não podia ter feito nada para ganhar o processo.

— Tem uma coisa que você não sacou, mano. Também sei que era um caso perdido. Eu li o veredicto. Mas o que me deixou louca é você não ter me pedido ajuda. Tipo: Oi, mana, estou precisando de um advogado. Por isso é que você não me viu no tribunal.

Mikael refletiu.

— Sinto muito. É, eu deveria ter feito isso.

— É claro que deveria.

— Eu estava exausto naquele ano. Não conseguia falar com ninguém. Eu só queria morrer.

— Não foi bem isso que você fez.

— Me desculpe.

Annika Giannini sorriu de repente.

— Sensacional. Um pedido de desculpas dois anos depois. Tudo bem. Vou ler seu texto. É urgente?

— É. Vai ser impresso em breve. Ali você dobra à esquerda.

Annika Giannini estacionou do lado oposto do prédio da Björneborgsvägen, onde Dag Svensson e Mia Bergman moravam.

— É só um minuto — disse Mikael.

Atravessou a rua a passos rápidos e digitou o código da porta.

Assim que entrou, percebeu que alguma coisa não estava bem. Escutou vozes agitadas ecoando na escada e subiu a pé os três andares até o apartamento de Dag Svensson e Mia Bergman. Só quando chegou ao patamar é que entendeu que a agitação vinha do apartamento deles. Cinco vizinhos discutiam no corredor. A porta de Dag e Mia estava entreaberta.

— O que foi? — perguntou Mikael, mais por curiosidade que por preocupação.

As vozes se calaram. Cinco pares de olhos se voltaram para ele. Três mulheres e dois homens, todos com idade de aposentados. Uma das mulheres estava de camisola.

— Pareciam tiros. — O homem que lhe respondeu tinha uns setenta anos e estava de roupão marrom.

— Tiros? — repetiu Mikael com uma expressão estúpida.

— Agora há pouco. Deram um tiro neste apartamento faz um minuto. A porta estava aberta.

Mikael se adiantou e tocou na campainha enquanto entrava no apartamento.

— Dag? Mia? — chamou.

Não obteve resposta.

De repente, sentiu um frio percorrer-lhe a nuca. Notou um cheiro de enxofre. Então se aproximou da porta da sala. A primeira coisa que viu, *meuDeusporramerda*, foi Dag Svensson de bruços numa enorme poça de sangue de um metro de largura, em frente à mesa onde ele e Erika haviam jantado meses antes.

Mikael correu para Dag enquanto pegava o celular e discava o 112 do SOS-Brigada. Atenderam imediatamente.

— Meu nome é Mikael Blomkvist. Preciso de uma ambulância e da polícia.

Deu o endereço.

— O que houve?

— Um homem. Parece ter levado um tiro na cabeça, está desacordado.

Mikael se inclinou e procurou o pulso carotídeo. Então viu a imensa cratera na parte posterior da cabeça de Dag e se deu conta de que estava pisando no que devia ser a maior parte do cérebro de Dag Svensson. Lentamente, tirou a mão.

Nenhuma ambulância no mundo poderia salvar Dag Svensson.

De repente, e sem nenhuma coerência racional, reparou nos estilhaços de uma das xícaras de café que Mia Bergman tinha herdado da avó e que eram tão importantes para ela. Levantou-se rapidamente e olhou em volta.

— Mia! — gritou.

O vizinho de roupão marrom o seguira até o hall de entrada. Mikael se virou na porta da sala e ergueu a mão.

— Fique onde está! — berrou. — Volte para o corredor.

O vizinho de início pareceu que ia protestar, mas depois obedeceu.

Mikael quedou-se imóvel alguns segundos. Então, contornou a poça de sangue, passou devagarinho na frente de Dag Svensson e seguiu em direção ao quarto.

Mia Bergman estava deitada de costas no chão, ao pé da cama.

NãonãonãoaMiatambémputaqueparíu. Tinham lhe atirado no rosto. A bala entrara pelo maxilar inferior debaixo da orelha esquerda. O orifício de saída, na têmpora, tinha o tamanho de uma laranja, e sua órbita direita estava aberta e vazia. A hemorragia era ainda maior que a de seu companheiro, se é que isso era possível. O impacto da bala fora tão violento que a parede à cabeceira da cama, a vários metros de Mia, estava respingada.

Mikael percebeu que estava apertando o celular com a mão crispada, ainda conectado ao 112, e que estivera retendo a respiração. Inspirou profundamente e ergueu o celular.

— Precisamos da polícia. Duas pessoas. Acho que estão mortas. Venham logo.

Escutou uma voz respondendo alguma coisa, mas não estava em condições de entender as palavras. Teve a súbita impressão de que sua audição não funcionava mais. Estava tudo quieto à sua volta. Não escutou o som da própria voz quando tentou dizer alguma coisa. Abaixou o celular e saiu do apartamento andando de costas. Ao chegar à escada, percebeu que seu corpo inteiro tremia e seu coração batia de um jeito anormal. Sem dizer palavra, abriu caminho em meio ao petrificado grupo de vizinhos e sentou-se num degrau. Ouvia, de longe, os vizinhos fazendo perguntas. *O que houve? Eles estão feridos? Aconteceu alguma coisa?* O som das vozes parecia vir de dentro de um túnel.

Mikael estava como que paralisado. Percebeu que estava em estado de choque. Deixou a cabeça cair entre os joelhos. Então começou a pensar. *Caramba — eles foram assassinados. Acabam de atirar neles. O assassino ainda pode estar lá dentro... não, eu teria visto. O apartamento só tem cinquenta e cinco metros quadrados.* Não conseguia parar de tremer. Dag caíra de bruços e Mikael não vira seu rosto, mas a visão do rosto dilacerado de Mia estava incrustada em sua retina.

De repente, sua audição voltou como se alguém tivesse girado o botão do volume. Levantou de um salto e olhou para o vizinho de roupão marrom.

— O senhor — disse ele. — Fique aqui e não deixe ninguém entrar no apartamento. A polícia e a ambulância já estão a caminho. Vou esperar lá embaixo e abrir a porta para eles.

Mikael desceu os degraus de quatro em quatro. No térreo, olhou para a escada do porão e estacou. Deu um passo em direção ao porão. No meio da escada, havia um revólver, para quem quisesse ver. Mikael notou que parecia um Colt 45 Magnum — a arma que matara Olof Palme.*

Conteve o impulso de pegar a arma e deixou-a onde estava. Subiu até o hall de entrada, bloqueou a porta na posição aberta e saiu para o ar livre. Quando ouviu uma buzinada breve, lembrou que a irmã o esperava no carro. Atravessou a rua.

Annika Giannini abriu a boca para caçoar da eterna lerdeza dele. Então viu a expressão em seu rosto.

— Você viu alguém passar por aqui enquanto esperava? — perguntou Mikael.

Sua voz parecia rouca e pouco natural.

— Não. Quem? O que houve?

Mikael ficou calado alguns segundos, enquanto verificava os arredores. A rua estava calma e tranquila. Procurou no bolso e achou um maço velho amassado no qual ainda havia um cigarro esquecido. Estava acendendo-o quando ouviu ao longe o som das sirenes se aproximando. Olhou o relógio. Onze e dezessete.

— Annika, esta vai ser uma noite longa — ele disse sem olhar para ela, quando o carro da polícia entrou na rua.

Os primeiros a chegarem ao local foram os policiais Magnusson e Ohlsson. Estavam voltando da Nynäsvägen, onde tinham ido atender a um chamado que se revelara uma brincadeira de mau gosto. Vinham seguidos por um veículo de intervenção que trazia o delegado Oswald Mårtensson, encarregado das intervenções externas, que estava em Skanstull quando recebeu o chamado da central de operações. Chegaram praticamente ao mesmo tem-

* O político sueco Olof Palme (1927-1986), líder do partido socialdemocrata e primeiro-ministro de 1969 a 1976, reeleito em 1982, foi assassinado em 1986 quando saía do cinema. O crime, que abalou profundamente a Suécia, permanece sem solução. (N. T.)

po, vindo de direções opostas, e viram no meio da rua um homem de jeans e casaco escuro erguendo a mão. Enquanto isso, uma mulher desceu de um carro estacionado a poucos metros do homem.

Os três policiais esperaram alguns segundos. A central do SOS-Brigada tinha relatado que duas pessoas haviam sido mortas por tiros, e aquele homem segurava um objeto escuro na mão esquerda. Levaram alguns segundos para entender que se tratava de um celular. Desceram dos carros ao mesmo tempo, ajustaram o cinturão e foram ver os dois indivíduos mais de perto. Mårtensson assumiu imediatamente o comando.

— Foi o senhor quem notificou os tiros?

O homem assentiu com a cabeça. Parecia seriamente abalado. Fumava um cigarro e sua mão tremia quando o levava à boca.

— Seu nome?

— Mikael Blomkvist. Duas pessoas foram mortas a tiros há poucos minutos nesse prédio. Chamam-se Dag Svensson e Mia Bergman. No terceiro andar. Alguns vizinhos estão no corredor.

— Meu Deus — disse a mulher.

— Quem é a senhora? — perguntou Mårtensson.

— Meu nome é Annika Giannini.

— Mora aqui?

— Não — respondeu Mikael Blomkvist. — Eu vim falar com o casal que foi morto. Ela é minha irmã e me trouxe aqui depois de um jantar.

— O senhor afirma que duas pessoas foram mortas a tiros. Viu o que aconteceu?

— Não. Encontrei os dois assim.

— Vamos lá dar uma olhada — disse Mårtensson.

— Espere — disse Mikael. — Os vizinhos disseram que os tiros ocorreram pouco antes de eu chegar. Dei o alerta imediatamente. De lá para cá, não passaram nem cinco minutos. Isso significa que o assassino ainda está bem perto daqui.

— Mas o senhor não tem uma descrição dele?

— Não vimos ninguém. Mas é possível que os vizinhos tenham visto alguma coisa.

Mårtensson fez um sinal para Magnusson, que pegou o rádio e começou a mandar, em voz baixa, um relatório para a central. Virou-se para Mikael.

— Me mostre onde é — disse.

Quando entraram no hall do prédio, Mikael parou e apontou em silêncio para a escada do porão. Mårtensson se inclinou e olhou para a arma. Desceu até o final da escada e tentou abrir a porta do porão. Estava trancada.

— Ohlsson, fique aqui e abra o olho — disse Mårtensson.

Na frente do apartamento de Mia e Dag, o grupo se reduzira. Dois vizinhos tinham voltado para casa, mas o homem do roupão marrom continuava a postos. Pareceu aliviado ao ver os uniformes.

— Não deixei ninguém entrar — disse.

— Muito bem — responderam ao mesmo tempo Mikael e Mårtensson.

— Parece que há rastros de sangue na escada — disse o agente Magnusson.

Todos olharam para as pegadas. Mikael olhou para os seus mocassins italianos.

— As marcas devem ser minhas — disse Mikael. — Eu entrei no apartamento. Tem muito sangue lá dentro.

Mårtensson lançou um olhar inquisitivo para Mikael. Usou uma caneta para empurrar a porta do apartamento e constatou que havia mais marcas de sangue no hall.

— À direita. Dag Svensson está na sala e Mia no quarto.

Mårtensson procedeu a uma rápida inspeção do apartamento e voltou segundos depois. Solicitou pelo rádio o reforço da polícia criminal. Nisso, chegaram os paramédicos. Mårtensson os deteve enquanto concluía a chamada.

— Duas pessoas. Até onde posso avaliar, já não precisam de socorro. Um de vocês poderia dar uma olhada, tentando não mexer na cena do crime?

Não foi preciso muito tempo para ficar claro que os paramédicos eram desnecessários. O médico de plantão que os acompanhava determinou que não havia necessidade de transportar os corpos ao hospital para tentar reanimá-los. Não havia o que fazer. Mikael foi tomado de repente por fortes náuseas e virou-se para Mårtensson.

— Vou sair. Estou precisando de ar.

— Infelizmente não posso deixá-lo ir embora.

— Não se preocupe — disse Mikael. — Vou só me sentar no degrau na frente da porta.

— Me mostre sua identidade.

Mikael pegou a carteira e a entregou nas mãos de Mårtensson. Então deu meia-volta sem dizer uma palavra, desceu e foi se sentar no degrau na frente do prédio, onde Annika continuava esperando com o agente Ohlsson. Ela sentou-se ao lado dele.

— Micke, o que aconteceu? — perguntou.

— Duas pessoas de quem eu gostava muito foram assassinadas. Dag Svensson e Mia Bergman. Era o manuscrito dele que eu queria que você lesse.

Annika Giannini percebeu que não era hora de bombardear Mikael com perguntas. Em vez disso, pôs o braço em volta dele e o manteve apertado contra si, enquanto chegavam mais carros da polícia. Do outro lado da rua, começava a se juntar um punhado de notívagos curiosos. Mikael fitou-os em silêncio, enquanto os policiais isolavam a área. Tinha início uma investigação policial.

Eram pouco mais de três horas quando Mikael e Annika puderam finalmente deixar a sede da Criminal. Tinham passado uma hora em Enskede, na frente do prédio, dentro do carro de Annika, esperando que um procurador de plantão chegasse para dar início ao inquérito preliminar. Depois — já que Mikael era amigo das vítimas e já que tinha encontrado os corpos e dado o alerta — pediram-lhes que fossem até a delegacia central de Kungsholmen para, segundo disseram, ajudar na investigação.

Esperaram um bom tempo antes de serem ouvidos por uma inspetora, Anita Nyberg. Era loira e parecia uma adolescente.

Estou ficando velho, pensou Mikael.

Por volta das duas e meia, já havia tomado tanto café requentado que estava totalmente desembriagado e definitivamente nauseado. Fora obrigado a interromper o interrogatório para ir ao banheiro pôr as tripas para fora. Tinha o tempo todo na retina a visão do rosto estraçalhado de Mia Bergman. Tomou vários copinhos de água e lavou o rosto com cuidado antes de voltar para o interrogatório. Tentou juntar as ideias e responder tão detalhadamente quanto possível às perguntas de Anita Nyberg.

Dag Svensson e Mia Bergman tinham inimigos?

Não que eu saiba.

Tinham recebido ameaças?

Não que eu saiba.

Como era o relacionamento deles?

Pareciam apaixonados. O Dag me disse um dia que iam tentar ter um filho depois que a Mia terminasse o doutorado.

Eles usavam drogas?

Não faço ideia. Acho que não, e se usavam, devia ser só um baseado por diversão, em ocasiões especiais.

Como se explica o senhor ir à casa deles assim tão tarde?

Mikael explicou o contexto.

Não é inusitado ir visitá-los assim tão tarde?

Sim. Sem dúvida. Essa foi a primeira vez.

Como os conheceu?

Pelo trabalho. Mikael deu explicações que não acabavam mais.

E as perguntas não paravam, procurando definir os estranhos horários.

Os tiros tinham sido ouvidos em todo o prédio. Foram disparados a menos de cinco segundos de intervalo. O homem de setenta anos de roupão marrom era o vizinho mais próximo, e comandante da defesa costeira aposentado. Ao segundo tiro, levantara do sofá onde estava assistindo tevê e saíra imediatamente no corredor. Considerando-se que tinha um problema no quadril e dificuldades para se levantar, ele próprio calculava que devia ter levado uns trinta segundos para abrir a porta do apartamento. Nem ele nem nenhum vizinho tinham visto o culpado.

Segundo as estimativas dos vizinhos, Mikael chegara à porta do apartamento menos de dois minutos depois dos disparos.

Considerando-se que ele e Annika tinham tido uma visão da rua inteira por quase trinta segundos enquanto Annika rodava até o prédio, estacionava e trocava umas palavras com Mikael antes de ele atravessar a rua e subir a escada, havia uma lacuna de tempo calculada em cerca de trinta a quarenta segundos. Durante esse intervalo, o autor do duplo assassinato tinha tido tempo de sair do apartamento, descer a escada, jogar a arma no térreo, sair do prédio e desaparecer antes que Annika estacionasse o carro. Tudo isso sem ser visto por ninguém.

Concluíram que Mikael e Annika deviam ter se desencontrado do assassino por alguns segundos.

Durante um vertiginoso instante, Mikael percebeu que a inspetora Anita Nyberg brincava com a ideia de que ele poderia ser o culpado, que simplesmente descera até o andar de baixo e fingira estar chegando ao local depois que os vizinhos acorreram. Mas Mikael tinha um álibi na pessoa da sua irmã, e uma explicação plausível de como havia passado seu tempo. Seus passos, inclusive a conversa telefônica com Dag Svensson, podiam ser confirmados por muitos membros da família Giannini.

Annika acabou protestando. Mikael oferecera toda a colaboração possível e imaginável. Estava visivelmente cansado e não se sentia bem. Era hora de deixá-lo ir para casa. Lembrou que era a advogada de seu irmão e que ele tinha certos direitos estabelecidos por Deus ou, pelo menos, pelo Parlamento.

Uma vez lá fora, ficaram os dois um bom tempo em silêncio diante do carro de Annika.

— Vá para casa dormir — disse ela.

Mikael balançou a cabeça.

— Não, preciso ir até a casa da Erika — disse ele. — Ela também conhecia os dois. Não posso simplesmente contar por telefone e não quero que ela fique sabendo pelo rádio quando acordar.

Annika Giannini hesitou um instante, mas reconheceu que o irmão estava certo.

— Para Saltsjöbaden, então — disse ela.

— Você ainda se sente em condições de me levar?

— E para que serve uma irmã menor?

— Se você me deixar no centro de Nacka, eu pego um táxi ou um ônibus.

— Está brincando. Entre, eu levo você.

12. QUINTA-FEIRA SANTA 24 DE MARÇO

Annika Giannini também estava visivelmente cansada, e Mikael conseguiu convencê-la a desistir do longo desvio de quase uma hora pelo promontório de Lännersta e deixá-lo no centro de Nacka. Deu-lhe um beijo no rosto, agradeceu sua ajuda naquela noite e esperou ela dar a volta no carro e desaparecer pela rua antes de chamar um táxi.

Fazia mais de dois anos que Mikael Blomkvist não vinha a Saltsjöbaden. Antes disso, só em raras oportunidades tinha visitado Erika e o marido. Sinal de imaturidade, sem dúvida, pensava ele.

Mikael ignorava totalmente a maneira como o casal Erika e Lars funcionava. Conhecia Erika desde o início dos anos 1980 e pretendia manter a relação com ela até ficar velho demais para sair de uma cadeira de rodas. Essa relação só fora interrompida durante um curto período no final dos anos 1980, depois que os dois se casaram. A interrupção durara mais de um ano, até ambos se tornarem infiéis.

Pelo lado de Mikael, a situação acabara em divórcio. Pelo de Erika, Lars Beckman concluiu que uma paixão assim era provavelmente um presente da natureza. Imaginar que as convenções ou a moral social poderiam manter aqueles dois longe da cama um do outro era pura ilusão. Ele também explicou que não queria se arriscar a perder Erika como Mikael tinha perdido a mulher.

Quando Erika confessou sua infidelidade, Lars Beckman fora bater à porta de Mikael Blomkvist. Mikael estivera aguardando e temendo essa visita — sentia-se um lixo. Mas Lars Beckman não quebrara a sua cara, e sim lhe propusera uma turnê pelos bares. Três *pubs* do Södermalm depois, suficientemente bêbados para terem uma conversa séria, tinham se explicado, sentados num banco público do Mariatorget ao raiar do dia.

Mikael mal acreditou quando Lars Beckman lhe explicou, de saída, que se ele tentasse sabotar seu casamento com Erika Berger ele voltaria sóbrio e armado de uma clava, mas que se a questão era apenas desejo da carne e incapacidade da alma para a moderação e a contenção, para ele estava tudo bem.

Mikael e Erika tinham, portanto, mantido seu relacionamento com a aprovação de Lars Beckman e sem tentar lhe esconder o que quer que fosse. Até onde Mikael sabia, o casamento de Lars e Erika continuava feliz. Contentava-se em saber que Lars aceitava o relacionamento deles sem protestar, a ponto de Erika só precisar pegar o telefone, ligar para ele e comunicar que pretendia passar a noite com Mikael quando lhe dava vontade, o que era regularmente o caso.

Lars Beckman nunca expressara a mínima crítica em relação a Mikael. Pelo contrário, parecia achar que a relação de Erica com Mikael tinha um lado bom e que seu próprio amor por Erika se fortalecia pelo fato de ele nunca ter como certa a presença da mulher.

Em contrapartida, Mikael nunca se sentira à vontade na companhia de Lars, duro lembrete de que até os relacionamentos mais livres tinham um preço. De modo que só aparecera no Saltsjöbaden em raras ocasiões, quando Erika dava alguma festa grande em que a ausência de Mikael soaria como provocação.

Ele parou em frente à casa deles, de duzentos e cinquenta metros quadrados. Apesar da sua repulsa em trazer notícias tão ruins, apertou resolutamente o dedo na campainha e o manteve ali por quase quarenta segundos, até que escutou passos. Lars Beckman veio abrir, uma toalha de banho amarrada na cintura e o rosto dormido cheio de uma raiva que se transformou em perplexidade mal desperta quando deu com o amante da mulher na soleira da porta.

— Oi, Lars — disse Mikael.

— Oi, Blomkvist. Que horas são?

Lars Beckman era loiro e magro. Tinha uma quantidade enorme de pelos no peito e nenhum cabelo na cabeça. Tinha uma barba de uma semana e uma enorme cicatriz acima da sobrancelha direita, recordação de um acidente de veleiro que por pouco não acabara mal, muitos anos antes.

— Um pouco mais de cinco horas — disse Mikael. — Você poderia acordar a Erika? Preciso falar com ela.

Lars Beckman imaginou que, se Mikael Blomkvist vencera sua resistência a vir a Saltsjöbaden e encontrar com ele, algo fora do comum estava acontecendo. Além disso, Mikael parecia muito necessitado de um drinque, ou pelo menos de uma cama para recuperar o sono atrasado. Portanto abriu a porta e o fez entrar.

— O que aconteceu? — perguntou.

Antes que Mikael tivesse tempo de responder, Erika Berger desceu a escada, atando o cinto de um roupão atoalhado branco. Estacou a meio caminho quando viu Mikael no hall de entrada.

— Mikael! O que aconteceu?

— Dag Svensson e Mia Bergman — disse Mikael.

Sua fisionomia revelou imediatamente que notícia ele vinha trazer.

— Não!

Ela tapou a boca com a mão.

— Estou vindo da delegacia. Dag e Mia foram assassinados esta noite.

— Assassinados?! — exclamaram Erika e Lars a uma só voz.

Erika lançou um olhar cético para Mikael.

— Você quer dizer assassinados mesmo?

Mikael meneou a cabeça pesadamente.

— Alguém entrou no apartamento de Enskede e deu um tiro na cabeça deles. Fui eu que encontrei os dois.

Erika sentou-se num degrau da escada.

— Eu não queria que você ficasse sabendo pelo noticiário da manhã — disse Mikael.

Faltava um minuto para as sete, na manhã daquela quinta-feira, quando Mikael e Erika chegaram à redação da *Millennium*. Erika ligara para Christer Malm a fim de acordá-lo, assim como para a assistente de redação Malu Eriksson, comunicando que Dag e Mia haviam sido mortos naquela noite. Ambos moravam perto, já tinham chegado na redação e ligado a cafeteira elétrica na copa.

— Mas afinal que história é essa? — perguntou Christer Malm.

Malu Eriksson agitou a mão para que se calassem e aumentou o volume do noticiário das sete.

Duas pessoas, um homem e uma mulher, foram mortos a tiros tarde da noite de ontem num apartamento em Enskede. A polícia confirma tratar-se de um duplo assassinato. Nenhuma das vítimas era conhecida da polícia. Ignora-se totalmente o motivo. Nossa repórter Hanna Olofsson está no local.

Pouco antes da meia-noite, a polícia foi alertada sobre disparos ocorridos num prédio da Björneborgsvägen, aqui em Enskede. De acordo com um vizinho, houve vários tiros no apartamento. Não foi dado nenhum tipo de explicação e até agora ninguém foi preso. A polícia interditou o apartamento e o exame técnico está em andamento.

— Bem conciso — disse Malu, baixando o volume.

E então desatou em prantos. Erika pôs um braço em volta dos seus ombros.

— Puta merda, que horror! — disse Christer Malm, dirigindo-se a ninguém em particular.

— Sentem-se — disse Erika Berger com voz firme. — Mikael...

Mikael contou uma vez mais o que acontecera durante a noite. Com voz monocórdia e na prosa neutra de jornalista, descreveu a descoberta dos corpos de Dag e Mia.

— Puta merda, que horror — repetiu Christer Malm. — Isso é uma loucura.

Malu se deixou novamente dominar por seus sentimentos. Recomeçou a chorar sem procurar esconder as lágrimas.

— Desculpem — disse ela.

— Sabe, eu também estou com vontade de chorar — disse Christer.

Mikael se perguntou por que não conseguia chorar. Sentia apenas um imenso vazio, mais ou menos como se estivesse anestesiado.

— Por enquanto não sabemos muito — disse Erika Berger. — Precisamos discutir duas coisas. Primeiro, estamos para imprimir o trabalho do Dag Svensson daqui a três semanas. Seguimos com isso? Podemos publicar? Primeira questão. Sobre a segunda, Mikael e eu já começamos a conversar no caminho para cá.

— Não sabemos o porquê desses assassinatos — disse Mikael. — Pode ser alguma coisa na vida particular do Dag e da Mia ou obra de um demente. Mas não podemos excluir que talvez tenha alguma relação com o trabalho deles.

Fez-se um silêncio em volta da mesa. Por fim, Mikael clareou a garganta.

— Estamos, portanto, prestes a publicar um assunto superindigesto, revelando o nome de pessoas que fazem questão de não serem ligadas a essa história. Dag começou a entrevistá-las duas semanas atrás. A minha ideia é que uma dessas...

— Espere — disse Malu Eriksson. — Estamos denunciando três tiras, sendo que um deles trabalha na Säpo e outro na Polícia de Costumes, vários advogados, um procurador e um juiz, e alguns jornalistas nojentos conhecidos. Você está querendo dizer que um deles teria cometido um duplo assassinato para impedir a publicação do livro?

— Sim, não, não sei — disse Mikael, pensativo. — Eles têm um bocado a perder, mas num primeiro impulso eu diria não ser muito esperto da parte deles achar que podem abafar uma história como essa matando um jornalista. Mas a gente também está denunciando um bom número de cafetões e, mesmo usando nomes fictícios, não é muito difícil perceber quem são eles. Alguns já foram condenados por violência.

— Certo — disse Christer. — Mas você descreveu esses assassinatos como verdadeiras execuções. Se entendi bem o que o Dag Svensson tentava mostrar em seu livro é que se trata de um pessoal que não prima pela inteligência. Seriam capazes de cometer um duplo assassinato e se safarem?

— Tem que ser inteligente para usar um berrante? — perguntou Malu.

— Estamos especulando sobre algo que não sabemos — interrompeu Erika Berger. — Mas temos que nos colocar essa pergunta. Se os artigos do Dag — ou, por outra, a tese da Mia — foram o motivo desses assassinatos, precisamos reforçar a segurança aqui da redação.

— E há uma terceira questão — disse Malu. — Será que temos de informar esses nomes à polícia? O que você contou para eles esta noite?

— Respondi a todas as perguntas que me fizeram. Contei sobre o trabalho do Dag, mas não me pediram detalhes e eu não citei nenhum nome.

— É, sem dúvida, o que a gente deveria fazer — disse Erika Berger.

— Não é tão simples — respondeu Mikael. — A rigor, podemos fornecer uma lista de nomes, mas o que a gente vai fazer se a polícia perguntar como chegamos a eles? Não temos o direito de revelar fontes que desejam permanecer anônimas. Isso envolve várias garotas com as quais a Mia conversou.

— Que confusão! — disse Erika. — Voltamos à primeira pergunta — publicamos ou não publicamos?

Mikael levantou a mão.

— Esperem. Podemos até votar, mas acontece que eu sou o editor responsável pela publicação e pela primeira vez na vida estou pretendendo tomar uma decisão sozinho. A resposta é não. Não podemos publicar esse número. É absolutamente impossível se ater ao que estava planejado.

Um silêncio caiu em volta da mesa. Ele prosseguiu:

— Ou, para ser mais exato, tenho muita vontade de publicar, mas na certa, vamos ter que alterar um bocado de coisas. O Dag e a Mia é que respondiam pela maior parte da documentação, e o tema se baseava no fato de que Mia pretendia dar queixa contra as pessoas que iríamos citar. Ela era a especialista na matéria. E nós?

A porta de entrada bateu e Henry Cortez apareceu à porta da sala.

— São o Dag e a Mia? — ele perguntou, ofegante.

Todos menearam a cabeça.

— Puta merda. É uma loucura total!

— Como você ficou sabendo? — perguntou Mikael.

— Saí ontem à noite com a minha namorada, e a gente estava voltando para casa quando escutou no rádio do táxi. Os tiras queriam saber se algum motorista tinha pego um cliente naquela região. Reconheci o endereço. Eu tinha que vir.

Henry Cortez parecia tão abalado que Erika se levantou e o abraçou antes de mandá-lo sentar-se. Ela retomou a palavra.

— Acho que o Dag teria gostado que a gente publicasse a história dele.

— E eu acho que a gente deve publicar. O livro, sem nem pensar duas vezes. Mas na atual situação, vamos ter que adiar a publicação.

— E o que a gente vai fazer? — perguntou Malu. — Não é só um artigo que vai ter que ser alterado; é um número temático, vamos precisar refazer toda a revista.

Erika ficou um instante em silêncio. Então sorriu. Seu primeiro sorriso exausto do dia.

— Você estava contando com uns dias feriados na Páscoa, Malu? — ela perguntou. — Pode esquecer. Vamos fazer o seguinte... Você, Malu, eu e o Christer vamos pensar num número totalmente novo, sem Dag Svensson. Quem sabe conseguimos pegar alguns textos que estavam previstos para o número de junho. Mikael... Quantos capítulos prontos do livro do Dag Svensson você tem em mãos?

— Estou com a versão final de nove capítulos, de um total de doze. Estou com a penúltima versão dos capítulos dez e onze. Dag estava para me mandar por e-mail as versões finais, vou ver na minha caixa postal, mas só tenho fragmentos do capítulo doze, que é o último. É onde ele ia fazer uma síntese e apresentar suas conclusões.

— Mas você e o Dag tinham discutido todos os capítulos.

— Eu sei o que ele pretendia escrever, se é o que você quer dizer.

— Bem, você vai cuidar dos textos — do livro e do artigo. Quero saber o quanto falta e se temos como reconstituir o que Dag não teve tempo de entregar. Será que você consegue me dar uma estimativa ainda hoje?

Mikael meneou a cabeça.

— Também quero que você pense sobre o que a gente vai dizer à polícia. Defina o que é inofensivo e a partir de que ponto começamos a ferir a proteção das fontes. Ninguém aqui da revista está autorizado a falar enquanto você não der o seu aval.

— Acho que está bem assim — disse Mikael.

— Você acredita mesmo que o trabalho do Dag pode ter motivado o assassinato dos dois?

— Ou a tese da Mia... não sei. Mas não dá para descartar essa possibilidade.

Erika Berger refletiu um instante.

— Não, não dá para descartar. Você assume as rédeas.

— Que rédeas?

— Da investigação.

— Que investigação?

— A nossa, a nossa investigação, porra! — De repente, Erika Berger ergueu a voz. — O Dag Svensson era jornalista e trabalhava para a *Millennium*. Se ele foi morto por causa do trabalho, quero saber. Vamos tentar descobrir o que aconteceu. Você se encarrega disso. Para começar, revise todo o material que Dag Svensson nos passou e procure ver se o motivo do crime pode estar ali.

Virou-se para Malu Eriksson.

— Malu, se você me ajudar a esboçar um número novo a partir de hoje, Christer e eu faremos o grosso do trabalho. Mas você trabalhou bastante com o Dag Svensson e nos demais textos do número monográfico. Quero que acompanhe o andamento da investigação policial com o Mikael.

Malu Eriksson meneou a cabeça.

— Henry... você poderia trabalhar hoje?

— É claro.

— Para começar, ligue para os outros colaboradores da *Millennium* e dê a notícia a eles. Depois ligue para a polícia para tentar descobrir em que pé estão as coisas. Tente descobrir se está prevista uma coletiva de imprensa. A gente tem que se manter a par dos acontecimentos.

— Certo. Primeiro vou ligar para o nosso pessoal, depois dou um pulo até em casa para tomar um banho e comer alguma coisa. Volto em quarenta e cinco minutos, a menos que de lá eu vá direto para a delegacia de Kungsholmen.

— Ficamos em contato durante o dia.

Fez-se um breve silêncio em volta da mesa.

— Bem — disse Mikael por fim. — Terminamos?

— Acho que sim — disse Erika. — Você está com pressa?

— Estou. Preciso dar um telefonema.

Harriet Vanger estava tomando um café da manhã composto de café e torradas com queijo e geleia de laranja na varanda envidraçada da casa de Henrik Vanger, em Hedeby, quando seu celular tocou. Ela atendeu sem olhar para a tela.

— Bom dia, Harriet — disse Mikael Blomkvist.

— Ora essa. Achei que você era dessas pessoas que nunca se levantam antes das oito.

— Exato, desde que eu tenha ido dormir. O que não é o caso hoje.

— Aconteceu alguma coisa?

— Você não viu o noticiário?

Mikael fez um breve resumo dos acontecimentos daquela noite.

— Que horror — disse Harriet Vanger. — Como é que você está?

— Obrigado por perguntar. Já estive melhor. Mas estou te ligando porque afinal você integra o conselho administrativo da *Millennium* e é justo que você seja informada do que está acontecendo. Aposto que logo algum jornalista vai descobrir que fui eu que encontrei os corpos, o que vai gerar especulações, e quando souberem que o Dag vinha trabalhando para a gente numa revelação de peso, vão chover perguntas.

— Você quer dizer que eu preciso estar preparada. O que eu estou autorizada a falar?

— A verdade. Você foi informada do que aconteceu. Esses assassinatos brutais te deixaram chocada, claro, mas como você não está por dentro do trabalho da redação não pode comentar sobre essas especulações. Cabe à polícia solucionar o crime, não à *Millennium*.

— Obrigada por me avisar. Posso ajudar em alguma coisa?

— Por enquanto não. Qualquer coisa eu te digo.

— Está bem, Mikael... me mantenha informada, por favor.

13. QUINTA-FEIRA SANTA 24 DE MARÇO

Às sete horas da Quinta-feira Santa, a responsabilidade formal pelo inquérito preliminar sobre o duplo assassinato de Enskede fora parar na mesa do procurador Richard Ekström. O procurador de plantão da noite, um jurista relativamente jovem e inexperiente, entendera que os assassinatos de Enskede extrapolavam, e muito, o padrão. Telefonara para acordar o procurador-adjunto do departamento, que por sua vez acordou o adjunto do secretário de segurança do departamento. Em comum acordo decidiram passar o caso para um procurador zeloso e experiente. A escolha recaiu sobre Richard Ekström, de quarenta e dois anos.

Ekström era um homem magro e atlético de um metro e sessenta e sete, tinha cabelos loiros e finos e usava cavanhaque. Estava sempre impecavelmente vestido e, devido à sua baixa estatura, andava com sapatos de salto compensado. Iniciara a carreira de jurista como adjunto do procurador de Uppsala, onde fora recrutado como investigador pelo Ministério da Justiça para adaptar a lei sueca à União Europeia. Saíra-se tão bem que fora nomeado chefe de seção. Sobressaíra-se num inquérito sobre as disfunções da segurança judiciária, quando clamara antes por mais eficiência do que pelo aumento de recursos exigido por algumas autoridades. Depois de quatro anos no Ministério da Justiça, passara para o Ministério Público de Estocolmo, onde cuidara de vários casos ligados a assaltos sensacionais ou a crimes de sangue.

No interior da administração, era considerado um socialdemocrata, mas na verdade Ekström era absolutamente alheio a política partidária. Começava a despertar certo interesse na mídia, e nos corredores do poder era um homem que seus superiores observavam de perto. Era definitivamente um candidato potencial para altos cargos e dispunha de uma ampla rede de contatos tanto no meio político como policial. Entre os policiais, as opiniões sobre os talentos de Ekström eram divididas. Seus relatórios ao Ministério de Justiça não apoiavam em nada os grupos que, dentro da polícia, defendiam que a melhor maneira de garantir a segurança judiciária era recrutar um número maior de policiais. Por outro lado, Ekström se sobressaía por sua absoluta firmeza quando conduzia um caso ao tribunal.

Informado pela Criminal sobre os acontecimentos da noite em Enskede, Ekström logo concluiu que aquele era um caso que sem dúvida alguma mexeria fortemente com a mídia. Não se tratava de assassinatos comuns. As vítimas eram uma pesquisadora em criminologia prestes a defender sua tese e um jornalista — palavra que ele detestava ou adorava, conforme a situação.

Pouco depois das sete horas, Ekström teve uma rápida conversa telefônica com o chefe da Criminal regional. Às sete e quinze, pegou o telefone e acordou o inspetor Jan Bublanski, apelidado de Bubolha pelos colegas. Bublanski estava tirando uns dias de folga na Semana Santa para compensar as inúmeras horas extras que acumulara ao longo do ano, mas pediram que interrompesse seu feriado e se apresentasse imediatamente na superintendência da polícia para dirigir as investigações no inquérito dos assassinatos de Enskede.

Bublanski tinha cinquenta e dois anos e trabalhara mais da metade da vida como policial, desde os vinte e três anos. Passara seis anos numa viatura fazendo patrulhas, fora nomeado para a repressão do tráfico de armas e roubos antes de fazer alguns cursos de formação permanente e integrar a seção de crimes violentos na Criminal regional. Nos últimos dez anos, participara precisamente de trinta e três investigações de assassinato ou homicídio. Das dezessete que comandara, catorze foram elucidadas e duas consideradas elucidadas do ponto de vista policial, o que significava que a polícia sabia quem era o culpado, mas não tinha provas suficientes para levá-lo à Justiça. Bublanski e seus colaboradores haviam fracassado em um único caso, seis anos antes. O caso de um alcoólatra, encrenqueiro notório, apunhalado na sua residência, em Bergshamra. O local do crime era um pesadelo de impressões digitais e vestígios de DNA de dezenas de indivíduos que, ao longo dos anos, tinham bebido ou brigado naquele apartamento. Bublanski e seus colegas estavam convencidos de que o assassino pertencia ao círculo de amigos suspeitos do homem, todos alcoólatras e toxicômanos, mas, apesar de um intenso trabalho de investigação, o assassino continuava escarnecendo a polícia. O caso, na verdade, estava arquivado.

Ao todo, Bublanski somava uma boa percentagem de êxito e era visto entre os colegas como particularmente qualificado.

Os colegas, porém, consideravam-no um tipo original, em boa parte porque era judeu e usava um quipá em algumas festas da superintendência da polícia. Isso um dia suscitara o comentário de um superintendente, atualmente aposentado, de que era inadequado usar um quipá na superintendência, assim como não aceitaria que um policial andasse por aí de turbante. No entanto, nunca chegou a existir uma verdadeira discussão sobre o assunto. Um jornalista que havia interceptado o comentário começou a fazer perguntas, o que levou o superintendente depressa a se retirar para a sua sala.

Bublanski pertencia à comunidade do Söder, e pedia refeições vegetarianas caso não houvesse comida *kasher*. Mas não era ortodoxo a ponto de não trabalhar no dia do sabá. Desde o primeiro instante, Bublanski percebeu que o duplo assassinato de Enskede não seria uma investigação rotineira. Richard Ekström tivera uma conversa particular com ele assim que cruzara a porta, pouco depois das oito horas.

— Parece ser uma história pesada — disse Ekström, cumprimentando-o. — O casal assassinado era um jornalista e uma criminologista. E não é só isso. Foi também um jornalista quem os encontrou.

Bublanski meneou a cabeça. Era praticamente uma garantia de que o caso seria acompanhado de perto e esmiuçado pela mídia.

— E, para completar, o jornalista que encontrou o casal é Mikael Blomkvist, da *Millennium*.

— Uau! — exclamou Bublanski.

— Conhecido por todo aquele barulho em torno do caso Wennerström.

— Já se tem alguma ideia de qual foi o motivo?

— Até o momento, nenhuma. As vítimas não são conhecidas nos nossos serviços. Tudo indica que era um casal tranquilo. A mulher estava para defender a tese em breve. Resumindo: prioridade máxima para esse caso.

Bublanski meneou a cabeça. Para ele, qualquer homicídio sempre tinha prioridade absoluta.

— Vamos destacar uma equipe para o caso. Você vai ter que trabalhar depressa e eu vou cuidar para que disponha de todos os recursos. O Hans Faste e o Curt Bolinder vão te auxiliar. Também vamos chamar o Jerker Holmberg. Ele está trabalhando no assassinato de Rinkeby, mas parece que o culpado fugiu para o exterior. O Holmberg é um investigador sem igual nas cenas dos crimes. Se for preciso, você também pode apelar para os investigadores da Criminal Nacional.

— Eu queria a Sonja Modig.

— Ela não é meio jovem?

Bublanski ergueu uma sobrancelha e encarou Ekström, surpreso.

— Tem trinta e nove anos, ou seja, só alguns anos menos que você, e além disso é espertíssima.

— Está bem, escolha quem quiser para a sua equipe, mas seja rápido. A direção já se manifestou.

Isso Bublanski considerou um exagero descarado. Àquela hora da manhã, a direção nem sequer tinha tido tempo de sair da mesa do café da manhã.

A investigação policial começou de fato com uma reunião, pouco antes das nove horas, em que o inspetor Bublanski reuniu sua tropa numa sala da Criminal regional. Bublanski contemplou a equipe. Não estava inteiramente satisfeito com sua composição.

Das pessoas presentes, Sonja Modig era em quem ele mais confiava. Ela estava na polícia havia doze anos, dos quais quatro na Brigada de Crimes Violentos, onde participara de várias investigações dirigidas por Bublanski. Era minuciosa e metódica, mas Bublanski percebera rapidamente que também possuía a qualidade que ele considerava mais preciosa nas investigações difíceis: imaginação e capacidade de fazer associações. Em pelo menos dois casos complexos, Sonja Modig estabelecera ligações estranhas e um pouco forçadas que os demais haviam deixado passar e que trouxeram novas possibilidades à investigação. Além disso, Sonja Modig possuía um humor espirituoso que Bublanski apreciava.

Bublanski também estava satisfeito em ter Jerker Holmberg na equipe. Com cinquenta e cinco anos, Holmberg era originário de Ångermanland. Era um homem direto e tedioso, totalmente desprovido dessa imaginação que tornava Sonja Modig tão preciosa. Em compensação, talvez fosse, na opinião de Bublanski, o melhor investigador de cenas do crime de toda a polícia sueca. Haviam trabalhado juntos em várias investigações ao longo dos anos, e Bublanski estava convicto de que se havia alguma coisa para ser encontrada no local do crime, Holmberg a encontraria. Sua primeira tarefa, portanto, seria assumir o comando das operações no apartamento de Enskede.

Bublanski conhecia muito pouco seu colega Curt Bolinder. Era um homem forte e taciturno, de cabelo loiro tão curto que de longe parecia totalmente calvo. Bolinder tinha trinta e oito anos e acabava de chegar à Brigada depois de passar vários anos na polícia de Huddinge investigando gangues criminosas. Tinha fama de ter pavio curto e pulso de ferro, o que era um eufemismo para dizer que ele talvez empregasse com sua clientela métodos não totalmente conformes ao regulamento. Dez anos antes, Curt Bolinder fora indiciado por golpes e ferimentos, mas a investigação o inocentara inteiramente.

A reputação de Curt Bolinder se baseava em outro incidente. Em outubro de 1999 ele estivera em Alby, juntamente com um colega, para prender um delinquente da região para interrogatório. O sujeito já era conhecido da polícia. Fazia vários anos que vinha espalhando o terror entre os vizinhos de seu prédio, e seu comportamento ameaçador resultara em algumas queixas contra ele. Graças a uma informação recebida pela polícia, ele agora era suspeito de ter assaltado uma loja em Norsborg. A intervenção, relativamente simples, desandou por completo quando o sujeito puxou uma faca em vez de acompanhar docilmente os policiais. O colega ficara com vários ferimentos nas mãos ao tentar enfrentá-lo, e com o polegar esquerdo decepado, antes que o malfeitor voltasse a atenção para Curt Bolinder, que pela primeira vez em sua carreira foi obrigado a usar sua arma de serviço. Deu três tiros. O primeiro foi um aviso. O segundo, disparado com o objetivo de atingir o malfeitor, errara o alvo, o que era um feito, considerando-se que a distância não chegava a três metros. O terceiro tiro, em compensação, atingiu o sujeito rompendo sua aorta, e em poucos minutos o homem sucumbira a uma hemorragia interna. A investigação que se seguiu eximiu Curt Bolinder de qualquer responsabilidade, mas o fato deu ensejo a uma polêmica na mídia que focalizava o monopólio estatal da violência e na qual Curt Bolinder foi citado no mesmo nível que os dois policiais espancadores do caso Osmo Vallo.

De início Bublanski se mostrara reticente em relação a Curt Bolinder, mas passados seis meses ainda não descobrira o que quer que fosse que merecesse sua crítica direta ou sua ira. Pelo contrário, Bublanski aos poucos passara a nutrir certo respeito por sua competência taciturna.

O último membro da equipe de Bublanski era Hans Faste, quarenta e sete anos e veterano da Brigada de Crimes Violentos havia quinze anos. Faste era o motivo direto da insatisfação de Bublanski com a composição da equipe. Faste tinha um lado positivo e outro negativo. O positivo era sua grande experiência e o fato de estar acostumado a investigações complexas. O negativo, segundo Bublanski, era ele ser egocêntrico, adepto de um humor meio pesado capaz de aborrecer qualquer pessoa normal, em particular o próprio Bublanski. O caráter e as atitudes de Faste simplesmente não lhe agradavam. Ainda assim, quando bem controlado, era um investigador competente. Além disso, tornara-se uma espécie de mentor para Curt Bolinder, que não parecia se incomodar com seu lado reclamão. Não raro trabalhavam em dupla nas investigações.

Também tinham sido convidados para a reunião a inspetora Anita Nyberg, da Criminal de plantão, para relatar o interrogatório de Mikael Blomkvist que ela conduzira na noite anterior, e o delegado Oswald Mårtensson, para informar sobre todos os acontecimentos, desde que tinham recebido o chamado. Estavam ambos esgotados e queriam ir para casa dormir o quanto antes, mas Anita Nyberg já obtivera fotos do local do crime e as fez circular pela equipe.

Meia hora depois, já tinham uma ideia do desenrolar dos fatos. Bublanski resumiu a situação:

— Ainda no aguardo da análise técnica do local, que está em andamento, os fatos parecem ser os seguintes... uma pessoa desconhecida, que não foi vista por nenhum vizinho ou testemunha, entrou num apartamento em Enskede e matou o casal Svensson e Bergman.

— Ainda não sabemos se a arma encontrada é a arma do crime, mas já foi para o laboratório — disse Anita Nyberg. — Prioridade absoluta. Encontramos também, na parede, relativamente intacto, um fragmento da bala que atingiu Dag Svensson. Em compensação, a bala que matou Mia Bergman está tão espedaçada que duvido que dê para aproveitar alguma coisa.

— Obrigado por esse pouco. Um Colt Magnum, um maldito revólver de caubói que devia ser totalmente proibido. Já temos o número de série?

— Ainda não — disse Oswald Mårtensson. — Mandei a arma e o fragmento da bala direto para o laboratório por um portador especial. Achei melhor eles olharem em vez de eu começar a mexer na arma.

— Está certo. Ainda não tive tempo de ir ao local, mas vocês dois estiveram lá. Quais são suas conclusões?

Anita Nyberg e Oswald Mårtensson trocaram um olhar. Nyberg deixou que seu colega mais velho respondesse.

— Em primeiro lugar, achamos que o assassino estava sozinho. Trata-se de uma verdadeira execução, não de um assassinato comum. A sensação é de que alguém tinha um motivo muito forte para matar Svensson e Bergman, e agiu com muita calma.

— E o que te faz pensar assim? — inquiriu Hans Faste.

— O apartamento estava limpo e em ordem. Não foi um assalto, não houve luta corporal, coisa assim. Foram disparadas duas balas, e as duas atingiram o alvo bem na cabeça, com muita precisão. Logo, estamos lidando com alguém que sabe manejar uma arma.

— Certo.

— Se a gente der uma olhada aqui no desenho… fizemos uma simulação no local em que o homem, Dag Svensson, foi morto, de muito perto... podemos dizer que foi à queima-roupa. Há queimaduras muito claras em volta do ferimento penetrante. Eu diria que ele foi morto primeiro. Foi projetado contra a mesa de jantar. O assassino provavelmente estava na porta do hall ou na entrada da sala.

— Certo.

— De acordo com as testemunhas, os tiros se sucederam em alguns segundos. Mia Bergman foi morta de longe. Estava provavelmente na porta do quarto e tentou se desviar. A bala atingiu sua orelha esquerda e saiu logo acima do olho direito. A violência do impacto a impeliu para dentro do quarto onde foi encontrada. Ela caiu na beirada da cama e escorregou para o chão.

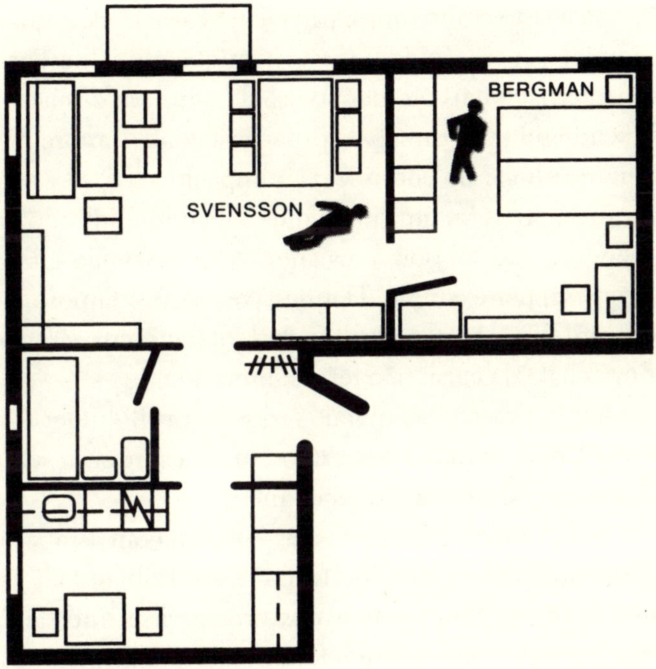

— Um atirador acostumado a manejar armas — confirmou Faste.

— É mais que isso. Não há nenhuma pegada indicando que o assassino tenha entrado no quarto para verificar quem ele acabava de matar. Ele sabia que a tinha atingido, virou as costas e saiu do apartamento. Foram dois tiros, dois mortos, e em seguida ele foi embora.

— Sim?

— Sem querer me adiantar à análise técnica, desconfio que o assassino usou munição de caça. A morte deve ter sido instantânea. As duas vítimas apresentam ferimentos pavorosos.

Houve um breve silêncio em volta da mesa. Nenhum dos presentes precisava ser lembrado de que existem dois tipos de munição — balas duras inteiramente cobertas de metal, que atravessam o corpo de lado a lado causando um estrago relativamente modesto, e munições flexíveis que se dilatam dentro do corpo e causam um estrago enorme. Há uma imensa diferença entre o estrago que uma bala de nove milímetros de diâmetro pode causar e o de uma bala que se expande até dois ou três centímetros. Este tipo é chamado "munição de caça", ou "bala expansiva", e seu objetivo é causar uma hemorragia abundante, o que é visto como uma caridade na caça ao alce, quando se trata de abater o animal o mais rápido possível sem que ele sofra. Por outro lado, as convenções internacionais proíbem o uso de munição de caça nas guerras, já que o infeliz atingido por uma bala expansiva quase sempre morre, pouco importando em que lugar do corpo se dá o impacto.

A polícia sueca, porém, em sua grande sabedoria, introduzira as munições de caça em seu arsenal dois anos antes. O motivo não era muito claro, mas o certo é que se, por exemplo, Hannes Westberg, o famoso manifestante atingido no ventre durante os tumultos de Göteborg em 2001, tivesse sido atingido por uma bala de caça, não teria sobrevivido.

— O objetivo, portanto, era matar — disse Curt Bolinder.

Referia-se a Enskede, mas ao mesmo tempo expressava sua opinião no debate silencioso que ocorria em volta da mesa.

Anita Nyberg e Oswald Mårtensson assentiram com a cabeça.

— Depois, temos esse *timing* incrível — disse Bublanski.

— Exato. Imediatamente depois dos tiros, o assassino saiu do apartamento, desceu a escada, jogou a arma fora e sumiu noite adentro. Pouco depois, provavelmente em questão de segundos, Blomkvist e a irmã chegaram de carro.

— Hmm — fez Bublanski.

— Resta a possibilidade de o assassino ter saído pelo porão. Há uma porta de serviço que ele pode ter usado para chegar ao pátio e alcançar uma rua paralela, atravessando o gramado. Isso se ele tivesse a chave do porão.

— Existe alguma indicação de que ele tenha saído por lá?

— Não.

— Não temos nenhuma pista — disse Sonja Modig. — Mas por que ele jogou a arma fora? Se a tivesse levado — ou simplesmente jogado fora do prédio —, teríamos demorado para achar.

Todo mundo deu de ombros. Ninguém sabia responder àquela pergunta.

— O que pensar sobre Blomkvist? — perguntou Hans Faste.

— Ele estava manifestamente em estado de choque — disse Mårtensson. — Mas agiu de forma correta e coerente, deixou uma impressão positiva. A irmã dele confirmou o telefonema e o trajeto de carro. Não creio que ele esteja envolvido no caso.

— É um jornalista conhecido — disse Sonja Modig.

— Isso vai fazer o maior barulho na imprensa — confirmou Bublanski. — Mais um motivo para solucionar o caso o mais depressa possível. Bem... Jerker, você, é claro, se encarrega do local do crime e dos vizinhos. Faste, você e o Curt ficam com as vítimas. Quem eram, profissão, círculo de amizades, quem teria motivo para matá-las? Sonja, nós dois vamos trabalhar nos depoimentos da noite passada. Depois você vai reconstituir a agenda de Dag Svensson e Mia Bergman nas vinte e quatro horas que antecederam o assassinato. Vamos tentar nos reunir de novo lá pelas duas e meia.

Quando se pôs ao trabalho, Mikael Blomkvist primeiro se instalou na sala que estivera à disposição de Dag Svensson durante a primavera. De início permaneceu um bom tempo parado, como se estivesse sem coragem de empreender a tarefa. Então ligou o computador.

Dag Svensson tinha seu próprio laptop e fizera boa parte do trabalho em casa, mas nos últimos tempos também ficara dois dias por semana na redação, ou até mais. Na *Millennium*, usara um antigo PowerMac G3 instalado na sala dos colaboradores. Mikael ligou a máquina e deparou com a miscelânea de coisas em que Dag Svensson estivera trabalhando. Ele usara o G3 sobretudo para pesquisas na internet, mas também havia ali vários arquivos que ele copiara do laptop. Por outro lado, mantinha um backup completo em dois discos ZIP que ele guardava numa gaveta fechada a chave. Todos os dias fazia uma cópia do material novo ou das atualizações. Não tinha aparecido na redação por vários dias, e a última cópia de segurança datava do domingo à noite. Faltavam três dias.

Mikael fez uma cópia do disco ZIP e trancou-a no armário de sua própria sala. A seguir, passou quarenta e cinco minutos percorrendo o conteúdo do disco original, que continha cerca de trinta pastas e inúmeras subpastas. O conjunto representava quatro anos de pesquisa acumulada para o projeto de Dag Svensson sobre o tráfico de mulheres. Leu o nome dos arquivos e procurou o que poderia conter algum material *top secret* — ou seja, o nome das fontes protegidas de Dag Svensson. Reparou que Dag Svensson era escrupuloso com suas fontes — estava tudo reunido numa pasta denominada [FONTES/SIGILO]. A pasta continha cento e trinta e quatro arquivos de variados tamanhos — a maioria pouco volumosos. Mikael selecionou e apagou todos os arquivos. Não os enviou para a lixeira, e sim para um ícone do programa Burn, que apagava em modo seguro.

Em seguida verificou os e-mails de Dag Svensson. Dag ganhara um endereço temporário no *millennium.se*, que ele usava tanto na redação como em seu computador pessoal. Tinha uma senha particular, o que não constituía um problema, já que Mikael era o administrador da conta e tinha acesso ao servidor da caixa de mensagens. Baixou uma cópia da correspondência de Dag Svensson e gravou-a num CD.

Por fim, debruçou-se sobre a imensa papelada que incluía obras de referência, notas, recortes de jornal, julgamentos e correspondência que Dag Svensson fora acumulando no caminho. Para não deixar margem ao acaso, ligou a fotocopiadora e fez uma cópia de tudo que parecia ter alguma importância. O processo envolvia um bom milhar de páginas e lhe custou três horas.

Selecionou todo o material que, de uma forma ou de outra, poderia estar relacionado com uma fonte sigilosa. O resultado foi um pacotinho de mais de quarenta páginas A4, principalmente na forma de notas oriundas de dois blocos A4 que Dag Svensson mantivera guardados a chave em sua mesa. Mikael pôs esse pacote num envelope e o levou para a sua própria sala. Depois recolocou a sala de Dag Svensson em ordem.

Só então conseguiu relaxar, e desceu até o 7-Eleven para tomar um café e comer um pedaço de pizza. Imaginava, erroneamente, que a polícia logo iria aparecer para examinar o conteúdo da sala de Dag Svensson.

Bublanski foi brindado com um impulso inesperado nas investigações pouco depois das dez horas, quando o dr. Lennart Granlund, do Laboratório Criminalístico de Estado, em Linköping, telefonou.

— É sobre o duplo assassinato de Enskede.

— Já?

— Recebemos a arma hoje cedo e ainda não terminei totalmente a análise, mas tenho uma informação que imagino deva interessá-lo.

— Que bom. Me conte tudo o que descobriu — pediu Bublanski, contendo a impaciência.

— A arma é um Colt 45 Magnum, fabricado nos Estados Unidos em 1981.

— A-há!

— Encontramos impressões digitais e, talvez, vestígios de DNA, mas a análise vai levar algum tempo. Também examinamos os projéteis que mataram o casal. Como era de se prever, as balas são mesmo dessa arma. Costuma ser assim, quando uma arma é encontrada na escada do local do crime. As balas estão superfragmentadas, mas conseguimos um pedacinho para poder comparar. Trata-se muito provavelmente da arma do crime.

— Uma arma ilegal, imagino. Você tem um número de série?

— A arma é absolutamente legal. Pertence a um advogado, o doutor Nils Bjurman, e foi comprada em 1983. Ele é membro do clube de tiro da polícia. Há um endereço em nome dele na Upplandsgatan, perto da Odenplan.

— Caramba!

— Encontramos várias digitais na arma. De pelo menos duas pessoas.

— A-há...

— É de se supor que um dos grupos de digitais seja de Bjurman, a não ser que a arma tenha sido roubada ou vendida, mas não há nenhuma indicação de que isso tenha acontecido.

— Ahã... Em outras palavras, temos um indício, como se diz nos filmes.

— Temos, nos nossos arquivos, uma ocorrência relacionada com a segunda pessoa. Digital do polegar e do indicador, mão direita.

— Quem é?

— Uma mulher nascida em 30 de abril de 1978. Foi detida por golpes e ferimentos no metrô da Gamla Stan em 1995. As digitais foram tiradas nessa ocasião.

— E ela tem nome?

— Sim. Lisbeth Salander.

Bublanski, vulgo Bubolha, ergueu as sobrancelhas e anotou o nome e a data de nascimento num bloco que havia em sua mesa.

Ao voltar para a redação depois do seu almoço tardio, Mikael Blomkvist foi direto trancar-se em sua sala, sinalizando assim que não queria ser incomodado. Ainda não tinha tido tempo de conferir todas as informações secundárias nos e-mails e anotações de Dag Svensson. No momento, precisava reavaliar o livro e os artigos com um novo olhar, considerando que seu autor estava morto e já não poderia responder às perguntas espinhosas.

Precisava tomar uma decisão sobre a publicação do livro, assim como descobrir se alguma coisa no meio do material poderia constituir o motivo do assassinato. Ligou o computador e se pôs ao trabalho.

Jan Bublanski ligou para o responsável pelo inquérito preliminar, Richard Ekström, para comunicar-lhe as novidades do laboratório. Decidiram que Bublanski e sua colega Sonja Modig entrariam em contato com o dr. Bjurman para uma conversa — que poderia se transformar em interrogatório ou, inclusive, em indiciamento, se fosse o caso —, ao passo que seus colegas Hans Faste e Curt Bolinder deveriam se concentrar em Lisbeth Salander, pedindo-lhe que explicasse como suas impressões digitais tinham ido parar na arma do crime.

Localizar o dr. Bjurman de início não apresentou nenhum problema maior. Seu endereço constava no cadastro de contribuintes, no registro de armas e no registro de documentos de carros, além de figurar oficialmente na lista telefônica. Bublanski e Modig foram até Odenplan e conseguiram entrar no prédio da Upplandsgatan na hora em que um rapaz saía.

Depois as coisas se complicaram. Quando tocaram a campainha, ninguém atendeu. Foram até o escritório de Bjurman, em Sankt Eriksplan, e repetiram a manobra, com o mesmo resultado frustrante.

— Ele talvez esteja no tribunal — sugeriu a inspetora Sonja Modig.

— Talvez tenha fugido para o Brasil depois de cometer um duplo homicídio — disse Bublanski.

Sonja Modig meneou a cabeça, enquanto olhava de esguelha para o colega. Sentia-se bem na companhia dele. De bom grado o aceitaria como amante se não fosse mãe de dois filhos e se, tal como Bublanski, não fosse casada e feliz no casamento. Olhando para as placas de latão das demais portas do andar, observou que havia um Norman, dentista, uma empresa de nome N-Consulting e um Rune Håkansson, advogado.

Bateram à porta de Håkansson.

— Bom dia, meu nome é Modig e esse é o inspetor Bublanski. Somos da polícia e estou tentando entrar em contato com seu colega e vizinho doutor Bjurman. Por acaso saberia onde podemos encontrá-lo?

Håkansson balançou a cabeça.

— Eu o tenho visto pouco nesses últimos tempos. Ele esteve muito doente há dois anos e praticamente interrompeu toda a sua atividade. A placa continua na porta, mas ele aparece aqui muito pouco, eu diria que a cada dois meses.

— Muito doente?

— Não sei bem. Era uma pessoa muito ativa, e de repente adoeceu. Câncer, sei lá. Não o conheço muito.

— O senhor acha, ou sabe, que ele teve câncer? — perguntou Sonja Modig.

— Bem... não sei. Ele tinha uma secretária, Britt Karlsson, ou Nilsson, uma coisa assim. Uma mulher já de certa idade. Foi demitida, e foi ela quem me contou que ele tinha ficado doente, mas eu não sei exatamente o que era. Foi na primavera de 2003. Só voltei a vê-lo no final do ano, e ele tinha envelhecido uns dez anos, estava magro, o cabelo tinha ficado grisalho... então eu pensei em câncer. Por quê? Ele fez alguma coisa?

— Não que a gente saiba — respondeu Bublanski. — Mas queremos falar com ele sobre um caso urgente.

Voltaram ao apartamento da Upplandsgatan e tocaram mais uma vez a campainha de Bjurman. Nenhuma resposta. Por fim, Bublanski pegou o celular e discou o número do celular de Bjurman. A resposta foi: *o número chamado não está disponível no momento. Por favor, tente mais tarde.*

Tentou o telefone fixo do apartamento. Do corredor, escutaram vagamente o toque do outro lado da porta, até que uma secretária eletrônica atendeu pedindo que fosse deixado um recado. Entreolharam-se e deram de ombros. Era uma da tarde.

— Um café?

— Melhor, um hambúrguer.

Foram até o Burger King da Odenplan. Sonja Modig comeu um Whopper e Bublanski pediu um hambúrguer vegetariano antes de voltarem para a superintendência.

O procurador Ekström convocou uma reunião em sua sala para as duas da tarde. Bublanski e Modig sentaram-se lado a lado na mesa de reunião, perto da janela. Curt Bolinder chegou dois minutos depois e sentou-se na frente deles. Jerker Holmberg entrou carregando uma bandeja cheia de copinhos de papelão com café. Tinha dado um pulo em Enskede e pretendia voltar para lá mais tarde, depois que os técnicos concluíssem seu trabalho.

— Onde está o Faste? — perguntou Ekström.

— Na Comissão de Assuntos Sociais. Ligou há cinco minutos para dizer que ia se atrasar um pouco — respondeu Curt Bolinder.

— Certo. Vamos começar sem ele. O que é que nós temos? — começou Ekström sem fazer cerimônia.

Apontou primeiro para Bublanski.

— Tentamos encontrar o doutor Nils Bjurman. Ele não estava nem em casa nem no escritório. Segundo um conhecido dele, ficou doente há dois anos e praticamente abandonou suas atividades.

Sonda Modig prosseguiu.

— Bjurman tem cinquenta e seis anos e nenhuma ficha criminal. Atua principalmente como advogado de empresas. Não tive tempo de examinar o passado dele.

— Mas ele é mesmo o dono da arma usada em Enskede?

— Isso é certo. Tem porte de armas e é membro do clube de tiro da polícia — disse Bublanski, meneando a cabeça. — Falei com o Gunnarsson, do departamento de armas; é o presidente do clube e conhece muito bem o nosso homem. Bjurman se tornou membro em 1978 e atuou como tesoureiro de 1984 a 1992. Gunnarsson descreve Bjurman como excelente atirador, calmo, ponderado e muito direto.

— Interessado em armas?

— Segundo o Gunnarsson, Bjurman estava mais interessado na vida social do que no tiro propriamente dito. Gostava das competições, mas nunca passou a imagem de um fanático por armas. Em 1983, participou do campeonato sueco e ficou em décimo terceiro lugar. Nos dez últimos anos, sua presença no tiro diminuiu, só tem aparecido nas assembleias e coisas assim.

— Ele tem outras armas?

— Desde que se tornou membro do clube de tiro, obteve licença de porte para quatro armas de punho. Além do Colt, tinha uma Beretta, uma

Smith & Wesson e uma pistola de competição da marca Rapid. Essas três foram vendidas há dez anos por intermédio do clube, e as licenças foram transferidas para outros membros. Nada irregular.

— Nós só não sabemos onde ele se encontra atualmente.

— É verdade. Mas só estamos procurando desde as dez da manhã. Talvez tenha ido passear em Djurgården, ou esteja hospitalizado, ou seja lá o que for.

Nisso, chegou Hans Faste. Parecia sem fôlego.

— Desculpem o atraso. Tenho novidades, passo agora para vocês?

Ekström fez um gesto convidando-o a falar.

— Lisbeth Salander é um nome realmente interessante. Passei o dia na Assuntos Sociais e na Comissão de Tutelas.

Tirou a jaqueta de couro e colocou-a no encosto da cadeira antes de se sentar e abrir um bloco de anotações.

— Comissão de Tutelas? — perguntou Ekström com o cenho franzido.

— É uma fulana superperturbada — disse Hans Faste. — Foi declarada incapaz e colocada sob tutela. E adivinhem quem é o tutor? — Fez uma pausa oratória. — O doutor Nils Bjurman, proprietário da arma usada em Enskede.

Todos franziram o cenho.

Hans Faste levou quinze minutos repassando as informações que reunira sobre Lisbeth Salander.

— Resumindo — disse Ekström, quando Faste concluiu —, temos na arma do crime as impressões digitais de uma mulher que passou a adolescência entrando e saindo do hospital psiquiátrico, que se supõe que ganhe a vida se prostituindo, declarada incapaz pelo tribunal e com tendência manifesta à violência. Como é que ela anda à solta pelas ruas?

— Ela apresentou tendências à violência desde a pré-escola — disse Faste. — Parece uma legítima psicopata.

— Mas ainda não temos nada que a vincule ao casal de Enskede. — Ekström tamborilou com a ponta dos dedos na mesa. — Bem, quem sabe esse duplo homicídio afinal não seja tão difícil de solucionar? Temos o endereço dessa Salander?

— Oficialmente, ela mora na Lundagatan, em Södermalm. O fisco informa que em alguns períodos trabalhou como assalariada na Milton Security, uma empresa de segurança.

— E que tipo de trabalho ela fazia?

— Não sei. Mas era um salário anual bastante modesto, por alguns anos. Faxineira, ou algo assim.

— Hmm — fez Ekström. — Logo saberemos. Mas, por enquanto, me parece urgente encontrar esta Salander.

— Concordo — disse Bublanski. — Mais tarde a gente cuida dos detalhes. Com que, então, temos um suspeito. Faste, você e o Curt corram para a Lundagatan e tentem pegar a Salander. Sejam prudentes — não se sabe se ela tem outra arma nem até que ponto vai a loucura dela.

— Combinado.

— Bubolha — interrompeu Ekström. — O chefe da Milton Security se chama Dragan Armanskij. Eu o conheci há alguns anos durante uma investigação. Pode confiar nele. Vá até lá e converse com ele sobre a Salander. Deve dar tempo de você alcançá-lo antes de ele sair do escritório.

Bublanski parecia irritado, em parte porque Ekström tinha usado o seu apelido e também porque tinha formulado sua proposta como se fosse uma ordem. Seco, meneou a cabeça e voltou o olhar para Sonja Modig.

— Modig, continue procurando o doutor Bjurman. Pergunte nos apartamentos vizinhos. Acho que também é urgente encontrá-lo.

— Está bem.

— Temos que encontrar a ligação entre Salander e o casal de Enskede. E teríamos que conseguir situar Salander em Enskede na hora do crime. Jerker, pegue umas fotos dela para mostrar aos vizinhos. Operação porta a porta no final da tarde. Leve uns policiais uniformizados com você.

Bublanski fez uma pausa e coçou a nuca.

— Caramba, com alguma sorte a gente resolve essa confusão ainda hoje. E eu que achei que ia ser um caso arrastado.

— Outra coisa — disse Ekström. — A mídia está nos pressionando. Prometi uma coletiva às quinze horas. Posso cuidar disso, se alguém da assessoria de imprensa me ajudar. Imagino que alguns jornalistas liguem direto para vocês. Salander e Bjurman ficam em sigilo até segunda ordem.

Todos menearam a cabeça.

* * *

Dragan Armanskij planejara deixar o escritório mais cedo que de costume. Era Quinta-feira Santa, e ele e a mulher planejavam passar o feriadão da Páscoa na casa de campo em Blidö. Acabava de fechar sua pasta de documentos e vestir o casaco quando a recepção ligou, avisando que um certo inspetor Jan Bublanski desejava vê-lo. Armanskij não conhecia Bublanski, mas o fato de haver um policial procurando por ele bastou para ele soltar um suspiro e recolocar o casaco no cabide. Não estava com a menor vontade de atender o visitante, porém a Milton Security não podia se dar ao luxo de esnobar a polícia. Foi receber Bublanski no elevador.

— Obrigado por me ceder um pouco do seu tempo — disse Bublanski à guisa de cumprimento. — Meu chefe, o procurador Richard Ekström, mandou lembranças.

Apertaram-se as mãos.

— Ekström. Sim, de fato, estivemos em contato uma ou duas vezes. Já faz alguns anos. Aceita um café?

Armanskij parou na frente da máquina antes de abrir a porta de sua sala e convidar Bublanski a sentar-se na confortável poltrona dos visitantes, perto da janela.

— Armanskij... é um nome russo? — perguntou Bublanski, curioso. — O meu nome também é, com *ski*.

— A minha família é de origem armênia. E a sua?

— Polonesa.

— No que posso ajudá-lo?

Bublanski pegou um bloco de anotações e abriu-o.

— Estou investigando o duplo homicídio de Enskede. Imagino que já tenha visto o noticiário de hoje.

Armanskij aquiesceu com um gesto de cabeça.

— O Ekström me disse que o senhor é discreto.

— Na minha posição, não vale a pena brigar com a polícia. Sei ficar de boca fechada, se é o que quer saber.

— Muito bem. Nesse momento, estamos procurando uma pessoa que trabalhou para o senhor. O nome dela é Lisbeth Salander. O senhor a conhece?

Armanskij sentiu de repente uma bola de cimento se formando em sua barriga. Permaneceu impassível.

— Por que estão procurando a senhorita Salander?

— Digamos que temos motivos para considerá-la interessante para a investigação.

A bola de cimento na barriga de Armanskij se dilatou. A dor era quase física. Desde a primeira vez em que vira Lisbeth Salander, tivera um forte pressentimento de que a vida daquela moça se encaminhava para uma catástrofe. Mas sempre a vira como vítima, não como culpada. Seu rosto continuava impassível.

— Vocês suspeitam que Lisbeth Salander tenha cometido o duplo assassinato de Enskede, é isso? Estou entendendo direito?

Bublanski hesitou por um instante antes de concordar com a cabeça.

— O que pode me dizer sobre Salander?

— O que quer saber?

— Para começar… onde ela pode ser encontrada?

— Ela mora na Lundagatan. Preciso verificar o endereço exato. Tenho o número do celular dela.

— O endereço nós já temos. O número do celular nos interessa.

Armanskij procurou o número no caderno de endereços. Leu em voz alta enquanto Bublanski anotava.

— Ela trabalhava para o senhor.

— Como *freelancer*. De vez em quando passava um ou outro serviço para ela. Isso de 1998 até mais ou menos um ano e meio atrás.

— Que tipo de serviço?

— Pesquisa.

Bublanski ergueu os olhos do bloco de anotações com um ar espantado.

— Pesquisa? — repetiu.

— Investigações sobre pessoas, para ser mais preciso.

— Um momento… estamos falando da mesma moça? — perguntou Bublanski. — A Lisbeth Salander que estamos procurando nem concluiu o segundo grau e foi declarada incapaz.

— Não se diz mais "declarada incapaz" — observou Armanskij suavemente.

— Não me interessa como se diz. De acordo com os dados de arquivo, a moça que estamos procurando parece ser tremendamente perturbada e ter predisposição à violência. Além disso, há um relatório da Comissão de Assuntos Sociais dando a entender que ela se prostituía no final dos anos 1990. Nada no dossiê dela indica que pudesse ter um trabalho qualificado.

— Os dossiês são uma coisa. Os seres humanos são outra.

— Quer dizer que ela é qualificada para fazer investigações sobre pessoas para a Milton Security?

— Não só isso. É incontestavelmente a melhor investigadora que eu conheço.

Devagar, Bublanski colocou a caneta de lado e franziu a testa.

— O senhor parece que... a respeita bastante.

Armanskij olhou para as próprias mãos. A pergunta o punha diante de uma encruzilhada. Ele sempre soubera que mais cedo ou mais tarde Lisbeth Salander se veria em maus lençóis. Ele tinha a maior dificuldade em entender o que poderia tê-la envolvido no duplo assassinato de Enskede — quer como culpada, quer como cúmplice —, mas era obrigado a admitir que pouco sabia da vida pessoal dela. *No que é que ela foi se meter?* Armanskij lembrou de sua súbita visita à empresa, quando misteriosamente afirmara que tinha dinheiro suficiente para se virar e não estava precisando de trabalho.

O mais prudente, o mais sensato naquele momento, era permanecer distante de tudo que dizia respeito a Lisbeth Salander, tanto do ponto de vista pessoal como, e principalmente, da Milton Security. Armanskij ponderou que Lisbeth Salander era sem dúvida a criatura mais sozinha que ele conhecia.

— Respeito a competência dela. E isso vocês não vão encontrar nem no histórico escolar e nem nos arquivos.

— Então conhece o passado dela?

— Sei que ela foi posta sob tutela e que teve uma infância difícil, sim.

— Mesmo assim o senhor a contratou.

— Foi justamente por isso que eu a contratei.

— Explique melhor.

— O antigo tutor dela, Holger Palmgren, era o advogado do velho J. F. Milton. Começou a tomar conta dela na adolescência e me convenceu a lhe dar um trabalho. De início, pedi para ela separar a correspondência, fazer fotocópias, esse tipo de coisa. Depois me dei conta de que ela tinha talentos inesperados. E o tal relatório do Serviço Social dizendo que ela de vez em quando se prostituía, pode esquecer. Isso é besteira. Lisbeth Salander teve uma infância lamentável e era, sem sombra de dúvida, meio selvagem, o que não é nenhum crime. Acho que prostituição seria a última coisa que ela faria.

— O novo tutor dela se chama Nils Bjurman.

— Não o conheço. Palmgren teve um derrame há dois anos. Pouco depois, Lisbeth Salander reduziu os serviços que me prestava. O último foi em outubro, há um ano e meio.

— Por que deixou de recorrer a ela?

— Não foi escolha minha. Ela é que cortou o contato e sumiu, foi para o exterior sem nenhuma palavra de explicação.

— Sumiu no exterior?

— Ficou fora mais de um ano.

— Não está batendo. O doutor Bjurman enviou relatórios mensais sobre ela no ano passado todo. Temos as cópias na delegacia central.

Armanskij deu de ombros, sorrindo de leve.

— Quando a viu pela última vez?

— Faz mais ou menos dois meses, no início de fevereiro. Ela apareceu do nada, para uma visita de cortesia. Fazia mais de ano que eu não tinha notícias dela. Passou o ano todo fora, percorrendo a Ásia e as Antilhas.

— Me desculpe, mas estou meio perplexo. Eu vim para cá com a impressão de que Lisbeth Salander era uma garota com problemas psiquiátricos, que não tinha nem terminado a escola e estava sob tutela. Agora o senhor vem me dizer que a contratou como investigadora altamente qualificada, que ela trabalha como *freelancer* e ganha o suficiente para tirar um ano sabático e dar a volta ao mundo, isso sem que o tutor dela dê o alerta. Alguma coisa não está batendo.

— Muitas coisas não batem quando se trata de Lisbeth Salander.

— Posso lhe perguntar… o que acha dela?

Armanskij refletiu um instante.

— Acho que é a pessoa mais inflexível que eu já conheci, chega a ser irritante — ele acabou dizendo.

— Inflexível?

— Ela não faz nada que não sinta vontade de fazer. Não dá a mínima para o que os outros pensam a seu respeito. É de uma competência extraordinária. E é completamente diferente das outras pessoas.

— Louca?

— Qual é a sua definição dessa palavra?

— Ela seria capaz de matar duas pessoas a sangue-frio?

Armanskij permaneceu um bom tempo calado.

— Lamento — disse por fim. — Não posso responder a essa pergunta. Sou um cínico. Acho que todo mundo tem em si a capacidade de matar alguém. Por desespero, ódio, ou pelo menos para se defender.

— Isso significa que não exclui a possibilidade.

— Lisbeth Salander não faz nada sem motivo. Se ela matou alguém, é porque achou que tinha um bom motivo para isso. Queria perguntar uma coisa... Em que se baseia a sua suspeita de que ela estaria envolvida nos assassinatos de Enskede?

Bublanski hesitou um pouco. Seu olhar cruzou com o de Armanskij.

— Que fique só entre nós.

— Com toda a certeza.

— A arma do crime pertence ao tutor dela. E tem as digitais dela.

Armanskij cerrou os dentes. Era uma circunstância agravante.

— Eu só ouvi falar desse assassinato pelo rádio. Qual foi o motivo? Drogas?

— Ela tem alguma ligação com o mundo das drogas?

— Não que eu saiba. Mas, como eu disse, a infância dela foi bem complicada, e aconteceu de uma vez ela ser presa na rua por embriaguez. Suponho que o dossiê dela diga que a droga fazia parte do quadro.

— O problema é que não temos a menor ideia do motivo desses assassinatos. Era um casal exemplar. Ela, criminologista, prestes a defender uma tese de doutorado. Ele, um jornalista. Dag Svensson e Mia Bergman. Isso lhe diz alguma coisa?

Armanskij balançou a cabeça.

— Estamos tentando entender a ligação entre eles e a Lisbeth Salander.

— Nunca ouvi falar neles.

Bublanski se levantou.

— Obrigado por ter me cedido seu tempo. A conversa foi fascinante. Não sei se estou saindo daqui mais bem informado do que cheguei, mas espero que isto fique entre nós.

— Sem nenhum problema.

— E espero poder voltar aqui, se necessário. E, claro, se a Lisbeth Salander aparecer...

— Claro... — respondeu Dragan Armanskij.

Apertaram-se as mãos. Quando Bublanski chegou à porta, deteve-se e virou-se mais uma vez para Armanskij.

— O senhor por acaso sabe com quem ela anda? Algum amigo, conhecido...

Armanskij balançou a cabeça.

— Não conheço nada, por assim dizer, da vida pessoal dela. Uma das poucas pessoas que contam para ela é o Holger Palmgren. Ela certamente procurou entrar em contato com ele. Ele está internado num centro de reabilitação em Ersta.

— Ela nunca recebeu nenhuma visita quando trabalhava aqui?

— Não. Ela trabalhava em casa, só aparecia para me entregar os relatórios. Inclusive, era muito raro ela encontrar com um cliente. A não ser talvez...

Uma ideia repentina passou pela mente de Armanskij.

— O quê?

— Bem, existe outra pessoa que ela talvez tenha procurado. Um jornalista com quem ela conviveu bastante dois anos atrás e que ficou o tempo todo me pedindo notícias quando ela esteve fora.

— Um jornalista?

— O nome dele é Mikael Blomkvist. Lembra do caso Wennerström?

Bublanski soltou lentamente a maçaneta da porta e se voltou para Dragan Armanskij.

— Foi o Mikael Blomkvist que encontrou os corpos em Enskede. O senhor acaba de estabelecer uma ligação entre Salander e as vítimas.

Armanskij sentiu o peso da bola de cimento em sua barriga.

14. QUINTA-FEIRA SANTA 24 DE MARÇO

Sonja Modig tentou ligar três vezes para o dr. Nils Bjurman num intervalo de meia hora. Foi atendida todas as vezes pela gravação da secretária eletrônica.

Por volta das três e meia, pegou o carro, foi até a Upplandsgatan e tocou a campainha. O resultado foi tão frustrante quanto já fora mais cedo. Passou vinte minutos fazendo um porta a porta no prédio, em busca de algum vizinho que soubesse onde Bjurman estava.

Em onze dos dezenove apartamentos em que tocou, ninguém atendeu. Consultou o relógio. Aquela não era, evidentemente, uma boa hora para fazer um porta a porta. E era bem provável que não fosse melhor durante o feriadão da Páscoa. Nos oito apartamentos onde havia alguém em casa, as pessoas foram muito prestativas. Cinco sabiam quem era Bjurman — aquele senhor polido e bem-educado do terceiro andar. Ninguém sabia onde ele estava. Acabou descobrindo que Bjurman parecia ter relações pessoais com um dos vizinhos, um empresário chamado Sjöman. Mas ninguém atendeu quando ela bateu à porta com a identificação Sjöman.

Frustrada, Sonja Modig pegou o telefone e resolveu deixar um recado na secretária eletrônica de Bjurman. Apresentou-se, deixou o número de seu celular e pediu que Bjurman entrasse em contato com ela imediatamente.

Voltou para a porta do apartamento de Bjurman, pegou seu bloco de anotações e escreveu um bilhete, pedindo que ele lhe ligasse. Juntou seu cartão de visitas e jogou o bilhete pela portinhola da correspondência. Quando ia soltando a portinhola, ouviu o telefone tocar dentro do apartamento. Inclinou-se e escutou atentamente. Depois de quatro toques, a secretária atendeu, mas ela não conseguiu escutar o recado.

Soltou a portinhola da correspondência e fitou a porta. Não soube explicar o impulso que a levou a estender a mão para a maçaneta, mas, para sua imensa surpresa, a porta não estava trancada. Abriu-a e deu uma espiada no hall de entrada.

— Tem alguém aí? — ela chamou, baixinho, e apurou o ouvido.

Não escutou nenhum barulho.

Deu um passo para dentro do hall e deteve-se, hesitante. O que ela acabava de fazer ao atravessar a porta poderia certamente ser considerado como invasão de domicílio. Ela não tinha ordem judicial para fazer uma busca, nem direito de entrar no apartamento do dr. Bjurman, mesmo que a porta estivesse aberta. Deu uma espiada à esquerda e vislumbrou boa parte da sala. Acabava de resolver sair do apartamento quando seu olhar topou com uma cômoda no hall. Viu a caixa de um revólver Colt.

Súbito, Sonja Modig sentiu um forte mal-estar. Abriu a jaqueta e puxou a arma, coisa que praticamente nunca fizera.

Puxou a trava de segurança e manteve o cano apontado para o chão enquanto avançava para dar uma olhada na sala. Não notou nada de especial, mas seu mal-estar continuava aumentando. Recuou e olhou na cozinha. Vazia. Entrou num pequeno corredor e abriu a porta do quarto.

O dr. Nils Bjurman estava atravessado na cama. Seus joelhos encostavam no chão. Parecia estar ajoelhado para sua oração da noite. Estava nu.

Ela o via de perfil. De onde estava, Sonja Modig já podia perceber que ele não estava vivo. Metade de sua testa tinha sido arrancada por um tiro na nuca.

Sonja Modig saiu do apartamento andando de costas, e ainda segurava sua arma quando, no corredor, pegou o celular e ligou para o inspetor Bublanski. Não conseguiu falar com ele. Então ligou para o procurador Ekström. Anotou a hora: 16h18.

* * *

Hans Faste contemplou a porta do prédio da Lundagatan onde Lisbeth Salander era oficialmente domiciliada e, portanto, supostamente morava. Olhou de esguelha para Curt Bolinder e depois para o relógio: 16h10.

Depois de obterem o código de acesso com o síndico, entraram e ficaram escutando em frente à porta identificada como Salander-Wu. Não ouviram nenhum ruído no apartamento e ninguém atendeu quando tocaram. Voltaram para o carro e se posicionaram de modo a vigiar o portão.

Telefonando do carro, descobriram que a pessoa recentemente incluída no contrato habitacional do apartamento era uma certa Miriam Wu, nascida em 1974, antes domiciliada em Sankt Eriksplan, Estocolmo.

Estavam com uma foto de identidade de Lisbeth Salander afixada acima do rádio. Faste, sem cerimônia, declarou que ela não tinha uma cara boa.

— Caramba, as putas estão cada vez mais feias. Tem que estar mesmo a perigo para pegar uma dessas.

Curt Bolinder não respondeu.

Às 16h20, Bublanski ligou avisando que estava saindo do escritório de Armanskij e ia até a *Millennium*. Pediu que Faste e Bolinder o esperassem na Lundagatan. Precisavam levar Lisbeth Salander para interrogatório, mas o procurador ainda não a considerava vinculada aos assassinatos de Enskede.

— Pois é — disse Faste. — Mais um procurador querendo primeiro uma confissão para indiciar alguém.

Curt Bolinder não disse nada. Distraidamente, ficaram observando as pessoas que passavam nas redondezas.

Às 16h40, o procurador Ekström ligou para o celular de Hans Faste.

— Aconteceram coisas. Encontramos o doutor Bjurman assassinado com um tiro em seu apartamento. Está morto há pelo menos vinte e quatro horas.

Hans Faste se endireitou no assento.

— Entendido. E o que a gente faz?

— Emiti um alerta de busca para Lisbeth Salander. Ela é suspeita de ter cometido três assassinatos. Estou emitindo um alerta de busca nacional. Precisamos apanhá-la. Deve ser considerada perigosa e pode estar armada.

— Entendido.

— Estou mandando uma brigada para a Lundagatan. São eles que vão entrar para neutralizar o apartamento.

— Entendido.

— Vocês têm notícias do Bublanski?

— Ele está na *Millennium*.

— E aparentemente desligou o celular. Tentem entrar em contato com ele e passar as informações.

Faster e Bolinder trocaram um olhar.

— A questão é saber o que a gente faz se ela aparecer — disse Curt Bolinder.

— Se estiver sozinha e tudo parecer tranquilo, a gente prende. Se ela tiver tempo de entrar no apartamento, a brigada é que vai intervir. Essa fulana é completamente doida e pelo jeito virou uma assassina. Pode ter outras armas em casa.

Mikael Blomkvist estava exausto quando largou o manuscrito em cima da mesa de Erika Berger e se sentou pesadamente diante dela na poltrona dos visitantes, ao lado da janela que dava para a Götgatan. Passara a tarde tentando definir o encaminhamento do livro inacabado de Dag Svensson.

Era uma questão delicada. Fazia pouquíssimas horas que Dag estava morto e seu empregador já pensava numa maneira de administrar seu material jornalístico. Mikael tinha consciência do aspecto cínico e insensível que outros poderiam ver naquela situação. Ele próprio não enxergava as coisas assim. Tinha a impressão de estar em estado de microgravidade. Uma síndrome bem conhecida de todo jornalista investigativo nos momentos de crise.

Enquanto alguns afundam na tristeza, o jornalista investigativo cresce em competência. Apesar da bordoada recebida por todos na redação da *Millennium* na quinta-feira de manhã, o profissionalismo falou mais alto e foi canalizado para um trabalho intenso.

Para Mikael, isso era uma evidência. Dag era da mesma têmpera e teria reagido da mesma forma se estivesse no lugar dele. Teria se perguntado o que poderia fazer por Mikael. Dag deixara os originais de um livro explosivo. Trabalhara vários anos coletando dados e selecionando fatos, uma tarefa na qual investira a alma e que não teve oportunidade de levar a cabo.

E, além do mais, ele trabalhava na *Millennium*.

O assassinato de Dag Svensson e Mia Bergman não significava um trauma nacional como o de Olof Palme, por exemplo, e não haveria luto oficial. Para os funcionários da *Millennium*, porém, talvez fosse um choque maior — afetava-os diretamente. E Dag Svensson possuía uma ampla rede de contatos no meio jornalístico, que iriam exigir uma resposta a suas indagações.

Cabia agora a Mikael e Erika concluir o trabalho de Dag para o livro, e também responder às perguntas quem e por quê.

— Posso reconstituir o texto — disse Mikael. — Malu e eu vamos ter que retomar o livro linha por linha e acrescentar elementos da nossa pesquisa para conseguir responder às perguntas. De forma geral, basta seguir o fio das anotações de Dag, só fica o problema dos capítulos quatro e cinco, que acima de tudo se baseiam nas entrevistas da Mia, e aí nós simplesmente desconhecemos as fontes. Mas, a não ser por umas poucas exceções, acho que podemos usar as referências da tese dela como fonte primária.

— Falta o último capítulo.

— É verdade. Mas tenho o rascunho do Dag, e falamos tantas vezes sobre isso que sei perfeitamente o que ele tinha a intenção de dizer. Sugiro que a gente o coloque num pós-escrito, onde eu também poderia comentar o raciocínio dele.

— Está bem. Mas vou querer ver antes de dar o meu aval. A gente não pode sair falando como se fosse ele.

— Não se preocupe. Meu capítulo vai ser uma reflexão pessoal, assinada por mim. Vai ficar bem claro que sou eu que está escrevendo e não ele. Vou contar por que ele começou a trabalhar nesse livro e que tipo de homem ele era. E vou concluir recapitulando o que ele me disse em mais de dez conversas que tivemos nos últimos meses. Também posso citar vários trechos do rascunho dele. Pode resultar em algo bem respeitável.

— Droga... estou com uma vontade incrível de publicar esse livro — disse Erika.

Mikael meneou a cabeça. Entendia perfeitamente o que ela queria dizer. Também ele estava impaciente.

— Você tem alguma novidade? — ele perguntou.

Erika Berger depositou os óculos de leitura sobre a mesa e balançou a cabeça. Levantou-se e serviu duas xícaras de café da garrafa térmica, depois se instalou na frente de Mikael.

— O Christer e eu temos um rascunho para o próximo número. Vamos pegar dois artigos que iam para o número seguinte, e pedimos contribuições para os frilas. Só vai ficar um número meio misturado, sem um tema de fato.

Permaneceram um momento calados.

— Você viu o noticiário? — perguntou Erika.

Mikael balançou a cabeça.

— Não. Já sei o que eles vão dizer.

— O assassinato ocupa a maior parte do noticiário. Fora isso, só falam numa tomada de posição dos liberais.

— O que significa que não está acontecendo absolutamente mais nada no país.

— A polícia ainda não divulgou o nome de Dag e Mia. Eles são descritos como um casal "exemplar". Ainda não disseram que foi você que os encontrou.

— Aposto como os tiras vão fazer de tudo para esconder essa informação. Isso, pelo menos, joga a nosso favor.

— Por que a polícia ia querer ocultar isso?

— Porque a polícia, por princípio, não gosta do estardalhaço que a mídia faz. Eu tenho algum valor como objeto de informação, portanto os tiras acham muito bom que ninguém saiba que fui eu que encontrei os dois. Imagino que a coisa vá acabar vazando hoje à noite ou amanhã.

— Tão jovem e já tão cínico.

— Não estamos mais tão jovens, Ricky querida. Pensei nisso quando aquela policial me interrogou na noite passada. Ela parecia ter idade de ainda estar na escola.

Erika deu uma risadinha. Ela conseguira dormir algumas horas na noite anterior, mas também começava a sentir cansaço. Em breve, iria surpreender todo mundo apresentando-se como redatora-chefe de um dos maiores jornais do país. *Não — não é um bom momento para anunciar a novidade ao Mikael.*

— O Henry Cortez me ligou agora há pouco. Um tal de Ekström, que está à frente do inquérito preliminar, deu uma espécie de coletiva de imprensa lá pelas três da tarde — disse ela.

— Richard Ekström?

— Sim. Você conhece?

— Uma figura política. Barulho garantido na mídia. As vítimas não eram dois feirantes imigrados. Vai haver o maior estardalhaço em torno dessa história.

— Em todo caso, ele afirma que a polícia está seguindo algumas pistas e tem esperança de que irá resolver o caso rapidamente. Em suma: não disse nada. Em compensação, a sala da coletiva estava lotada de jornalistas.

Mikael deu de ombros. Esfregou os olhos.

— Não consigo me livrar da visão do corpo da Mia. Já pensou? Eu acabava de conhecer os dois.

Erika meneou tristemente a cabeça.

— Só nos resta esperar. Deve ser um louco varrido...

— Não sei. Fiquei pensando nisso o dia todo.

— O que você quer dizer?

— A Mia foi atingida de lado. Vi que a bala entrou de um lado do pescoço e saiu pela testa. O Dag foi morto de frente, com um tiro na testa, e a bala saiu por trás da cabeça. Até onde pude ver, só houve dois disparos. Não dá a impressão de ser coisa de um demente.

Erika contemplou o colega, pensativa.

— O que você está tentando me dizer?

— Se não é coisa de um demente, é que deve haver um motivo. E quanto mais eu penso nisso, mais tenho a impressão que este manuscrito é a porra do motivo.

Mikael apontou para o calhamaço de papéis em cima da mesa de Erika. Erika acompanhou seu olhar. Então seus olhares se cruzaram.

— Não há necessariamente uma relação com o livro em si. Eles talvez tenham fuçado demais e conseguido... não sei. Alguém se sentiu ameaçado.

— E contratou um matador. Micke, essas coisas acontecem nos filmes americanos. Esse livro é sobre clientes sexuais. Envolve principalmente tiras, políticos, jornalistas... Quer dizer que um deles é que teria matado o Dag e a Mia?

— Não sei, Ricky. Mas estávamos a três semanas de publicar a bomba mais explosiva que já se publicou na Suécia sobre tráfico de mulheres.

Nisso, Malu Eriksson apontou a cabeça no vão da porta e anunciou que um tal inspetor Jan Bublanski desejava falar com Mikael Blomkvist.

Bublanski apertou a mão de Erika Berger e Mikael Blomkvist e sentou-se na terceira poltrona perto da janela. Observou Mikael Blomkvist e viu um homem com olhos fundos e o rosto coberto por uma barba de dois dias.

— Alguma novidade? — perguntou Mikael Blomkvist.

— Talvez. Quer dizer que foi o senhor quem descobriu o casal em Enskede ontem à noite e alertou a polícia.

Mikael meneou a cabeça, cansado.

— Eu sei que já contou tudo à brigada de plantão, mas gostaria que me esclarecesse alguns detalhes.

— O que quer saber?

— Por que o senhor foi à casa de Svensson e Bergman tão tarde da noite?

— Isso não é um detalhe, é uma novela inteira — disse Mikael com um sorriso cansado. — Eu estava jantando na casa da minha irmã, ela mora no gueto dos novos-ricos, em Stäket. O Dag Svensson me ligou no celular dizendo que não ia ter tempo de ir até a redação na Quinta-feira Santa, hoje, portanto, como havíamos combinado de manhã. Ele precisava deixar umas fotos para o Christer Malm. Explicou que ele e a Mia tinham resolvido passar a Páscoa com os pais dela e queriam viajar bem cedo. Perguntou se poderia deixar as fotos na minha casa antes de viajar. Falei que como eu estava mesmo ali perto, podia fazer um desvio e pegar as fotos quando saísse da casa da minha irmã.

— Quer dizer então que o senhor foi até Enskede para pegar umas fotos.

Mikael assentiu.

— Vocês conseguem imaginar algum motivo para matarem Svensson e Bergman?

Mikael e Erika trocaram um olhar discreto. Ambos permaneceram em silêncio.

— Sim, estou escutando... — disse Bublanski.

— É claro que nós conversamos sobre o assunto hoje, mas não concordamos totalmente. Ou melhor: concordamos, só que não estamos muito seguros. Não dá para falar bobagem.

— Fale assim mesmo.

Mikael explicou o conteúdo do livro de Dag Svensson e uma eventual relação com os assassinatos que Erika e ele tinham imaginado. Bublanski ficou alguns instantes calado, digerindo a informação.

— Se eu entendi bem, Dag Svensson estava prestes a denunciar alguns policiais.

Ele não estava gostando nada do rumo da conversa e já podia imaginar uma "pista policial" circulando algum tempo na mídia, enfeitada com todo tipo de delírio sobre um vasto complô.

— Não — respondeu Mikael. — O Dag Svensson estava prestes a denunciar criminosos, sendo que entre eles, por acaso, há alguns policiais. Também há gente da minha profissão, ou seja, jornalistas.

— E vocês estão pretendendo tornar pública essa informação?

Mikael virou-se vagamente para Erika.

— Não — disse Erika Berger. — Passamos o dia cancelando o trabalho do próximo número, que já estava em andamento. Muito provavelmente, vamos publicar o livro de Dag Svensson, mas só quando soubermos o que aconteceu, e nas atuais circunstâncias o livro precisa ser retrabalhado. Não temos a menor intenção de sabotar a investigação da polícia sobre o assassinato de dois amigos nossos, se é isso que o preocupa.

— Vou precisar dar uma olhada na sala de Dag Svensson, e, como se trata da redação de uma revista, um mandato de busca poderia mexer com algumas suscetibilidades.

— Vai encontrar todo o material no laptop do Dag — disse Erika.

— Ótimo — disse Bublanski.

— Revistei a sala do Dag Svensson — disse Mikael. — Peguei algumas anotações que identificam fontes que desejam permanecer anônimas. O resto está à sua disposição, e já deixei um cartaz pedindo para que não mexam em nada e nem mudem nada de lugar. Mas tem também o conteúdo do livro de Dag Svensson, que está sob sigilo até ser publicado. Não queremos que o manuscrito vá parar nas mãos da polícia, principalmente porque estamos prestes a denunciar policiais.

Droga, pensou Bublanski. *Por que não mandei alguém aqui já de manhã cedo?* Então deixou o assunto de lado.

— Bem. Há uma pessoa que gostaríamos de ouvir sobre esses assassinatos. Tenho motivos para acreditar que o senhor a conhece. Gostaria que me dissesse tudo o que sabe sobre uma mulher chamada Lisbeth Salander.

Pelo espaço de um segundo, Mikael Blomkvist ficou parecendo um ponto de interrogação vivo. Bublanski observou Erika Berger lançar um olhar penetrante para Mikael.

— Não estou entendendo.

— O senhor conhece a Lisbeth Salander.

— Sim, conheço a Lisbeth Salander.

— Conhece como?

— Por que está me perguntando isso?

Bublanski fez um gesto irritado com a mão.

— Acabei de dizer, queremos ouvi-la sobre os assassinatos. Como é que o senhor a conhece?

— Mas... isso não faz sentido. A Lisbeth Salander não tem a menor ligação com o Dag Svensson ou a Mia Bergman.

— Esse ponto vai ser examinado com todo o cuidado — respondeu Bublanski pacientemente. — Mas a pergunta permanece. Como conheceu Lisbeth Salander?

Mikael passou a mão nas faces ásperas e esfregou os olhos, enquanto os pensamentos davam voltas em sua cabeça. Por fim, sustentou o olhar de Bublanski.

— Contratei a Lisbeth Salander para fazer uma pesquisa para mim num outro caso, dois anos atrás.

— Do que se tratava?

— Lamento, mas aí entramos em questões relativas à constituição e à proteção de fontes, esse tipo de coisa. Vai ter que acreditar na minha palavra: não tinha absolutamente nada a ver com Dag Svensson e Mia Bergman. Era um outro caso, que hoje já está encerrado.

Bublanski avaliou as palavras de Mikael. Não gostava quando alguém afirmava que existem segredos que não podem ser revelados, mesmo no contexto de uma investigação de homicídio, mas optou por deixar para lá por enquanto.

— Qual foi a última vez que viu Lisbeth Salander?

Mikael refletiu antes de responder.

— A situação é a seguinte: no outono de dois anos atrás, convivi com Lisbeth Salander. Nosso relacionamento se encerrou na época do Natal. Depois disso, ela saiu da cidade. Fiquei mais de um ano sem vê-la, até uma semana atrás.

Erika Berger ergueu uma sobrancelha. Bublanski supôs que aquilo fosse novidade para ela.

— Fale sobre esse encontro.

Mikael inspirou fundo e então descreveu sucintamente o incidente em frente ao prédio de Lisbeth Salander, na Lundagatan. Bublanski escutou, cada vez mais surpreso, tentando definir se Blomkvist estaria inventando aquilo tudo ou dizendo a verdade.

— Quer dizer então que não falou com ela?

— Não, ela sumiu entre os prédios no alto da Lundagatan. Esperei um bom tempo, mas ela não voltou. Escrevi uma carta pedindo para ela me dar notícias.

— E não sabe de nenhuma ligação entre ela e o casal de Enskede?

— Nenhuma.

— Bem… pode me descrever essa pessoa que o senhor diz que a agrediu?

— Eu não estou apenas dizendo. Ela foi atacada, se defendeu e fugiu. Eu estava a uns cinquenta metros. Era bem de noite e estava escuro.

— O senhor tinha bebido?

— Eu estava meio alto, sem dúvida, mas não bêbado de cair. Ele era loiro, tinha um rabo de cavalo. Usava uma jaqueta curta escura. Tinha uma barriga imensa. Quando cheguei no alto da escadaria da Lundagatan, só o vi de costas, e ele se virou para me bater. Tive a impressão de que era um rosto magro, com olhos claros muito juntos.

— Por que não me contou isso antes? — perguntou Erika Berger.

Mikael Blomkvist deu de ombros.

— Teve o final de semana, e você foi para Göteborg participar daquele maldito debate na tevê. Na segunda, você não estava, e na terça, a gente mal se cruzou. A história foi se diluindo.

— Mas considerando-se o que houve em Enskede... por que não contou esse incidente para a polícia? — perguntou Bublanski.

— E por que contaria? Sendo assim, eu também podia contar que um mês atrás peguei no ato um batedor de carteiras tentando me roubar no metrô. Não há nenhuma relação significativa entre a Lundagatan e o que aconteceu em Enskede.

— Mas o senhor não comunicou a agressão à polícia?

— Não — Mikael hesitou. — A Lisbeth Salander é uma pessoa que gosta do anonimato. Pensei em prestar queixa, mas depois achei que cabia a ela fazer isso. Eu queria, pelo menos, falar com ela antes.

— E o senhor não fez isso?

— Não falo com Lisbeth Salander desde o Natal do ano passado.

— Por que a... relação de vocês, se é que a palavra é essa, acabou?

O olhar de Mikael se ensombreceu. Ele pensou na resposta antes de falar.

— Não sei. Ela cortou contato comigo da noite para o dia.

— Aconteceu alguma coisa?

— Se está pensando em alguma briga ou esse tipo de coisa, não. Estávamos em muito bons termos. Um dia depois do Natal, ela parou de atender o telefone. Depois, sumiu da minha vida.

Bublanski refletiu sobre a explicação de Mikael. Parecia sincera e era confirmada por Dragan Armanskij, cuja descrição do sumiço de Lisbeth Salander da Milton Security era mais ou menos parecida. Aparentemente, acontecera alguma coisa com Lisbeth Salander no inverno do ano anterior. Virou-se para Erika Berger.

— Também conhece a Lisbeth Salander?

— Só nos vimos uma vez. O senhor poderia me explicar por que está fazendo todas essas perguntas sobre a Lisbeth Salander, relacionadas ao crime de Enskede? — perguntou Erika Berger.

Bublanski balançou a cabeça.

— Existe uma ligação entre ela e o local do crime. É só o que posso dizer. Em compensação, posso dizer que quanto mais ouço falar em Lisbeth Salander, mais perplexo eu fico. Como é que ela era, como pessoa?

— Sob que ponto de vista? — perguntou Mikael.

— Como o senhor a descreveria?

Mikael permaneceu um bom tempo em silêncio.

— É uma pessoa muito sozinha e diferente. Socialmente fechada. Não gostava de falar de si mesma. Ao mesmo tempo, é dotada de uma vontade muito forte. E tem um grande senso moral.

— Moral?

— Sim. Uma moral muito própria. Ninguém consegue obrigá-la a nada que não seja da vontade dela. No mundo da Lisbeth, as coisas ou são "boas" ou são "ruins", por assim dizer.

Bublanski pensou que Mikael Blomkvist, mais uma vez, a descrevia do mesmo modo que Dragan Armanskij. Dois homens que a conheciam a avaliavam da mesma maneira.

— Conhece Dragan Armanskij? — perguntou Bublanski.

— Nos vimos duas ou três vezes. Tomei uma cerveja com ele no ano passado, na época em que eu tentava descobrir o que era feito da Lisbeth.

— O senhor disse que ela era uma investigadora competente — repetiu Bublanski.

— A melhor que eu já conheci — repetiu Mikael.

Bublanski tamborilou com os dedos durante uns segundos, enquanto contemplava pela janela a multidão que andava pela Götgatan. Sentia-se estranhamente dividido. O dossiê da psiquiatria legal que Hans Faste obtivera na Comissão de Tutelas afirmava que Lisbeth Salander era uma pessoa marcada por transtornos psíquicos profundos, inclinada à violência e praticamente retardada. As respostas fornecidas tanto por Armanskij como por Blomkvist contrariavam com veemência a imagem que a avaliação psiquiátrica firmara ao longo de anos de observação. Ambos a descreviam como uma pessoa diferente, mas ambos tinham também uma pontinha de admiração na voz.

Blomkvist também dizia que tinha convivido com ela por algum tempo — o que indicava algum tipo de relação sexual. Bublanski se perguntava que regras eram levadas em conta quando se declarava uma pessoa incapaz. Blomkvist poderia ter cometido alguma forma de abuso sexual ao explorar uma pessoa em situação de dependência?

— E como o senhor encarava a deficiência de socialização dela? — perguntou.

— Deficiência? — perguntou Mikael.

— A colocação sob tutela e seus problemas psíquicos.

— Colocação sob tutela? — exclamou Mikael.

O olhar de Bublanski passou de Mikael Blomkvist para Erika Berger. *Eles não sabem. Eles realmente não sabem.* Súbito, Bublanski ficou muito irritado com Armanskij, Blomkvist e, sobretudo, com Erika Berger e suas roupas chiques e seu escritório elegante com vista para a Götgatan. *Essa aí é das que impõem suas opiniões aos outros.* Direcionou, porém, sua irritação a Mikael.

— Não consigo entender qual o problema com o senhor e com Armanskij — disse.

— Como?

— A Lisbeth Salander andou entrando e saindo do HP desde a adolescência — Bublanski disse afinal. — Um exame de psiquiatria legal e um julgamento proferido pelo tribunal de instâncias determinaram que ela não tem condições de gerir a própria vida. Foi declarada incapaz. Ela tem uma comprovada tendência à violência e manteve relações conflituadas com as autoridades a vida inteira. E agora é altamente suspeita de... cumplicidade num duplo homicídio. Mas tanto o senhor como Armanskij falam nela como se fosse uma espécie de princesa.

Mikael Blomkvist quedou-se absolutamente imóvel e fitou Bublanski.

— Permitam que eu coloque as coisas assim — prosseguiu Bublanski. — Estávamos procurando um elo entre Lisbeth Salander e o casal de Enskede. E o que se descobriu é que esse elo é o senhor, que encontrou os corpos. Gostaria de comentar esse fato?

Mikael se recostou na cadeira. Fechou os olhos e tentou recapitular a situação. Lisbeth Salander era suspeita de ter assassinado Dag e Mia. *Não pode ser. É absurdo.* Ela seria capaz de matar? De repente, Mikael se lembrou do rosto dela, dois anos antes, quando se jogara sobre Martin Vanger com um taco de golfe. *Ela o teria matado sem pensar duas vezes. Não matou porque teve de parar para salvar a minha vida.* Tocou maquinalmente o pescoço, no lugar onde o nó corrediço de Martin Vanger o apertara. Agora, Dag e Mia... *não faz sentido.*

Ele tinha consciência de que Bublanski o observava atentamente. Tal como Dragan Armanskij, ele tinha uma escolha a fazer. Se Lisbeth Salander era suspeita de assassinato, mais cedo ou mais tarde ele seria obrigado a decidir de que lado do ringue queria ficar. *Culpada ou inocente?*

Antes que tivesse tempo de responder, o telefone da mesa de Erika tocou. Ela atendeu e passou o aparelho para Bublanski.

— Um tal de Hans Faste quer falar com o senhor.

Bublanski pegou o telefone e escutou com atenção. Mikael e Erika viram sua fisionomia se alterar.

— Vão entrar quando?

Silêncio.

— Qual é mesmo o endereço?... Lundagatan... entendido, não é muito longe, estou indo.

Bublanski se levantou de repente.

— Me desculpem, preciso interromper nossa conversa. Acabam de achar o atual tutor de Lisbeth Salander morto com um tiro, e a partir de agora ela está sendo procurada e acusada, à revelia, de três assassinatos.

Erika Berger ficou boquiaberta. Mikael Blomkvist parecia ter sido atingido por um raio.

Entrar no apartamento da Lundagatan foi um procedimento relativamente simples do ponto de vista tático. Hans Faste e Curt Bolinder se encostaram no capô do carro e ficaram esperando os homens do grupo de intervenção, pesadamente armados, ocuparem a escadaria e entrarem no pátio.

Passados dez minutos, o comando constatara o que Faste e Bolinder já sabiam. Ninguém atendia quando batiam na porta.

Hans Faste olhou para a rua que, para irritação dos passageiros do ônibus 66, estava bloqueada entre a Zinkensdamm e a igreja de Högalid. Um ônibus se achava preso na subida da área interditada e não podia mais avançar nem recuar. Por fim, Faste se aproximou e ordenou a um policial uniformizado que se afastasse e deixasse o ônibus seguir. Da passarela sobre a Lundagatan, uma porção de curiosos contemplava a cena caótica.

— Deve haver um jeito mais simples — disse Faste.

— Mais simples que o quê? — perguntou Bolinder.

— Mais simples que chamar um comando toda vez que se vai prender um delinquente nos dias de hoje.

Curt Bolinder se absteve de fazer um comentário.

— Afinal, trata-se de uma mina de um metro e cinquenta que deve pesar uns quarenta quilos — disse Faste.

Ficara decidido que não seria preciso arrombar a porta. Bublanski chegou enquanto eles esperavam que um chaveiro furasse a fechadura e se afastasse para deixar entrar a tropa no apartamento. Levaram cerca de oito segundos para inspecionar os quarenta e nove metros quadrados e concluir que Lisbeth Salander não estava escondida debaixo da cama, nem no banheiro, nem dentro de um armário. Em seguida, fizeram sinal para que Bublanski entrasse.

Os três policiais examinaram com olhar curioso o apartamento impecavelmente limpo e arrumado com muito bom gosto. Os móveis eram simples. As cadeiras da cozinha tinham sido pintadas em diferentes tons pastel. Nas paredes havia fotos artísticas em preto e branco, emolduradas. Num vão do hall de entrada, uma prateleira com um CD-player e uma vasta coleção de discos. Bublanski observou que a seleção era ampla, indo do *hard rock* à ópera. Parecia tudo muito *in*. Estético. De muito bom gosto.

Curt Bolinder examinou a cozinha e não achou nada de especial. Folheou uma pilha de jornais e verificou a bancada, os armários e o congelador.

Faste abriu os armários e as gavetas da cômoda do quarto. Deu um assobio ao descobrir umas algemas e um bocado de brinquedos sexuais. Num armário, encontrou uma coleção de roupas de látex que deixaria sua mãe encabulada, mesmo que ela desse só uma rápida olhada naquilo.

— Essas duas parece que não se entediam! — disse ele, brandindo um vestido de vinil que, de acordo com a etiqueta, era uma criação da Domino Fashion. — Sabe lá o que é isto.

Bublanski notou, sobre o móvel do hall, uma pequena pilha de cartas ainda fechadas e endereçadas a Lisbeth Salander. Deu uma olhada e constatou que se tratava de faturas e extratos bancários, além de uma carta pessoal. Era de Mikael Blomkvist. Quer dizer que, até aí, a história de Blomkvist estava batendo. Em seguida, abaixou-se para juntar a correspondência no chão, atrás da porta, pisoteada pela tropa de intervenção. Estavam ali a revista *Thai Pro Boxing*, o jornal gratuito *Södermalmsnytt* e três envelopes. Todos endereçados a Miriam Wu.

Bublanski foi tomado por uma suspeita desagradável. Entrou no banheiro e abriu o armário acima da pia. Encontrou uma caixa de analgésicos e meio frasco de Citadon. O Citadon só era vendido com receita médica. A etiqueta do frasco mencionava Miriam Wu. Havia uma única escova de dentes no armário.

— Faste, por que está escrito Salander-Wu na porta? — perguntou.

— Não faço ideia — respondeu Faste.

— Está bem, vou perguntar de outro jeito: por que tem correspondência para uma tal de Miriam Wu no hall e um frasco de Citadon para Miriam Wu no armário do banheiro? Por que só há uma escova de dentes? E por que... se, de acordo com as informações, Lisbeth Salander tem mesmo o tamanho de uma menina... por que esta calça de couro que você tem na mão parece servir numa pessoa que mede no mínimo um metro e setenta e cinco?

Houve um silêncio constrangido no apartamento. Foi quebrado por Curt Bolinder.

— Merda! — disse ele simplesmente.

15. QUINTA-FEIRA 24 DE MARÇO

Christer Malm se sentia cansado e deprimido quando finalmente voltou para casa depois daquele dia de trabalho imprevisto. Da cozinha vinha o aroma de um prato exótico, e ele foi dar um beijo no namorado.

— Como você está? — perguntou Arnold Magnusson.

— Como um saco de merda — disse Christer.

— Falaram no assunto o dia inteiro no noticiário. Ainda não deram nenhum nome. Mas é uma história horrorosa.

— É bem isso, uma história horrorosa. O Dag trabalhava para nós. Era um amigo, eu gostava muito dele. Eu não conheci a companheira dele, a Mia, mas o Micke conheceu, e a Erika também.

Christer olhou para a cozinha. Eles acabavam de comprar aquele apartamento no Allhelgonatan e fazia só três meses que tinham se mudado. De repente, o apartamento se transformara num mundo completamente estranho.

O telefone tocou. Christer e Arnold se olharam e decidiram ignorar. Em seguida, a secretária eletrônica foi acionada e eles ouviram uma voz familiar.

— Christer. Você está aí? Atende.

Erika Berger estava ligando para avisar que a polícia suspeitava que a antiga investigadora de Mikael Blomkvist era a autora do assassinato de Dag e Mia.

Christer recebeu a notícia com uma sensação de irrealidade.

Henry Cortez perdera a invasão da Lundagatan pelo simples motivo de que estivera o tempo todo em frente ao centro de comunicação da polícia e, concretamente, ainda estava lá, esperando por notícias. Nada de novo surgira desde a breve coletiva de imprensa no início da tarde. Ele estava cansado, com fome e nervoso por ser regularmente rechaçado pelas pessoas que tentava contatar. Só por volta das seis horas, depois de terminada a blitz no apartamento de Lisbeth Salander, é que ele conseguiu interceptar um comentário de que a polícia tinha um suspeito. O mais irritante é que essa informação vinha de um colega da imprensa vespertina mais enturmado com a sua redação. Pouco depois, Henry finalmente conseguiu o número do celular pessoal do procurador Richard Ekström. Apresentou-se e fez as perguntas apropriadas: quem, como e por quê.

— De que veículo o senhor disse que era? — perguntou Richard Ekström.

— Da revista *Millennium*. Eu conhecia uma das vítimas. De acordo com uma fonte, a polícia está procurando por uma pessoa específica. O que está acontecendo?

— Não posso adiantar nada por enquanto.

— Quando o senhor vai poder me dizer alguma coisa?

— Talvez haja outra coletiva de imprensa mais tarde.

O procurador Richard Ekström parecia evasivo. Henry Cortez mexeu na argola de ouro que usava na orelha.

— As coletivas de imprensa são mais dirigidas aos jornalistas de informação geral, que repassam o fato para divulgação imediata. Eu trabalho para uma revista mensal e temos um interesse bem pessoal em saber o que anda acontecendo.

— Não posso ajudá-lo. Vai ter que esperar como todo mundo.

— De acordo com as minhas fontes, estão procurando por uma mulher. De quem se trata?

— Não posso dizer nada.

— O senhor desmente que estejam procurando uma mulher?

— Não, já disse: não posso dizer nada...

O inspetor Jerker Holmberg estava parado na porta do quarto contemplando, pensativo, a enorme poça de sangue no lugar onde Mia Bergman tinha sido encontrada. Virando a cabeça, sem mudar de lugar, avistava uma poça semelhante ali onde estivera Dag Svensson. Pensava na grande quantidade de sangue. Havia muito mais sangue que em outros ferimentos a bala que ele já tinha visto, o que indicava que tinham usado uma munição capaz de causar um estrago terrível, o que, por sua vez, confirmava a hipótese do delegado Mårtensson de que o assassino usara munição de caça. O sangue coagulado se tornara uma mancha preta e cor de ferrugem que cobria tão extensamente o piso que os paramédicos e técnicos tinham sido obrigados a pisar nela, deixando assim marcas em todo o apartamento. Holmberg cobrira seus tênis com sacos de plástico azul.

Para ele, a verdadeira investigação do crime começava agora. Os corpos das duas vítimas tinham sido removidos. Jerker Holmberg estava sozinho no local depois da saída dos dois técnicos. Eles tinham fotografado as vítimas, medido os respingos de sangue nas paredes e discutido sobre as áreas respingadas e a velocidade dos pingos. Holmberg conhecia aquele tipo de especulação, mas só mostrara um interesse distraído pelos exames técnicos. O trabalho dos técnicos iria resultar num relatório volumoso que revelaria detalhadamente onde o assassino se posicionara em relação às vítimas e a que distância e em que ordem os tiros tinham sido disparados, e quais impressões digitais poderiam ter alguma importância. Para Jerker Holmberg, porém, isso não apresentava o menor interesse. Os exames técnicos não forneceriam uma só palavra sobre a identidade do assassino nem sobre o motivo que ele ou ela — já que o principal suspeito era uma mulher — tivera para cometer aqueles crimes. Eram essas perguntas que cabia a ele elucidar.

Jerker Holmberg começou pelo quarto. Colocou uma pasta surrada numa cadeira e pegou um ditafone, uma câmera digital e um bloco de anotações.

Primeiro, abriu as gavetas de uma cômoda que ficava atrás da porta. As duas gavetas superiores continham roupa de baixo, pulôveres e um porta-joias que obviamente tinham pertencido a Mia Bergman. Dispôs os objetos sobre a cama e examinou o porta-joias em detalhes, concluindo que não continha nada de grande valor. Na gaveta de baixo achou dois álbuns de fotos e duas pastas com contas domésticas. Ligou o ditafone.

"Relatório de apreensão na Björneborgsvägen, número 8b. Dormitório, gaveta inferior da cômoda. Dois álbuns de fotografias encadernados, formato A4. Uma pasta preta intitulada 'Doméstico' e uma pasta azul intitulada 'Certidões de Propriedades', com documentos referentes ao financiamento e à amortização de um apartamento. Uma caixa com cartas, postais e objetos pessoais."

Levou os objetos até o hall e os enfiou numa sacola de viagem. Prosseguiu nas gavetas dos criados-mudos de um lado e outro da cama de casal, porém não encontrou nada de interessante. Abriu os armários e separou as roupas, tateou todos os bolsos e xeretou os sapatos em busca de algum objeto esquecido ou escondido, depois voltou a atenção para as prateleiras superiores. Abriu caixas grandes e pequenas. Encontrou aqui e ali papéis e objetos que, por diferentes motivos, incluiu no relatório de apreensão.

A um canto do quarto, tinham conseguido encaixar uma escrivaninha. Era um minúsculo espaço de trabalho, com um computador Compaq e um monitor antigo. Embaixo da escrivaninha havia um móvel com rodinhas e, ao lado, uma prateleira baixa. Sabendo que naquele espaço de trabalho é que ele provavelmente daria com os achados mais importantes — na medida em que houvesse achados —, ele o deixou para o fim. Voltou, portanto, à sala e prosseguiu o exame do local do crime. Abriu a cristaleira e conferiu minuciosamente cada pote, cada caixa e cada prateleira. Depois seu olhar convergiu para a estante grande de livros que formava um ângulo com a parede externa e a parede do banheiro. Pegou uma cadeira e primeiro verificou se havia algo escondido no topo do móvel. Depois inspecionou as prateleiras, uma por uma, tirando os livros, para se certificar de que não tinha nada escondido atrás deles, e folheando-os rapidamente. Uma boa meia hora depois, guardou o último volume na estante. Na mesa de jantar achava-se agora uma pequena pilha de livros que, por um motivo ou outro, chamaram sua atenção. Ligou o ditafone e falou.

"Da estante de livros da sala. Um livro de Mikael Blomkvist, O banqueiro da máfia. *Um livro em alemão intitulado* Der Staat und die Autonomen, *um livro sueco intitulado* Terrorismo revolucionário, *além de um livro inglês,* Islamic Jihad."

Pegou automaticamente o livro de Mikael Blomkvist, uma vez que o autor fora mencionado na investigação preliminar. Os outros três pareciam mais obscuros. Jerker Holmberg ignorava se os assassinatos tinham alguma conotação política — não dispunha de nenhum elemento que indicasse que Dag Svensson e Mia Bergman eram politicamente engajados. Os livros podiam expressar um simples interesse geral pela política, ou mesmo estar ali por serem necessários para algum trabalho jornalístico. Em compensação, ponderou que se havia dois cadáveres num apartamento que continha livros sobre terrorismo político, fazia todo o sentido registrar o fato. Os livros foram, portanto, colocados na sacola de objetos apreendidos.

Depois, passou alguns minutos examinando as gavetas de uma pequena cômoda antiga e bastante danificada. Sobre ela havia um CD-player, e as gavetas continham uma vasta coleção de discos. Jerker Holmberg gastou trinta minutos abrindo todas as caixinhas de CD para conferir se o disco correspondia à capa. Achou uma dúzia de capas não impressas, ou seja, CDs gravados em casa ou pirateados; colocou cada um deles no aparelho de CD e concluiu que não continham nada além de música. Deteve-se um bom tempo diante do *rack* abarrotado de videocassetes, junto à porta do quarto. Testou vários deles e observou que havia de tudo, desde filmes de ação copiados até uma miscelânea de programas de variedades e reportagens, *Os fatos falam*, *Insider* e *Contra-investigação*. Mencionou trinta e seis cassetes no relatório de apreensão. Então foi até a cozinha, abriu uma garrafa térmica de café e fez uma breve pausa antes de prosseguir.

Na prateleira de um armário da cozinha, ele pegou certa quantidade de frascos e caixinhas, que obviamente constituíam a reserva de medicamentos da casa. Colocados num saco plástico, foram todos fazer companhia aos demais objetos apreendidos. Ele tirou os alimentos do armário e do refrigerador, e abriu cada pote, cada pacote de café e cada garrafa já em uso. Num vaso de flores no peitoril da janela, encontrou 1220 coroas e uns recibos de caixa. Imaginou que fosse uma espécie de fundo para as compras do dia a dia. Não achou nada de fundamental importância. No banheiro, não fez nenhuma apreensão. Em compensação, o cesto de roupa suja estava transbordando e ele verificou todas as roupas. Do armário do hall de entrada, tirou casacos e jaquetas e examinou os bolsos.

Encontrou a carteira de Dag Svensson no bolso interno de uma jaqueta, e a incluiu no relatório de apreensão. Havia um cartão de sócio de um clube esportivo, um cartão de crédito do Handelsbanken e quase quatrocentas coroas em dinheiro. Achou a bolsa de Mia Bergman e revistou por alguns minutos seu conteúdo. Ela também tinha um cartão do mesmo clube esportivo, um cartão bancário, um cartão das lojas Konsum e outro de um clube chamado Horisont, cujo logotipo era um globo terrestre. Havia, além disso, pouco mais de duas mil e quinhentas coroas em dinheiro, o que era uma quantia relativamente importante, mas não absurda, considerando-se que os dois planejavam passar o fim de semana prolongado fora de casa. O fato de o dinheiro estar na carteira diminuía, além disso, a probabilidade de ter sido um assassinato por roubo.

"Da bolsa de Mia Bergman na prateleira do hall. Uma agenda de bolso do tipo ProPlan, um caderno de endereços e um bloco de anotações encadernado."

Holmberg fez outra pausa para um café e ponderou que, por enquanto, fato bastante raro, não encontrara nada de doloroso ou de foro íntimo e privado no apartamento do casal Svensson-Bergman. Nenhum acessório sexual escondido, nenhuma roupa íntima loucamente sexy nem gavetas com filmes pornô. Não encontrara um esconderijo de ervas nem sinal de nenhuma atividade criminosa. Tudo indicava que se tratava de um casal comum de subúrbio, a rigor (do ponto de vista policial) um pouco mais sem graça que o normal.

Para encerrar, voltou ao quarto e se instalou em frente à mesa de trabalho. Abriu a gaveta de cima. Passou a hora seguinte separando papéis. Não demorou para perceber que a escrivaninha e a prateleira continham uma quantidade considerável de documentos e livros de referência para a tese de doutorado de Mia Bergman, "Da Rússia com amor". A documentação estava cuidadosamente classificada, como numa boa investigação policial, e ele ficou algum tempo concentrado em certas passagens do texto. *Essa Mia Bergman teria sido perfeita na brigada*, constatou. Parte da prateleira estava meio vazia e continha, aparentemente, documentos que pertenciam a Dag Svensson. Eram sobretudo recortes de jornal de artigos seus e de temas do seu interesse.

Ficou algum tempo conferindo o computador. Continha quase 5 GB de dados, pastas, cartas, artigos e arquivos em PDF baixados da internet. Ou seja, ele não teria como ler aquilo tudo até a noite. Acrescentou o computador e alguns CDs ao material apreendido, assim como um leitor com cerca de trinta disquetes ZIP.

Depois mergulhou por um breve instante numa reflexão um tanto desorientada. Até onde conseguia avaliar, o computador continha o material de Mia Bergman. Dag Svensson era jornalista e deveria ter um computador como principal ferramenta de trabalho, mas naquela máquina não havia sequer e-mails em seu nome. Portanto o computador de Dag Svensson devia estar em algum outro lugar. Jerker Holmberg se levantou e, refletindo, deu uma volta pelo apartamento. No hall de entrada havia uma mochila preta com o compartimento para computador vazio, mas que continha alguns blocos de anotação de Dag Svensson. Não achou nenhum laptop em lugar nenhum do apartamento. Pegou as chaves e desceu até o pátio para examinar o carro de Mia Bergman e o porão. Também não encontrou nenhum laptop por lá.

O que havia de estranho com aquele cachorro, meu caro Watson, é que ele não latia.

No relatório de apreensão, registrou que, no momento, parecia estar faltando um computador.

Bublanski e Faste se encontraram com o procurador Ekström na sala dele por volta das seis e meia da tarde, assim que voltaram da Lundagatan. Por telefone, Curt Bolinder fora enviado à Universidade de Estocolmo para interrogar o orientador de Mia Bergman. Jerker Holmberg ainda estava em Enskede e Sonja Modig ficara incumbida de examinar o local do crime em Odenplan. Pouco mais de dez horas haviam transcorrido desde que Bublanski fora designado chefe das investigações, e sete horas desde o início da caçada a Lisbeth Salander. Bublanski resumiu o que acontecera na Lundagatan.

— E quem é Miriam Wu? — perguntou Ekström.

— Ainda não sabemos grande coisa sobre ela. Não tem ficha na polícia. O Hans Faste vai se encarregar de procurá-la a partir de amanhã.

— Quer dizer que a Salander não está na Lundagatan?

— Nada indica que ela more lá. Para começar, as roupas que estão no armário não são do tamanho dela.

— E que roupas, precisava ver! — disse Hans Faste.

— O que têm as roupas? — perguntou Ekström.

— Não são bem do tipo que se dá de presente no Dia das Mães.

— Nesse momento, não sabemos nada sobre Miriam Wu — disse Bublanski.

— Caramba, o que mais a gente precisa? O armário dela está cheio de uniformes de puta.

— Uniformes de puta? — espantou-se Ekström.

— Quer dizer, couro, vinil, cinta-liga e mais umas tralhas fetichistas e brinquedos sexuais numa gaveta. E não parece coisa barata.

— Você está querendo dizer que Miriam Wu é uma prostituta?

— Neste momento, não sabemos nada sobre Miriam Wu — repetiu Bublanski, para ser mais claro.

— A investigação feita pelo Serviço Social alguns anos atrás dava a entender que Lisbeth Salander tinha um pé nesse universo — disse Ekström.

— O Serviço Social costuma saber do que está falando — observou Faste.

— O relatório do Serviço Social não se baseia em nenhuma interpelação ou investigação — disse Bublanski. — A Salander foi pega no Parque de Tantolunden, quando tinha dezessete anos, na companhia de um homem muito mais velho. No mesmo ano, foi detida por embriaguez. Também na companhia de um homem de muito mais idade.

— Você quer dizer que não devemos tirar conclusões precipitadas — disse Ekström. — Certo. Mas chama a atenção o tema da tese de Mia Bergman: tráfico de mulheres e prostituição. Existe, portanto, uma possibilidade de ela ter tido contato com a Salander e com essa Miriam Wu por causa do trabalho, que as tenha provocado de alguma maneira e que isso tenha servido de motivo para o crime.

— A Bergman talvez tenha entrado em contato com o tutor e desencadeado uma espécie de avalanche — sugeriu Faste.

— Pode ser — disse Bublanski. — Mas cabe à investigação esclarecer esse ponto. O que importa no momento é encontrar Lisbeth Salander. Ela aparentemente não mora nesse endereço da Lundagatan. O que significa que também temos que encontrar Miriam Wu e perguntar como ela foi parar nesse apartamento e qual a relação dela com a Salander.

— E como a gente faz para encontrar a Salander?

— Ela está lá fora, em algum lugar. O problema é que o único endereço que ela teve a vida inteira é esse da Lundagatan. Não comunicou nenhuma mudança.

— Não esqueça que ela também esteve internada no Sankt Stefan e entregue a diversas famílias adotivas.

— Não esqueço. — Bublanski conferiu sua papelada. — Quando ela tinha quinze anos, foi adotada por três famílias diferentes. Não deu muito certo. Desde um pouco antes de completar dezesseis anos até os dezoito anos, morou com um casal de Hägersten, Fredrik e Monika Gullberg. Curt Bolinder vai vê-los hoje à noite, depois de falar com o orientador da Mia Bergman na universidade.

— E sobre a coletiva de imprensa, o que a gente faz? — Faste quis saber.

Às sete da noite, o clima na sala de Erika Berger estava pesado. Mikael Blomkvist permanecera calado e praticamente imóvel desde que o inspetor Bublanski fora embora. Malu Eriksson tinha ido de bicicleta até a Lundagatan para cobrir a intervenção da força policial. Voltou para contar que aparentemente ninguém tinha sido preso e que o trânsito na rua já estava liberado. Henry Cortez ligara para comunicar que a polícia estava procurando uma mulher cujo nome ainda não fora divulgado. Erika o informou sobre a identidade da mulher.

Erika e Malu conversaram sobre a conduta que deveriam adotar, mas não chegaram a nada sensato. A situação se complicava pelo fato de Mikael e Erika conhecerem o papel de Lisbeth Salander no caso Wennerström — na qualidade de uma *hacker* de primeira categoria, ela tinha sido a fonte secreta de Mikael. Malu Eriksson desconhecia esse fato e nunca ouvira falar em Lisbeth Salander antes disso. Daí os misteriosos silêncios em meio à conversa.

— Vou para casa — disse Mikael Blomkvist, levantando-se de repente. — Estou tão cansado que não consigo mais pensar. Preciso dormir.

Olhou para Malu.

— Temos bastante pano para manga. Amanhã é Sexta-feira Santa e pretendo aproveitar para dormir e separar uns documentos. Malu, você poderia trabalhar no fim de semana?

— Eu tenho escolha?

— Não. Começamos no sábado ao meio-dia. Você não iria lá para casa em vez de ficar aqui na redação?

— Combinado.

— Quero reformular as diretrizes que definimos hoje de manhã. Já não se trata apenas de descobrir se as revelações do Dag e da Mia tiveram alguma relação com o crime. Agora se trata de descobrir quem matou o Dag e a Mia.

Malu se perguntou como eles poderiam fazer isso, mas não disse nada. Mikael acenou despedindo-se de Malu e Erika e saiu sem mais nenhum comentário.

Às sete e quinze, Bublanski, o responsável pela investigação, acompanhou a contragosto o chefe do inquérito preliminar Ekström até o estrado do centro de comunicação da polícia. A coletiva de imprensa fora marcada para as dezenove horas, e eles estavam quinze minutos atrasados. Ao contrário de Ekström, Bublanski não tinha o menor interesse em ficar sob as luzes da ribalta diante de uma dúzia de câmeras de televisão. Ser a estrela desse tipo de situação deixava-o, acima de tudo, em pânico — nunca iria se acostumar a se ver na tevê e nunca sentiria prazer nisso.

Ekström, em contrapartida, estava como um peixe dentro d'água. Ajustou os óculos, exibindo uma fisionomia séria e adequada. Deixou que os fotógrafos disparassem seus flashes por alguns instantes antes de erguer as mãos e pedir silêncio na sala. Falou como se estivesse lendo um discurso pronto.

— Permitam-me desejar boas-vindas a todos nesta coletiva de imprensa um tanto apressada, sobre os assassinatos ocorridos ontem à noite em Enskede. Temos novas informações que gostaríamos de lhes comunicar. Meu nome é Richard Ekström, sou procurador, e esse é o inspetor Jan Bublanski, da brigada criminal regional, que está à frente das investigações. Vou ler um comunicado e em seguida os senhores podem fazer perguntas.

Ekström calou-se e contemplou aquela tropa do corpo jornalístico que se mobilizara em apenas meia hora. Os assassinatos de Enskede eram um assunto sensacional, em vias de crescer ainda mais. Constatou, satisfeito, que *Aktuellt*, *Rapport* e a TV4 estavam presentes, e reconheceu repórteres da agência TT e de vários jornais matutinos e vespertinos. Havia, além disso, um grande número de repórteres que ele não conhecia. Ao todo, vinte e cinco jornalistas, pelo menos, estavam reunidos na sala.

— Como sabem, duas pessoas foram brutalmente assassinadas em Enskede ontem, pouco antes da meia-noite. Ao ser examinado o local do crime, foi encontrada uma arma, um Colt 45 Magnum. O Laboratório Criminalístico do Estado confirmou hoje que se trata da arma do crime. Sabemos quem é o proprietário da arma e procuramos por ele durante o dia de hoje.

Ekström fez uma pausa oratória.

— Hoje, por volta das dezessete horas, o proprietário da arma foi encontrado morto em sua casa, próxima de Odenplan. Foi atingido por um tiro e provavelmente já estava morto na hora do duplo homicídio de Enskede. A polícia — Ekström virou a mão na direção de Bublanski — tem fortes motivos para acreditar que se trata de um mesmo e único culpado, indivíduo este que, portanto, está sendo procurado por três assassinatos.

Fez-se um burburinho entre os jornalistas quando muitos deles começaram a sussurrar ao mesmo tempo em seus celulares. Ekström elevou um pouco a voz.

— Vocês têm algum suspeito? — gritou um repórter de rádio.

— Agradeço se não me interromperem, já estou terminando. A situação, neste momento, é de que uma pessoa foi identificada e que a polícia gostaria de interrogá-la sobre os três assassinatos.

— De quem se trata?

— De uma mulher. A polícia está procurando uma mulher de vinte e seis anos que tem uma ligação com o proprietário da arma e que, sabemos, esteve no local do crime em Enskede.

Bublanski franziu o cenho e assumiu um ar severo. Estavam justamente abordando o item da pauta em que ele e Ekström tinham discordado, ou seja, se o comando das investigações iria revelar o nome da pessoa fortemente suspeita de haver cometido os três assassinatos. Bublanski achava melhor adiar. Já Ekström acreditava que não podiam mais esperar.

Os argumentos de Ekström eram irrefutáveis. A polícia procurava uma mulher conhecida, psiquicamente perturbada e com suspeitas bem fundamentadas de haver cometido três assassinatos. Durante o dia, já fora lançado um alerta em nível regional, e depois um nacional. Ekström afirmava que

Lisbeth Salander tinha de ser considerada perigosa, e portanto era do interesse geral que fosse detida o quanto antes.

Os argumentos de Bublanski eram mais vagos. Na sua opinião, seria mais sensato o comando das investigações aguardar o resultado do exame técnico no apartamento do dr. Bjurman antes de aderir de forma tão unívoca a uma só hipótese.

Ao que Ekström replicara que, de acordo com todos os elementos disponíveis, Lisbeth Salander era uma mulher psiquicamente perturbada com propensão à violência e que alguma coisa havia desencadeado um surto homicida. Nada podia garantir que os atos de violência iriam cessar.

— O que vamos fazer se, nas próximas vinte e quatro horas, ela entrar em outro apartamento e assassinar mais alguém? — Ekström disparou.

Bublanski não tivera argumento para retrucar e Ekström lembrara que não faltavam precedentes. Quando o triplo assassino Juha Valjakkala, de Åmsele, tinha sido caçado em todo o país, a polícia divulgara um alerta de busca com seu nome e sua foto justamente por ser considerado uma ameaça pública. Como o mesmo argumento podia ser aplicado ao caso de Lisbeth Salander, Ekström decidiu que o nome dela deveria ser divulgado.

Ekström levantou a mão para interromper a barulheira dos repórteres. A revelação de que uma mulher estava sendo procurada por triplo assassinato ia suscitar manchetes enormes. Fez um sinal indicando que Bublanski ia falar. Bublanski pigarreou duas vezes, ajeitou os óculos e olhou fixamente para o papel contendo as informações sobre as quais tinham concordado.

— A polícia está procurando uma mulher de vinte e seis anos chamada Lisbeth Salander. Uma foto dela será distribuída. No momento, não sabemos onde ela se encontra, mas supomos que ainda esteja em Estocolmo. A polícia pede a ajuda da população para encontrar essa mulher o quanto antes. Lisbeth Salander tem um metro e cinquenta de altura e uma constituição franzina.

Inspirou profunda e nervosamente. Ele transpirava e sentiu suas axilas molhadas.

— Lisbeth Salander recebeu tratamento numa clínica psiquiátrica e considera-se que ela possa representar um perigo a si mesma e aos outros. Gostaríamos de destacar que no momento não temos como afirmar categoricamente que é ela a assassina, mas as circunstâncias nos levam a querer interrogá-la o quanto antes sobre os assassinatos de Enskede e Odenplan.

— Que enrolação! — gritou o repórter de um jornal vespertino. — Ou ela é suspeita ou não é.

Bublanski lançou um olhar desamparado ao procurador Ekström.

— A polícia está realizando amplas investigações, e é claro que trabalhamos com vários cenários. Mas, no momento, as suspeitas recaem sobre essa mulher e, para a polícia, é urgente que ela seja presa. As suspeitas com relação a ela se baseiam em provas técnicas encontradas nos locais dos crimes.

— Que tipo de provas?

A pergunta irrompeu instantaneamente da plateia.

— No momento, não podemos divulgar as provas técnicas.

Vários jornalistas falavam ao mesmo tempo. Ekström ergueu a mão, depois indicou um repórter do *Dagens Eko* que ele conhecia e considerava uma pessoa equilibrada.

— O inspetor Bublanski disse que ela recebeu tratamento psiquiátrico. Por que motivo?

— Essa mulher teve uma... infância difícil e um bocado de problemas ao longo dos anos. Está sob tutela e o proprietário da arma era seu tutor.

— Quem é ele?

— Trata-se de uma pessoa que foi morta em seu apartamento, perto de Odenplan. Não queremos revelar seu nome em consideração à família, que ainda não foi informada.

— Qual seria o motivo dos assassinatos?

Bublanski pegou o microfone.

— No momento, não queremos abordar essa questão.

— Ela já tem ficha na polícia?

— Sim.

Então veio a pergunta de um repórter com voz densa e peculiar, que se fazia ouvir acima das demais.

— Ela deve ser considerada perigosa?

Ekström hesitou um instante. Então meneou a cabeça.

— O que sabemos sobre o passado dela leva a crer que, em situações em que se sente acuada, ela pode recorrer à violência. Se estamos divulgando esse alerta de busca é porque queremos entrar em contato com ela rapidamente.

Bublanski mordeu os lábios.

* * *

Às nove da noite, a inspetora Sonja Modig ainda se encontrava no apartamento do dr. Bjurman. Já tinha ligado para casa a fim de explicar a situação ao marido. Depois de onze anos casados, ele acabara aceitando o fato de que o trabalho da mulher nunca seguiria uma rotina das nove às cinco. Ela estava à mesa de Bjurman, no escritório, examinando documentos que achara nas gavetas, quando bateram à porta. Viu Bublanski equilibrando-se com dois copos de café e um saco de papel azul da confeitaria da esquina. Com um gesto cansado, fez sinal para que ele entrasse.

— No que é que eu posso encostar? — perguntou Bublanski automaticamente.

— Os técnicos já terminaram aqui. Ainda estão trabalhando no quarto e na cozinha. O corpo ainda está aí.

Bublanski puxou uma cadeira e sentou-se em frente à sua colega. Modig abriu o pacote e pegou um pãozinho com canela.

— Obrigada. Eu estava louca por um café.

Saborearam o lanche em silêncio.

— Se eu entendi bem, não deu muito certo na Lundagatan — disse Modig, engolindo o último bocado de pão e lambendo os dedos.

— Não havia ninguém lá. Até tinha correspondência para a Salander, ainda fechada, mas quem mora lá é uma tal de Miriam Wu. Ainda não foi encontrada.

— Quem é ela?

— Não sei direito. O Faste está pesquisando o passado dela. Foi incluída no contrato habitacional há pouco mais de um mês, mas a impressão que dá é que no apartamento só mora uma pessoa Acho que a Salander se mudou sem comunicar o novo endereço.

— Ela pode ter planejado tudo isso.

— O quê? Um triplo assassinato? — Bublanski balançou a cabeça com ar resignado. — Isto está virando um verdadeiro caos. O Ekström insistiu em dar uma coletiva de imprensa e agora vamos ficar um tempão com a mídia no nosso pé. A coisa promete. Achou alguma coisa?

— Tirando Bjurman no quarto... Achamos uma embalagem de Magnum vazia... Foi para as Impressões Digitais. O Bjurman tem um arquivo com as cópias dos relatórios mensais sobre Salander que ele mandava para a Comissão de Tutelas. A julgar por esses relatórios, Salander é um anjo.

— Ele também? Não! — exclamou Bublanski.

— Ele também o quê?

— Mais um admirador da Lisbeth Salander.

Bublanski resumiu o que ele descobrira com Dragan Armanskij e Mikael Blomkvist. Sonja Modig escutou sem interromper. Quando ele se calou, ela passou os dedos no cabelo e esfregou os olhos.

— Tudo isto está parecendo uma loucura — disse.

Bublanski meneou a cabeça, pensativo, e contraiu o lábio inferior. Sonja Modig olhou de lado para ele e conteve um sorriso. Seu rosto de feições grosseiras parecia quase brutal. Mas, quando estava incomodado ou incerto, assumia um jeito quase emburrado. Nessas horas ela achava que o apelido Bubolha lhe caía bem. Ela nunca o chamara assim e não sabia de onde o apelido surgira. Mas caía-lhe como uma luva.

— Muito bem — disse ela. — Até que ponto temos certeza?

— O procurador parece ter certeza. Agora à noite foi emitido um alerta de busca nacional a Lisbeth Salander — disse Bublanski. — Ela esteve todo o ano passado no exterior e é possível que tente sair do país.

— Até que ponto temos certeza? — ela repetiu.

Ele deu de ombros.

— Já prendemos pessoas com bases muito mais frágeis que essas — respondeu.

— Temos as impressões digitais na arma do crime de Enskede. Temos o tutor morto também. Sem querer pôr a carroça na frente dos bois, aposto como foi usada a mesma arma. Amanhã vamos saber. Os técnicos acharam um fragmento de bala relativamente em bom estado no colchão.

— Certo.

— Há uns cartuchos do revólver aqui na gaveta de baixo da escrivaninha. Bala com núcleo de chumbo e ponta de carboneto de tungstênio.

— Certo.

— Temos vários documentos declarando que a Salander é louca. Bjurman era o tutor dela, é o proprietário da arma.

— Mmm... — fez Bubolha, emburrado.

— Temos um elo entre a Salander e o casal de Enskede na pessoa de Mikael Blomkvist.

— Mmm... — ele repetiu.

— Você parece em dúvida.

— Não consigo formar uma imagem de Lisbeth Salander. Os arquivos dizem uma coisa, e tanto Armanskij como Blomkvist dizem outra. De acordo com os documentos, ela é uma psicopata praticamente retardada. E de acordo com o que dizem os dois, é uma investigadora sem igual. Há uma distância enorme entre as duas versões. Não temos motivo no que diz respeito a Bjurman, nem a menor confirmação de que ela conhecia o casal de Enskede.

— E uma doida psicótica precisa de motivo?

— Não fui até o quarto. Como está a coisa?

— Achei o Bjurman de bruços sobre a cama, de joelhos no chão. Como se estivesse rezando antes de dormir. Está nu. Com uma bala na cabeça.

— Uma bala só? Como em Enskede.

— Até onde pude ver, só havia uma bala. Tudo indica que Salander, se foi mesmo ela que fez isso, o obrigou a se ajoelhar na frente da cama antes de atirar. A bala entrou atrás da cabeça e saiu pelo lado da testa.

— Bala na nuca. Estilo execução.

— Exatamente.

— Eu estava pensando... alguém deve ter escutado o tiro.

— O quarto dá para o pátio dos fundos e os vizinhos de cima e de baixo viajaram no feriadão da Páscoa. A janela estava fechada. Além disso, ela usou um travesseiro para abafar o som.

— Muito esperto.

Nisso, Gunnar Samuelsson, do departamento técnico-legal, apontou a cabeça pela abertura da porta.

— Oi, Bubolha — ele exclamou, e voltou-se para a colega. — Modig, a gente virou o corpo para tirar ele do lugar. Você tem que vir dar uma olhada numa coisa.

Foram com ele até o quarto. O corpo de Nils Bjurman tinha sido deitado numa maca, de costas, primeira etapa do trajeto para o instituto médico-legal. Ninguém podia questionar a *causa mortis*. A testa exibia um ferimento enorme, de uns dez centímetros de largura, com um bom pedaço do osso frontal pendurado num farrapo de pele. Os respingos na cama e na parede falavam por si só.

Bublanski fez um muxoxo.

— No que a gente tem que dar uma olhada? — perguntou Modig.

Gunnar Samuelsson ergueu o lençol, descobrindo o baixo-ventre de Bjurman. Bublanski pôs os óculos antes de se inclinar, como Modig, para ler o texto tatuado na barriga de Bjurman. As letras eram grosseiras e irregulares — o texto não era, evidentemente, obra de um tatuador profissional. Mas a mensagem aparecia com toda a clareza: SOU UM PORCO SÁDICO, UM CANALHA ESTUPRADOR.

Modig e Bublanski olharam um para o outro, estupefatos.

— Será que estamos olhando para um princípio de motivo? — Modig disse afinal.

A caminho de casa, Mikael Blomkvist comprou quatrocentos gramas de macarrão pré-cozido no 7-Eleven e colocou o pacote para esquentar no micro-ondas enquanto se despia para um banho de três minutos. Pegou um garfo e comeu em pé, direto da embalagem. Estava com fome, mas sem apetite, só queria engolir a comida o mais rápido possível. Feito isso, abriu uma Vestfyn e tomou a cerveja no gargalo.

Sem acender nenhuma luz, foi até a janela que dava para a cidade velha e permaneceu um bom tempo ali parado, tentando não pensar.

Exatamente vinte e quatro horas atrás, ele ainda estava jantando na casa da irmã quando Dag Svensson ligara para seu celular. Dag e Mia ainda estavam vivos.

Fazia trinta e seis horas que ele não dormia e já ia longe o tempo em que podia varar uma noite impunemente. Também sabia que não ia conseguir dormir sem pensar no que tinha visto. As imagens de Enskede estavam gravadas para sempre em sua retina.

Por fim, desligou o celular e se enfiou debaixo do edredom. Às onze da noite, ainda não estava dormindo. Levantou e pôs a cafeteira para funcionar. Ligou o CD-player e escutou Debbie Harry cantar "Maria". Enrolou-se num cobertor e sentou no sofá da sala para tomar o café e pensar em Lisbeth Salander.

O que ele de fato sabia a seu respeito? Praticamente nada.

Sabia que ela tinha memória fotográfica e que era uma *hacker* diabólica. Sabia que era uma mulher singular e fechada, que não falava de si mesma e não tinha a menor confiança nas autoridades.

Sabia que ela podia ser de uma violência brutal. Motivo pelo qual ele próprio ainda estava vivo.

Mas ignorava totalmente que ela estivesse sob tutela e que passara parte da adolescência num hospital psiquiátrico.

Ele precisava escolher um lado.

Em algum momento depois da meia-noite, resolveu que simplesmente não estava a fim de acreditar nas conclusões da polícia, que acusava Lisbeth de ter matado Dag e Mia. Devia-lhe pelo menos uma chance de se explicar antes de condená-la.

Não percebeu que estava pegando no sono, e acordou no sofá às quatro e meia da manhã. Foi titubeando até a cama e tornou a dormir.

16. SEXTA-FEIRA SANTA 25 DE MARÇO — SÁBADO DE ALELUIA 26 DE MARÇO

Malu Eriksson recostou-se no sofá de Mikael Blomkvist. Sem pensar, pôs os pés em cima da mesinha de centro — como teria feito em sua casa — e imediatamente os recolocou no chão. Mikael Blomkvist sorriu com gentileza.

— Não tem problema — disse. — Relaxe, sinta-se em casa.

Ela retribuiu o sorriso e tornou a pôr os pés em cima da mesa.

Na sexta-feira, Mikael trouxera para casa todas as cópias da papelada de Dag Svensson da redação da *Millennium*. Tinha separado o material no chão da sala. No sábado, ele e Malu tinham passado oito horas revendo e-mails, anotações, rabiscos no bloco de notas e, principalmente, os textos do futuro livro.

De manhã, Mikael recebera a visita de sua irmã, Annika Giannini. Ela trazia os jornais da tarde com manchetes belicosas e a foto da carteira de identidade de Lisbeth Salander estampada em tamanho grande na primeira página. Um dos jornais atinha-se aos fatos:

PROCURADA POR
TRIPLO ASSASSINATO

O outro incrementara a manchete:

POLÍCIA PROCURA

PSICOPATA

ASSASSINA EM SÉRIE

Conversaram por uma hora, quando Mikael contou sua relação com Lisbeth Salander e por que ele tinha dúvidas sobre ela ser culpada. Por fim, perguntou à irmã se ela poderia considerar a hipótese de vir a representar Lisbeth Salander caso ela fosse presa.

— Já representei mulheres em casos de estupro e maus-tratos, mas não sou uma advogada criminal.

— Você é a advogada mais esperta que eu conheço e Lisbeth vai precisar de alguém confiável. Acho que ela vai te aceitar.

Annika Giannini pensou um pouco antes de dizer, com alguma hesitação, que conversaria com Lisbeth Salander se fosse o caso.

À uma da tarde do sábado, a inspetora Sonja Modig ligou, perguntando se podia passar na casa de Mikael em seguida para pegar a bolsa de Lisbeth Salander. Aparentemente, a polícia tinha encontrado, e lido, a carta que ele enviara para a Lundagatan.

Modig chegou vinte minutos depois e Mikael a convidou para sentar-se com Malu Eriksson à mesa da sala de jantar. Foi buscar a bolsa de Lisbeth, que ele havia deixado numa prateleira ao lado do micro-ondas. Hesitou um instante, então abriu a bolsa e tirou o martelo e a bomba de gás lacrimogêneo. *Subtração de provas materiais*. A bomba lacrimogênea era considerada uma arma ilegal e resultaria em condenação. O martelo inevitavelmente suscitaria algumas associações com a natureza violenta de Lisbeth. Ela não precisava disso, julgou Mikael.

Ofereceu café a Sonja Modig.

— Posso fazer umas perguntas? — indagou a inspetora.

— Pois não.

— Na sua carta a Lisbeth Salander, que encontramos no apartamento dela da Lundagatan, o senhor diz que tem uma dívida para com ela. A que se refere?

— Lisbeth me prestou um imenso favor.

— Do que se trata?

— De um favor de caráter puramente pessoal do qual não tenho intenção de falar.

Sonja Modig fitou-o atentamente.

— Trata-se de uma investigação de assassinato, sabe?

— E eu espero que vocês prendam o quanto antes o canalha que matou o Dag e a Mia.

— Não acredita que a Salander seja culpada?

— Não.

— Nesse caso, quem, na sua opinião, teria assassinado seus amigos?

— Não sei. Mas o Dag Svensson estava prestes a denunciar vários homens que tinham muito a perder. Um deles pode ser o culpado.

— E por que um desses homens teria matado o Nils Bjurman?

— Não faço ideia. Ainda.

Seu olhar tinha a estabilidade da certeza. Sonja Modig sorriu de repente. Sabia que ele era conhecido como Super-Blomkvist. Estava entendendo por quê.

— Mas o senhor pretende descobrir?

— Se possível. Pode dizer isso para o Bublanski.

— Não vou deixar de dizer. E se a Lisbeth Salander der notícias, espero que nos informe.

— Não acho que ela vá me dar algum sinal de vida e assumir que é culpada dos assassinatos, mas se ela entrar em contato vou fazer de tudo para convencê-la a se entregar à polícia. Se isso acontecer, também vou fazer de tudo para ajudá-la. Ela vai precisar de um amigo.

— E se ela disser que é inocente?

— Então espero que ela tenha condições de esclarecer o que aconteceu.

— Senhor Blomkvist, cá entre nós e sem muito alarde. Espero que entenda que a Lisbeth Salander precisa ser detida, e também espero que não cometa nenhuma besteira caso ela dê notícias. Se estiver enganado e ela for culpada, pode ser extremamente perigoso não levar a situação a sério.

Mikael meneou a cabeça.

— Espero que não tenhamos que colocá-lo sob vigilância. O senhor sabe que é contra a lei ajudar uma pessoa procurada. O senhor pode ser condenado por proteger um criminoso.

— E eu espero que vocês dediquem alguns minutos para pensar em outros possíveis culpados.

— Vamos fazer isso. Outra pergunta. Tem ideia de que tipo de computador Dag Svensson usava para trabalhar?

— Ele tinha um Mac de segunda mão, um iBook 500 branco, com tela de catorze polegadas. Igual ao meu, mas com uma tela maior.

Mikael mostrou seu equipamento, que tronava sobre a mesa de jantar.

— Sabe onde ele guardava esse computador?

— O Dag em geral o carregava numa mochila preta. Imagino que ainda esteja na casa dele.

— Não está. Poderia estar no local onde ele trabalhava?

— Não. Eu olhei na sala de Dag, e ele não está lá.

Ficaram um instante em silêncio.

— Devo concluir então que o computador do Dag Svensson sumiu? — Mikael perguntou por fim.

Mikael e Malu tinham identificado um número considerável de pessoas que teoricamente poderiam ter algum motivo para matar Dag Svensson. Cada nome foi anotado em folhas grandes de rascunho, que Mikael afixou nas paredes da sala. A lista constituía-se exclusivamente de homens, clientes sexuais ou cafetões que constavam no livro. Às oito da noite, dispunham de uma lista com trinta e sete nomes. Destes, vinte e nove podiam ser identificados e apenas oito apareciam sob pseudônimo na apresentação de Dag Svensson. Vinte dos homens identificados eram clientes que em diferentes ocasiões tinham usado uma ou outra garota.

Conversaram também sobre o aspecto puramente prático da publicação do livro de Dag Svensson. O problema era que grande parte das afirmações se baseava em informações que Dag ou Mia detinham pessoalmente e que só eles poderiam escrever, cabendo a um autor menos inteirado no assunto a obrigação de conferir ou de aprofundá-lo.

Constataram que cerca de oitenta por cento do atual manuscrito poderia ser publicado sem maiores dificuldades, mas uma boa pesquisa seria necessária para que a *Millennium* se atrevesse a publicar os outros vinte por cento. Se Dag Svensson estivesse vivo, publicariam sem nenhuma hesitação — Dag e Mia teriam sabido lidar com a situação e rejeitar eventuais objeções ou críticas.

Mikael olhou pela janela. Anoitecera e estava chovendo. Perguntou a Malu se ela queria mais café. Ela recusou.

— Tudo bem — disse Malu. — Os originais estão sob controle. Mas ainda não achamos um mínimo vestígio sequer do assassino do Dag e da Mia.

— Pode ser um desses nomes na parede — disse Mikael.

— Também pode ser alguém que não tenha nada a ver com o livro. Ou pode ser essa sua amiga.

— A Lisbeth — disse Mikael.

Malu lançou-lhe um olhar de esguelha. Fazia um ano e meio que ela trabalhava na *Millennium*, na qual entrara em pleno caos do caso Wennerström. Depois de anos trabalhando como substituta e em projetos temporários, aquele era seu primeiro emprego fixo. Estava adorando. Trabalhar na *Millennium* equivalia a um importante status social. Ela tinha boas relações com Erika Berger e com o resto do pessoal, porém sempre se sentira vagamente desconfortável na companhia de Mikael Blomkvist. Não havia um motivo real para isso, mas de todos os profissionais Mikael era o que ela achava mais fechado e inacessível.

No decorrer daquele ano, ele muitas vezes havia chegado tarde à redação, ficando depois sozinho em sua salinha ou na sala de Erika Berger. Andava distraído e, nos primeiros meses, Malu tivera a impressão de que ele frequentava mais os estúdios de tevê do que a redação. Estava constantemente viajando, ou ocupado em outro lugar. Sua companhia era tudo, menos camarada e, a julgar pelos comentários que ouvira de outros funcionários, Mikael tinha mudado. Tornara-se mais quieto e inacessível.

— Se a minha tarefa é descobrir por que o Dag e a Mia foram mortos, então preciso saber mais sobre a Salander. Não sei por onde começar, se não...

Deixou a frase em suspenso. Mikael olhou para ela com o rabo dos olhos. Por fim, sentou-se na poltrona que formava um ângulo reto com o sofá onde Malu estava e pôs os pés ao lado dos dela.

— Você gosta de trabalhar na *Millennium*? — perguntou inopinadamente. — Quero dizer, faz um ano e meio que você está com a gente, mas no ano passado corri tanto de lá para cá que nunca deu tempo de a gente se conhecer de fato.

— É maravilhoso trabalhar na *Millennium* — disse Malu. — Vocês estão satisfeitos comigo?

Mikael sorriu.

— Erika e eu comentamos mais de uma vez que nunca tivemos uma assistente de redação tão competente. Achamos você uma verdadeira pérola. E me perdoe não ter dito isso antes.

Malu sorriu satisfeita. Os elogios do grande Mikael Blomkvist eram mais do que bem-vindos.

— Mas não foi bem isso que eu perguntei — disse ela.

— Você está curiosa sobre a ligação entre a Lisbeth e a *Millennium*.

— Você e a Erika são muito econômicos nas informações.

Mikael meneou a cabeça e cruzou o olhar com o dela. Erika, assim como ele, tinha total confiança em Malu Eriksson, mas existiam coisas que ele não podia conversar com ela.

— Concordo com você — disse ele. — Se a gente vai remexer no assassinato do Dag e da Mia, você precisa de mais informações. Sou uma fonte de primeira mão e, também, o vínculo entre ela e o Dag e a Mia. Vamos lá, pode perguntar que eu respondo na medida do possível. Se eu não puder responder, te digo.

— Por que todos esses segredinhos? Quem é Lisbeth Salander e qual a relação dela com a *Millennium*?

— Vou te explicar. Há dois anos contratei Lisbeth Salander como investigadora para um trabalho extremamente complicado. E aí é que está o problema. Não posso te contar que tipo de serviço a Lisbeth fez para mim. Erika sabe do que se trata e está presa ao sigilo profissional.

— Há dois anos... foi antes de você encerrar o caso Wennerström. Devo concluir que as investigações dela tiveram a ver com aquele contexto?

— Não, não deve concluir nada. Não vou dizer nem sim nem não, não vou confirmar nada nem negar nada. O que posso dizer é que contratei a Lisbeth para um caso bem diferente e que ela fez um trabalho sensacional.

— Certo. Na época você morava em Hedestad e vivia como um ermitão, se entendi direito. E Hedestad não foi um ponto esquecido no mapa da mídia daquele verão. Com a Harriet Vanger ressuscitando dos mortos e tudo mais. Acho bastante curioso a *Millennium* não ter escrito uma palavra sequer sobre a ressurreição da Harriet.

— Portanto... nem sim nem não. Imagine o que quiser, só que a probabilidade de acertar é praticamente nula. — Ele sorriu. — Se a gente não falou sobre a Harriet é porque ela faz parte do conselho administrativo. Deixamos que os outros jornais tratassem dela. E quanto à Lisbeth... acredite, Malu, quando digo que o que ela fez por mim não tem a menor ligação plausível com o que aconteceu em Enskede. Simplesmente não tem nada a ver.

— Está certo.

— Aceite um conselho. Não tente adivinhar. Não tire nenhuma conclusão. Contente-se em saber que ela trabalhou para mim e que eu não posso dizer do que se trata. Mas me deixe acrescentar que ela fez mais uma coisa por mim. Lá pelas tantas da história, ela salvou a minha vida. No sentido literal da expressão. Tenho uma imensa dívida de gratidão para com ela.

Malu pareceu chocada. Nunca tinha ouvido falar sobre isso na *Millennium*.

— Então isso significa que você a conhece relativamente bem, se entendi direito.

— Tão bem quanto alguém pode conhecer Lisbeth Salander. Ela é provavelmente a criatura mais fechada que eu já vi.

De repente, Mikael se levantou e contemplou a escuridão lá fora.

— Não sei se você também quer, mas vou preparar uma vodca com limão para mim — ele disse por fim.

Malu sorriu.

— Aceito. É melhor que mais um café.

Dragan Armanskij passou o feriadão da Páscoa em sua casa de campo em Blidö pensando em Lisbeth Salander. Seus filhos eram adultos e tinham optado por não passar a Páscoa com os pais. Para Ritva, sua mulher há vinte e cinco anos, não era um problema notar que em determinados momentos ele estava a anos-luz dali. Ele mergulhava numa ruminação silenciosa e só respondia de modo incoerente quando ela falava com ele. Todas as manhãs, pegava o carro e ia comprar os jornais na mercearia da aldeia. Acomodava-se diante da janela da varanda e lia os artigos sobre a caça a Lisbeth Salander.

Dragan Armanskij estava decepcionado consigo mesmo. De um lado, por ter se enganado tão radicalmente sobre Lisbeth Salander. Há muitos anos sabia que ela tinha problemas psíquicos. A ideia de que ela pudesse passar subitamente para a violência e ferir quem a ameaçasse não lhe era estranha. Que ela tivesse agredido seu tutor — sem dúvida ela o encarava como alguém que se intrometia em seus assuntos e atos pessoais — era compreensível em certo nível racional. Ela considerava qualquer tentativa de controlar sua vida como provocação e, talvez, como ataques hostis.

Em compensação, não conseguia entender o que a fizera ir até Enskede e atirar em duas pessoas que, segundo todas as fontes disponíveis, eram perfeitas desconhecidas para ela.

Dragan Armanskij esperava que a qualquer momento se estabelecesse uma ligação entre Salander e o casal de Enskede — que descobrissem que um deles tivera alguma coisa com ela ou que tinham feito algo que a deixara furiosa. Nenhuma ligação do gênero aparecia nos jornais, que não faziam mais que especular sobre uma Lisbeth doente mental que devia ter tido algum tipo de surto.

Ligou duas vezes para o inspetor Bublanski para saber novidades sobre os rumos da investigação, mas ele tampouco conseguia estabelecer qualquer vínculo entre Salander e Enskede que não fosse Mikael Blomkvist. Nesse ponto, porém, a investigação empacava. Mikael Blomkvist conhecia tanto Salander como o casal de Enskede, mas não havia nenhuma prova de que ela, Salander, conhecia ou até já ouvira falar em Dag Svensson e Mia Bergman. Por conseguinte, a investigação tinha dificuldade em definir o andamento dos fatos. Se não fosse pela arma do crime com suas impressões digitais e pelo vínculo indiscutível com sua primeira vítima, o dr. Bjurman, a polícia estaria tateando no escuro.

Depois de ir ao banheiro, Malu Eriksson tornou a sentar-se no sofá.

— Resumindo — disse ela. — A nossa missão consiste em definir se a Lisbeth Salander matou o Dag e a Mia como afirma a polícia. Mas não faço a mínima ideia de por onde começar.

— Encare isso como uma exploração. A gente não vai fazer uma investigação policial. Em compensação, vamos nos basear na investigação que a polícia está fazendo e tentar descobrir o que eles sabem. Como em qualquer trabalho investigativo, com a diferença de que não vamos necessariamente publicar o que a gente descobrir.

— Mas, se a Salander for culpada, tem que haver um elo entre ela, Dag e Mia. E esse elo é você.

— No caso, eu não sou elo nenhum. Faz mais de um ano que eu não vejo a Lisbeth. Nem sei como ela soube da existência deles.

Mikael calou-se de repente. Ninguém mais sabia, só ele, que Lisbeth Salander era uma *hacker* de gabarito internacional. Lembrou de repente que no seu iBook havia a correspondência com Dag Svensson, diferentes versões do livro de Dag, além de uma cópia digital da tese de Mia Bergman. Não sabia se Lisbeth Salander estava ou não entrando em seu computador, mas era uma forma de ela ter descoberto que ele conhecia Dag Svensson.

O único problema é que Mikael não conseguia imaginar o menor motivo para que Lisbeth tivesse ido até Enskede matar Dag e Mia. Pelo contrário — eles estavam trabalhando numa reportagem que falava da violência contra a mulher, tema que Lisbeth teria incentivado com veemência. A menos que ele estivesse enganado sobre ela.

— Parece que você acabou de se lembrar de alguma coisa — disse Malu.

Mikael não tencionava dizer o que quer que fosse sobre os talentos de Lisbeth no campo da informática.

— Não, só estou cansado, com a cabeça confusa — respondeu.

— Agora, ocorre que ela não é suspeita apenas do assassinato do Dag e da Mia, mas também do seu tutor, e aí a ligação fica visível. O que você sabe sobre ele?

— Nadica de nada. Nunca ouvi falar nesse doutor Bjurman. Aliás eu nem sabia que ela tinha um tutor.

— Mas a probabilidade de outra pessoa ter matado os três é ínfima. Quero dizer, mesmo que alguém tenha matado o Dag e a Mia por causa da matéria deles, não havia nenhum motivo para esse alguém matar o tutor de Lisbeth Salander.

— Eu sei, e já matutei sobre isso até enjoar. Mas consigo imaginar pelo menos um cenário em que uma pessoa de fora poderia matar tanto o Dag e a Mia como o tutor de Lisbeth.

— Qual?

— Bem, digamos que o Dag e a Mia foram mortos porque estavam investigando o comércio do sexo, e que a Lisbeth estivesse indiretamente envolvida de alguma maneira. Se o Bjurman era o tutor de Lisbeth, existe a possibilidade de ela ter simplesmente se aberto com ele e ele ter virado uma testemunha. Ou então ele soube de alguma coisa que fez com que também fosse morto.

Malu refletiu alguns instantes.

— Entendo o que você quer dizer — ela falou, hesitante. — Mas você não tem nenhuma prova dessa teoria.

— Não. Nenhuma.

— O que você acha? Ela é ou não culpada?

Mikael demorou para responder.

— Vou colocar as coisas assim: se ela é capaz de matar? A resposta é sim. Lisbeth Salander tem uma natureza violenta. Eu a vi em ação quando...

— Quando salvou sua vida?

Mikael assentiu com a cabeça.

— Não posso contar em que contexto. Mas um homem pretendia me matar e estava prestes a conseguir. Ela interveio e o machucou seriamente com um taco de golfe.

— E você não contou nada disso para a polícia.

— Absolutamente nada. Fica só entre nós dois.

— Certo.

Ele olhou para ela com um ar tremendamente sério.

— Malu, eu preciso confiar em você nesta situação.

— Não vou falar nada do que nós dois conversamos para ninguém. Nem para o Anton. Você não é só o meu chefe; eu gosto de você e não quero te prejudicar.

Mikael meneou a cabeça.

— Desculpe — disse ele.

— Pare de ficar o tempo todo se desculpando.

Ele riu e depois voltou a ficar sério.

— Estou convencido de que, se necessário, ela o teria matado para me defender.

— Certo.

— Mas o fato é que também a vejo como uma pessoa muito racional.

Singular, isso sim, mas absolutamente racional de acordo com seus próprios princípios. Ela agiu com violência porque era preciso e não porque estava a fim. Ela teria que ter uma razão para matar, ser ameaçada e provocada ao extremo.

Ele refletiu mais um pouco. Malu o observava pacientemente.

— Não posso falar sobre o tutor. Não sei nada a respeito dele. Mas para mim é impossível imaginar Lisbeth matando o Dag e a Mia. Não acredito nisso.

Ficaram mais algum tempo em silêncio. Malu deu uma olhada no relógio e percebeu que eram nove e meia.

— Já é tarde. Vou para casa — disse ela.

Mikael meneou a cabeça.

— Passamos o dia inteiro nisso. Amanhã a gente continua botando os neurônios para funcionar. Não, deixe a louça para lá... eu cuido disso.

Na noite de sábado para o domingo de Páscoa, Armanskij estava com insônia, escutando a respiração barulhenta de Ritva. Ele tampouco conseguia esclarecer aquela tragédia. Por fim, se levantou, enfiou as pantufas, vestiu um roupão e foi até a sala. O ar estava frio e ele pôs mais lenha na salamandra, abriu uma cerveja e sentou-se para contemplar a noite por sobre o canal de Furusund.

O que é que eu sei?

Dragan Armanskij podia confirmar sem muito problema que Lisbeth Salander era doida e imprevisível. Quanto a isso não havia a menor dúvida.

Ele sabia que alguma coisa tinha acontecido no inverno de 2003, quando ela de repente deixara de trabalhar para ele e sumira no exterior, naquele ano sabático. Estava convencido de que Mikael Blomkvist estava de algum modo envolvido nesse sumiço repentino. Mas Mikael tampouco sabia o que tinha acontecido, nem por que ela sumira de repente.

Ela tinha voltado e lhe fizera uma visita. Afirmara ser "financeiramente independente", o que Armanskij havia interpretado como um modo de dizer que ela tinha dinheiro suficiente para se virar por algum tempo.

Ela visitara Holger Palmgren durante toda a primavera. Não entrara em contato com Mikael Blomkvist.

De repente, matara três pessoas, sendo que duas, aparentemente, eram perfeitas desconhecidas para ela.

Não bate. Não faz sentido.

Armanskij bebeu direto no gargalo e acendeu uma cigarrilha. Também se sentia culpado, o que contribuía para o mal-estar que vinha arrastando durante todo o feriado.

Quando Bublanski fora vê-lo, não hesitara em fornecer todas as informações que pudessem ajudar na captura de Lisbeth Salander. Parecia-lhe incontestável que ela precisava ser detida — quanto antes melhor. Mas sentia-se culpado por ter uma opinião tão ruim sobre Lisbeth a ponto de ter aceitado, sem questionar, o fato de ela estar sendo acusada. Armanskij era realista. Se a polícia afirmava que uma pessoa era suspeita de assassinato, havia grandes chances de que ela fosse mesmo. Logo, Lisbeth Salander era culpada.

Mas a polícia não levava em conta o fato de que Lisbeth Salander talvez julgasse ter um motivo para agir como agira — circunstâncias atenuantes ou, pelo menos, uma explicação plausível para sua fúria. A tarefa da polícia era prendê-la e provar que ela tinha disparado aqueles tiros, e não vasculhar seus neurônios e explicar o porquê daquilo. Eles se contentavam em descobrir uma motivação mais ou menos plausível para os atos dela, mas também estavam prontos, caso não achassem explicação, para afirmar que se tratara do gesto de uma demente. *Lisbeth Salander constitui uma doente mental assassina ideal.* Ele balançou a cabeça.

Dragan Armanskij não gostava dessa explicação.

Lisbeth Salander nunca fazia nada contra a sua vontade e sem pesar as consequências.

Especial, sim. Louca, não.

Portanto, havia uma explicação, mesmo que obscura e inacessível para alguém de fora.

Por volta das duas da manhã ele tomou uma decisão.

17. DOMINGO DE PÁSCOA 27 DE MARÇO — TERÇA-FEIRA 29 DE MARÇO

Dragan Armanskij se levantou cedo no domingo, depois de uma noite de ruminações agitadas. Desceu de mansinho, sem acordar a mulher, preparou café e umas fatias de pão. Depois abriu o laptop e se pôs a escrever.

Usou o mesmo formulário de relatório que a Milton Security utilizava na investigação de pessoas. Preencheu o relatório com todos os dados que conseguia juntar sobre a personalidade de Lisbeth Salander.

Por volta das nove, Ritva desceu para tomar café. Perguntou o que ele estava fazendo. Ele respondeu de forma evasiva enquanto seguia escrevendo com obstinação. Ela conhecia suficientemente o marido para saber que ele estaria inacessível pelo resto do dia.

Mikael se enganara, sem dúvida porque era Páscoa e a delegacia estava relativamente vazia. Precisou esperar até domingo de manhã para que a mídia descobrisse que ele é quem tinha encontrado os corpos de Dag e Mia. O primeiro a ligar, quando Mikael ainda estava deitado, foi um repórter do *Aftonbladet*, um velho conhecido seu.

— Oi, Blomkvist. Aqui é o Nicklasson.

— Oi, Nicklasson — disse Mikael.

— Foi você que encontrou o casal de Enskede?

Mikael confirmou.

— Tenho um informante que diz que eles estavam trabalhando para a *Millennium*.

— O seu informante está meio certo e meio errado. O Dag Svensson estava trabalhando como *freelancer* numa reportagem para a *Millennium*. Mia Bergman, não.

— Caramba. Que puta furo.

— É, imagino que sim — disse Mikael, cansado.

— Por que vocês não fizeram um comunicado?

— O Dag Svensson era um amigo e um colega. Achamos mais correto deixar a família saber do acontecido antes de publicar qualquer coisa a respeito.

Mikael sabia que não seria citado nesse ponto.

— Certo. No que o Dag Svensson estava trabalhando?

— Num tema para a *Millennium*.

— Sobre o quê?

— Que informação exclusiva o *Aftonbladet* pretende publicar amanhã?

— Quer dizer que é uma informação exclusiva?

— Não enche, Nicklasson.

— Ah, Bloomy, seja bonzinho, vai. Você acha que os assassinatos têm alguma coisa a ver com a matéria em que o Dag Svensson estava trabalhando?

— Se você me chamar de Bloomy outra vez, eu desligo e fico o resto do ano sem falar com você.

— Desculpe. Você acha que o Dag Svensson foi morto por causa do trabalho de investigação jornalística?

— Não faço a menor ideia do motivo por que o Dag Svensson foi morto.

— O trabalho dele tinha alguma coisa a ver com a Lisbeth Salander?

— Não, nada a ver.

— Você sabe se o Dag conhecia a maluca da Salander?

— Não.

— O Dag já escreveu um bocado de textos sobre a cibercriminalidade. Era nesse tipo de assunto que ele estava trabalhando para a *Millennium*?

— *Puxa, cara, você não desgruda* — pensou Mikael, já a ponto de mandar Nicklasson ir catar coquinho, mas então conteve-se bruscamente e se endireitou na cama. Duas ideias paralelas lhe ocorreram de repente. Nicklasson disse mais alguma coisa.

— Nicklasson, espere um minuto. Fique na linha. Eu já volto.

Mikael se levantou e pôs a mão no aparelho. Súbito, achava-se num outro planeta.

Desde os assassinatos, Mikael vinha se torturando pensando num jeito de contatar Lisbeth Salander. Era grande a probabilidade de ela ler suas declarações, onde quer que estivesse. Se ele negasse que a conhecia, ela poderia interpretar isso como abandono da parte dele, ou que ele a tivesse entregado para a mídia. Se a defendesse, os outros interpretariam que Mikael sabia mais do que dizia sobre os assassinatos. Se ele se pronunciasse de forma adequada, poderia fazer que Lisbeth tivesse a ideia de procurá-lo. Era uma oportunidade boa demais para deixar escapar. Ele precisava dizer alguma coisa. *Mas o quê?*

— Desculpe, Nicklasson. Voltei. O que você estava dizendo?

— Eu perguntei se o Dag Svensson não estava escrevendo sobre cibercriminalidade.

— Se quiser uma declaração minha, eu dou.

— Sinal verde.

— Você vai ter que me citar fielmente.

— De que outro jeito eu poderia te citar?

— Prefiro não responder a essa pergunta.

— O que você quer me dizer?

— Te mando um e-mail dentro de quinze minutos.

— O quê?

— Dê uma olhada nos seus e-mails daqui a quinze minutos — disse Mikael, e desligou.

Mikael sentou-se à escrivaninha e ligou o iBook e o Word. Depois se concentrou dois minutos antes de começar a escrever.

[Erika Berger, diretora da *Millennium*, está profundamente tocada pelo assassinato do jornalista *freelancer* Dag Svensson, que era também seu colaborador. Espera que esses crimes sejam rapidamente elucidados.

Mikael Blomkvist, jornalista responsável pela *Millennium*, foi quem encontrou seu colega e a namorada, assassinados na noite de Quinta-feira Santa.

"Dag Svensson era um jornalista fora de série e um ser humano de quem eu gostava muito. Ele tinha várias ideias para reportagens. Estava, entre outras coisas, trabalhando numa grande matéria sobre a ciberpirataria", confidenciou Mikael ao *Aftonbladet*.

Nem Mikael Blomkvist nem Erika Berger querem arriscar nenhum tipo de especulação sobre o culpado dos crimes ou sobre seus possíveis motivos.]

Em seguida, Mikael pegou o telefone e ligou para Erika Berger.

— Oi, Ricky, você acaba de ser entrevistada pelo *Aftonbladet*.

— Ah, é?

Ele leu rapidamente o texto que havia escrito.

— Por que isso? — perguntou Erika.

— Porque é a verdade. O Dag trabalhou uns dez anos como frila, e uma das áreas de atuação dele era justamente segurança em computação. Conversei várias vezes com ele sobre o assunto e até tínhamos pensado na possibilidade de retomar um texto dele depois da matéria sobre o tráfico de mulheres.

Ele esperou uns segundos antes de prosseguir.

— Você conhece mais alguém que se interesse por essas questões ligadas à ciberpirataria? — perguntou.

Erika Berger ficou um instante calada. Então entendeu o que Mikael estava tentando fazer.

— Muito esperto, Mikael. Realmente esperto. Está bem, vá em frente.

Nicklasson ligou um minuto depois de receber o e-mail de Mikael.

— Essa declaração não vale um tostão furado.

— Mas é só isso, e é mais do que qualquer outro jornal vai conseguir. Ou você publica tudo, ou então não publica nada.

Tão logo enviou as declarações para Nicklasson, Mikael sentou-se novamente à sua mesa. Pensou um pouco e então começou a digitar no teclado.

[Cara Lisbeth,

Escrevo esta carta sabendo que mais cedo ou mais tarde você vai lê-la no meu disco rígido. Lembro de como você invadiu o disco de Wennerström há dois anos e imagino que também tenha aproveitado a oportunidade para clonar o meu. A esta altura, já entendi que você não quer nada comigo. Ainda não sei por que você rompeu nossa relação daquele jeito, mas não tenho a intenção de te perguntar e você não precisa me explicar.

Infelizmente, você querendo ou não, os acontecimentos dos dois últimos dias tornaram a nos aproximar. A polícia afirma que você matou a sangue-frio duas pessoas de quem eu gostava muitíssimo. Não tenho como questionar a brutalidade desses assassinatos — fui eu quem encontrou o Dag e a Mia poucos minutos depois que atiraram neles. O problema é que não acho que tenha sido você. Em todo caso, espero que não. Se, como a polícia afirma, você for uma assassina psicopata, isso quer dizer que me enganei redondamente a seu respeito, ou então que você mudou incrivelmente no último ano. E se não for você a assassina, isso significa que a polícia está caçando o suspeito errado.

Neste ponto, eu deveria te aconselhar a desistir e se entregar para a polícia. Desconfio, porém, que estaria falando com as paredes. O fato é que a sua situação é insustentável e, mais cedo ou mais tarde, você será detida. E quando for detida vai precisar de um amigo. Se não quiser contar comigo, eu tenho uma irmã. O nome dela é Annika Giannini, ela é advogada. Falei com ela e ela está disposta a te representar se você entrar em contato com ela. Pode confiar totalmente nela.

Na *Millennium*, começamos nossa própria investigação sobre os assassinatos do Dag e da Mia. No momento, estou montando uma lista das pessoas que teriam bons motivos para calar Dag Svensson. Não sei se estou na pista certa, mas vou passar em revista, uma por uma, as pessoas dessa lista.

O problema é que não vejo onde o dr. Nils Bjurman entra nessa história. Ele não consta no material do Dag, e não encontro nenhum elo entre ele, o Dag e a Mia.

Me ajude, *please*. Qual é esse elo? Mikael.

P. S. Você deveria tirar outra foto para a sua carteira de identidade. Essa não lhe faz justiça.]

Ele pensou mais um pouco e então deu ao documento o nome [Para Sally]. Depois, criou uma pasta [LISBETH SALANDER] e colocou bem à vista na área de trabalho do seu iBook.

Na terça-feira de manhã, Dragan Armanskij convocou três pessoas para uma reunião em torno da mesa redonda da sua sala da Milton Security.

Johan Fräklund, de sessenta e dois anos, ex-inspetor de polícia em Solna, era o chefe da unidade de intervenção da Milton. Fräklund respondia pelo planejamento e análises. Armanskij o recrutara no funcionalismo do Estado dez anos antes e, com o passar do tempo, passou a considerá-lo um dos mais competentes funcionários da empresa.

Armanskij também chamou Steve Bohman, de quarenta e oito anos, e Niklas Eriksson, de vinte e nove. Bohman, tal como Fräklund, era um ex--policial. Formado na brigada de intervenção de Norrmalm nos anos 1980, chegara à brigada criminal, onde conduzira dúzias de investigações pesadas. Bohamn fora um dos protagonistas da investigação sobre o Homem do Laser no início dos anos 1990 e, em 1997, depois de alguma persuasão e a proposta de um salário consideravelmente maior, passara para a Milton.

Niklas Eriksson não possuía uma ficha desse nível. Estudara na escola de polícia, mas na última hora, um pouco antes de prestar o exame, descobriu que sofria de uma insuficiência cardíaca congênita que não só exigia uma intervenção cirúrgica de peso como significava que sua futura carreira como policial estava indo para o brejo.

Fräklund — antigo colega do pai de Eriksson — sugeriu que Armanskij lhe desse uma chance. Como estivesse abrindo uma vaga na unidade de intervenção, Armanskij aceitou contratá-lo. Nunca se arrependeu. Eriksson estava na Milton havia cinco anos. Ele não tinha a mesma familiaridade com o terreno que a maioria dos funcionários, em compensação, destacava-se pela perspicácia de seus recursos intelectuais.

— Bom dia a todos, sentem-se e para começar leiam isto aqui — disse Armanskij.

Distribuiu três pastas que continham umas cinquenta cópias de recortes de jornal relatando a caçada a Lisbeth Salander, além de um resumo de três páginas sobre seu passado. Armanskij passara a segunda-feira depois da Páscoa redigindo o documento. Eriksson foi o primeiro a terminar a leitura e largar a pasta. Armanskij esperou que Bohman e Fräklund também terminassem.

— Imagino que nenhum de vocês deixou de ver as manchetes dos tabloides durante o feriado — disse Dragan Armanskij.

— Lisbeth Salander — disse Fräklund com voz neutra.

Steve Bohman balançou a cabeça.

Niklas Eriksson olhou para o nada com uma expressão impenetrável, esboçando um sorriso triste.

Dragan Armanskij encarou o trio com um olhar perscrutador.

— Uma de nossas funcionárias — disse ele. — Vocês chegaram a conhecê-la nos anos em que ela esteve conosco?

— Tentei brincar com ela uma vez — disse Niklas Eriksson com ar constrangido. — Não deu muito certo. Pensei que ela fosse me decapitar. Era uma desmancha-prazeres, acho que nunca troquei mais de umas dez frases com ela.

— Ela era um tanto especial — disse Fräklund.

Bohman deu de ombros.

— Era completamente doida, uma verdadeira peste para se conviver. Eu sabia que ela era maluca, mas não perturbada a esse ponto.

— Ela era uma figura estranha nesta empresa — reforçou Fräklund. — Eu nunca fui próximo dela, não dá para dizer que a gente alguma vez teve um contato caloroso.

Dragan Armanskij assentiu com a cabeça.

— Ela seguia seus próprios caminhos — disse. — Não era uma pessoa fácil de lidar. Mas eu a contratei porque era a melhor investigadora que já conheci. Sempre chegava a resultados fora do comum.

— Está aí uma coisa que eu nunca entendi — disse Fräklund. — Nunca saquei como ela podia ser tão incrivelmente competente e ao mesmo tempo tão antissocial.

Os três concordaram com a cabeça.

— É evidente que a explicação está no estado psíquico dela — disse Armanskij, mostrando uma das pastas. — Ela foi declarada incapaz.

— Eu não sabia disso — disse Eriksson. — Quer dizer, ela não andava com um cartaz nas costas anunciando que estava sob tutela. E você nunca comentou nada.

— Não — reconheceu Armanskij. — Nunca comentei nada porque achava que ela não precisava ser ainda mais estigmatizada do que já era. Acho que todo mundo merece uma chance.

— Dá para ver, pelo resultado dessa experiência em Enskede — disse Bohman.

— Quem sabe.

Armanskij hesitou um instante. Não queria revelar sua fraqueza por Lisbeth Salander aos três profissionais que o contemplavam, olhos repletos de expectativa. O tom deles fora bastante neutro durante a conversa, mas Armanskij também sabia que Lisbeth Salander era abertamente detestada pelos três, bem como por todos os funcionários da Milton Security. Ele não podia se mostrar frágil ou desconcertado. Era fundamental, portanto, apresentar a situação de modo a criar uma certa dose de entusiasmo e profissionalismo.

— Pela primeiríssima vez, decidi usar parte dos recursos da Milton para cuidarmos de um caso estritamente interno — disse. — Não podemos chegar a quantias astronômicas, mas pretendo afastar vocês dois, Bohman e Eriksson, do trabalho do dia a dia. A missão de vocês será, para usar uma expressão curinga, "estabelecer a verdade" sobre Lisbeth Salander.

Bohman e Eriksson dirigiram um olhar cético para Armanskij.

— Quero que você, Fräklund, assuma as rédeas da investigação. Quero saber o que aconteceu e o que levou Lisbeth Salander a matar seu tutor e o casal de Enskede. Deve, necessariamente, haver uma explicação plausível.

— Desculpe, mas isso está parecendo uma verdadeira investigação policial — objetou Fräklund.

— Sem dúvida — Armanskij retrucou imediatamente. — Mas temos certa vantagem em relação à polícia. Conhecemos Lisbeth Salander e temos uma ideia de como ela funciona.

— Hmm — disse Bohman com um tom cético. — Não acredito que alguém nesta empresa conheça a Salander ou tenha a mais vaga ideia do que se passa na cabeça dela.

— Não faz mal — respondeu Armanskij. — Ela trabalhava para a Milton Security. Considero nossa responsabilidade estabelecer a verdade.

— A Salander não trabalha com a gente desde... quanto tempo faz? Quase dois anos — disse Fräklund. — Não acho que a gente seja tão responsável assim pelo que ela faz. E não acho que a polícia ia gostar que a gente se metesse na investigação deles.

— Pelo contrário — disse Armanskij.

Ele estava jogando seu trunfo e tinha que jogar com habilidade.

— Como assim? — perguntou Bohman.

— Ontem eu tive uma longa conversa com o chefe do inquérito preliminar, o procurador Ekström, e com o inspetor que está conduzindo a investigação, Bublanski. O Ekström está sendo pressionado. Não se trata de um acerto de contas qualquer entre gângsteres, e sim de um acontecimento com imenso potencial midiático — foram executados um advogado, uma criminologista e um jornalista. Expliquei a eles que, considerando-se que a principal suspeita é uma ex-funcionária da Milton Security, tínhamos decidido iniciar uma investigação própria sobre o caso.

Armanskij fez uma pausa antes de prosseguir.

— O Ekström e eu concordamos que o importante no momento é que a Lisbeth Salander seja detida o quanto antes, para não ter tempo de fazer mais estragos, a si mesma ou aos outros — disse. — Já que, como pessoa, a conhecemos mais que a polícia, podemos contribuir. O Ekström e eu decidimos então que vocês dois — apontou para Bohman e Eriksson — vão se mudar para a delegacia central e se juntar à equipe de Bublanski.

Os três lançaram a Armanskij um olhar perplexo.

— Desculpe, uma pergunta idiota... mas nós somos civis — disse Bohman. — A polícia vai nos abrir as portas de uma investigação de assassinato como esta, sem mais nem menos?

— Vocês vão trabalhar sob o comando do Bublanski, mas também vão me manter informado. Vão ter livre acesso à investigação. Todo o material que nós já temos e o que vocês descobrirem será passado ao Bublanski. Para a polícia, isso significa que a equipe do Bublanski simplesmente vai ganhar um reforço extra. E nenhum de vocês foi civil a vida inteira. Fräklund e Bohman, vocês trabalharam muitos anos como policiais antes de vir para cá, e você, Eriksson, cursou a escola da polícia.

— Mas isso é contra os princípios...

— De jeito nenhum. A polícia recorre frequentemente a consultores civis em diversas investigações. Podem ser psicólogos nas investigações sobre crimes sexuais ou intérpretes nas investigações que envolvam estrangeiros. Vocês vão simplesmente intervir enquanto consultores civis que têm algum conhecimento a mais do principal suspeito.

Fräklund meneou a cabeça devagar.

— Certo. A Milton se junta à investigação da polícia e procura contribuir para a prisão da Salander. Mais alguma coisa?

— Uma só: a missão de vocês, no que diz respeito à Milton, é estabelecer a verdade. Mais nada. Quanto a mim, quero saber se a Salander matou mesmo essas três pessoas, e nesse caso por quê.

— Então ainda existe alguma dúvida quanto à culpa dela? — perguntou Eriksson.

— Os indícios de que a polícia dispõe são muito comprometedores para ela. Mas quero saber se existe outra dimensão para essa história, se existe um cúmplice que desconhecemos e que talvez tenha empunhado a arma do crime, ou se há circunstâncias que ignoramos.

— Acho difícil encontrar circunstâncias atenuantes para um triplo assassinato — disse Fräklund. — Teríamos que partir do princípio de que existe uma chance de ela ser inocente. E eu não acredito nisso.

— Nem eu — reconheceu Armanskij. — Mas a missão de vocês será colaborar com a polícia de todas as formas possíveis e contribuir para a sua rápida detenção.

— E de quanto vai ser a nossa verba? — perguntou Fräklund.

— O normal. Quero que me mantenham informados dos custos, e se chegarem a quantias faraônicas a gente desiste. Mas considerem que vão trabalhar em tempo integral nessa história por pelo menos uma semana a partir de agora.

Mais uma vez, hesitou um instante.

— Sou eu quem conhece melhor a Lisbeth Salander. Isso significa que vocês devem me ver como um dos protagonistas dessa história e que eu devo estar entre as pessoas que vocês vão interrogar — disse ele, por fim.

Sonja Modig atravessou o corredor com passos rápidos e conseguiu chegar à sala de interrogatório quando as últimas cadeiras acabavam de ser movidas. Sentou-se ao lado de Bublanski, que convocara toda a equipe de investigação, inclusive o chefe do inquérito preliminar. Hans Faste lançou a Sonja um olhar irritado por causa do atraso e então se concentrou na introdução: cabia a ele iniciar a reunião.

Ele continuara pesquisando os inúmeros conflitos entre a burocracia do Serviço Social e Lisbeth Salander, a suposta "pista psicopata" como ele a chamava, e inegavelmente tivera tempo de reunir um farto material. Hans Faste clareou a garganta.

— Apresento-lhes o doutor Peter Teleborian, médico-chefe da clínica psiquiátrica do Hospital Sankt Stefan, em Uppsala. Ele teve a gentileza de vir até Estocolmo para deixar à nossa disposição tudo o que sabe sobre a Lisbeth Salander.

Sonja Modig voltou o olhar para Peter Teleborian. Era um homem baixo, de cabelo castanho crespo, óculos com armação metálica e um cavanhaque miúdo. Vestia-se com descontração, paletó bege de veludo cotelê, jeans e camisa listrada aberta no colarinho. Tinha feições acentuadas, com um quê de garoto. Sonja já vira Peter Teleborian diversas vezes, mas nunca tinha falado com ele. Ele dera algumas aulas sobre transtornos psíquicos quando ela estava no último ano da escola de polícia e, em outra ocasião, num estágio de formação continuada, havia falado sobre psicopatas e comportamentos psicopatas entre os jovens. Ela também assistira ao processo de um estuprador em série em que ele fora chamado a testemunhar como especialista. Por ter se manifestado durante vários anos nos debates públicos, era um dos psiquiatras mais conhecidos do país. Destacara-se por sua crítica severa aos cortes brutais no orçamento dos tratamentos psiquiátricos, que resultaram no fechamento de hospitais psiquiátricos e no abandono puro e simples de pessoas vítimas de evidente indigência psíquica, condenando-as a um destino de pessoas sem-teto e transformando-as em casos sociais. Após o assassinato de Anna Lindh, ministra das Relações Exteriores, Teleborian integrara a Comissão Parlamentar de Inquérito sobre a decadência dos serviços psiquiátricos.

Peter Teleborian cumprimentou os presentes com um movimento de cabeça e se serviu de água mineral num copo plástico.

— Vamos ver se posso ser útil — ele começou, cauteloso. — Detesto ver meus prognósticos se cumprindo nesse tipo de contexto.

— Prognósticos? — perguntou Bublanski.

— Sim. Pode-se falar em ironia. Na noite dos assassinatos de Enskede, participei de um painel na televisão em que se falou da bomba-relógio que está ativada em mais ou menos toda a nossa sociedade. É assustador. Eu decerto não estava pensando em Lisbeth Salander naquele momento, mas citei uma série de exemplos — anônimos, claro — de pacientes que francamente deveriam estar em instituições de tratamento em vez de andando livres pelas ruas. Eu diria que, só neste ano, a polícia terá de solucionar pelo menos meia dúzia de homicídios ou assassinatos cujo culpado pertence a esse grupo de pacientes, de número bastante limitado.

— E o senhor quer dizer que a Lisbeth Salander faz parte desses loucos de atar? — perguntou Hans Faste.

— A expressão "loucos de atar" não é muito pertinente. Mas ela faz parte, sim, dessa clientela abandonada pela sociedade. É, sem dúvida, um desses indivíduos dilacerados que eu não teria deixado à solta por aí, se tivessem pedido a minha opinião.

— O senhor quer dizer que ela deveria ter sido internada antes que cometesse um crime? — perguntou Sonja Modig. — Não seria muito coerente com os princípios de uma sociedade de direito.

Hans Faste franziu o cenho e lançou-lhe um olhar irritado. Sonia Modig se perguntou por que Faste parecia estar sempre mostrando as garras para ela.

— Você está coberta de razão — respondeu Teleborian, vindo assim, indiretamente, em seu socorro. — Não é coerente com a sociedade de direito, pelo menos não na sua forma atual. Mas existe um equilíbrio a manter entre o respeito pelo indivíduo e o respeito pelas vítimas potenciais que um ser humano mentalmente perturbado pode deixar pelo caminho. Nenhum paciente é igual ao outro, e eles precisam ser tratados caso a caso. É evidente que nos serviços de tratamento psiquiátrico também cometemos erros e damos alta a pessoas que não deveriam estar em liberdade.

— Talvez não seja preciso nos aprofundarmos em política social no caso que nos interessa — disse Bublanski diplomaticamente.

— Tem razão — concordou Teleborian. — Trata-se aqui de um caso específico. Mas permitam-me apenas dizer que é importante entender que Lisbeth Salander é uma pessoa doente que necessita de cuidados, como qualquer paciente que sofre de dor de dente ou de insuficiência cardíaca precisa de cuidados. Ela pode se curar, e poderia estar curada hoje se tivesse recebido a ajuda adequada quando ainda era receptiva ao tratamento.

— O senhor, então, era o médico dela — disse Hans Faste.

— Sou uma das diversas pessoas que lidaram com Lisbeth Salander. Ela foi minha paciente no início da adolescência, e fui um dos médicos que a avaliaram antes da decisão de colocá-la sob tutela quando ela atingiu a maioridade.

— Fale-nos sobre ela — pediu Bublanski. — O que poderia tê-la levado a Enskede para matar duas pessoas desconhecidas, e o que poderia tê-la levado a matar seu tutor?

Peter Teleborian caiu na gargalhada.

— Não, isso eu não tenho como dizer. Não acompanho a evolução dela há vários anos, e não sei em que grau de psicose ela se encontra. Agora, o que posso adiantar é que duvido muito que ela não conhecesse o casal de Enskede.

— O que o faz pensar assim? — perguntou Hans Faste.

— Uma das fragilidades no tratamento da Lisbeth Salander é que nunca houve um diagnóstico completo sobre ela. Isso porque ela não foi receptiva ao tratamento. Sempre se negou a responder às perguntas ou participar de qualquer forma de tratamento terapêutico.

— De modo que o senhor não tem certeza se ela é mesmo doente? — perguntou Sonja Modig. — Quero dizer, já que não existe um diagnóstico.

— Veja o seguinte — disse Peter Teleborian. — Eu recebi a Lisbeth Salander quando ela estava para fazer treze anos. Era psicótica, tinha problemas fóbicos e sofria de uma evidente mania de perseguição. Foi minha paciente por dois anos, depois de ser compulsoriamente internada no Sankt Stefan. O motivo desse internamento compulsório é que, ao longo de toda a infância, ela havia demonstrado um comportamento particularmente violento com colegas de escola, professores e pessoas conhecidas. Vários incidentes foram comunicados ao diretor, ela atingiu e feriu pessoas. Mas a violência sempre foi dirigida a pessoas com quem ela convivia, ou seja, alguém que tinha dito ou feito alguma coisa que ela considerava uma ofensa. Não há nenhum caso em que ela tenha atacado um perfeito desconhecido. Por isso, acredito que existe uma ligação entre ela e o casal de Enskede.

— Com exceção do ataque no metrô quando ela tinha dezessete anos — disse Hans Faste.

— Nesse caso, temos que considerar que ela é que foi comprovadamente agredida e não fez mais que se defender — disse Teleborian. — A pessoa em questão era um conhecido criminoso sexual. Esse é também um bom exemplo da maneira como ela age. Ela poderia ter se afastado ou procurado proteção junto aos outros passageiros. Mas optou por golpear e ferir gravemente. Quando se sente ameaçada, ela chega às vias de fato.

— Mas então, qual é a doença dela? — perguntou Bublanski.

— Como acabei de dizer, não dispomos de fato de um diagnóstico. Eu diria que ela sofre de esquizofrenia e está sempre se equilibrando nas fronteiras da psicose. Carece de empatia e, por vários motivos, pode ser qualificada como uma sociopata. Confesso que me surpreende ela ter se saído tão bem depois da maioridade. Quer dizer que, mesmo sob tutela, ela se movimentou oito anos pela sociedade sem cometer nenhum ato que resultasse numa queixa ou detenção. Mas o prognóstico...

— O prognóstico?

— Nesse tempo todo, ela não recebeu tratamento. Eu seria capaz de apostar que a doença dela, que talvez pudéssemos ter amainado ou tratado há dez anos, agora já faz parte da sua personalidade. Meu prognóstico é que, uma vez detida, ela não será condenada à prisão. Terá de ser internada numa instituição.

— Então como se explica que o tribunal de instâncias decidiu conceder a ela um visto para a vida em sociedade? — resmungou Hans Faste.

— Isso na certa deve ser entendido como a conjunção de alguns fatores: um advogado bom de lábia, somado a restrições orçamentárias e à eterna liberalização. Em todo caso, foi uma decisão à qual eu me opus quando o serviço de medicina legal me consultou. Mas eu não tinha poder de decisão.

— Mas esse prognóstico de que o senhor fala se baseia necessariamente em suposições — sugeriu Sonja Modig. — Quero dizer, na verdade o senhor não sabe nada do que aconteceu com ela desde que ela atingiu a maioridade.

— É mais que uma suposição. É a minha experiência.

— Ela pode representar um perigo para si mesma? — perguntou Sonja Modig.

— Você quer dizer: se ela poderia cometer suicídio? Não, duvido muito. Ela é uma psicopata egomaníaca. O que conta é ela mesma. Todas as outras pessoas à sua volta não têm a menor importância.

— O senhor disse que a reação dela pode se traduzir em chegar às vias de fato — disse Hans Faste. — Ou seja, ela pode ser vista como uma pessoa perigosa.

Peter Teleborian o contemplou demoradamente. Então, inclinou a cabeça e coçou a testa antes de responder.

— Vocês não imaginam como é difícil afirmar com exatidão como uma pessoa vai reagir. Eu não gostaria que Lisbeth Salander fosse ferida quando vocês a prenderem… mas digamos que, tratando-se dela, eu tomaria cuidado para que a detenção se desse com a máxima cautela. Se ela estiver armada, há um grande risco de ela usar a arma.

18. TERÇA-FEIRA 29 DE MARÇO — QUARTA-FEIRA 30 DE MARÇO

Três investigações paralelas sobre os assassinatos de Enskede estavam, portanto, em andamento. A primeira era a do inspetor Bublanski, que tinha a vantagem de representar a autoridade do Estado. Tudo indicava que a solução estava bem ao alcance da mão; tinham uma suspeita e uma arma do crime associada a essa suspeita. Tinham uma ligação incontestável com a primeira vítima e uma possível ligação, através de Mikael Blomkvist, com as duas outras vítimas. Para Bublanski, praticamente só faltava encontrar Lisbeth Salander e enfiá-la numa cela da casa de detenção de Kronoberg.

A investigação de Dragan Armanskij estava formalmente subordinada à investigação oficial da polícia, mas Armanskij também tinha uma agenda própria. Sua intenção era, de certa forma, cuidar dos interesses de Lisbeth Salander — descobrir a verdade e, de preferência, uma verdade com circunstâncias atenuantes.

A investigação mais incômoda era a da *Millennium*. A revista carecia totalmente dos recursos de que dispunham tanto a polícia como a empresa de Armanskij. Ao contrário da polícia, Mikael Blomkvist não estava particularmente interessado em descobrir um motivo plausível que pudesse ter levado Lisbeth Salander a Enskede para matar seus dois amigos. Em dado momento, durante os feriados da Páscoa, ele concluíra que simplesmente não acreditava naquela história. Se Lisbeth Salander estava envolvida de alguma maneira nos assassinatos, era necessariamente por motivos bem diversos dos que a investigação oficial dava a entender. Outra pessoa tinha segurado a arma, ou então alguma coisa escapara do controle de Lisbeth Salander.

Niklas Eriksson permaneceu calado no trajeto de táxi entre Slussen e a delegacia central de Kungsholmen. Estava deslumbrado por se ver afinal, e sem aviso prévio, em meio a uma legítima investigação policial. Olhou de lado para Steve Bohman, que relia mais uma vez o resumo de Armanskij. Então sorriu de repente consigo mesmo.

Aquela missão lhe oferecia uma chance totalmente inesperada de viver uma ambição que nem Armanskij nem Steve Bohman conheciam ou sequer adivinhavam. Achava-se, de repente, em condições de apanhar Lisbeth Salander. Esperava poder contribuir para sua detenção. Esperava que ela fosse condenada à prisão perpétua.

Todo mundo sabia que Lisbeth Salander não era muito popular na Milton Security. A maioria dos colaboradores que tinham lidado com ela a consideravam uma chave de cadeia. Mas nem Bohman nem Armanskij desconfiavam até que ponto Niklas Eriksson odiava Lisbeth Salander.

A vida havia sido injusta com Niklas Eriksson. Ele era um sujeito bonito. Um homem na flor da idade. Além disso, era inteligente. Ainda assim, estava excluída para sempre qualquer possibilidade de ele vir a ser o que sempre sonhara, ou seja, um policial. Seu problema era um sopro no coração, causado por uma lesão microscópica de uma válvula. Ele fora operado e o defeito, corrigido, mas, pelo fato de ter tido um problema cardíaco, fora definitivamente desclassificado e julgado um ser humano de categoria inferior.

Quando lhe propuseram trabalhar na Milton Security, ele aceitou. Mas foi sem o menor entusiasmo. Considerava a Milton uma lixeira de indivíduos inúteis — tiras aposentados e que já não estavam à altura. E ele era um desses rejeitados, sem ser responsável por isso.

Quando começou a trabalhar na Milton, uma de suas primeiras missões foi auxiliar a unidade de intervenção. Ele tinha que fazer uma análise de segurança para a proteção pessoal de uma cantora mundialmente famosa, e já não tão jovem, que vinha sofrendo ameaças de um admirador demasiado afoito, que além disso era um paciente psiquiátrico foragido. A cantora morava sozinha numa mansão em Södertörn, onde a Milton havia instalado um sistema de vigilância e um alarme, e deixado um guarda-costas de plantão. Certa noite, já bem tarde, o admirador afoito tentou entrar arrombando a casa. O guarda-costas neutralizou rapidamente o sujeito, que foi depois condenado por ameaças e arrombamento, e despachado de volta para o asilo.

Por duas semanas, Niklas Eriksson fora várias vezes à mansão de Södertörn, acompanhando outros funcionários da Milton. Achava que a cantora madurona tinha um ar altivo de megera esnobe, e olhara espantada para ele quando ele bancou o sedutor. Ela deveria era se dar por feliz de um admirador ainda se lembrar dela.

Desprezava a maneira como o pessoal da Milton lambia as botas daquela mulher. Mas, evidentemente, não expressara sua opinião.

Certa tarde, pouco antes da prisão do admirador, a cantora e mais dois funcionários da Milton achavam-se à beira de uma pequena piscina nos fundos da casa, enquanto ele próprio estava lá dentro tirando fotos das portas e janelas que precisariam eventualmente ser reforçadas. Andara de um cômodo a outro até chegar ao quarto da mulher, e de repente não resistira à tentação de abrir uma cômoda. Encontrara uma dúzia de álbuns fotográficos datando da sua época de glória, nos anos 1970 e 1980, quando ela e sua orquestra faziam turnês pelo mundo inteiro. Encontrara também uma caixa com fotos muito pessoais da cantora. Fotos relativamente inocentes mas que, com alguma imaginação, poderiam ser vistas como "ensaios eróticos". *Meu Deus, que mocreia!* Ele roubara cinco das fotos mais ousadas, aparentemente tiradas por algum amante e decerto guardadas como recordação.

Fizera cópias e em seguida repusera os originais no lugar. Depois, esperou cinco meses antes de vendê-las a um tabloide inglês. Tinham-lhe pagado nove mil libras. As fotos deram o que falar.

Ele até hoje não sabia como Lisbeth Salander tinha feito. Pouco depois de as fotos serem publicadas, ela o procurou. Sabia que era ele quem vendera as fotos. Ameaçou denunciá-lo a Dragan Armanskij se voltasse a fazer coisas daquele tipo. Ela o teria denunciado se pudesse se fundamentar em documentos — o que aparentemente ela não estava em condições de fazer. Mas, a partir daquele dia, sentiu que ela o vigiava. Assim que ele se virava, deparava com seus olhinhos suínos.

Ele se sentira acuado e frustrado. O único revide possível tinha sido minar a credibilidade dela alimentando fofocas a seu respeito na sala dos funcionários, mas sem muito êxito. Não ousava chamar muita atenção, pois sabia, como todos na empresa, que por algum motivo incompreensível ela era protegida pelo próprio Armanskij. Eriksson se perguntava que espécie de poder ela tinha sobre o presidente da Milton, ou se era o caso de pensar que o velho safado a comia escondido. Embora ninguém na Milton gostasse muito de Lisbeth Salander, os funcionários respeitavam Armanskij e aceitavam a presença daquela garota estranha. Niklas Eriksson experimentara um alívio enorme com sua progressiva saída de cena e o cessar de suas atividades na Milton.

Uma oportunidade de lhe dar o troco acabava de surgir. Finalmente, sem risco algum. Ela poderia acusá-lo do que quisesse — ninguém iria acreditar. Nem Armanskij daria crédito a uma assassina psicopata.

O inspetor Bublanski viu Hans Faste sair do elevador na companhia de Bohman e Eriksson, da Milton Security. Faste tinha ido buscar os novos colaboradores na entrada de segurança. Bublanski não se entusiasmava muito com a ideia de abrir os arquivos de uma investigação por homicídio para pessoas de fora, mas era decisão de seus superiores e... afinal, Bohman era um policial de verdade, já com bons quilômetros rodados. E Eriksson, egresso da escola de polícia, não podia ser um total imbecil. Bublanski indicou a sala de reuniões.

A caçada a Lisbeth Salander estava em seu sexto dia e era hora de fazer um balanço. O procurador Ekström não participava da reunião. Estavam presentes os inspetores Sonja Modig, Hans Faste, Curt Bolinder e Jerker Holmberg, reforçados por quatro colegas da unidade de investigação da Criminal Nacional. Bublanski começou apresentando os novos colaboradores da Milton Security e perguntou se um deles gostaria de dizer algumas palavras. Bohman clareou a garganta.

— Já faz algum tempo que deixei esta casa, mas alguns de vocês me conhecem e sabem que fui um dos seus durante muitos anos, antes de passar para o setor privado. O motivo da nossa presença aqui é que a Salander trabalhou vários anos para nós e, de certa forma, nos sentimos um pouco responsáveis. Nossa missão é colaborar no que for possível para a rápida prisão de Salander. Podemos fornecer algumas informações pessoais sobre ela. Portanto, não estamos aqui para atrapalhar a investigação nem para aprontar com vocês por baixo do pano.

— Que tipo de colega ela era? — perguntou Faste.

— Não exatamente uma pessoa que dava vontade de abraçar — respondeu Niklas Eriksson.

Ele se calou quando Bublanski levantou a mão.

— Teremos oportunidade de abordar mais detalhes durante a reunião. Mas vamos analisar as coisas dentro de uma certa ordem, para obtermos uma visão coerente da situação. Terminada a reunião, vocês dois vão se encontrar com o procurador Ekström para assinar um juramento de segredo profissional. Agora, vamos começar com Sonja.

— É frustrante. Apenas fizemos progresso poucas horas depois do assassinato, quando identificamos Salander. Localizamos seu domicílio, ou o que pensamos ser seu domicílio. Depois, nem uma mínima pista sequer. Recebemos umas trinta ligações de pessoas que a teriam visto, mas até agora todas se revelaram falsas. Ela parece ter evaporado.

— O que é meio incompreensível — disse Curt Bolinder. — Ela tem uma aparência física bem característica, usa tatuagens, não deveria ser difícil encontrá-la.

— A polícia de Uppsala fez uma blitz ontem, dessas com fanfarra e banda de música, baseada numa informação dessas. Tudo isso para pôr as mãos num garoto de catorze anos parecido com a Salander, que levou um susto daqueles. Os pais não ficaram lá muito contentes, posso garantir.

— Imagino que não ajude estarmos buscando uma pessoa que aparenta ter catorze anos. Ela pode sumir no meio de turmas de jovens.

— Mas com a publicidade que a mídia vem fazendo em torno dela, alguém teria que ter visto alguma coisa — objetou Bolinder. — Ela vai passar no *Procura-se* desta semana, vamos ver se dá em alguma coisa.

— Custo a acreditar, quando penso que ela foi manchete de todos os jornais suecos — disse Hans Faste.

— Isso significa que a gente talvez tenha que mudar o raciocínio — disse

Bublanski. — Ela pode ter conseguido fugir para o exterior, mas é mais provável que esteja escondida em algum lugar, esperando.

Bohman levantou a mão. Bublanski lhe fez um sinal com a cabeça.

— A imagem que temos dela não indica que ela seja autodestrutiva. É uma fina estrategista e planeja suas ações como um jogador de xadrez. Não faz nada sem analisar as consequências. Esta é, pelo menos, a opinião de Dragan Armanskij.

— É também a opinião do ex-psiquiatra dela. Mas vamos deixar de lado, por enquanto, a personalidade dela — disse Bublanski. — Mais cedo ou mais tarde ela vai ter que fazer algum movimento. Jerker, quais são os recursos financeiros dela?

— Esta vocês vão adorar — disse Jerker Holmberg. — Há muitos anos ela tem uma conta no Handelsbanken. Esse é o dinheiro que ela declara. Ou melhor, que o doutor Bjurman declarava. Há um ano, essa conta acusava um saldo de cem mil coroas. No outono de 2003, ela sacou toda essa quantia.

— Ela precisou de dinheiro líquido no outono de 2003. Segundo Armanskij, foi quando ela parou de trabalhar na Milton Security — disse Bohman.

— Pode ser. A conta ficou zerada por duas semanas. Depois, a mesma quantia voltou a ser depositada.

— Ela pode ter achado que ia precisar do dinheiro para alguma coisa, acabou não usando e pôs o dinheiro de volta no banco.

— Faz sentido. Em dezembro de 2003, ela usou essa conta para pagar algumas faturas, inclusive as taxas de condomínio do ano seguinte. O saldo ficou em setenta mil coroas. Depois disso, nenhuma movimentação durante um ano, com exceção de um depósito de nove mil coroas e alguma coisa. Verifiquei, era a herança da mãe dela.

— Certo.

— Em março deste ano, ela sacou o dinheiro da herança, a quantia exata era de 9312 coroas. Foi a única vez que ela mexeu nessa conta.

— Mas então do que é que ela vive, caramba?

— Escutem esta. Em janeiro deste ano, ela abriu outra conta. Desta vez no SEB. Depositou dois milhões de coroas.

— O quê?

— De onde saiu esse dinheiro? — perguntou Modig.

— Foi transferido para a conta dela a partir de um banco das ilhas anglo-normandas.

O silêncio tomou conta da sala de reuniões.

— Não estou entendendo — disse Sonja Modig por fim.

— Quer dizer que esse dinheiro ela não declarou? — perguntou Bublanski.

— É, mas tecnicamente ela não precisa declarar antes do próximo ano. Observe que essa quantia não consta no relatório mensal de Bjurman sobre a situação financeira de Salander.

— Você quer dizer que ou ele não estava a par, ou eles estavam tramando alguma coisa juntos. Jerker, em que pé estamos no aspecto técnico?

— Ontem à noite fiz um balanço com o chefe do inquérito preliminar. O que sabemos é o seguinte. Primeiro: temos condições de estabelecer a ligação entre Salander e os dois locais dos crimes. Achamos suas impressões digitais na arma do crime e nos estilhaços de uma xícara de café quebrada em Enskede. Estamos aguardando a resposta sobre as amostras de DNA que colhemos... mas não há quase nenhuma dúvida de que ela esteve no apartamento.

— Certo.

— Segundo: temos suas impressões digitais na embalagem da arma encontrada no apartamento do doutor Bjurman.

— Certo.

— Terceiro: temos, finalmente, uma testemunha que a viu no local do crime em Enskede. O balconista de uma tabacaria se manifestou dizendo que Lisbeth Salander comprou um pacote de Marlboro light na sua loja na noite do crime.

— E levou todo esse tempo para resolver falar.

— Ele viajou no feriadão, como todo mundo. O fato é que a tabacaria fica na esquina, aqui — Jerker Holmberg mostrou um mapa —, a uns cento e noventa metros do local do crime. Ela entrou um pouco antes de a loja fechar, às vinte e duas horas. Ele nos deu uma descrição perfeita.

— A tatuagem no pescoço? — perguntou Curt Bolinder.

— Ele foi meio vago sobre isso. Acha que lembra de uma tatuagem. Mas notou com segurança que ela tinha um *piercing* na sobrancelha.

— E o que mais?

— Não há muito mais que isso como prova puramente técnica. Mas é o suficiente.

— Faste, e o apartamento da Lundagatan?

— Achamos as digitais dela, mas não acredito que ela more lá. Viramos o apartamento de ponta-cabeça e tudo parece pertencer a Miriam Wu. Ela só foi incluída no contrato em fevereiro deste ano.

— O que se sabe sobre ela?

— Nenhuma condenação. Lésbica assumida. Participa às vezes de shows e coisas assim, na Gay Pride. Ela faz de conta que estuda sociologia e é coproprietária de uma butique pornô na Tegnérgatan. A Domino Fashion.

— Butique pornô? — perguntou Sonja Modig, erguendo as sobrancelhas.

Uma vez, para agradar o marido, ela havia comprado uma lingerie sexy na Domino Fashion. Coisa que não tinha a menor intenção de revelar aos homens daquela mesa.

— É, eles vendem algemas e roupa de puta, coisas assim. Se estiver procurando um chicote…

— Não é uma butique pornô, é uma butique de moda para pessoas que gostam de lingerie refinada — ela disse.

— Dá na mesma.

— Prossiga — disse Bublanski, irritado. — Não temos nenhuma pista da Miriam Wu.

— Nenhuma.

— Ela pode ter viajado no feriado — sugeriu Sonja Modig.

— Ou então a Salander acabou com ela também — sugeriu Faste. — Ela talvez queira varrer do mapa todos os seus conhecidos.

— Com que então, a Miriam Wu é lésbica. Devemos concluir que a Salander e ela estão juntas?

— Acho que podemos tranquilamente concluir que existe uma relação sexual — disse Curt Bolinder. — Me baseio em várias coisas. Primeiro, achamos as digitais da Lisbeth Salander em torno da cama do apartamento. Também achamos digitais nas algemas, que obviamente foram usadas como brinquedo sexual.

— Então ela decerto vai apreciar as algemas que estou reservando para ela — disse Hans Faste.

Sonja Modig suspirou profundamente.

— Prossiga — disse Bublanski.

— Segundo: temos a informação de que a Miriam Wu flertou pesado no Moulin com uma garota cuja descrição corresponde à de Salander. Foi há uns quinze dias. O informante diz que conhece a Salander, que já cruzou com ela no Moulin, embora este ano ela não tenha sido vista por lá, já que estava no exterior. Não tive tempo de verificar com os funcionários. Vou ver isso hoje à tarde.

— O dossiê dela no Serviço Social não menciona que ela é lésbica. Na adolescência, ela volta e meia fugia das famílias adotivas para dar em cima dos homens nos bares. Foi pega várias vezes na companhia de homens mais velhos.

— Ela além de tudo rodava a bolsinha! — disse Hans Faste.

— O que se sabe sobre os amigos dela? Curt?

— Praticamente nada. Ela não foi interpelada desde os dezoito anos. Conhece o Dragan Armanskij e o Mikael Blomkvist, isso a gente sabe. E também a Miriam Wu, claro. A mesma fonte que me falou sobre ela e a Wu no Moulin disse que antigamente ela andava com um grupo de meninas. O grupo atendia pelo nome de Evil Fingers.

— Evil Fingers? O que é isso? — Bublanski quis saber.

— Parece um troço de ocultismo. Elas costumavam se encontrar para farrear.

— Não me diga que a Salander também é uma maldita satanista — disse Bublanski. — A mídia vai adorar.

— Um grupo de lésbicas satanistas — sugeriu Faste generosamente.

— Hans, você tem uma visão medieval das mulheres — disse Sonja Modig. — Até eu já ouvi falar nas Evil Fingers.

— Ah, é? — disse Bublanski, surpreso.

— Era um grupo feminino de rock do final dos anos 1990. Não eram superestrelas, mas teve uma época em que foram relativamente famosas.

— Ou seja, lésbicas satânicas tocando *hard rock* — disse Hans Faste.

— Está bem, chega — disse Bublanski. — Hans, você e o Curt se informem sobre as integrantes do Evil Fingers e falem com elas. A Salander tinha outros amigos?

— Não muitos além do seu ex-tutor, Holger Palmgren. Mas ele está passando por um tratamento prolongado depois que teve um derrame, parece que é bem grave. Não, não posso dizer que descobri um círculo de amizades. Aliás, também não descobrimos onde a Salander mora, nem um caderno de endereços, mas não parece que ela tenha muitos amigos próximos.

— Mesmo assim, ninguém pode andar por aí feito um fantasma, sem deixar vestígios. O que pensar de Mikael Blomkvist?

— A gente não o seguiu propriamente, mas ficamos dando sinal de vida durante o fim de semana — disse Faste. — Para o caso de a Salander se manifestar. Ele foi para casa depois do trabalho e parece não ter saído do apartamento durante o feriado.

— Acho difícil Mikael Blomkvist estar envolvido no assassinato — disse Sonja Modig. — A versão dele faz sentido e ele nos forneceu um cronograma detalhado de seus passos na noite do crime.

— Mas ele conhece a Salander. É o elo entre ela e o casal de Enskede. E há também o depoimento dele sobre os dois homens que agrediram a Salander uma semana antes dos assassinatos. O que pensar disso?

— Com exceção do Blomkvist, não há nenhuma outra testemunha dessa agressão... ou dessa suposta agressão — disse Faste.

— Você acha que o Blomkvist está inventando ou mentindo?

— Talvez, para desviar a atenção da Salander.

— Nada disso faz realmente sentido. Foi o Blomkvist que aventou a teoria de que o casal de Enskede foi morto por causa do livro que o Dag Svensson estava escrevendo.

— Isso é balela — disse Faste. — Foi a Salander. Por que alguém iria assassinar o tutor dela para calar o Dag Svensson? E quem... um cara da polícia?

— Se o Blomkvist publicar essa teoria, vamos ficar numa pior, com pistas policiais para todo lado — disse Curt Bolinder.

Todos menearam a cabeça.

— Certo — disse Sonja Modig. — Ela matou o Bjurman por quê?

— E o que significa aquela tatuagem? — perguntou Bublanski, mostrando a foto da barriga de Bjurman.

SOU UM PORCO SÁDICO, UM CANALHA ESTUPRADOR.

Um breve silêncio caiu sobre o grupo.

— O que dizem os médicos? — quis saber Bohman.

— A tatuagem data de três anos. Eles podem ver isso pela pele, conforme a profundidade do sangramento — disse Sonja Modig.

— Podemos pressupor que o Bjurman não mandou fazer a tatuagem por livre e espontânea vontade.

— Verdade que existem tarados por toda parte, mas imagino que essa não seja uma tatuagem corriqueira, mesmo entre os fanáticos.

Sonja Modig balançou o indicador.

— O médico legista diz que, tecnicamente falando, é uma péssima tatuagem, o que eu mesma também constatei. Conclusão: foi feita por um amador. A agulha não foi aplicada sempre com a mesma profundidade, e é uma tatuagem imensa numa parte muito sensível do corpo. Deve ter sido um procedimento extremamente doloroso, que pode quase ser colocado no mesmo nível de golpes e ferimentos agravados.

— A não ser pelo fato de o Bjurman nunca ter dado queixa — disse Faste.

— Eu também não daria queixa se me tatuassem um *slogan* desses na barriga — observou Curt Bolinder.

— Tenho outra coisa aqui — disse Sonja Modig — que talvez possa reforçar a mensagem da tatuagem. É sobre o Bjurman ser um porco sádico.

Ela abriu uma pasta com fotos impressas e as fez circular.

— Só imprimi uma pequena amostra. Mas está aí o que encontrei num arquivo do disco rígido do Bjurman. São fotos baixadas da internet. O computador dele contém mais de duas mil fotos desse tipo.

Faste deu um assobio e mostrou a foto de uma mulher amarrada numa posição brutal e desconfortável.

— Talvez seja algo para a Domino Fashion ou as Evil Fingers — disse ele.

Bublanski fez um gesto irritado com a mão para que Faste calasse a boca.

— Como devemos interpretar isso? — perguntou Bohman.

— A tatuagem tem, digamos... dois anos — disse Bublanski. — Foi mais ou menos na época em que Bjurman ficou doente. Nem o médico legista nem o arquivo médico dele registram qualquer doença grave além da hipertensão. Logo, podemos imaginar que exista uma relação.

— A Salander se mudou no decorrer desse mesmo ano — disse Bohman. — Parou, de repente, de trabalhar para a Milton e se mandou para o exterior.

— Todos concordam que pode haver alguma relação aí também? Se a mensagem da tatuagem estiver certa, o Bjurman teria estuprado alguém. Salander era, sem dúvida, indicada para isso. Nesse caso, seria um bom motivo para um assassinato.

— Mas também poderia haver outras interpretações — disse Hans Faste. — Imagino muito bem um cenário em que a Salander e a china oferecem uma espécie de serviço de acompanhamento ligeiramente sadomasô. Sendo o Bjurman um desses birutas que gozam quando chicoteados por menininhas. Ele pode ter desenvolvido uma espécie de relação de dependência com a Salander e as coisas azedaram.

— Mas isso não explica por que ela teria ido até Enskede.

— Se o Dag Svensson e a Mia Bergman estavam prestes a denunciar o comércio do sexo, eles podem ter topado com a Salander e a Wu. Aí pode ter surgido um motivo para a Salander matar os dois.

— O que nos deixa com mais especulações ainda — disse Sonja Modig.

A reunião se estendeu por mais uma hora, e também foi debatido o sumiço do computador de Dag Svensson. Quando pararam para almoçar, sentiam-se todos frustrados. A investigação estava com mais pontos de interrogação do que nunca.

Erika Berger telefonou para Magnus Borgsjö, da direção do *Svenska Morgon-Posten*, assim que chegou à redação na terça-feira de manhã.

— Estou interessada — disse ela.

— Eu tinha certeza.

— Eu pretendia te comunicar a minha decisão logo depois do feriado da Páscoa, mas, como você pode imaginar, a redação aqui está um verdadeiro caos.

— O assassinato de Dag Svensson. Meus sinceros pêsames. É uma história feia essa.

— Então você entende que não é uma boa hora para eu anunciar que vou abandonar o barco.

Ele ficou um instante em silêncio.

— Estamos com um problema — disse Borgsjö.

— Qual?

— Quando conversamos a primeira vez, eu disse que o cargo teria de ser preenchido no dia 1º de agosto. Mas ocorre que Håkan Morander, o redator-chefe que você deverá substituir, não está nada bem de saúde. Está com problemas cardíacos e precisa reduzir as atividades. Ele conversou com o médico há alguns dias e acabo de saber que ele vai deixar o cargo em 1º de julho. Pensei que ele ficaria até o outono e que você poderia ir tomando pé da situação junto com ele, em agosto e setembro. Mas na atual situação temos uma crise. Erika, precisamos de você aqui a partir de 1º de maio; 15 de maio no mais tardar.

— Meu Deus. Isso é daqui a umas poucas semanas.

— Você continua interessada?

— Sim... mas significa que só tenho um mês para organizar as coisas na *Millennium*.

— Eu sei, Erika, sinto muito. Mas sou obrigado a pressioná-la. Agora, um mês deveria ser mais que suficiente para você encerrar suas pendências numa revista que tem meia dúzia de funcionários.

— Mas isso significa eu largar tudo bem no meio do caos.

— Você vai largar de qualquer jeito. Só estamos antecipando em algumas semanas.

— Quero colocar umas condições.

— Estou escutando.

— Vou continuar no conselho administrativo da *Millennium*.

— Não é muito pertinente. Está certo que a *Millennium* é uma revista mensal, e muitíssimo menor, mas do ponto de vista técnico somos concorrentes.

— Não importa. Eu ficaria totalmente alheia às atividades da redação da *Millennium*, mas não tenho a menor intenção de vender minha parte. De modo que permaneço no C. A.

— Está certo, a gente dá um jeito.

Marcaram um encontro com a direção da empresa na primeira semana de abril a fim de discutirem alguns detalhes e redigir o contrato.

* * *

Mikael Blomkvist teve uma sensação de *déjà vu* ao examinar a lista de suspeitos que tinha elaborado com Malu no fim de semana. Nela constavam trinta e sete nomes que Dag Svensson maltratava sem dó nem piedade em seu livro. Entre eles, vinte e um eram de clientes que ele tinha conseguido identificar.

Mikael se lembrou de repente da sua caçada a um assassino em Hedestad, dois anos antes, cuja galeria de suspeitos, no início, somava quase cinquenta pessoas. Ele fora obrigado a se deter em especulações sobre a eventual culpabilidade de cada uma.

Por volta das dez horas de terça-feira, fez um sinal pedindo a Malu Eriksson que viesse até sua sala. Fechou a porta e convidou-a a se sentar.

Permaneceram em silêncio enquanto tomavam um cafezinho. Por fim, ele lhe passou a lista dos trinta e sete nomes levantados no fim de semana.

— O que a gente faz?

— Para começar, vamos mostrar essa lista para a Erika daqui a uns dez minutos. Depois, vamos tentar analisar nome por nome. Pode ser que alguém da lista tenha relação com os assassinatos.

— E como a gente faz para analisar?

— Eu vou me concentrar nos vinte e um clientes sexuais nominalmente citados no livro. Eles têm mais a perder do que os outros. Vou retomar onde o Dag parou e visitar um por um.

— Certo.

— Tenho duas tarefas para você. Primeiro, temos aqui sete nomes sem identificação, dois clientes e cinco aproveitadores. A sua tarefa, nos próximos dias, vai ser tentar identificá-los. Alguns nomes estão na tese da Mia; talvez haja referências que possam nos ajudar a descobrir os verdadeiros nomes deles.

— Está bem.

— Segundo, sabemos muito pouco sobre o Nils Bjurman, o tutor da Lisbeth. Os jornais publicaram um currículo sumário, mas imagino que metade esteja errada.

— Então vou dar uma fuçada no passado dele.

— Exatamente. Veja o que consegue encontrar.

* * *

Harriet Vanger ligou para Mikael Blomkvist por volta das cinco da tarde.

— Você pode falar?

— Um pouquinho.

— Essa moça que eles estão procurando... foi ela que ajudou a me achar, não foi?

Harriet Vanger e Lisbeth Salander nunca tinham se encontrado.

— Foi — respondeu Mikael. — Me desculpe, não tive tempo de te ligar para te manter informada. Mas foi ela, sim, de fato.

— O que isso significa?

— No que lhe diz respeito... nada, espero.

— Mas ela sabe tudo sobre mim e sobre o que aconteceu dois anos atrás.

— Sim, ela sabe tudo o que aconteceu.

Harriet ficou calada do outro lado da linha.

— Harriet... não acredito que ela seja culpada. Sou obrigado a pensar que ela é inocente. Eu confio na Lisbeth Salander.

— Se acreditarmos no que dizem os jornais...

— Não dá para acreditar no que dizem os jornais. É simplista demais. Ela deu a palavra dela que não ia trair você. Acho que vai cumpri-la pelo resto da vida. Pelo que percebi, ela tem princípios.

— E se ela não cumprir?

— Não sei, Harriet. Vou fazer de tudo para descobrir o que realmente aconteceu.

— Está bem.

— Não se preocupe.

— Não estou preocupada. Só quero estar preparada para o pior. Como você está, Mikael?

— Não muito bem. Estamos em pé de guerra com esses assassinatos.

Harriet Vanger calou-se um instante.

— Mikael... Nesse momento, estou aqui em Estocolmo. Pego o avião para a Austrália amanhã e vou ficar um mês fora.

— Ah, é?

— Estou hospedada no mesmo hotel.

— Não sei bem o que dizer. Estou me sentindo um caco. Tenho que trabalhar esta noite e não vou ser uma companhia muito agradável.

— Você não precisa ser uma companhia agradável. Venha só relaxar um pouco.

Mikael voltou para casa por volta da uma da manhã. Estava cansado e chegou a pensar em deixar tudo para lá e ir dormir, mas mesmo assim ligou o iBook e checou a caixa postal. Não havia nada de interessante.

Abriu a pasta [LISBETH SALANDER] e encontrou um arquivo recente. Intitulava-se [Para MikBlom] e estava bem junto do documento intitulado [Para Sally].

Foi quase um choque deparar de repente com aquele arquivo em seu computador. *Ela está aqui. Lisbeth Salander entrou no meu computador. Talvez ainda esteja aí.* Clicou duas vezes.

Não saberia dizer o que esperava. Uma carta. Uma resposta. Protestos de inocência. Uma explicação. A resposta de Lisbeth Salander a Mikael Blomkvist era frustrante, de tão breve. A mensagem consistia numa única palavra. Quatro letras.

[Zala.]

Mikael fitou aquele nome.

Dag Svensson tinha falado em Zala ao telefone, duas horas antes de ser morto.

O que ela está tentando dizer? Será que Zala é o elo entre o Bjurman, o Dag e a Mia? Como? Por quê? Quem é ele? E como é que a Lisbeth sabe? De que modo está envolvida nisso?

Abriu as propriedades do arquivo e viu que o texto tinha sido criado havia menos de quinze minutos. Então abriu um sorriso. O arquivo mostrava *Mikael Blomkvist* como autor. Ela criara o arquivo no próprio computador dele, e com o seu programa. Era melhor que um e-mail, não deixava pistas nem um IP que pudesse ser rastreado, embora Mikael tivesse quase certeza de que Lisbeth Salander jamais poderia ser rastreada pela rede. E isso simplesmente provava que ela tinha operado um *hostile takeover* — era assim que ela chamava — do seu computador.

Aproximou-se da janela e olhou para o prédio da prefeitura. Não conseguia se livrar da sensação de estar sendo observado por Lisbeth naquele momento, era quase como se ela estivesse ali na sala contemplando-o através da tela do iBook. Concretamente, ela podia estar em qualquer lugar do mundo, mas ele suspeitava que ela estava muito mais perto. Em algum lugar no centro de Estocolmo. Num raio de um quilômetro de onde ele se achava.

Refletiu alguns instantes, em seguida sentou-se e criou um novo arquivo Word que intitulou [Sally-2] e salvou-o na área de trabalho. Escreveu uma mensagem veemente.

> [Lisbeth,
>
> Que diacho de menina complicada você está me saindo... Quem é esse Zala? Ele é que é o elo? Você sabe quem matou Dag & Mia? Se sabe, me diga, para a gente conseguir desfazer este nó e ir para casa dormir. Mikael.]

Ela estava dentro do iBook de Mikael Blomkvist. A resposta chegou menos de um minuto depois. Um novo arquivo se materializou na sua área de trabalho, desta vez intitulado [Super-Blomkvist].

> [O jornalista é você. Trate de descobrir.]

As sobrancelhas de Mikael se contraíram. Ela estava de gozação com ele, e ainda usando aquele apelido que, ela sabia muito bem, ele detestava. E não fornecia um indício sequer. Ele digitou o arquivo [Sally-3] e o salvou na área de trabalho.

> [Lisbeth,
>
> Um jornalista descobre as coisas perguntando às pessoas que sabem. E eu te pergunto: você sabe por que o Dag e a Mia foram mortos e quem os matou? Se souber, me diga. Me dê uma pista para que eu possa avançar. Mikael.]

Foi desanimando enquanto esperava, horas a fio, por uma resposta. Eram mais de quatro da manhã quando desistiu e foi se deitar.

19. QUARTA-FEIRA 30 DE MARÇO — SEXTA-FEIRA 1º DE ABRIL

Na quarta-feira, não aconteceu nada de particularmente interessante. Mikael gastou o dia passando um pente-fino no material de Dag Svensson para achar todas as referências ao nome de Zala. Como fizera Lisbeth Salander, procurou a pasta [ZALA] no computador de Dag Svensson e leu os três arquivos, [Irene P.], [Sandström] e [Zala], e, assim como Lisbeth, percebeu que Dag Svensson tivera uma fonte na polícia que atendia pelo nome de Gulbrandsen. Conseguiu localizá-lo na Criminal de Södertälje, mas quando ligou disseram que Gulbrandsen estava viajando a trabalho e só voltaria na segunda-feira.

Observou que Dag Svensson dedicara muito tempo a Irene P. Leu o relatório da autópsia e descobriu que a mulher fora morta lentamente, de maneira brutal. O assassinato ocorrera no final de fevereiro. A polícia não tinha nenhuma pista do assassino, mas partia do princípio de que, sendo Irene P. uma prostituta, o assassino devia ser um de seus clientes.

Mikael se perguntou por que Dag Svensson teria guardado o arquivo sobre Irene P. na pasta [ZALA]. Isso indicava uma ligação entre Zala e Irene P., mas o texto não fazia nenhuma referência a isso. Ou seja, Dag Svensson estabelecera a ligação só na sua cabeça.

O arquivo [Zala] era tão sucinto que lembrava anotações de trabalho provisórias. Mikael concluiu que Zala (supondo que ele de fato existisse) aparecia como uma espécie de fantasma no mundo do crime. Aquilo não parecia ser muito realista e o texto não remetia a nenhuma fonte.

Fechou o arquivo e coçou a cabeça. Desvendar o assassinato de Dag e Mia era uma tarefa muito mais complicada do que ele tinha imaginado. E, sem querer, sentia-se o tempo todo com uma dúvida. O problema é que, na verdade, ele não dispunha de nenhum indício apontando claramente que Lisbeth não tinha ligação com os assassinatos. Ele apenas se fundamentava no absurdo que era ela ter ido até Enskede para matar dois amigos dele.

Sabia que recursos financeiros não lhe faltavam; ela usara seus talentos como *hacker* para surrupiar uma quantia fabulosa de vários bilhões de coroas. Nem Lisbeth sabia que ele sabia. Exceto ele ter sido obrigado (com a autorização de Lisbeth) a contar dos seus talentos em computação para Erika Berger, jamais revelara os segredos dela para ninguém.

Negava-se a acreditar que Lisbeth Salander fosse culpada dos assassinatos. Tinha para com ela uma dívida que jamais poderia pagar. Ela não só lhe salvara a vida quando Martin Vanger estava prestes a matá-lo, como também salvara sua carreira e, provavelmente, a revista *Millennium*, ao entregar a cabeça daquele financista corrupto que era o Wennerström.

Essas são coisas que vinculam. Sentia uma imensa lealdade em relação a Lisbeth Salander. Fosse ela culpada ou não, pretendia fazer de tudo para ajudá-la quando, mais cedo ou mais tarde, ela fosse detida.

Mas tinha de admitir que não sabia coisa alguma a seu respeito. Os vários laudos psiquiátricos, o fato de ela ter sido internada numa das instituições mais respeitadas do país, sendo inclusive declarada incapaz, indicavam claramente que a cabeça dela não funcionava muito bem. A mídia dera muito espaço ao médico-chefe Peter Teleborian, da clínica psiquiátrica Sankt Stefan, em Uppsala. Por discrição, ele não se pronunciara especificamente sobre Lisbeth Salander, no entanto não perdera a oportunidade de bater na sua tecla da decadência do tratamento dos doentes mentais. Teleborian era uma autoridade respeitada não só na Suécia como no mundo inteiro, enquanto eminente especialista em doenças psíquicas. Tinha sido muito convincente e conseguira expressar sua simpatia pelas vítimas e por suas famílias, e ao mesmo tempo dar a entender que se preocupava imensamente com o bem-estar de Lisbeth.

Mikael se perguntou se deveria entrar em contato com Peter Teleborian para convencê-lo a colaborar de alguma maneira. Mas conteve-se. Ponderou que Peter Teleborian teria muito tempo para ajudar Lisbeth Salander depois que ela fosse detida.

Por fim, foi até a copa pegar um café na caneca com o logotipo do Partido Moderado, e entrou na sala de Erika Berger.

— Estou com uma lista imensa de clientes sexuais e cafetões para entrevistar — disse.

Ela meneou a cabeça com ar preocupado.

— Vou levar uma semana, talvez duas, para dar conta da lista toda. Eles estão espalhados entre Strängnäs e Norrköping, não muito distantes de Estocolmo. Vou precisar de um carro.

Ela abriu a bolsa e pegou as chaves da sua BMW.

— Posso?

— Claro que sim. Eu posso vir trabalhar tanto de carro como de trem. Qualquer coisa, eu pego o carro do Lars.

— Obrigado.

— Só tem uma condição.

— Ah, é?

— Alguns desses caras são verdadeiros trogloditas. Se você está saindo numa cruzada contra os cafetões para desvendar o assassinato do Dag e da Mia, quero que leve sempre isto no bolso.

E colocou uma bomba de gás lacrimogêneo sobre a mesa.

— Onde você arranjou isso?

— Comprei nos Estados Unidos no ano passado. Já pensou, uma mulher sozinha na rua, à noite, sem arma?

— E você imagina o bafafá que vai dar se eu usar isso aí e me prenderem por porte ilegal de arma?

— Melhor do que ter de escrever o seu necrológio. Mikael... não sei se deu para perceber, mas às vezes me preocupo muito com você.

— Ah, é?

— Você assume riscos e é tão metido que não consegue recuar depois que começou uma besteira.

Ele sorriu e deixou a bomba na mesa de Erika.

— Obrigado por sua preocupação. Mas não vou precisar.

— Micke, eu insisto.

— Pode insistir. Mas já estou preparado.

Enfiou a mão no bolso do paletó e tirou o cartucho de gás lacrimogêneo que tinha achado na bolsa de Lisbeth Salander e trazia consigo desde então. Erika suspirou.

Bublanski bateu à porta da sala de Sonja Modig e sentou-se na cadeira dos visitantes em frente à sua mesa.

— O computador do Dag Svensson — disse ele.

— Também pensei nisso — ela respondeu. — Fui eu que fiz a reconstituição das últimas vinte e quatro horas de Svensson e Bergman. Ainda há umas lacunas, mas o Dag Svensson não esteve na redação da *Millennium* naquele dia. Em compensação, andou pela cidade e, por volta das quatro da tarde, encontrou um antigo colega de escola. Um encontro casual num café da Drottninggatan. Esse colega afirma que Dag Svensson estava realmente com um laptop na mochila. Ele viu, e os dois inclusive falaram sobre o assunto.

— E por volta das onze da noite, depois que ele foi morto, o computador não estava na casa dele.

— Isso mesmo.

— Que conclusão a gente pode tirar?

— Ele pode ter ido a algum outro lugar e, por um motivo qualquer, ter deixado ou esquecido o computador lá.

— Faz sentido?

— Não muito. Mas ele pode ter deixado para uma revisão ou no conserto. E tem também a possibilidade de ele trabalhar em outro lugar que a gente não conhece. Ele já havia alugado uma vez uma sala numa agência de frilas em Sankt Eriksplan, por exemplo.

— Sei.

— E é claro que também existe a possibilidade de o assassino ter levado o computador.

— Segundo Armanskij, a Lisbeth Salander é perita em computação.

— É — Sonja Modig assentiu com a cabeça.

— Hmm. A teoria do Blomkvist é que Dag Svensson e Mia Bergman foram assassinados por causa da pesquisa que o Svensson estava fazendo. E que devia estar no computador.

— Estamos com vários trens de atraso. Três vítimas, são tantas pistas para retraçar que nos cria um problema de tempo, mas o fato é que ainda não efetuamos uma busca em regra no local de trabalho do Dag Svensson na *Millennium*.

— Falei com a Erika Berger agora de manhã. Diz ela que estão surpresos de ainda não termos ido lá dar uma olhada nas coisas dele. Ficamos muito concentrados na Lisbeth Salander, para prendê-la o quanto antes, e a verdade é que sabemos muito pouco sobre o motivo. Você poderia...

— Marquei com a Berger uma visita para amanhã.

— Obrigado.

Na quinta-feira, Mikael estava conversando com Malu Eriksson em sua sala quando ouviu o telefone da redação tocar. Avistou Henry Cortez pela fresta da porta e não prestou mais atenção. Então, no fundo de seu cérebro, registrou que era o telefone da sala de Dag Svensson que estava tocando. Interrompeu-se em meio a uma frase e levantou-se de um salto.

— Pare, não toque nesse aparelho! — gritou.

Henry Cortez acabava de pôr a mão no telefone. Mikael entrou correndo na sala. *Como é que era mesmo a droga do nome que ele...*

— Indigo Marketing, bom dia, quem fala é o Mikael. No que posso ajudá-lo?

— Hã... bom dia, meu nome é Gunnar Björck. Recebi uma carta dizendo que ganhei um celular.

— Meus parabéns — disse Mikael Blomkvist. — Trata-se de um Sony Eriksson, o último modelo.

— E é de graça?

— Inteiramente de graça. A única coisa é que, para receber seu prêmio, o senhor precisa responder a uma pesquisa. Trabalhamos com análise de mercado e análises aprofundadas para diversas empresas. O senhor teria de gastar uma horinha respondendo a algumas perguntas. E, se aceitar, passa para a segunda etapa concorrendo a cem mil coroas.

— Entendi. E é possível fazer isso por telefone?

— Não, sinto muito. Parte da pesquisa inclui a identificação de diversos logotipos de empresas que precisamos lhe mostrar. Também iremos lhe perguntar que tipo de imagem publicitária lhe parece a mais atraente, mostrando-lhe várias alternativas. Um dos nossos colaboradores irá visitá-lo.

— Ah, sim... E por que eu fui escolhido?

— Realizamos esse tipo de pesquisa duas ou três vezes por ano. Neste estudo de agora, estamos dando ênfase a homens da sua idade com boa situação profissional. Depois, a escolha foi feita ao acaso, pelos registros de identidade.

Por fim, Gunnar Björck aceitou receber a visita de um colaborador da Indigo Marketing. Informou que estava em licença médica, em repouso numa casa de campo em Smådalarö. Explicou como ir até lá. Marcaram o encontro para sexta-feira de manhã.

— YES! — exclamou Mikael depois de desligar.

Deu um soco no ar. Malu Eriksson e Henry Cortez trocaram um olhar perplexo.

Paolo Roberto aterrissou em Arlanda às onze e meia da quinta-feira. Dormira a maior parte do voo procedente de Nova York e, pela primeira vez, não sentia os efeitos do fuso horário.

Tinha passado um mês nos Estados Unidos debatendo sobre boxe, assistindo a lutas amistosas e buscando ideias para uma produção que ele pretendia vender à Strix Television. Constatou, nostálgico, que sua carreira agora estava definitivamente encerrada, em parte por causa de uma suave pressão da família, em parte porque estava passando da idade. Não havia muito mais que ele pudesse fazer a não ser tentar manter a forma, o que ele fazia por meio de intensas sessões de treinamento pelo menos uma vez por semana. Ainda era um nome importante no mundo do boxe e imaginou que de um jeito ou de outro continuaria trabalhando com esse esporte o resto da vida.

Apanhou sua mala na esteira. Foi detido para revista ao passar pela alfândega. Mas um dos agentes sabia das coisas e o reconheceu.

— Olá, Paolo. Imagino que só tenha luva de boxe na sua mala.

Paolo Roberto garantiu que não levava nenhum objeto contrabandeado e deixaram-no entrar no país.

Estava deixando o hall de desembarque e pegando a rampa em direção ao ônibus para Arlanda quando estacou de repente, ao deparar com o rosto de Lisbeth Salander nas manchetes dos jornais vespertinos. De início não entendeu o que estava vendo. Perguntou-se se, afinal, não estava sentindo o efeito do fuso horário. Então voltou a ler a manchete.

CAÇADA
A LISBETH
SALANDER

Seu olhar passou para a segunda manchete.

EXCLUSIVO!
PSICOPATA
PROCURADA POR
TRIPLO ASSASSINATO

Indeciso, entrou na revistaria e comprou os jornais vespertinos, também os matutinos, e dirigiu-se a uma lanchonete. Leu com uma sensação de irrealidade.

Ao chegar a seu apartamento da Bellmansgatan por volta das onze da noite, na quinta-feira, Mikael Blomkvist estava cansado e deprimido. Planejava ir dormir cedo e tentar recuperar um pouco do sono atrasado, mas não resistiu à tentação de se conectar à internet e dar uma olhada na sua caixa postal.

Não recebera nada de muito interessante, mas por desencargo de consciência abriu a pasta [LISBETH SALANDER]. Seu coração disparou quando encontrou um arquivo novo, intitulado [MB2]. Clicou duas vezes.

[O procurador E. está despejando informações na mídia. Pergunte a ele por que não repassou o antigo relatório policial.]

Mikael contemplou, estupefato, a misteriosa mensagem. O que ela queria dizer com isso? Que antigo relatório policial? Não entendia o que ela estava sugerindo. Que menina danada de complicada! Por que ela sempre tinha que redigir as mensagens em forma de charada? Um instante depois, ele criou um novo documento, que chamou de [Críptica].

[Olá, Sally. Estou supercansado, não parei quieto desde os assassinatos. Estou sem ânimo para brincar de adivinha. Pode ser que você não esteja nem aí, ou que não leve a situação a sério, mas eu quero saber quem matou os meus amigos. M.]

Esperou em frente à tela. A resposta [Críptica 2] chegou no minuto seguinte.

[O que você faria no meu lugar?]

Ele respondeu com [Críptica 3].

[Lisbeth, se você pirou de vez, só o Peter Teleborian, na certa, pode te ajudar. Mas não acredito que você tenha matado o Dag e a Mia. Espero não estar enganado.

O Dag e a Mia pretendiam denunciar o comércio do sexo. Minha hipótese é que isso de alguma forma motivou os crimes. Mas não tenho nada para fundamentar essa hipótese.

Não sei o que deu errado entre nós, mas um dia conversamos sobre amizade. Eu te disse que a amizade se baseia em duas coisas — respeito e confiança. Mesmo que você não goste de mim, pode confiar em mim totalmente. Nunca revelei seus segredos. Nem mesmo o que aconteceu com os bilhões de Wennerström. Confie em mim. Não sou seu inimigo. M.]

A resposta demorou tanto que Mikael já tinha perdido a esperança. Mas uns cinquenta minutos depois apareceu, de repente, o [Críptica 4].

[Vou pensar no assunto.]

Mikael enfim respirou aliviado. Vislumbrou, de súbito, um pequeno clarão de esperança. A resposta significava exatamente isso. Ela ia pensar no assunto. Era a primeira vez, desde que sumira repentinamente da sua vida, que ela aceitava se comunicar com ele. Ela estar disposta a pensar no assunto significava que ia pesar os prós e os contras antes de falar com ele. Ele escreveu [Críptica 5].

[Está bem, eu espero. Mas não demore demais.]

O inspetor Hans Faste atendeu a ligação no celular quando rodava pela Långholmsgatan em direção à ponte de Västerbron para ir trabalhar na sexta-feira de manhã. A polícia não tinha verba suficiente para vigiar ininterruptamente o apartamento da Lundagatan. Tinham combinado com um vizinho de porta, um policial aposentado, que ficasse de olho no apartamento.

— A china acabou de chegar — disse o vizinho.

Hans Faste não poderia estar num lugar mais propício. Fez um retorno proibido diante do ponto de ônibus da Heleneborgsgatan, em frente à ponte, e dirigiu-se para a Lundagatan via Högalidsgatan. Estacionou menos de dois minutos depois do telefonema, atravessou a rua a passo acelerado e entrou no prédio pela entrada dos carros.

Miriam Wu ainda estava em frente à porta do apartamento, olhando para a fechadura arrombada e as fitas adesivas, quando ouviu passos na escada. Virou-se e viu um homem forte, de porte atlético e olhar intenso se aproximar. Sentiu-o como alguém hostil, largou a mala no chão e preparou-se para uma demonstração de boxe tailandês, se necessário.

— Miriam Wu? — ele perguntou.

Para sua imensa surpresa, o homem apresentou uma insígnia policial.

— Sim — respondeu Mimmi. — Do que se trata?

— Onde você esteve na semana passada?

— Viajando. O que aconteceu? Fui assaltada?

Faste olhou para ela.

— Vou ter de lhe pedir que me acompanhe até Kungsholmen — disse, pondo uma mão no ombro de Miriam Wu.

Bublanski e Modig viram uma Miriam Wu razoavelmente irritada sendo escoltada por Faste até a sala de interrogatório.

— Sente-se. Sou o inspetor criminal Jan Bublanski e essa é minha colega Sonja Modig. Lamento termos sido obrigados a trazê-la aqui desta maneira, mas temos umas perguntas para lhe fazer.

— Ah, é? Por quê? O seu colega ali não é de falar muito.

Mimmi apontou o polegar na direção de Faste.

— Faz mais de uma semana que estamos procurando você. Pode me dizer por onde andava?

— Sim, claro. Mas não estou com vontade e, até onde eu sei, isso não lhe diz respeito.

Bublanski ergueu uma sobrancelha.

— Chego em casa, dou com a porta arrombada e lacrada pela polícia, e aí um macho entupido de anabolizantes me arrasta até aqui. Não tenho direito a alguma explicação?

— Você não gosta de machos? — perguntou Hans Faste.

Miriam Wu olhou para ele chocada. Bublanski e Modig o fitaram com olhos severos.

— Devo deduzir que você não leu os jornais na semana passada? Estava fora do país?

Abalada, Miriam Wu começava a se sentir insegura.

— Não, não li os jornais. Passei quinze dias em Paris, visitando meus pais. Acabo de chegar da estação.

— Veio de trem?

— Não gosto de avião.

— E não leu as manchetes dos jornais?

— Acabo de descer do trem noturno, fui para casa de metrô.

O inspetor Bubolha refletiu. Nem todos os jornais da manhã davam Lisbeth Salander nas manchetes. Levantou-se, saiu da sala e voltou um minuto depois com a edição de Páscoa do *Aftonbladet*, cuja primeira página estava tomada pela foto de Lisbeth Salander.

Miriam Wu por pouco não desmaiou.

Mikael Blomkvist seguiu as instruções fornecidas por Gunnar Björck, sessenta e dois anos, para chegar à casa de campo de Smådalarö. Estacionou o carro e constatou que a "casinha" era uma casa moderna e muito confortável, da qual se avistava um pedaço da angra de Jungfrufjärden. Subiu uma trilha de cascalhos e tocou a campainha. Gunnar Björck era exatamente igual à sua foto da identidade que Dag Svensson tinha conseguido.

— Bom dia — disse Mikael.

— Bom dia, foi fácil de achar?

— Foi, sim.

— Entre. Vamos ficar na cozinha.

— Parece ótimo.

Gunnar Björck parecia estar bem de saúde, mas mancava ligeiramente.

— Estou de licença médica — disse ele.

— Nada grave, espero — disse Mikael.

— Estou aguardando uma cirurgia de hérnia de disco. Aceita um café?

— Não, obrigado — disse Mikael.

Sentou-se à mesa, abriu a sacola e tirou de dentro uma pasta. Björck sentou-se à sua frente.

— Tenho a impressão de que já o conheço. Já nos vimos em algum lugar?

— Não — disse Mikael.

— Seu rosto me parece realmente familiar.

— Talvez tenha me visto no jornal.

— Como é mesmo o seu nome?

— Mikael Blomkvist. Sou jornalista, trabalho na revista *Millennium*.

Gunnar Björck pareceu intrigado. Então as peças do quebra-cabeça se encaixaram. *Super-Blomkvist. O caso Wennerström*. Mas ainda não entendia as implicações.

— *Millennium*. Não sabia que vocês faziam pesquisa de mercado.

— Só excepcionalmente. Eu queria que o senhor desse uma olhada nessas três fotos e me dissesse que modelo prefere.

Mikael espalhou sobre a mesa as fotos de três mulheres. Uma das fotos tinha sido baixada de um site pornô da internet e impressa na impressora. As outras duas eram ampliações de fotos coloridas de carteira de identidade.

Gunnar Björck ficou lívido.

— Não estou entendendo.

— Não? Esta é Lidia Komarova, dezesseis anos, de Minsk, na Bielo-Rússia. Ao lado dela, Myang So Chin, também conhecida como Jo-Jo, da

Tailândia. Vinte e cinco anos. Por fim, Yelena Barasowa, dezenove anos, de Tallinn. Você comprou serviços sexuais dessas três mulheres e eu gostaria de saber de qual gostou mais. Pode considerar como uma pesquisa de mercado.

Bublanski encarou Miriam Wu com um olhar cético e ela devolveu-lhe o olhar.

— Resumindo, você afirma que conhece Lisbeth Salander há pouco mais de três anos. Sem nenhuma contrapartida, ela a incluiu no contrato do apartamento agora na primavera, e foi morar em outro lugar. Vocês se encontram na cama uma vez ou outra, quando ela dá sinal de vida, mas você não sabe onde ela mora nem no que ela trabalha ou como ganha a vida. E quer que eu acredite nisso?

— Estou me lixando se acredita ou não. Não cometi nenhum crime, e minha opção de vida e parceiros sexuais não lhe dizem respeito, nem a mais ninguém.

Bublanski suspirou. Tinha recebido a notícia do aparecimento de Miriam Wu com uma sensação de libertação. *Enfim, uma abertura*. As respostas que ela lhe oferecia, porém, eram tudo menos esclarecedoras. Para dizer a verdade, eram até mesmo estranhas. O problema é que ele acreditava nela. Miriam Wu respondia com precisão e sem hesitar. Sabia dizer com precisão em que lugares e em que ocasiões tinha encontrado com Lisbeth Salander, e descreveu com tantos detalhes as circunstâncias que a fizeram se mudar para a Lundagatan que tanto Bublanski como Modig concluíram que uma história tão esquisita só podia ser verídica.

Hans Faste assistira ao interrogatório de Miriam Wu com uma crescente sensação de irritação, mas conseguira manter a boca fechada. Achava que Bublanski estava sendo mole demais com a china. Aquela cachorra arrogante ficava aumentando as explicações para evitar responder à única pergunta que interessava, ou seja, onde, porra, a puta safada da Lisbeth Salander estava escondida.

Mas Miriam Wu não sabia onde Lisbeth Salander estava. Não tinha a menor ideia de qual era o trabalho de Lisbeth Salander. Nunca ouvira falar na Milton Security. Nunca ouvira falar em Dag Svensson ou em Mia Bergman, e tampouco sabia responder a uma única pergunta interessante. Ignorava totalmente que Salander estava sob tutela, que havia sido internada na adolescência e que tinha laudos psiquiátricos eloquentes no currículo.

Em compensação, confirmou que ela e Lisbeth tinham estado no Moulin, que haviam se beijado, voltado em seguida para a Lundagatan, e se despedido na manhã seguinte. Poucos dias depois, Miriam Wu pegara o trem para Paris e deixara de ver todas as manchetes dos jornais suecos. A não ser por uma rápida aparição de Lisbeth para deixar as chaves do carro, não a via desde a noite no Moulin.

— Chaves do carro? — perguntou Bublanski. — Salander não tem carro.

Miram Wu explicou que ela tinha comprado um Honda cor de vinho que estava estacionado na frente do prédio. Bublanski se levantou e olhou para Sonja Modig.

— Você pode continuar o interrogatório? — perguntou, saindo da sala.

Precisava encontrar Jerker Holmberg e pedir um exame técnico no Honda cor de vinho. Precisava, antes de mais nada, ficar sozinho para pensar.

Na sua cozinha com uma bela vista para o mar, Gunnar Björck, em licença médica, chefe-adjunto da Brigada dos Estrangeiros na Säpo, tinha adquirido a cor de um fantasma. Mikael o contemplava com olhos neutros e pacientes. Agora estava convencido de que Björck nada tinha a ver com os assassinatos de Enskede. Dag Svensson não tinha tido tempo de se encontrar com ele, Björck ignorava totalmente que em breve seu nome e sua foto estariam numa reportagem que revelaria muita coisa sobre os clientes do comércio do sexo.

A contribuição de Björck limitava-se a um único detalhe interessante. Ele era amigo pessoal do dr. Nils Bjurman. Tinham se conhecido no clube de tiro da polícia, do qual Björck era membro ativo há vinte e seis anos. Em certa época, inclusive, participara da diretoria do conselho administrativo junto com Bjurman. Não era uma amizade profunda, mas haviam saído duas ou três vezes para jantar.

Não, fazia vários meses que não via Bjurman. Até onde era capaz de lembrar, a última vez remontava ao verão anterior, quando tinham tomado uma cerveja na esplanada de um café. Lamentava que Bjurman tivesse sido morto por aquela psicopata, mas não pretendia ir ao enterro.

Mikael achou curiosa essa coincidência, mas acabou deixando para lá. Bjurman devia ter conhecido centenas de pessoas na sua vida profissional e associativa. Não era improvável nem estatisticamente estranho ele conhecer uma pessoa que constava nos registros de Dag Svensson. Mikael descobrira que ele próprio conhecia um jornalista que também constava.

Precisava acabar com aquilo. Björck já tinha passado por todas as etapas de praxe. Primeiro a negação, depois — quando Mikael mostrara parte da documentação — raiva, ameaças, tentativa de suborno e, por fim, súplicas. Mikael ignorara pacientemente todos as investidas.

— Percebe que vai destruir a minha vida se publicar isso? — disse Björck afinal.

— Percebo — respondeu Mikael.

— Mas vai publicar assim mesmo.

— Sem pensar duas vezes.

— Por quê? Podia ter um pouco de compaixão. Estou doente.

— Interessante você evocar a compaixão como argumento.

— O que custa ter um pouco de humanidade?

— Também acho, meu chapa. Você está aí se lamentando porque estou destruindo a sua vida, mas não hesitou em destruir a vida de muitas garotas, e transgredindo a lei. Temos provas no caso de três meninas. Sabe lá quantas outras passaram pelas suas mãos. Onde estava a sua caridade humana nessa hora?

Ele se levantou, juntou os documentos e guardou-os na bolsa do computador.

— Sei onde é a saída.

Encaminhou-se para a porta, então deteve-se e virou-se novamente para Björck.

— A propósito, você por acaso já ouviu falar num indivíduo chamado Zala? — perguntou.

Björck olhou fixamente para ele. Ainda estava tão abalado que mal ouviu as palavras de Mikael. O nome Zala pouco lhe importava.

Então, seus olhos se arregalaram.

Zala!

Não é possível.

Bjurman!

Será mesmo possível?

Mikael percebeu a alteração e se reaproximou da mesa da cozinha.

— Por que está me falando em Zala? — perguntou Björck.

Ele parecia ter tomado um choque.

— Porque esse cara me interessa — disse Mikael.

Um silêncio denso tomou conta da cozinha. Mikael podia ver, literalmente, as engrenagens girando na cabeça de Björck. Por fim, Björck pegou um maço de cigarros no peitoril da janela. Era o primeiro cigarro que ele acendia desde a chegada de Mikael.

— Se eu sei alguma coisa sobre Zala... quanto vale isso para você? — perguntou, de repente mais seguro.

— Depende do que você sabe.

Björck refletiu. Os pensamentos se atropelavam em sua cabeça.

Como é que o Blomkvist pode saber sobre o Zalachenko?

— Fazia muito tempo que eu não escutava esse nome — disse Björck por fim.

— Então você sabe quem ele é — disse Mikael.

— Eu não disse isso. O que está procurando?

Mikael hesitou um instante.

— É um dos nomes da minha lista de pessoas que estavam na mira de Dag Svensson.

— Quanto vale?

— Quanto vale o quê?

— Se eu te levar até o Zala... você consideraria esquecer de mim nessa reportagem?

Mikael sentou-se devagar. Depois de Hedestad, ele tinha decidido nunca mais negociar uma matéria jornalística. Não pretendia negociar com Björck e, o que quer que acontecesse, iria denunciá-lo. Por outro lado, Mikael sabia que era suficientemente desprovido de escrúpulos para fazer jogo duplo e fazer um acordo com Björck. Não sentia nenhuma dor na consciência. Björck era um canalha. Se ele sabia o nome de um possível assassino, sua obrigação era intervir — e não usar a informação para negociar em proveito próprio. Mikael não tinha o menor problema em deixar Björck na esperança de que se safaria numa troca de informações sobre um outro canalha. Pôs a mão no bolso do paletó e ligou o ditafone que havia desligado ao se levantar da mesa.

— Pode falar — disse.

Sonja Modig estava furiosa com Hans Faste, mas nada em seu semblante revelava o que pensava dele. O interrogatório de Miriam Wu, depois que Bublanski deixara a sala, estava sendo tudo menos rigoroso, e Faste ignorava solenemente todos os seus olhares enfurecidos.

Modig também estava surpresa. Nunca gostara de Hans Faste e do seu lado machão, mas considerava-o um policial competente. Hoje, não se via nada dessa competência. Era óbvio que Faste se sentia provocado por uma mulher bonita, inteligente e assumidamente lésbica. Também era óbvio que Miriam Wu percebia a irritação de Faste e a alimentava sem dó nem piedade.

— Quer dizer que você achou o pênis artificial na minha cômoda? Que tipo de fantasia ele te despertou? — perguntou Miriam Wu com um sorrisinho de curiosidade.

Faste quase explodiu.

— Cala a boca e responde minha pergunta — disse.

— Você perguntou se eu uso esse pênis para trepar com a Lisbeth Salander. E eu respondo que não lhe interessa.

Sonja Modig levantou a mão.

— Pausa no interrogatório de Miriam Wu para um rápido intervalo às 11h12.

Modig desligou o gravador.

— Miriam, fique aqui, por favor. Faste, quero trocar uma palavrinha com você.

Miriam Wu sorriu com ar inocente quando Faste lhe desfechou um olhar furibundo e seguiu Modig até o corredor. Modig se virou e pôs o nariz a dois centímetros do nariz de Faste.

— Bublanski me pediu para continuar o interrogatório. A sua contribuição é zero.

— Qual é? Essa vadia é pior que uma enguia.

— Essa metáfora é algum tipo de simbologia freudiana?

— O quê?

— Nada. Vá procurar o Curt Bolinder e lance um desafio bem macho para ele, ou então vá gastar energia no estande de tiro, ou seja lá o que for. Mas fique longe desse interrogatório.

— Modig, por que você está desse jeito?

— Você está sabotando o meu interrogatório.

— Ela te deixa tão excitada que você quer interrogá-la a sós?

A mão de Sonja Modig foi tão rápida que ela não teve tempo de se conter. Tascou uma bofetada em Hans Faste. No mesmo instante, arrependeu-se do gesto, mas já era tarde. Olhou de relance para os dois lados do corredor e constatou que, felizmente, não havia testemunhas.

Hans Faste de início pareceu surpreso. Depois deu uma risadinha de escárnio, jogou a jaqueta no ombro e saiu. Sonja Modig ia chamá-lo para se desculpar, mas resolveu ficar quieta. Esperou um minuto até se acalmar, e então foi pegar dois cafés na máquina e voltou para junto de Miriam Wu.

Não disseram nada durante algum tempo. Por fim, Modig encarou Miriam Wu.

— Me desculpe. Este provavelmente é um dos piores interrogatórios da história desta delegacia.

— Esse cara deve ser uma simpatia de colega. Se eu entendi bem, ele é um hétero divorciado que fica contando piada de bicha perto da máquina de café.

— Ele é... uma espécie de relíquia de algum lugar. É só o que posso dizer.

— E não é o seu caso?

— Digamos que não sou homofóbica.

— Certo.

— Miriam, eu... faz dez dias que estamos todos esgotados, vinte e quatro horas por dia. Estamos cansados e tensos. Estamos tentando solucionar um duplo assassinato assustador em Enskede e um assassinato igualmente assustador num apartamento de Odenplan. A sua amiga está ligada aos dois locais do crime. Temos provas técnicas disso, e ela está sendo procurada em todo o território nacional. Você precisa entender que queremos encontrá-la a qualquer custo antes que ela faça mal a alguém ou a si mesma.

— Eu conheço a Lisbeth Salander... Não consigo acreditar que ela tenha matado alguém.

— Você não consegue ou não quer acreditar? Miriam, a gente não lança um alerta de busca nacional sem bons motivos para isso. Mas posso te dizer que o meu chefe, o inspetor Bublanski, também não está totalmente convencido da culpa dela. Estamos cogitando a possibilidade de ela ter um cúmplice ou de ter sido envolvida nisso tudo de outra maneira. Mesmo assim, precisamos encontrá-la. Você acha que ela é inocente, Miriam, mas o que vai acontecer se estiver enganada? Você mesma diz que não sabe quase nada sobre a Lisbeth Salander.

— Não sei no que acreditar.

— Então ajude a gente a descobrir a verdade.

— Eu estou sendo acusada de alguma coisa?

— Não.

— Então posso sair daqui quando eu quiser?

— Teoricamente, sim.

— E sem ser teoricamente?

— Para nós, você vai ficar sendo um ponto de interrogação.

Miriam Wu refletiu sobre essas palavras.

— Está bem. Vá lá, faça as perguntas. Se elas me incomodarem, não vou responder.

Sonja Modig tornou a ligar o gravador.

20. SEXTA-FEIRA 1º DE ABRIL — DOMINGO 3 DE ABRIL

Miriam Wu ficou uma hora com Sonja Modig. Já no final do interrogatório, Bublanski retornou à sala e sentou-se, escutando calado. Miriam Wu o cumprimentou educadamente, mas continuou a falar com Sonja.

Por fim, Modig olhou para Bublanski e perguntou se ele tinha alguma pergunta a acrescentar. Bublanski balançou a cabeça.

— Então declaro encerrado o interrogatório de Miriam Wu. São 13h09.

Desligou o gravador.

— Ouvi dizer que houve um problema com o inspetor Faste — disse Bublanski.

— Ele estava meio desconcentrado — explicou Sonja Modig com voz neutra.

— Ele é um idiota — disse Miriam Wu.

— O inspetor Faste tem muitos méritos, mas não é, sem dúvida, o mais indicado para interrogar uma moça — disse Bublanski, olhando nos olhos de Miriam Wu. — É óbvio que eu não deveria ter deixado isso para ele. Peço que me desculpe.

Miriam Wu pareceu surpresa.

— Desculpas aceitas. Eu também fui meio difícil no começo.

Bublanski fez um gesto descartando suas palavras. Olhou para ela.

— Posso agora fazer umas perguntas fora do protocolo? Sem o gravador.

— Mas é claro.

— Quanto mais escuto falar na Lisbeth Salander, mais perplexo fico. A imagem que me passam as pessoas que a conhecem é incompatível com a imagem transmitida pelos papéis e documentos médico-legais do Serviço Social.

— Ah, é?

— Seria bacana se você conseguisse responder de forma objetiva, sem rodeios.

— Vamos lá.

— O laudo psiquiátrico feito quando Lisbeth Salander completou dezoito anos dá a entender que ela é mentalmente retardada e deficiente.

— Bobagem. A Lisbeth deve ser mais inteligente que nós dois juntos.

— Ela não terminou a escola, não há nenhum boletim que mostre que ela sabe ler e escrever.

— A Lisbeth Salander lê e escreve muito melhor que eu. Ela às vezes se distrai rabiscando umas fórmulas matemáticas. Álgebra pura. Complicado demais para mim.

— Matemática?

— É uma espécie de *hobby* dela.

Bublanski e Modig ficaram quietos.

— *Hobby*? — perguntou Bublanski depois de alguns instantes.

— Acho que são equações. Nem sei o que significam aqueles símbolos.

Bublanski suspirou.

— O Serviço Social fez um relatório depois que ela foi detida no parque de Tantolunden na companhia de um homem de idade, quando ela tinha dezessete anos. Ficou subentendido que ela se prostituía.

— Lisbeth, puta? Que baboseira. Não sei nada sobre o trabalho dela, mas não me surpreende nem um pouco ela ter trabalhado na Milton Security.

— Como é que ela ganha a vida?

— Não sei.

— Ela é lésbica?

— Não. A Lisbeth transa comigo, mas isso não quer dizer que seja homossexual. Acho que ela nem está segura da sua orientação sexual. Eu diria que ela é bissexual.

— Vocês usam algemas e esse tipo de coisa... Lisbeth Salander tem alguma propensão ao sadismo, ou como é que você a descreveria?

— Acho que você entendeu tudo errado. A gente às vezes usa as algemas como encenação, não tem nada a ver com sadismo, violência ou abuso. É um jogo.

— Já aconteceu de ela ficar violenta com você?

— Não. Eu é que tendo a ser a dominadora nos nossos jogos.

Miriam exibiu seu sorriso inocente.

A reunião da tarde, às quinze horas, se encerrou com o primeiro desentendimento sério daquela investigação. Bublanski resumiu a situação e em seguida explicou que sentia necessidade de ampliar as pesquisas.

— Desde o primeiro dia, concentramos toda a nossa energia em encontrar Lisbeth Salander. Ela é altamente suspeita — e com bases objetivas —, mas a imagem que fazemos dela se choca com resistências por parte de todos que convivem com ela hoje em dia. Nem o Armanskij nem o Blomkvist, e agora nem Miriam Wu, veem nela uma assassina psicopata. Por isso, eu gostaria que a gente ampliasse um pouco a maneira de ver as coisas e começasse a pensar em outros culpados em potencial, ou na possibilidade de Salander ter um cúmplice, ou de ela simplesmente ter estado presente quando foram disparados os tiros.

A colocação de Bublanski desencadeou uma discussão acirrada, na qual ele se deparou com a firme oposição de Hans Faste e Steve Bohman, da Milton Security. Ambos defendiam que a explicação mais simples costuma ser a melhor e que considerar um segundo culpado equivalia a aderir francamente à tese do grande complô.

— A Salander até podia não estar sozinha na hora dos tiros, mas não temos nenhum vestígio de um cúmplice.

— Pronto, agora só falta voltar para a pista policial do Blomkvist! — disse Hans Faste duramente.

Sonja Modig foi a única que apoiou Bublanski no debate. Curt Bolinder e Jerker Holmberg limitaram-se a fazer comentários vagos. Niklas Eriksson, da Milton Security, não disse uma palavra durante toda a discussão. Finalmente, o procurador Ekström levantou a mão.

— Bublanski, imagino que você também não pretende riscar a Salander da investigação.

— Não, é evidente que não. Temos as impressões digitais dela. Mas até agora procuramos exaustivamente um motivo e não achamos. Eu queria que a gente raciocinasse sobre outras eventuais pistas. Será que mais pessoas poderiam estar envolvidas? Será que existe afinal alguma relação com o livro sobre comércio sexual que o Dag Svensson estava escrevendo? O Blomkvist tem razão quando diz que muitas pessoas mencionadas no livro teriam motivos para matar.

— E o que você está pensando em fazer? — perguntou Ekström.

— Queria que dois de vocês se dedicassem a descobrir assassinos alternativos. Sonja... e você, Niklas, trabalhem juntos nisso.

— Eu? — perguntou Niklas Eriksson, surpreso.

Bublanski o escolhera por ser o mais jovem e, talvez, o mais capaz de um raciocínio não ortodoxo.

— Você vai trabalhar com a Modig. Revejam tudo o que a gente já sabe e tentem descobrir o que deixamos passar. Faste, você, o Curt Bolinder e o Bohman, continuem procurando a Salander. É a prioridade absoluta.

— O que eu devo fazer? — perguntou Jerker Holmberg.

— Você vai se focar no doutor Bjurman. Examine o apartamento dele mais uma vez. Veja se não deixamos escapar alguma coisa. Perguntas?

Ninguém tinha nenhuma pergunta.

— Muito bem. Vamos ser discretos sobre o aparecimento da Miriam Wu. Ela pode ter mais coisa para nos contar e não quero que a mídia se jogue em cima dela.

O procurador Ekström aprovou o plano de Bublanski.

— Bem — disse Niklas Eriksson, fitando Sonja Modig. — Você é que é da polícia, então você é que decide o que vamos fazer.

Estavam no corredor em frente à sala de reuniões.

— Acho que vamos começar conversando mais uma vez com o Mikael Blomkvist — disse ela. — Mas antes tenho que dar uma palavrinha com o

Bublanski. Como hoje é sexta à tarde, e eu não trabalho sábado e domingo, vamos começar só na segunda-feira. Aproveite o fim de semana para refletir sobre o que já temos.

Deram-se até-logo. Sonja Modig entrou na sala de Bublanski no momento em que ele se despedia do procurador Ekström.

— Você teria um minuto?

— Sente-se.

— Faste me deixou tão furiosa que me descontrolei.

— Ele me disse que você o agrediu. Acho que sei o que aconteceu. Foi por isso que entrei na sala para apresentar minhas desculpas a Miriam.

— Ele disse que eu queria ficar a sós com a Miriam porque ela me excitava.

— Prefiro que a gente não entre em detalhes. Mas isso preenche todos os quesitos de assédio sexual. Acho. Você quer dar queixa?

— Enfiei a mão na cara dele. É suficiente.

— Está certo. Se entendi bem, ele te fez perder a paciência.

— Exatamente.

— O Hans Faste tem um problema com mulheres de personalidade forte.

— É, eu percebi.

— Você é uma mulher de personalidade forte e uma excelente policial.

— Obrigada.

— Eu agradeceria se você parasse de espancar o pessoal da equipe.

— Isso não vai se repetir. Não tive tempo para examinar a sala do Dag Svensson na *Millennium* hoje.

— A gente já estava mesmo atrasado nessa parte. Vá para casa e aproveite o fim de semana. Na segunda-feira você recomeça com energia renovada.

Niklas Eriksson parou na estação central para tomar um café no bar do George. Sentia-se estranhamente desmoralizado. Estivera a semana inteira esperando que Lisbeth Salander fosse detida a qualquer momento. Caso ela opusesse resistência à prisão, com alguma sorte um policial compassivo poderia inclusive enchê-la de balas.

E ele gostava dessa fantasia.

O problema é que Salander continuava à solta. Como se não bastasse, Bublanski agora ainda começava a especular sobre culpados alternativos. A situação não estava avançando na direção certa.

Ele já achava insuportável estar subordinado a Steve Bohman — era o sujeito mais chato e mais destituído de imaginação que havia na Milton —, e não é que agora, ainda por cima, via-se subordinado a Sonja Modig?

Era ela quem mais questionava a pista Salander e, provavelmente, quem fazia Bublanski hesitar. Ele se perguntou se esse cara que chamavam de Bubolha não teria um caso com aquela cretina. Não seria surpresa. Ela faz o que quer com ele. De todos os tiras envolvidos na investigação, Faste era o único que tinha peito de falar o que pensava.

Niklas Eriksson refletiu.

De manhã, ele e Bohman tinham tido uma rápida conversa com Armanskij e Fräklund, na Milton. Uma semana de investigação não trouxera nenhum resultado e Armanskij estava frustrado por ninguém ter achado uma explicação para os assassinatos. Fräklund insinuara que a Milton Security precisava se questionar sobre a utilidade da missão — Bohman e Eriksson teriam mais a fazer do que ficar oferecendo colaboração gratuita às forças da ordem.

Armanskij refletira um momento e então decidira que Bohman e Eriksson prosseguiriam por mais uma semana. Se não houvesse resultado, interromperiam o projeto.

Em outras palavras, Niklas Eriksson tinha um prazo de uma semana antes que a porta da investigação se fechasse. Estava em dúvida sobre seus próximos passos.

Instantes depois, pegou o celular e ligou para Tony Scala, um jornalista *freelancer* que escrevia bobagens numa revista masculina e com quem Niklas Eriksson já cruzara várias vezes. Trocados os cumprimentos, declarou que tinha informações sobre os assassinatos de Enskede. Explicou de que maneira se vira de repente no meio da investigação policial mais espinhosa dos últimos anos. Como previsto, Scala mordeu a isca, já que isso podia significar uns frilas para um jornal mais importante. Marcaram encontro para dali uma hora no café Aveny, na Kungsgatan.

O traço mais marcante de Tony Scala é que ele era gordo. Muito gordo.

— Se você quer que eu lhe repasse informações, tenho duas condições.

— Pode falar!

— Primeiro, a Milton Security não pode ser mencionada no texto. O nosso papel é de meros consultores, e se a Milton for mencionada alguém poderia desconfiar que estou na origem do vazamento.

— Mas não deixa de ser um furo a Salander ter trabalhado na Milton.

— Só faxina e coisas do gênero — interrompeu Eriksson. — Não tem nada de furo.

— Certo.

— Segundo, você vai ter que redigir a matéria de modo que pareça que uma mulher é que está por trás do vazamento.

— Por quê?

— Para desviar as suspeitas de mim.

— Está bem. O que você pode me contar?

— A amiguinha lésbica da Salander acaba de aparecer.

— Uau! A tal que estava no contrato do apartamento da Lundagatan e andava sumida?

— A Miriam Wu. Isso vale alguma coisa?

— Se vale. Onde ela estava?

— No exterior. Garante que não tinha nem ouvido falar dos assassinatos.

— Ela é suspeita de alguma coisa?

— Por enquanto não. Foi interrogada hoje, deixaram ela ir embora há três horas.

— Ahã. Você acredita na história dela?

— Acho que é uma tremenda de uma enrolona. Ela sabe de alguma coisa.

— Estou anotando.

— Mas dê uma verificada no passado dela. Afinal, é uma mulher que pratica sexo sadomasô com a Salander.

— E você sabe disso, é?

— Ela confessou no interrogatório. Encontraram algemas, roupas de couro, chicotes e essa coisa toda durante as buscas.

Os chicotes já eram um pouco de exagero. Bem, eram pura mentira, mas a safada da china na certa já tinha brincado com chicote também.

— Está brincando? — disse Tony Scala.

* * *

Paolo Roberto foi um dos últimos visitantes a sair da biblioteca na hora de ela fechar. Passara a tarde lendo exaustivamente tudo que se escrevera sobre a caçada a Lisbeth Salander.

Ao sair na Sveavägen, sentiu-se desanimado e inquieto. E faminto. Entrou num McDonald's, pediu um hambúrguer e sentou-se a um canto.

Lisbeth Salander tripla assassina. Não conseguia acreditar. Aquela menininha frágil e completamente doida. A questão era se ele deveria cuidar disso. E, nesse caso, fazendo o quê?

Miriam Wu pegou um táxi para voltar à Lundagatan e entrou no seu apartamento recentemente renovado para contemplar o desastre. Os armários, caixas e gavetas da cômoda tinham sido esvaziados, e seu conteúdo, separado. Havia pó de impressões digitais por todo o apartamento. Seus brinquedos sexuais particularmente íntimos estavam jogados numa pilha em cima da cama. Até onde conseguia avaliar, não faltava nada.

Sua primeira providência foi ligar para o SOS-chaveiro de Södermalm para mandar instalar uma fechadura nova. O chaveiro chegaria em menos de uma hora.

Ligou a cafeteira e sentou-se no meio do desastre balançando a cabeça. *Lisbeth, Lisbeth, no que é que você foi se meter?*

Pegou o celular e tentou ligar para o número de Lisbeth mas deparou com a mensagem de que o número estava indisponível. Ficou um bom tempo sentada à mesa da cozinha tentando organizar os pensamentos. A Lisbeth Salander que ela conhecia não era uma assassina mentalmente desequilibrada, contudo Miriam não a conhecia muito bem. Lisbeth era tórrida na cama, sem dúvida, mas também sabia se mostrar fria feito um peixe quando seu humor se alterava.

Ponderou que não decidiria no que acreditar antes de ver Lisbeth e ouvir uma explicação. Sentiu-se, de súbito, a ponto de começar a chorar e atirou-se, compulsiva, na faxina.

Às sete da noite, estava com uma fechadura nova e o apartamento já tinha readquirido seu aspecto habitual. Tomou um banho e acabava de se sentar na cozinha, vestindo um robe oriental de seda preta e dourada, quando tocaram a campainha. Foi abrir a porta e se viu diante de um homem excepcionalmente gordo, um tanto desalinhado e de barba malfeita.

— Olá, Miriam, eu sou Tony Scala, jornalista. Você poderia me responder umas perguntas?

Ele vinha acompanhado de um fotógrafo, que lhe desfechou um *flash* em pleno rosto.

Miriam Wu chegou a pensar num *dropkick* e um cotovelo no nariz, mas teve presença de espírito para perceber que só dariam fotos ainda mais saborosas.

— Você viajou com a Lisbeth Salander? Sabe onde ela está?

Miriam Wu bateu a porta e trancou-a com a fechadura nova. Tony Scala ergueu a portinhola da correspondência e falou pela fresta.

— Miriam, mais cedo ou mais tarde você vai ter que falar com a imprensa. Eu posso te ajudar.

Ela cerrou o punho e bateu com força na portinhola. Tony Scala soltou um grito de dor. Então ela correu para o quarto e se deitou na cama, fechando os olhos. *Lisbeth, quando eu puser as mãos em você, eu te estrangulo.*

Depois da visita a Smådalarö, Mikael Blomkvist tinha passado a tarde na casa de outro cliente que Dag Svensson pretendia denunciar. Com isso, percorrera seis dos trinta e sete nomes no final da semana. O último citado era um juiz aposentado que morava em Tumba e que, em várias ocasiões, atuara em casos de prostituição. O canalha do juiz, e isso por um lado era reconfortante, não tinha negado os fatos, nem ameaçado, nem pedido compaixão. Pelo contrário, reconhecera sem rodeios que sim, claro, tinha comido as putas do Leste europeu. Não, não se arrependia. A prostituição era uma profissão honrada, e ele achava que tinha prestado um favor às garotas ao ser cliente delas.

Mikael estava passando por Liljeholmen quando Malu Eriksson ligou, por volta das dez da noite.

— Oi — disse Malu. — Você viu a edição *on-line* daquele tabloide sensacionalista?

— Não, o que foi?

— A amiga da Lisbeth Salander acaba de voltar.

— O quê? Quem?

— Miriam Wu, a lésbica que mora no apartamento da Lundagatan.

Wu, pensou Mikael. *Salander-Wu afixado na porta*.

— Obrigado. Estou indo para lá.

Miriam Wu acabara desligando o telefone fixo e o celular. Às sete e meia, a notícia havia sido publicada nos sites de um dos jornais matutinos. Pouco depois, o *Aftonblatet* tinha ligado e, três minutos mais tarde, foi a vez do *Expressen* lhe pedir uma declaração. Na tevê, *Aktuellt* deu a notícia sem citar o nome de Miriam, mas às nove nada menos que dezesseis repórteres de diferentes mídias já tinham tentado entrevistá-la.

Em duas ocasiões, tinham tocado a campainha. Miriam Wu não abriu a porta e apagou as luzes do apartamento. Estava com ganas de quebrar o nariz do próximo jornalista que viesse perturbá-la. Por fim, ligou o celular e telefonou para uma amiga que morava em Hornstull, um trajeto que ela podia fazer a pé, e pediu para dormir na casa dela.

Transpôs a porta do prédio que dava na Lundagatan menos de cinco minutos antes de Mikael Blomkvist estacionar e tocar, em vão, a campainha de seu apartamento.

Bublanski ligou para Sonja Modig pouco depois das dez horas do sábado. Ela dormira até as nove e depois brincara um pouco com as crianças antes que o marido as levasse à loja do bairro para fazer as compras semanais de balas e chocolates.

— Já leu os jornais de hoje?

— Não. Faz só uma hora que acordei e fiquei cuidando das crianças. Aconteceu alguma coisa?

— Alguém da equipe está deixando vazar informações para a imprensa.

— A gente já sabia disso. Há alguns dias alguém entregou o relatório médico-legal de Salander.

— Foi o procurador Ekström.

— Ah, é?

— Sim. Claro. Mesmo que ele jamais admita. Ele está tentando aumentar o interesse no caso, porque lhe convém. Mas desta vez é diferente. Um jornalista chamado Tony Scala falou com um policial que lhe passou uma série de informações sobre a Miriam Wu. Entre outras coisas, detalhes do que foi dito no interrogatório de ontem. Coisas que a gente tinha decidido não divulgar. Com essa, o Ekström ficou furibundo.

— Que droga.

— O jornalista não cita nomes. A fonte é descrita como alguém que ocupa "uma posição central na investigação".

— Puta merda — disse Sonja Modig.

— A certa altura da matéria, entende-se que se trata de uma mulher.

Sonja Modig ficou em silêncio uns vinte segundos, tempo para assimilar a informação. Ela era a única mulher da equipe.

— Bublanski... eu não disse uma palavra sequer para jornalista nenhum. Não conversei sobre essa investigação com ninguém fora aqui do corredor. Nem com o meu marido.

— Acredito em você. Em nenhum momento achei que você fosse a responsável pelo vazamento. Mas, infelizmente, é o que o procurador Ekström está achando. E o Hans Faste, que é quem ficou de plantão neste fim de semana, está, é claro, aproveitando para aumentar a história com suas insinuações.

Sonja Modig sentiu-se, de repente, completamente arrebentada.

— E agora, o que vai acontecer?

— O Ekström vai exigir que você seja afastada da investigação enquanto analisam a acusação.

— Isso é loucura. Como é que eu vou provar...

— Você não vai ter que provar nada. O investigador é que vai ter que provar.

— Eu sei, mas... que droga. Essa investigação vai levar quanto tempo?

— Ela já aconteceu.

— O quê?

— Eu lhe fiz uma pergunta. Você respondeu que não deixou vazar nenhuma informação. Isso significa que a investigação está concluída e que só preciso escrever meu relatório. Nos vemos segunda, às nove, na sala do Ekström para avaliar isso tudo.

— Obrigada, Bublanski.

— De nada.

— Só tem um problema.

— Eu sei.

— Se não fui eu, outro membro da equipe deixou vazar a informação.

— Quem você sugere?

— Num primeiro impulso, fico tentada a achar que é o Faste... mas sem acreditar de fato.

— Concordo com você. Mas ele também sabe ser um completo idiota, e ontem estava simplesmente irado.

Bublanski gostava de caminhar, dependendo de como estava o tempo e do tempo de que dispunha. Era um dos poucos exercícios físicos que ele se concedia. Morava na Katarina Bangata, em Södermalm, não muito longe da redação da *Millennium* nem da Milton Security, onde Lisbeth Salander trabalhara, e não muito longe também da Lundagatan, onde ela tinha morado. Além disso, podia ir a pé à sinagoga da Sankt Paulsgatan. Na tarde de sábado, saiu para caminhar e passou por todos esses lugares.

No início do passeio, sua mulher, Agnes, o acompanhou. Estavam casados havia vinte e três anos e ele tinha sido fiel sem o mínimo desvio durante todos aqueles anos.

Fizeram uma parada na sinagoga e conversaram com o rabino. Bublanski era judeu polonês, ao passo que a família de Agnes — amplamente dizimada em Auschwitz — era originária da Hungria.

Depois disso, se separaram — Agnes tinha umas compras para fazer e seu marido preferia continuar o passeio. Precisava ficar sozinho e caminhar para refletir sobre aquela difícil investigação. Reavaliou as medidas que havia tomado desde que ela fora parar na sua mesa na manhã da Quinta-feira Santa, ou seja, fazia nove dias, e não percebeu grandes falhas.

A não ser pelo erro de não ter imediatamente mandado alguém até a redação da *Millennium* para revistar a sala de Dag Svensson. Quando afinal resolvera fazê-lo — ele próprio efetuara a verificação —, Mikael Blomkvist já tinha feito a faxina e tirado sabe Deus o quê.

Outro erro foi a investigação ter passado ao largo do carro que Lisbeth

Salander havia comprado. Jerker Holmberg, no entanto, relatara que o carro não continha nada de interessante. Tirando esse carro esquecido, porém, a investigação estava tão correta como seria de se esperar.

Parou em frente a um quiosque de jornais na Zinkensdamm e contemplou, pensativo, uma manchete. A foto de Lisbeth Salander estava reduzida ao tamanho de uma vinheta, pequena mas reconhecível, no canto superior, e a ênfase estava nas notícias mais frescas.

A POLÍCIA INVESTIGA
UMA TURMA DE
LÉSBICAS
SATÂNICAS

Comprou o jornal e o folheou até a página em que se via a foto de cinco garotas no final da adolescência, vestidas de preto, jaquetas de couro com ilhoses, jeans rasgados e camisetas supercolantes. Uma das meninas brandia uma bandeira com um pentagrama e outra fazia um gesto com o indicador e o dedo mínimo. Leu a legenda. *Lisbeth Salander frequentava um grupo de* death metal *que tocava em pequenos clubes. Em 1996, o grupo homenageava a Church of Satan e seu grande sucesso era uma música intitulada "Etiquette of Evil"*.

O nome das Evil Fingers não era citado e os rostos estavam desfocados. No entanto, quem conhecesse os membros do grupo de rock não teria dificuldade em reconhecer as meninas.

As duas páginas seguintes se concentravam em Miriam Wu e vinham ilustradas com a fotografia de um show no Berns do qual ela participara. Na foto, Miriam estava com os seios à mostra e usando uma boina de oficial russo. A foto tinha sido tirada de baixo para cima. Como o das meninas do Evil Fingers, seu rosto estava desfocado. Era citada como "a mulher de trinta e um anos".

> A amiga de Salander, autora de textos sobre lésbicas e sadomasoquismo, é conhecida nos bares descolados de Estocolmo. Não procurou esconder que flertava com mulheres e gostava de dominar sua parceira.

O repórter tinha inclusive achado uma tal de Sara, que, segundo ele, tinha sido paquerada pela amiga de Salander. O namorado de Sara tinha ficado "perturbado" pela tentativa. A matéria esclarecia que o grupo era uma variante feminista suspeita e elitista da periferia do movimento gay e que se expressava, entre outras coisas, num "*bondage workshop*" durante a Gay Pride. De resto, o texto fundamentava-se em citações de um artigo de Miriam Wu de seis anos antes que poderia eventualmente ser qualificado de provocador, publicado num fanzine feminista e desencavado por um repórter. Bublanski percorreu o texto e em seguida jogou o tabloide numa lixeira.

Refletiu algum tempo sobre Hans Faste e Sonja Modig. Dois investigadores competentes. Faste, porém, era um problema. Mexia com os nervos das pessoas. Bublanski percebeu que precisaria ter uma conversa com Faste, mas achava difícil acreditar que o vazamento de informações viera dele.

Ao erguer os olhos, percebeu que estava na Lundagatan, em frente ao prédio de Lisbeth Salander. Um ato irrefletido porém revelador. Aquela mulher o deixava perplexo.

Subiu os degraus da passarela que conduzia ao alto da Lundagatan e ficou um bom tempo apoiado na balaustrada, pensando na história de Mikael Blomkvist sobre Lisbeth ter sido agredida. Era uma história que também não levava a coisa alguma. Ninguém tinha dado queixa, não havia nenhum nome nem uma descrição consistente. Blomkvist afirmava que não conseguira ver o número da placa do furgão que deixara o local.

Isso se a história tivesse realmente acontecido.

Ou seja, mais um impasse.

Bublanski contemplou o Honda cor de vinho que tinha ficado esse tempo todo estacionado na rua. De repente, viu Mikael Blomkvist caminhando em direção à porta do prédio.

Miriam Wu acordou tarde, toda enrolada nos lençóis, e quase entrou em pânico ao sentar-se na cama e se ver num quarto desconhecido.

Ela aproveitara o assédio da mídia como desculpa para ligar para uma amiga e pedir abrigo. Mas também tinha fugido, ela sentia isso muito bem, porque de repente teve medo que Lisbeth Salander fosse bater à sua porta.

O interrogatório da polícia e as matérias nos jornais a tinham abalado mais do que ela teria imaginado. É claro que ela tomara a decisão de não julgar Lisbeth antes que esta pudesse explicar o que tinha acontecido, mas ainda assim começava a acreditar que ela era culpada.

Deu uma olhada em Viktoria Viktorsson, trinta e sete anos, apelido Dobrevê, que era cem por cento lésbica. Estava deitada de bruços e resmungava dormindo. Miriam Wu se esgueirou até o banheiro e tomou um banho. Em seguida foi comprar pão. Só que no caixa da loja próxima ao café Cinnamon, na Verkstadsgatan, seu olhar bateu nas manchetes dos jornais. Voltou correndo para se refugiar no apartamento de Dobrevê.

Mikael Blomkvist passou pelo Honda cor de vinho e parou diante do prédio de Lisbeth Salander, digitou o código e entrou. Ficou dois minutos lá dentro e depois saiu. Ninguém em casa? Blomkvist olhou para os dois lados da rua, aparentemente indeciso. Bublanski o observava, pensativo.

O que o preocupava era que, caso Blomkvist tivesse mentido sobre a agressão na Lundagatan, era de se pensar que estava fazendo um jogo que, na pior das hipóteses, poderia significar que ele, de algum modo, era cúmplice dos assassinatos. Mas caso tivesse falado a verdade — e não havia nenhum motivo para duvidar de sua palavra — significava que havia uma equação oculta naquela tragédia. O que significava que havia outros protagonistas além dos que estavam visíveis, e que o assassinato poderia se revelar algo muito mais complicado do que o simples gesto de uma garota mentalmente desequilibrada em surto de loucura.

Quando Blomkvist começou a andar em direção a Zinkensdamm, Bublanski o chamou. Ele parou, avistou o policial e foi ao seu encontro. Apertaram-se as mãos embaixo da escada.

— Olá, Blomkvist. Procurando a Lisbeth Salander?

— Não. Estou procurando a Miriam Wu.

— Ela não está. A imprensa foi informada, não sei por quem, que ela reapareceu.

— O que ela tinha para contar?

Bublanski fitou atentamente Mikael Blomkvist. O Super-Blomkvist.

— Vamos caminhar um pouco? — propôs Bublanski. — Preciso de um café.

Passaram em frente à igreja de Högalid em silêncio. Bublanski o levou ao café Lillasyster, na ponte de Liljeholmen, e pediu um *espresso* duplo com uma colher de leite frio, ao passo que Mikael pediu um *caffè latte*. Sentaram-se na área de fumantes.

— Fazia tempo que eu não pegava um caso tão frustrante — disse Bublanski. — Posso conversar com você sem acabar lendo metade do que vou dizer no *Expressen* de amanhã de manhã?

— Eu não trabalho para o *Expressen*.

— Você sabe o que eu quero dizer.

— Bublanski, não acredito que a Lisbeth seja culpada.

— E está investigando por conta própria? É por isso que chamam você de Super-Blomkvist?

Mikael sorriu.

— E me parece que chamam você de inspetor Bubolha.

Bublanski deu um sorriso amarelo.

— Por que não acredita que a Salander seja culpada?

— Não sei nada sobre esse tutor, mas ela simplesmente não tinha motivo para matar o Dag e a Mia. Principalmente a Mia. A Lisbeth detesta homens que odeiam mulheres, e a Mia estava justamente acuando uma grande quantidade de clientes sexuais. O que a Mia estava fazendo tinha tudo a ver com os interesses da Lisbeth. A Lisbeth tem ética.

— Eu não consegui formar uma opinião sobre ela. Um caso psiquiátrico pesado ou uma investigadora competente?

— A Lisbeth é diferente. É tremendamente antissocial, mas não há nada de errado com a cabeça dela. Pelo contrário. Eu diria que ela é muito mais inteligente que nós dois juntos.

Bublanski suspirou. Mikael Blomkvist estava falando igual a Miriam Wu.

— Seja como for, ela tem que ser detida. Não posso entrar em detalhes, mas temos provas técnicas de que ela estava no local do crime, e ela está diretamente ligada à arma do crime.

Mikael assentiu com a cabeça.

— Imagino que isso signifique que vocês encontraram as digitais dela. Mas não significa que ela atirou.

Bublanski balançou a cabeça.

— O Dragan Armanskij também tem suas dúvidas. É cauteloso demais para dizer isso claramente, mas ele também está tentando provar a inocência dela.

— E você? O que acha?

— Eu sou tira. Prendo as pessoas e as interrogo. No momento, a situação da Lisbeth Salander me parece bastante complicada. Assassinos já foram condenados com provas muito mais frágeis.

— Você não respondeu à minha pergunta.

— Não sei. Se ela for inocente... quem, na sua opinião, teria interesse em matar tanto o tutor como os seus amigos?

Mikael pegou um maço de cigarros e o estendeu a Bublanski, que balançou a cabeça. Não queria mentir para a polícia e supunha que deveria mencionar suas reflexões sobre o homem chamado Zala. Também deveria falar sobre o delegado Gunnar Björck, da Säpo.

Mas Bublanski e seus colegas também tinham acesso ao material de Dag Svensson contendo o arquivo [ZALA]. Só precisavam lê-lo. Em vez disso, avançavam feito um tanque de guerra, revelando toda a intimidade de Lisbeth Salander para a mídia.

Ele tinha uma ideia, mas não sabia no que ia dar. Não queria mencionar Björck antes de ter certeza. *Zalachenko.* Era esse o elo, tanto com Bjurman como com Dag e Mia. O único problema era que Björck não tinha falado nada.

— Deixe eu fuçar mais um pouco, e aí te apresento uma teoria alternativa.

— Que não seja uma pista que aponte para a polícia.

Mikael sorriu.

— Não. Ainda não. O que a Miriam Wu disse?

— Mais ou menos o mesmo que você. Elas tinham um caso.

Ele espreitou a reação de Mikael.

— Isso não me diz respeito — disse Mikael.

— A Miriam Wu e a Salander se frequentaram durante três anos. A Miriam não sabe nada do passado de Salander nem sabe onde ela trabalha. Difícil de engolir. Mas acho que ela falou a verdade.

— A Lisbeth é extremamente fechada — disse Mikael.

Ficaram um instante em silêncio.

— Você tem o telefone da Miriam Wu?

— Tenho.

— Pode me passar?

— Não.

— Por quê?

— Mikael, trata-se de uma investigação policial. Não precisamos de investigadores particulares com teorias bizarras.

— Ainda não tenho nenhuma teoria. Mas acredito que a solução do enigma está no material do Dag Svensson.

— Você provavelmente não vai ter dificuldade em obter o telefone da Miriam Wu se se esforçar um pouco.

— Provavelmente. Mas é mais simples perguntar a quem já sabe.

Bublanski suspirou. Mikael sentiu-se, de súbito, profundamente irritado com ele.

— Será que os policiais são mais inteligentes que as pessoas comuns que você chama de investigadores particulares? — perguntou.

— Não, acho que não. Mas a polícia tem uma formação, e sua missão é investigar os crimes.

— As pessoas comuns também têm uma formação — disse Mikael, devagar. — E pode acontecer de um investigador particular ser muito mais competente que um policial para investigar um crime.

— Isso é você quem diz.

— Estou convencido disso. Veja o caso de Joy Rahman. Os policiais ficaram cinco anos sentados de olhos fechados, enquanto Rahman, que era inocente, estava preso pelo assassinato de uma idosa. Ainda estaria preso se uma professora não tivesse passado anos fazendo uma investigação séria. E ela fez isso sem todos os recursos de que você dispõe. Não só provou que ele era inocente como também apontou um indivíduo que, ao que tudo levava a crer, era o verdadeiro assassino.

— O caso Rahman acabou virando uma questão de prestígio. O procurador se negava a escutar os fatos.

Mikael Blomkvist contemplou demoradamente Bublanski.

— Bublanski... Vou te dizer uma coisa. Neste exato momento, o caso Salander também já virou uma questão de prestígio. Eu afirmo que ela não matou o Dag e a Mia. E vou provar. Vou descobrir um assassino alternativo e quando isso acontecer, vou escrever uma matéria que você e seus colegas vão achar superdoída de ler.

A caminho de casa, Bublanski sentiu necessidade de debater o assunto com Deus, mas, em vez de ir à sinagoga, foi à igreja católica da Folkungagatan. Escolheu um banco lá no fundo e ficou ali sentado tranquilo por mais de uma hora. Como judeu, teoricamente não tinha nada a fazer numa igreja, mas era um lugar sereno onde ele volta e meia aparecia quando precisava organizar os pensamentos. Achava que a igreja era um lugar como outro qualquer para refletir, e tinha certeza que Deus não se incomodava. Além disso, nesse aspecto havia uma grande diferença entre o catolicismo e o judaísmo. Ele ia à sinagoga para buscar a companhia de outras pessoas. Os católicos iam à igreja porque queriam ficar em paz com Deus. A igreja convidava ao silêncio e exigia que os visitantes fossem deixados em paz.

Ele pensou sobre Lisbeth Salander e Miriam Wu. E pensou sobre o que Erika Berger e Mikael Blomkvist estariam ocultando. Estava convencido de que eles sabiam alguma coisa sobre Salander que não tinham contado. Perguntou-se que tipo de "pesquisa" Lisbeth Salander fizera para Mikael Blomkvist. Em dado momento, ponderou que Salander havia trabalhado com Blomkvist pouco antes de ele trazer o caso Wennerström à luz, mas acabou eliminando essa possibilidade. Lisbeth Salander não tinha simplesmente nenhuma ligação com aquele tipo de drama e parecia fora de cogitação que tivesse contribuído de algum modo. Por maior que sua competência fosse investigar pessoas.

Bublanski estava preocupado.

Não gostava daquela certeza absoluta que Mikael Blomkvist tinha da inocência de Salander. Que ele próprio, como policial, tivesse alguma dúvida, era uma coisa — duvidar era a sua função. Coisa bem diferente era Mikael Blomkvist lançar um desafio como investigador particular.

Não gostava de investigadores particulares. Em geral eles vinham com teorias conspiratórias, excelentes para alimentar manchetes de jornais, mas que, no mais das vezes, acabavam redundando num trabalho extra e totalmente inútil para os policiais.

Esta investigação por assassinato já se tornara a mais maluca que ele já tinha realizado. Sentia que, de algum modo, estava perdendo as estribeiras. Uma investigação de assassinato deve seguir uma linha de conclusões lógicas.

Quando um jovem de dezessete anos é encontrado apunhalado na Mariatorget, há que identificar as turmas de *skinheads* ou as gangues de adolescentes que estavam nos arredores da praça e da Södra Station uma hora antes. Existem amigos, conhecidos, testemunhas e, rapidamente, suspeitos.

Quando um homem de quarenta e dois anos é apagado com três tiros de pistola num bar de Skärholmen e descobre-se que ele era um faz-tudo da máfia iugoslava, há que tentar descobrir qual dos jovens novatos está tentando assumir o controle do contrabando de cigarros.

Quando uma mulher de vinte e seis anos, de um ambiente respeitável e de vida pacata, é encontrada estrangulada em seu apartamento, há que tentar descobrir quem era o seu namorado ou a última pessoa com quem ela conversou no café na noite da véspera.

Bublanski chefiara tantas investigações desse tipo que poderia realizá-las até dormindo.

A investigação atual até havia começado muito bem. Tinham achado um principal suspeito já nas primeiras horas. Lisbeth Salander era perfeita para o papel — um caso psiquiátrico comprovado com incontroláveis surtos de violência a vida inteira. Concretamente, só faltava pegá-la, obter uma confissão ou, dependendo das circunstâncias, mandá-la para uma sala acolchoada. Mas então tudo desandara.

Salander não morava em seu endereço. Tinha amigos como Dragan Armanskij e Mikael Blomkvist. Mantinha uma relação com uma lésbica declarada adepta do sexo com algemas e que desencadeava o entusiasmo da mídia numa situação já suficientemente inflamada. Tinha dois milhões e meio de coroas na sua conta bancária e nenhum emprego conhecido. E agora Blomkvist ainda vinha com teorias sobre tráfico de mulheres e outras conspirações — e ele, na condição de jornalista famoso, tinha realmente condições de criar um caos completo na investigação por meio de um único artigo bem colocado.

E, sobretudo, a principal suspeita revelava-se impossível de achar, embora fosse uma tampinha, com um aspecto físico peculiar e tatuagens no corpo inteiro. Os assassinatos já completavam duas semanas e eles ainda não tinham a menor sombra de uma pista de onde ela poderia estar.

* * *

Gunnar Björck, em licença médica por causa de uma hérnia de disco, chefe-adjunto da Säpo, passara vinte e quatro miseráveis horas depois que Mikael Blomkvist atravessara sua porta. Uma dor surda e permanente instalara-se em suas costas. Ficara andando pela casa que tinham lhe emprestado, incapaz de relaxar ou de tomar qualquer iniciativa. Tentava raciocinar, mas as peças do quebra-cabeça teimavam em não se encaixar.

Ele não conseguia entender os meandros daquela história.

Quando tivera notícia do assassinato de Nils Bjurman, no dia seguinte à descoberta do corpo do advogado, tinha ficado atônito. Mas não ficara surpreso quando Lisbeth Salander fora apontada, quase de imediato, como a principal suspeita e começaram a caçá-la. Escutou com atenção cada palavra do que foi dito na tevê e saiu para comprar todos os jornais que conseguisse encontrar, lendo conscienciosamente cada palavra das diversas reportagens.

Não duvidava nem por um instante que Lisbeth Salander fosse uma desequilibrada mental capaz de matar. Não tinha nenhum motivo para questionar sua culpabilidade ou as conclusões do inquérito policial; pelo contrário, tudo o que sabia sobre Lisbeth Salander sugeria que ela era uma psicopata. Ele quase tinha dado um telefonema a fim de colaborar na investigação com conselhos apropriados, ou pelo menos para verificar se estava sendo conduzida de forma correta, mas depois concluíra que o caso não lhe dizia mais respeito. Já não era da sua alçada, e havia gente competente para administrá-lo. Sem falar que um telefonema seu poderia despertar a indesejável atenção que ele justamente queria evitar. Resolvera relaxar e seguir acompanhando as notícias de modo mais distante.

A visita de Mikael Blomkvist viera transtornar por completo a sua tranquilidade. Jamais lhe passara pela cabeça que a orgia assassina de Salander pudesse envolvê-lo pessoalmente — que uma das vítimas fosse um cretino de um jornalista prestes a denunciar a Suécia inteira.

E muito menos imaginara que o nome de Zala poderia ressurgir como uma granada sem pino no meio da história, e menos ainda que Mikael Blomkvist conhecia esse nome. Era tão incrível que ultrapassava qualquer tentativa de entendimento.

No dia seguinte à visita de Mikael, pegara o telefone e ligara para o seu ex-chefe, setenta e oito anos e residente em Laholm. Precisava dar um jeito de tentar entender a história sem dar a perceber que estava ligando por motivos outros que não mera curiosidade e preocupação profissional. A conversa foi relativamente breve.

— É o Björck. Imagino que você tenha lido os jornais.

— De fato. Ela voltou.

— E não mudou muito.

— Isso já não nos diz respeito.

— Então você não acha que...

— Não, não acho. Isso tudo está morto e enterrado. Ninguém vai fazer a relação.

— Mas é que se trata de Bjurman, e não de um qualquer. Imagino que ele não se tornou tutor dela por acaso.

Houve um silêncio do outro lado da linha.

— Não, não foi por acaso. Há três anos, parecia uma boa ideia. Quem poderia prever o que está acontecendo?

— O que o Bjurman sabia?

O chefe, de repente, deu uma risadinha.

— Você sabe como ele era. Não era exatamente um ator nato.

— Quero dizer... ele sabia da ligação? Existe alguma coisa nos documentos dele que poderia levar a...

— Não, claro que não. Entendo o que você quer saber, mas não precisa se preocupar. Salander sempre foi um fator incontrolável nessa história. Demos um jeito de o Bjurman conseguir esse cargo, mas foi só porque nos convinha ter um tutor no qual a gente pudesse ficar de olho. Era melhor que um sujeito desconhecido. Se ela tivesse começado a falar, ele teria procurado a gente. Agora está tudo acabando da melhor maneira possível.

— Como assim?

— Ora, quando tudo isso terminar, a Salander vai ficar no hospital psiquiátrico um bocado de tempo.

— Vamos supor que sim.

— Logo, não há com que se preocupar. Você pode ficar tranquilo aí na sua licença médica.

Mas isso era justamente o que Gunnar Björck não conseguia fazer. Por culpa de Mikael Blomkvist. Sentou-se à mesa da cozinha e ficou contemplando a angra de Jungfrufjärden enquanto tentava fazer um balanço da sua situação. Estava ameaçado pelos dois lados.

Mikael Blomkvist ia denunciá-lo como cliente de prostituição. Havia o perigo iminente de ele terminar sua carreira de policial preso por infringir a lei do comércio sexual.

Porém ainda mais grave era Mikael Blomkvist estar atrás de Zalachenko. De algum modo, Zalachenko estava envolvido na história. O que, de novo, levava diretamente a Björck.

O seu ex-chefe parecia convencido de que não havia nada de comprometedor nos documentos deixados por Bjurman. Estava enganado. Havia o relatório de 1991. E ele, Gunnar Björck, é que entregara o relatório a Bjurman.

Tentou visualizar sua conversa com Bjurman mais de nove meses atrás. Tinham se encontrado na cidade velha. Bjurman ligara para ele uma tarde, no trabalho, e o convidara para tomarem uma cerveja. Tinham conversado sobre tiro com pistola e uma porção de outras coisas, mas Bjurman o tinha contatado por um motivo específico. Precisava de um favor. Fizera algumas perguntas sobre Zalachenko...

Björck se levantou e se aproximou da janela da cozinha. Naquele dia, tinha bebido um pouco além da conta. Bastante até. O que Bjurman tinha lhe pedido?

— *A propósito... estou com um caso em que um velho conhecido resolveu reaparecer...*

— *Ah, é? Quem?*

— *Alexander Zalachenko. Lembra dele?*

— *Se lembro. Não é uma pessoa que se esqueça facilmente.*

— *O que foi feito dele?*

Teoricamente, aquilo não dizia respeito a Bjurman. Seria até o caso de ficar de olho nele só por estar perguntando... não fosse o fato de ele ser o tutor de Lisbeth Salander. Ele disse que precisava do relatório antigo. *E eu dei a ele.*

Cometera um erro monumental. Partira do pressuposto de que Bjurman já estava por dentro — o contrário teria sido simplesmente impensável. E Bjurman colocara as coisas como uma simples tentativa de pegar um atalho em meio à lentidão da burocracia, em que tudo trazia o selo *top secret* e poderia levar meses. Principalmente num caso envolvendo Zalachenko.

Eu dei a ele o relatório, ainda com o selo top secret. *Bjurman, porém, tinha um motivo justo e compreensível, e não era homem de vacilar. Um idiota, sem dúvida, mas que sempre soubera ficar de bico calado. Que problema poderia haver... depois de tantos anos?*

Bjurman o tinha enrolado. Dera a entender que se tratava de formalidades burocráticas. Quanto mais pensava no assunto, mais convencido ficava de que Bjurman escolhera as palavras com perfeita precisão e extrema prudência.

O que ele estava buscando? E por que Salander o tinha matado?

Mikael Blomkvist foi mais quatro vezes até a Lundagatan naquele sábado, na esperança de topar com Miriam Wu, mas esta brilhava pela ausência.

Passou boa parte do dia no Café da Hornsgatan com seu iBook, e releu a correspondência eletrônica de Dag Svensson endereçada à *Millennium.se*, assim como o conteúdo da pasta [ZALA]. Nas últimas semanas antes do assassinato, Dag Svensson fora dedicando cada vez mais tempo a pesquisas sobre Zala.

Mikael teria adorado poder ligar para Dag Svensson e perguntar por que o arquivo [Irina P.] estava dentro da pasta dedicada a Zala. A única conclusão plausível a que ele conseguia chegar era que Dag suspeitava que Zala fosse o assassino de Irina.

Por volta das cinco da tarde, Bublanski ligara de repente para lhe dar o telefone de Miriam Wu. Mikael não entendeu o que poderia ter levado o policial a mudar de ideia, mas assim que teve o número em mãos começou a ligar mais ou menos de meia em meia hora. Somente por volta das onze da noite, quando ligou o celular, é que ela atendeu. A conversa foi rápida.

— Boa noite, Miriam. Meu nome é Mikael Blomkvist.

— E quem é você, que já vem de novo me encher o saco?

— Sou jornalista, trabalho para uma revista chamada *Millennium*.

Miriam Wu expressou seus sentimentos com muita veemência.

— Ah, sei. O Blomkvist, aquele. Pois vá se danar, jornalistazinho do inferno!

E cortou a ligação antes que Mikael tivesse chance de pronunciar uma só palavra para explicar o que queria. Amaldiçoou intimamente Tony Scala e tentou ligar de novo. Ela não atendeu. Em desespero de causa, mandou uma mensagem de texto para o celular dela.

Por favor. É importante.

Ela não respondeu.

No sábado à noite bem tarde, já quase no domingo, Mikael desligou o computador, despiu-se e foi para a cama. Sentia-se frustrado. Teria gostado que Erika Berger estivesse com ele.

IV. *TERMINATOR MODE*
24 DE MARÇO A 8 DE ABRIL

A raiz de uma equação é um algarismo que, substituindo a incógnita, faz da equação uma identidade. Diz-se que a raiz satisfaz a equação.

Para solucionar uma equação, deve-se determinar todas as suas raízes. Quando uma equação é satisfeita por todos os valores imagináveis das incógnitas, fala-se em identidade.

$$(a + b)^2 = a^2 + 2ab + b^2$$

21. QUINTA-FEIRA SANTA 24 DE MARÇO — SEGUNDA-FEIRA 4 DE ABRIL

Lisbeth Salander passou sua primeira semana como foragida longe de qualquer acontecimento dramático. Ficou tranquilamente em seu apartamento da Fiskaregatan, em Mosebacke. Tinha desligado o celular e retirado o cartão SIM. Não pretendia mais usar aquele telefone. Acompanhava com os olhos cada vez mais arregalados as manchetes dos jornais *on-line* e os telejornais.

Descobriu, muito irritada, a foto de sua carteira de identidade divulgada na internet e logo transformada em ícone dos temas do momento na tevê. Naquela foto ela estava com cara de louca.

Depois de anos de esforço para chegar ao anonimato, transformara-se na pessoa mais conhecida e pública do país. Com surpresa, percebeu que a busca, em escala nacional, de uma garota de baixa estatura suspeita de triplo assassinato era um dos fatos mais sensacionais do ano, mais ou menos da mesma dimensão dos abusos sexuais e financeiros e do crime perpetrado pelo guru da seita de Knutby. Acompanhou os comentários e as explicações da mídia, sobrancelhas pensativamente erguidas, fascinada de ver que autos lacrados como confidenciais, relativos a suas dificuldades mentais, pareciam acessíveis a todos em todas as redações. Um título despertou velhas recordações enterradas.

Um repórter da área jurídica da agência TT passara à frente dos concorrentes ao pôr as mãos numa cópia da investigação médico-legal realizada depois que Lisbeth fora detida por enfiar o pé na cara de um passageiro na estação de metrô de Gamla Stan.

Lisbeth lembrava-se perfeitamente daquele incidente no metrô. Ela estava voltando para a casa da sua família adotiva temporária, em Hägersten. Na estação Rådmansgatan, um homem que ela nunca vira mais gordo, e que parecia absolutamente sóbrio, subira no trem e pusera-se imediatamente a espreitá-la. Mais tarde viria a descobrir que ele se chamava Karl Evert Blomgren, tinha cinquenta e dois anos e era um antigo jogador de *bandy* domiciliado em Gävle. Quando o vagão ficou meio vazio, sentou-se ao lado dela e começou a assediá-la. Pusera a mão em seu joelho e tentara iniciar um papo do tipo: "Eu te dou duzentos paus se você for até a minha casa". Como ela o ignorasse e não respondesse, ele foi ficando mais insistente e a chamara de vadia. O fato de ela não retrucar e mudar de lugar na Centralen não o desanimou.

O metrô estava chegando a Gamla Stan quando ele a abraçou por trás e enfiou as mãos debaixo de sua blusa, cochichando em seu ouvido que ela era uma puta. Lisbeth Salander não gostava de ser chamada de puta por perfeitos desconhecidos dentro do metrô. Respondeu com uma cotovelada no olho, então se segurou com firmeza numa barra de ferro e lhe enfiou o salto na base do nariz. O cara sangrou com abundância.

Ela tivera oportunidade de escapar quando o trem parou na estação, mas como estava vestida como uma *punk* e com o cabelo pintado de azul, um amante da ordem se jogou em cima dela e a manteve no chão até a chegada da polícia.

Ela amaldiçoou seu sexo e sua baixa estatura. Se fosse um cara, ninguém teria ousado se jogar em cima dela.

Nunca procurou explicar por que dera um chute na cara de Karl Evert Blomgren. Julgava inútil tentar explicar o que quer que fosse a uma autoridade de uniforme. Por princípio, negava-se inclusive a responder às perguntas dos psicólogos quando eles resolviam avaliar seu estado mental. Felizmente, outros passageiros tinham acompanhado os fatos, entre eles uma mulher insuportável de Härnösand, que se revelou ser uma deputada centrista. A mulher ofereceu imediatamente seu testemunho, dizendo que Blomgren assediara Salander antes de ela atacar. Mais tarde, descobriu-se que Blomgren já tinha duas condenações por atentado ao pudor, e o procurador resolveu encerrar o processo. Mas nem por isso se interrompeu a investigação social, e pouco depois o tribunal de primeira instância declarou Lisbeth Salander incapaz. Com isso, ficara primeiro sob a tutela de Holger Palmgren e depois de Nils Bjurman.

E agora todos esses detalhes íntimos e protegidos por sigilo profissional estavam expostos na internet para quem quisesse ver. Sua ficha vinha acrescida de descrições fabulosas de todos os conflitos que ela tivera com as pessoas desde a escola primária, e de sua internação numa clínica de psiquiatria infantil no início da adolescência.

O diagnóstico que a mídia apresentava sobre Lisbeth Salander variava segundo as edições e os jornais. Ela era descrita ora como psicótica, ora como esquizofrênica com sérias tendências à mania de perseguição. Todos os jornais a descreviam como retardada mental — ela não conseguira assimilar o conteúdo escolar e saíra do colégio sem um boletim de avaliação. Os leitores só podiam concluir que ela era desequilibrada e inclinada à violência.

Quando a mídia descobriu que Lisbeth Salander era amiga da lésbica Miriam Wu, um linchamento em regra se desencadeou em diversos jornais. Miriam Wu se apresentara no show de Benita Costa por ocasião da Gay Pride, um show provocante em que Mimmi fora fotografada com os seios à mostra, calças de couro com suspensórios e botas de verniz com salto agulha. Além disso, escrevera artigos numa revista gay frequentemente citada na mídia e algumas vezes fora entrevistada por causa de sua participação em diferentes shows. A combinação lésbica/assassina em série/sexo sadomasô era aparentemente imbatível para aumentar as tiragens.

Vários jornais aventaram a possibilidade de que a tese de Mia Bergman, que versava sobre o comércio do sexo, pudesse ter motivado Lisbeth Salander a cometer os crimes, já que, de acordo com o Serviço Social, ela era uma prostituta.

No final da semana, a mídia descobriu que Salander também tinha vínculos com um grupo de garotas que flertavam com o satanismo. O grupo chamava-se Evil Fingers, o que incitou um jornalista cultural, homem de certa idade, a escrever um longo texto sobre a instabilidade da juventude e o perigo, oculto em toda parte, que ia desde a cultura *skinhead* até o hip-hop.

A essa altura, o público estava saturado de informações sobre Lisbeth Salander. Somadas as informações dos diferentes veículos, a polícia procurava uma lésbica psicótica, membro de um grupo satânico que pregava o sexo sadomasoquista e odiava a sociedade em geral e os homens em particular. Considerando-se que Salander estivera fora do país um ano antes, não estavam excluídos contatos internacionais.

Uma única vez Lisbeth Salander reagiu com uma espécie de emoção ao que era veiculado com alarde pela mídia. Uma manchete chamou sua atenção.

"A GENTE TINHA MEDO DELA"
Ela ameaçava nos matar, dizem professores e colegas.

Quem falava assim era uma antiga professora, uma certa Birgitta Miåås, que atualmente trabalhava com pinturas em seda. Ela contava que Lisbeth Salander ameaçara seus colegas de sala de aula e que até os professores tinham medo dela.

Lisbeth, de fato, havia cruzado com Miåås. E o encontro entre elas não fora dos melhores.

Ela mordeu o lábio inferior e lembrou que tinha onze anos na época. Lembrava-se de Miåås como de uma péssima professora substituta de matemática, que teimara em lhe fazer uma pergunta à qual ela já havia respondido de forma correta, só que erradamente segundo o manual. Na verdade, o manual estava errado, o que, na opinião de Lisbeth, devia estar evidente para todo mundo. Mas Miåås teimara mais e mais, e Lisbeth fora ficando cada vez menos disposta a discutir o assunto. Por fim, permaneceu imóvel, a boca formando um traço fino com o lábio inferior puxado para a frente até que Miåås, totalmente frustrada, a pegou pelo ombro e a sacudiu para chamar sua atenção. Lisbeth reagira jogando o livro na cara de Miåås, o que resultou em alguma confusão. Ela cuspia e dava pontapés enquanto seus colegas tentavam contê-la.

A matéria ocupava um bom espaço num jornal vespertino e também dava lugar a alguns depoimentos, colocados como legenda num boxe que trazia um de seus ex-colegas de sala fotografado em frente à sua escola na época. O menino chamava-se David Gustavsson e atualmente se declarava assistente financeiro. Afirmava que os alunos tinham medo de Lisbeth Salander porque um dia "ela proferiu ameaças de morte". Lisbeth lembrava-se de David Gustavsson como um de seus maiores atormentadores na escola, um brutamontes dotado de QI mínimo que raramente perdia uma oportunidade de distribuir ofensas e cotoveladas pelos corredores. Certa vez, ele a agredira atrás do ginásio no intervalo do almoço e, como sempre, ela se defendera. Fisicamente, não tinha a menor chance, mas preferia morrer a capitular. O incidente escapou do controle e uma quantidade enorme de alunos se juntou em volta deles para assistir David Gustavsson bater sem parar em Lisbeth Salander. Até certo ponto, tinham achado graça, mas a boba não cuidava de seu próprio interesse; limitou-se a ficar no chão sem sequer começar a chorar ou a implorar piedade.

Momentos depois, os próprios alunos já não suportavam aquela cena. David era tão superior e Lisbeth tão indefesa, que David começou a contabilizar pontos negativos. Ele tinha começado uma coisa que já não sabia como encerrar. Por fim, tascou dois belos socos em Lisbeth, um dos quais lhe partiu o lábio e o outro cortou-lhe o fôlego. Os demais alunos a abandonaram num estado lamentável atrás do ginásio e, rindo, contornaram o prédio e ali desapareceram.

Lisbeth Salander fora para casa tratar dos ferimentos. Dois dias depois, voltou com um taco de beisebol. No meio do pátio, desfechou uma tacada na cabeça de David, em cima da orelha. Quando ele foi ao chão, totalmente chocado, ela apertou-lhe o taco na garganta, inclinou-se sobre ele e sussurrou que se um dia ele encostasse nela outra vez ela o mataria. Nisso, os adultos perceberam que estava acontecendo alguma coisa, levaram David para a enfermaria, ao passo que Lisbeth teve de se apresentar ao diretor para receber seu veredicto: castigo, notificação no seu histórico e uma investigação social.

Nos últimos quinze anos, Lisbeth nunca mais pensara em Miåås ou em Gustavsson. Anotou mentalmente que assim que tivesse um tempinho precisava verificar qual era a ocupação atual dos dois.

* * *

Tudo o que se escrevia sobre Lisbeth Salander a transformava numa celebridade nacional. Seu passado era examinado e esquadrinhado, publicado nos mínimos detalhes, desde as crises da escola primária até a internação na clínica de psiquiatria infantil de Sankt Stefan, perto de Uppsala, onde ficara por mais de dois anos.

Atentou o ouvido quando o médico-chefe Peter Teleborian foi entrevistado na tevê. Estava oito anos mais velho desde a última vez em que Lisbeth o vira, na época das deliberações no tribunal de instâncias que a declarara incapaz. Tinha vincos acentuados na testa e coçou o cavanhaquezinho ao virar-se para o repórter e explicar, muito preocupado, que estava preso ao sigilo profissional e não podia, portanto, falar especificamente sobre uma paciente. Só o que ele podia dizer é que Lisbeth Salander era um caso bastante complexo que exigia tratamento especializado e que o tribunal decidira, contra a sua recomendação, colocá-la sob tutela e inseri-la na sociedade em vez de oferecer-lhe o tratamento de que ela precisava numa instituição. Foi escandaloso, afirmou Teleborian. Lamentou que três pessoas tivessem morrido em virtude daquele erro de avaliação e aproveitou para denunciar de passagem os cortes no orçamento da psiquiatria que o governo aprovara à força nas últimas décadas.

Lisbeth observou que nenhum jornal revelava que a forma de tratamento mais comum, no serviço fechado de psiquiatria infantil coordenado pelo dr. Teleborian, era colocar "os pacientes agitados e difíceis" numa sala qualificada como "destituída de estímulos". A mobília da sala era constituída apenas de uma cama com correias. A justificativa científica era que crianças agitadas não deviam receber "estímulos" passíveis de desencadear alguma crise.

Mais velha, descobrira que existia outro termo para isso. *Privação sensorial*. Expor prisioneiros a uma privação sensorial era considerado desumano pela convenção de Genebra. Era um elemento recorrente das experiências de lavagem cerebral realizadas periodicamente por diferentes ditaduras. Existiam documentos demonstrando que os prisioneiros políticos que confessaram toda sorte de crimes fantasiosos nos processos de Moscou dos anos 1930 haviam recebido esse tipo de tratamento.

Quando viu o rosto de Peter Teleborian na tevê, o coração de Lisbeth virou um cubo de gelo. Perguntou-se se ele ainda usava a mesma loção pós-barba nojenta. Ele fora o responsável pelo que se definira como terapia. Ela nunca entendera o que esperavam dela, a não ser que de algum modo ela estava recebendo um tratamento e que se tornaria consciente de seus atos. Lisbeth compreendera rapidamente que uma "paciente agitada e difícil" equivalia a uma paciente que questionava o raciocínio e o saber de Teleborian.

Na mesma época, Lisbeth Salander descobriu que o método terapêutico mais difundido para o combate da doença mental no século XVI ainda era aplicado no Sankt Stefan no limiar do século XXI.

Passara mais ou menos metade do seu período no Sankt Stefan deitada na cama da sala "destituída de estímulos". Ao que parecia, tinha sido uma espécie de recorde.

Teleborian nunca a tocara sexualmente. Nunca a tocara senão em contextos absolutamente inocentes. Só uma vez pusera a mão em seu ombro para repreendê-la quando ela se encontrava amarrada no isolamento.

Ela se perguntou se as marcas de seus dentes ainda estariam visíveis na falange do dedo mínimo de Teleborian.

A situação assumira ares de um duelo no qual Teleborian detinha todas as cartas. A estratégia de Lisbeth fora entrincheirar-se e desconhecer totalmente sua presença na sala.

Tinha doze anos quando duas policiais femininas a levaram para Sankt Stefan. Fora poucas semanas depois que Todo o Mal acontecera. Lembrava-se de tudo nos mínimos detalhes. Primeiro, pensara que as coisas iam se acertar de um jeito ou de outro. Tentara explicar sua versão aos policiais, aos assistentes sociais, aos funcionários do hospital, enfermeiras, médicos, psicólogos, e até a um pastor que queria que ela rezasse com ele. Quando ia sentada na traseira da viatura policial e passaram pelo Wenner-Gren Center a caminho de Uppsala, ainda não sabia para onde a levavam. Ninguém tinha lhe informado. Foi então que começou a desconfiar que nada ia se ajeitar.

Tinha tentado explicar a Peter Teleborian.

O resultado de tanto esforço foi que na noite de seus treze anos ela se achava amarrada em cima de uma cama.

Peter Teleborian era sem dúvida o sádico mais nojento e mais abjeto que Lisbeth Salander tinha conhecido na vida. A seu ver, ele superava Bjurman em vários aspectos. Bjurman era um perverso brutal que ela conseguira controlar. Já Peter Teleborian se protegia atrás de uma cortina de documentos, avaliações, méritos universitários e jargões psiquiátricos. Absolutamente nenhum de seus atos jamais podia ser denunciado e contestado.

O Estado o incumbira da missão de amarrar menininhas desobedientes com correias.

E toda vez que Lisbeth Salander era amarrada de costas e ele apertava o arreio e cruzava o olhar com o seu, ela podia ver sua excitação. Ela sabia. Ele sabia que ela sabia. A mensagem tinha sido dada.

Na noite de seus treze anos, ela resolveu nunca mais trocar uma palavra sequer com Peter Teleborian nem com nenhum outro psiquiatra ou médico da cabeça. Era o presente que ela se dava de aniversário. E mantivera a promessa. Sabia que isso frustrara Peter Teleborian, e decerto contribuíra mais que qualquer outra coisa para que noite após noite ela fosse amarrada com o arreio. Ela estava disposta a pagar o preço.

Aprendeu tudo sobre autocontrole. Não tinha mais crises e não jogava mais objetos à sua volta nos dias em que a tiravam do isolamento.

Mas não falava com os médicos.

Em compensação, falava educadamente e sem restrições com as enfermeiras, funcionários da cantina e faxineiras. Isso não passou despercebido. Uma enfermeira simpática chamada Carolina, a quem Lisbeth se afeiçoara até certo ponto, perguntou-lhe um dia por que ela agia daquele modo.

Por que você não fala com os médicos?

Porque eles não escutam o que eu digo.

Essa resposta não era nada impulsiva. Era sua maneira de se comunicar com os médicos apesar dos pesares. Sabia perfeitamente que todo comentário seu era registrado em seu dossiê, e assim ela atestava que seu silêncio era fruto de uma decisão racional.

No último ano em Sankt Stefan, Lisbeth fora deixada com cada vez menos frequência na cela de isolamento. E quando isso acontecia era sempre porque de algum modo ela havia irritado Peter Teleborian, o que ela sempre conseguia fazer assim que ele punha os olhos nela. Ele tentava constantemente romper o silêncio obstinado de Lisbeth e forçá-la a reconhecer a existência dele.

Um dia, Teleborin resolveu lhe administrar um tipo de tranquilizante que a deixava com dificuldade para respirar e para pensar, o que, por sua vez, lhe causava angústia. Ela então se negara a tomar o remédio, donde a decisão de obrigá-la a engolir os comprimidos à força três vezes ao dia.

Sua resistência fora tão violenta que os funcionários tiveram de segurá-la, abrir sua boca e forçá-la a engolir. Na primeira vez, Lisbeth enfiou imediatamente os dedos na garganta e vomitou o almoço na enfermeira mais próxima. O resultado foi que passaram a amarrá-la para que tomasse os comprimidos. A resposta de Lisbeth foi aprender a vomitar sem precisar enfiar os dedos na garganta. A violência de sua recusa e o trabalho extra que isso implicava para os funcionários resultaram na interrupção do experimento.

Ela acabava de completar quinze anos quando a trouxeram de volta a Estocolmo, para uma família adotiva. A mudança a pegou de surpresa. Nessa época, Peter Teleborian ainda não era o médico-chefe de Sankt Stefan e Lisbeth Salander estava convencida de que esse era o único motivo de sua súbita libertação. Se Teleborian pudesse decidir sozinho, ela ainda estaria amarrada na cama do isolamento.

E eis que agora ela tornava a vê-lo na tevê. Perguntou-se se ele ainda esperava tê-la de novo como paciente, ou se ela agora já estava muito velha para satisfazer os seus fantasmas. Sua contestação à decisão do tribunal de não interná-la mostrou-se eficaz e despertou a indignação também da repórter que o entrevistava, que aparentemente não tinha a menor ideia do que deveria estar lhe perguntando. Ninguém podia se permitir contradizer Peter Teleborian. O médico-chefe anterior de Sankt Stefan já havia morrido. O juiz do tribunal de instâncias que presidira o caso Salander, e que agora deveria, em parte, assumir o papel do malvado da tragédia, estava aposentado. Negava-se a prestar declarações à imprensa.

Lisbeth descobriu um dos textos mais desnorteantes no site de um jornal local do centro da Suécia. Leu-o três vezes antes de desligar o computador e acender um cigarro. Sentou-se na almofada do vão da janela e contemplou a iluminação pública noturna com um sentimento de resignação.

> "ELA É BISSEXUAL", DIZ UMA AMIGA DE INFÂNCIA
>
> A mulher de vinte e seis anos que está sendo procurada por três assassinatos é descrita como uma pessoa solitária e fechada, com grandes dificuldades de

adaptação escolar. Apesar das várias tentativas no sentido de socializá-la, sempre se manteve à margem.

"Ela manifestamente tinha algum problema grande de identidade sexual, recorda Johanna, uma de suas raras amigas na escola. Desde cedo ficou muito claro que ela era diferente e bissexual. Estamos preocupados com ela."

O texto continuava descrevendo alguns episódios de que Johanna se recordava. Lisbeth franziu o cenho. Não se lembrava daqueles episódios nem de que tinha tido uma amiga próxima chamada Johanna. Aliás, não conseguia se lembrar de ter tido alguma vez alguém que se pudesse qualificar de amigo próximo e tivesse tentado integrá-la à sociedade nos tempos de escola.

O texto era vago em relação à época em que os episódios teriam ocorrido, mas, concretamente, ela saíra da escola aos doze anos. Isso significava que sua preocupada colega de infância teria descoberto a bissexualidade de Lisbeth no primeiro ano do ginásio!

Em meio ao *tsunami* enlouquecido de textos delirantes durante a semana, a entrevista de Johanna foi a que mais a atingiu. Tinha obviamente sido forjada. Ou o repórter topara com uma completa mitômana, ou ele próprio inventara tudo aquilo. Memorizou o nome dele e o acrescentou à lista de objetos futuros de pesquisa.

Nem mesmo as reportagens mais compassivas, temperadas com uma pontinha de crítica ao sistema, que exibiam manchetes como "Uma falha da sociedade" ou "Ela nunca recebeu a ajuda de que precisava", conseguiam minorar seu papel de inimigo público número um — uma assassina que, num acesso de loucura, executara três respeitáveis cidadãos.

Lisbeth leu as interpretações de sua vida com certo fascínio e observou uma evidente lacuna naquilo que o público estava conhecendo. Apesar do acesso aparentemente ilimitado aos detalhes mais íntimos de sua vida lacrados com o selo confidencial, a mídia passara totalmente ao largo de Todo o Mal, que ocorrera pouco antes de seus treze anos. O que sabiam de sua vida ia da pré-escola até por volta dos onze anos e, depois, a partir dos quinze anos, quando tivera alta da clínica de psiquiatria infantil e fora encaminhada para uma família adotiva.

Aparentemente, alguém da investigação policial estava fornecendo informações à mídia mas, por razões que Lisbeth Salander ignorava, resolvera omitir Todo o Mal. Isso a intrigava. Se a polícia fazia tanta questão de enfatizar sua tendência à violência extrema, essa investigação constituiria a acusação mais pesada de seu dossiê, sendo muito mais séria que todas as bobagens do recreio da escola. Estava na origem de sua transferência para Uppsala e da internação no Sankt Stefan.

No domingo de Páscoa, Lisbeth começou a ter um panorama razoável da investigação policial. As informações da imprensa lhe proporcionaram uma boa visão dos participantes. Notou que o procurador Ekström coordenava o inquérito preliminar e era, em geral, quem se pronunciava nas coletivas de imprensa. A investigação de campo estava sendo chefiada pelo inspetor criminal Jan Bublanski, homem dotado de ligeiro excesso de peso, que usava um paletó mal cortado e assistia Ekström em algumas coletivas.

Dias depois, identificou Sonja Modig, a única mulher da equipe, que descobrira o corpo de Bjurman. Anotou o nome de Hans Faste e de Curt Bolinder, mas deixou passar o de Jerker Holmberg, que não aparecia em nenhuma reportagem. Criou uma pasta no computador para cada um deles e começou a alimentá-las com dados.

As informações sobre o andamento da investigação policial encontravam-se, evidentemente, nos computadores dos investigadores, cuja base de dados achava-se armazenada no servidor da delegacia. Lisbeth Salander sabia que era extremamente difícil piratear a rede interna da polícia, mas não impossível. Já fizera isso uma vez.

Por ocasião de um trabalho para Dragan Armanskij, quatro anos antes, ela mapeara a estrutura da rede da polícia e avaliara as possibilidades de entrar no registro das fichas criminais para efetuar suas próprias pesquisas. Lamentavelmente, fracassara em suas tentativas de invasão ilegal — os *firewall* da polícia eram demasiado sofisticados, e minados por todo tipo de armadilhas capazes de dar o alerta.

A rede interna da polícia era estruturada conforme as regras da arte, com cabos próprios, separados de qualquer cabeamento externo e de internet. Ou seja, para fazer uma pesquisa através dela, Lisbeth precisaria de um tira autorizado a usar a rede ou, segunda possibilidade, que a rede interna da polícia pensasse que ela era uma pessoa autorizada. Nesse aspecto, os especialistas em segurança da polícia felizmente haviam deixado aberta uma imensa porta dos fundos. Inúmeras delegacias do país estavam conectadas à rede central, sendo que muitas não passavam de pequenas unidades locais que fechavam à noite e não contavam com alarme ou vigilância. A delegacia próxima a Långvik, nos arredores de Västerås, era uma delas. Ocupava cento e trinta metros quadrados no mesmo prédio da biblioteca municipal e da Previdência Social e, durante o dia, o plantão era feito por três policiais.

Na época, Lisbeth Salander não conseguira entrar na rede para a investigação que estava realizando, mas pensou que valia a pena dedicar algum tempo e energia procurando um acesso, visando investigações futuras. Examinara as possibilidades que se ofereciam e então entrara com um pedido de emprego temporário de verão como faxineira na biblioteca de Långvik. Paralelamente ao manejo de baldes e esfregões, gastou cerca de dez minutos nas dependências do Urbanismo Municipal para obter as plantas detalhadas do local. Pegara as chaves do prédio, mas não das dependências da polícia. Em compensação, descobrira que podia, sem muita dificuldade, penetrar no local por uma janela de banheiro do primeiro andar, que ficava entreaberta à noite no verão, por causa do calor. A delegacia era vigiada apenas por um guarda da Securitas que passava por ali duas ou três vezes por noite. Ridículo.

Demorou uns cinco minutos para descobrir o login e a senha, escondidos no risque-rabisque do oficial de polícia local, e levou cerca de uma noite fazendo experimentos a fim de entender a estrutura da rede e identificar que tipo de acesso essa pessoa dispunha e que tipo de acesso era proibido àquela equipe. De quebra, obteve também os login e as senhas de mais dois policiais. Um deles era Maria Ottosson, de trinta e dois anos. Em seu computador, Lisbeth descobriu que ela solicitara, e obtivera, um cargo de investigadora na brigada de fraudes da polícia de Estocolmo. Lisbeth tirou a sorte grande com Ottosson: a inocente Maria deixara seu computador portátil, um Dell, numa gaveta destrancada! Maria Ottosson era, portanto, uma policial que usava seu computador pessoal no trabalho. Sublime! Lisbeth iniciou o computador e inseriu seu CD com o programa Asphyxia 1.0, a primeiríssima versão do seu programa de espionagem. Instalou-o em dois lugares: como parte ativa e integrada do Microsoft Explorer e como backup do caderno de endereços de

Maria Ottosson. Lisbeth imaginou que se Ottosson comprasse um computador novo, iria transferir seu caderno de endereços, e também era grande a possibilidade de transferi-lo para seu computador de trabalho na brigada de fraudes de Estocolmo, quando assumisse seu cargo dali a algumas semanas.

Também instalou programas nos computadores fixos dos policiais, o que lhe permitiria buscar informações externas. Apropriando-se simplesmente das identidades deles, poderia pesquisar no registro dos arquivos judiciários. Em compensação, tinha de avançar pé ante pé para que as invasões não fossem notadas. O departamento de segurança da polícia, por exemplo, acionava um alarme automático caso um policial local se conectasse fora do serviço, e se o fato se repetisse, ou se o número de buscas aumentasse consideravelmente. E caso ela colhesse dados sobre investigações em que a polícia local não tinha nenhum envolvimento plausível, o alarme disparava igualmente.

Ao longo do ano seguinte, ela tinha trabalhado com seu colega *hacker* Praga para assumir o controle da rede da polícia. A tarefa apresentara dificuldades tão insuperáveis que eles acabaram abandonando o projeto. Durante a tentativa, porém, tinham armazenado perto de cem identidades de policiais existentes, que podiam tomar emprestadas se necessário.

Praga vencera uma etapa importante ao conseguir piratear o computador pessoal do chefe do departamento de segurança de informática da polícia. O sujeito era um consultor em economia sem grandes conhecimentos de informática, mas dispunha de uma profusão de informações em seu laptop. Embora não pudessem piratear toda a rede da polícia, Lisbeth e Praga estavam pelo menos em condições de infestá-la com vírus malignos de diversos tipos — o que não tinham o menor interesse em fazer. Eram *hackers*, e não sabotadores. Queriam ter acesso às redes, e não destruí-las.

Lisbeth Salander conferiu sua lista e constatou que nenhuma das pessoas de quem roubara a identidade trabalhava na investigação do triplo assassinato — seria pedir demais. Em compensação, podia, sem grandes dificuldades, entrar e ler os detalhes do alerta de busca nacional, inclusive atualizações a seu respeito. Descobriu que havia sido vista e caçada em Uppsala, Norrköping, Göteborg, Malmö, Hässleholm e Kalmar, entre outros, e que fora divulgada uma atualização sigilosa com o *morphing*, dando uma ideia melhor de sua aparência física.

Uma das raras vantagens de Lisbeth, considerando-se a atenção que a mídia vinha lhe dedicando, era que dispunham de pouquíssimas fotos suas. Com exceção da foto do passaporte e da carteira de habilitação, de quatro anos atrás, e de uma foto dos arquivos da polícia de quando tinha dezoito anos (totalmente irreconhecível), só havia umas poucas fotografias esparsas colhidas em álbuns antigos ou tiradas por um professor durante uma excursão à reserva natural de Nacka, quando ela tinha doze anos. As fotos da excursão mostravam uma figura desfocada, sentada sozinha longe dos demais.

Na foto do passaporte ela aparecia com olhos fixos e arregalados, a boca como um traço mínimo e a cabeça levemente inclinada, o que confirmava a ideia de uma assassina antissocial retardada, mensagem que a mídia reproduzia até dizer chega. A única coisa positiva naquela foto é que estava tão irreconhecível que poucas pessoas a identificariam na vida real.

Acompanhou com interesse os perfis que haviam sido traçados das três vítimas. Na terça-feira, a mídia começou a patinar e, na falta de novas revelações sensacionais na busca a Lisbeth Salander, o interesse voltou a se centrar nas vítimas. Dag Svensson, Mia Bergman e Nils Bjurman eram descritos num longo artigo de fundo de um jornal vespertino. O que ressaía é que três cidadãos honrados haviam sido abatidos por motivos incompreensíveis.

Nils Bjurman aparecia como um advogado respeitado e socialmente engajado, membro do Greenpeace e ostentando "um autêntico compromisso com os jovens". Uma coluna foi ocupada por um amigo próximo e colega de Bjurman, Rune Håkansson, que tinha um escritório no mesmo prédio que ele. Håkansson confirmou a imagem de Bjurman como um homem afeito à defesa dos direitos das pessoas simples. Um funcionário da Comissão de Tutelas mencionava "seu autêntico engajamento com sua protegida Lisbeth Salander".

Lisbeth Salander esboçou seu primeiro sorriso enviesado do dia.

Era grande o interesse em torno de Mia Bergman, a vítima feminina da tragédia. Era descrita como uma mulher jovem e bonita, dotada de rara inteligência, com um currículo já impressionante, e diante da qual se abria uma brilhante carreira. Amigos chocados, colegas de curso e seu orientador eram citados. A pergunta que se repetia era "por quê?". Fotos mostravam buquês de flores e velas acesas em frente a seu prédio em Enskede.

Em comparação, era pouco o espaço dedicado a Dag Svensson. Ele era descrito como um repórter perspicaz e corajoso, mas sua companheira roubava a cena.

Lisbeth observou, ligeiramente surpresa, que foi preciso esperar até o domingo de Páscoa para alguém descobrir que Dag Svensson vinha trabalhando numa grande reportagem para a revista *Millennium*. Sua surpresa aumentou ao perceber que não se mencionava a natureza exata desse trabalho.

Não chegou a ler as declarações de Mikael Blomkvist na edição *on-line* do *Aftonbladet*. Só na terça-feira, quando foram reproduzidas num telejornal, foi que se deu conta de que Blomkvist repassara informações totalmente erradas. Segundo Mikael, Dag Svensson tinha sido contratado para escrever uma reportagem sobre "segurança e invasão ilegal em computação".

Lisbeth franziu o cenho. Sabia que a afirmação era falsa e se perguntou qual era o jogo da *Millennium*. Então compreendeu a mensagem e esboçou seu segundo sorriso enviesado do dia. Conectou-se ao servidor holandês e clicou duas vezes no ícone *Mik-Blom/laptop*. Deparou com a pasta [LISBETH SALANDER] e com o arquivo [Para Sally] bem à vista na área de trabalho. Clicou duas vezes e leu.

Então, ficou um longo tempo parada diante da carta de Mikael. Dentro dela, enfrentavam-se sentimentos contraditórios. Até o momento, tivera a Suécia inteira contra si, o que, por sua simplicidade, era uma equação relativamente clara e compreensível. Agora, via-se de repente com um aliado, ou pelo menos um aliado potencial que afirmava acreditar em sua inocência. E é claro que tinha de ser justamente o único homem da Suécia que ela não queria ver de jeito nenhum. Suspirou. Mikael Blomkvist era, como sempre, uma alma danada de boa repleta de ingenuidade. Lisbeth Salander não era inocente desde os dez anos de idade.

Inocentes não existem. Em compensação, existem diferentes níveis de responsabilidade.

Nils Bjurman morrera porque escolhera não jogar de acordo com as regras que ela havia decretado. Tivera todas as chances e no entanto tinha contratado um maldito macho anabolizado para lhe fazer mal. Ela não tinha culpa.

Mas não dava para subestimar a entrada em cena do Super-Blomkvist. Ele poderia ser útil.

Ele era bom em adivinhações e dono de uma teimosia incomparável. Ela descobrira isso em Hedestad. Quando encasquetava com alguma coisa, aguentava firme, mesmo levando um tombo. Quanta ingenuidade! Só que ele tinha liberdade de movimentos, enquanto ela era obrigada a permanecer invisível. Poderia usá-lo até que pudesse deixar o país tranquilamente. E imaginava que muito em breve seria obrigada a fazê-lo.

Infelizmente, Mikael Blomkvist era ingovernável. Ele próprio tinha de querer. E precisava de um pretexto moral para agir.

Em outras palavras, era bastante previsível. Refletiu alguns instantes e então criou um novo arquivo, que chamou [Para MikBlom], e escreveu uma única palavra.

[Zala.]

Já lhe daria no que pensar.

Ela ainda estava matutando quando percebeu que Mikael Blomkvist acabava de ligar o computador. A resposta veio pouco depois de ele ler a resposta dela.

[Lisbeth,

Que diacho de menina complicada você está me saindo... Quem é esse Zala? Ele é que é o elo? Você sabe quem matou Dag & Mia? Se sabe, me diga, para a gente conseguir desfazer este nó e ir para casa dormir. Mikael.]

O.k. Hora de fisgá-lo.

Criou mais um documento e o intitulou [Super-Blomkvist]. Sabia que isso iria irritá-lo. E escreveu uma mensagem breve.

[O jornalista é você. Trate de descobrir.]

Como previsto, ele respondeu no ato pedindo-lhe para ser mais conciliadora, e mais explícita. Ela sorriu e fechou o disco rígido de Mikael.

* * *

Já que havia chegado a esse ponto em suas invasões, resolveu continuar e abriu o disco rígido de Dragan Armanskij. Leu, pensativa, o relatório que ele fizera sobre ela na segunda-feira após a Páscoa. O destinatário do relatório não era mencionado, mas ela refletiu que a única possibilidade era Armanskij estar colaborando com os tiras para prendê-la.

Passou algum tempo percorrendo a correspondência eletrônica de Armanskij, sem encontrar, porém, nada de interessante. Estava prestes a sair do disco rígido quando deparou com o e-mail endereçado ao responsável técnico da Milton Security. Armanskij solicitava a instalação de uma câmera de vigilância oculta em sua sala.

Epa! Epa!

Conferiu a data e percebeu que o e-mail tinha sido enviado apenas uma hora depois de sua visita de cortesia no final de janeiro.

Isso significava que ela precisaria reajustar certos processos do sistema automático de vigilância antes de empreender novas visitas à sala de Armanskij.

22. TERÇA-FEIRA 29 DE MARÇO — DOMINGO 3 DE ABRIL

Na manhã de terça-feira, Lisbeth Salander entrou nos arquivos da Criminal Nacional e efetuou uma busca sobre Alexander Zalachenko. Ele não constava na lista, o que não era grande surpresa, já que, até onde ela sabia, nunca fora condenado na Suécia e sequer constava nos registros civis.

Para entrar nos arquivos, assumira a identidade do delegado Douglas Skiöld, de cinquenta e cinco anos, do distrito policial de Malmö. Sobressaltou-se quando seu computador emitiu um barulhinho e um ícone do menu começou a piscar, alertando que alguém procurava por ela no *chat* do ICQ.

Teve um momento de hesitação. Seu primeiro impulso foi desconectar-se. Então raciocinou. Skiöld não tinha ICQ no seu computador. Poucas pessoas de mais idade tinham esse programa, que antes de mais nada era um software usado por jovens e usuários experientes afeitos aos *chat*.

Isso queria dizer que alguém estava tentando entrar em contato com *ela*. E nesse caso as possibilidades não eram muitas. Abriu o ICQ e escreveu:

[O que foi, Praga?]

[Olá, Wasp. Difícil te achar. Você nunca lê seus e-mails?]

[Como você conseguiu?]

[Skiöld. Também tenho essa lista. Imaginei que você fosse usar uma das identidades com direito a acesso máximo.]

[O que você quer?]

[Quem é esse Zalachenko que você está procurando?]

[NTI.]

[?]

[Não Te Interessa.]

[O que está acontecendo?]

[Praga, vá se...]

[Eu achava que eu tinha uma deficiência de socialização, como você sempre diz. Mas, se eu for acreditar na imprensa, perto de você eu sou absolutamente normal.]

[??]

[Uma banana para você também. Está precisando de ajuda?]

Lisbeth hesitou um segundo. Primeiro Blomkvist, agora Praga. Aquilo não tinha fim, era uma multidão acorrendo em seu auxílio! O problema, com Praga, é que ele era um solitário de cento e sessenta quilos que só se comunicava com o mundo pela internet, fazendo Lisbeth Salander parecer um milagre de competência social. Como ela não respondia, Praga teclou mais uma linha.

[Você ainda está aí? Precisa de ajuda para sair do país?]

[Não.]

[Por que você apagou os caras?]

[Vá se...]

[Você pretende apagar mais gente? E nesse caso tenho que me preocupar? Acho que sou o único capaz de te rastrear.]

[Vá cuidar da sua vida, assim não vai precisar se preocupar.]

[Não estou preocupado. Me contate pelo hotmail se precisar de alguma coisa. Arma? Passaporte novo?]

[Você é um sociopata.]

[Comparado com você?]

Lisbeth saiu do ICQ e se sentou no sofá para pensar. Passados dez minutos, voltou para o computador e mandou uma mensagem para o endereço hotmail de Praga.

[O procurador Rickard Ekström, que está conduzindo o inquérito preliminar, reside em Täby. É casado, dois filhos, e tem cabo em casa. Eu preciso ter acesso ao laptop e/ou computador pessoal de mesa dele. Preciso lê-lo em tempo real. *Hostile takeover* com espelhamento do disco rígido.]

Sabia que Praga raramente saía de seu apartamento em Sundbyberg e esperava que ele pudesse contar com algum adolescente espinhento para fazer o trabalho de campo. Não assinou o e-mail, seria supérfluo. Quinze minutos depois, ele a chamou pelo ICQ.

[Quanto você está pagando?]

[10000 na sua conta + despesas e 5000 para o seu colaborador.]

[Volto a entrar em contato.]

Na quinta-feira de manhã, recebeu um e-mail de Praga. Continha apenas um endereço ftp. Lisbeth ficou pasma. Não esperava um resultado antes de duas semanas, no mínimo. Montar um *hostile takeover*, mesmo com os programas geniais de Praga e seus softwares sob medida, era um procedimento laborioso que implicava pequenos fragmentos de informação serem injetados num computador, kilobyte por kilobyte, até que se criasse um programa simples. O tempo necessário dependia da frequência com que o computador era utilizado. Depois, ainda eram precisos alguns dias para transferir toda a informação para um disco rígido espelhado. Fazer tudo isso em quarenta e oito horas não apenas era incrível como teoricamente impossível. Lisbeth ficou impressionada. Chamou-o pelo ICQ.

[Como você conseguiu?]

[São quatro pessoas com PC na casa. Nem te conto sobre a falta de *firewall*! Segurança zero. Foi só entrar no cabo e carregar. Deu seis mil coroas de despesas. Não é demais para você?]

[Tá beleza. Mais um bônus pela rapidez.]

Hesitou um instante, então transferiu trinta mil coroas para a conta de Praga via internet. Não queria brindá-lo com quantias exageradas. Depois, instalou-se confortavelmente e abriu o laptop do chefe do inquérito preliminar, o procurador Ekström.

Uma hora depois, já tinha lido todos os relatórios que o inspetor Jan Bublanski lhe enviara. Lisbeth ponderou que, de acordo com o regulamento, relatórios desse tipo não deveriam sair da delegacia, e que Ekström estava simplesmente passando por cima do regulamento ao levar trabalho para casa por meio de uma conexão de internet particular e sem *firewall*.

Isso só vinha provar mais uma vez que nenhum sistema de segurança é melhor que o mais idiota dos colaboradores. Graças ao computador de Ekström, encontrou vários elementos indispensáveis de informação.

Primeiro, descobriu que Dragan Armanskij destacara dois colaboradores para juntar-se gratuitamente ao grupo de investigação de Bublanski, o que na prática significava que a Milton Security estava patrocinando a busca dos tiras para apanhá-la. A tarefa deles era contribuir de todas as formas possíveis para a captura de Lisbeth Salander. *Muito obrigada, Armanskij. Não vou me esquecer disso*. Ficou preocupada ao descobrir quem eram os colaboradores. Embora achasse Bohman meio rígido, ele sempre tivera um comportamento correto com ela. Niklas Eriksson era um torpe miserável que se aproveitara de sua posição na Milton Security para extorquir uma cliente da empresa.

A ética de Lisbeth Salander era seletiva. Não era avessa à ideia de extorquir clientes da empresa, desde que isso fosse merecido, mas jamais faria isso depois de aceitar um serviço que exigisse sigilo profissional.

Em seguida, Lisbeth descobriu que o anônimo que vinha repassando informações para a mídia era o próprio chefe do inquérito preliminar. Isso aparecia na correspondência eletrônica de Ekström, quando ele respondia às perguntas referentes à investigação médico-legal de Lisbeth e à ligação entre ela e Miriam Wu.

O terceiro elemento de informação fundamental era que a equipe de Bublanski não tinha a menor pista sobre onde deveria procurar Lisbeth Salander. Leu com o maior interesse um relatório que enumerava as medidas tomadas e os endereços colocados sob vigilância esporádica. A lista era sucinta.

Lundagatan, evidentemente, mas também o endereço de Mikael Blomkvist, o antigo endereço de Miriam Wu, perto de Sankt Eriksplan, e o Moulin, onde tinha sido vista. *Droga, o que foi que me deu naquele dia para me expor daquele jeito com a Mimmi? Só uma retardada completa mesmo!*

Na sexta-feira, os investigadores de Ekström também tinham achado a pista das Evil Fingers. Imaginou que, em consequência disso, mais endereços passariam a ser vigiados. Franziu o cenho. Com isso, as meninas do Evils iam sumir do seu círculo de conhecidos, mesmo que não tivesse tido nenhum contato com elas desde sua volta à Suécia.

Quanto mais pensava no assunto, mais perplexa ficava. O procurador Ekström estava deixando vazar na mídia todo tipo de nojeira a seu respeito. Não era difícil entender o objetivo de Ekström; a publicidade lhe era favorável e ele preparava o terreno para o dia em que fosse indiciá-la.

Mas por que não havia divulgado o relatório policial de 1991? Estava ali a razão de seu internamento no Sankt Stefan. Por que ele estava ocultando aquele caso?

Entrou no computador de Ekström e passou uma hora verificando os arquivos. Quando terminou, acendeu um cigarro. Não tinha encontrado uma única referência ao que acontecera em 1991. Isso levava a uma estranha conclusão. Ele não sabia do relatório.

Ficou em dúvida sobre o rumo a tomar. Então deu uma olhada no PowerBook. Ali estava um belo desafio para *o maldito Super-Blomkvist*. Reiniciou o computador, entrou no disco rígido de Blomkvist e criou o documento [MB2].

> [O procurador E. está despejando informações na mídia. Pergunte a ele por que ele não repassou o antigo relatório policial.]

Deveria ser suficiente para lhe dar um impulso. Esperou pacientemente umas duas horas até que Mikael se conectasse. Ele primeiro conferiu os e-mails e demorou quinze minutos para ver seu documento, depois outros cinco para responder pelo arquivo [Críptica]. Não tinha mordido a isca. Em vez disso, repetia que queria saber quem tinha matado os amigos dele.

Aquele era um argumento ao alcance de Lisbeth. Ela amansou um pouco e respondeu com [Críptica 2].

[O que você faria no meu lugar?]

Essa era, na verdade, uma pergunta pessoal. Ele respondeu com [Críptica 3]. Ela ficou abalada.

[Lisbeth, se você pirou de vez, só o Peter Teleborian, na certa, pode te ajudar. Mas não acredito que você tenha matado o Dag e a Mia. Espero não estar enganado.

O Dag e a Mia pretendiam denunciar o comércio do sexo. Minha hipótese é que isso de alguma forma motivou os crimes. Mas não tenho nada para fundamentar essa hipótese.

Não sei o que deu errado entre nós, mas houve um momento em que conversamos sobre amizade. Eu te disse que a amizade se baseia em duas coisas — respeito e confiança. Mesmo que você não goste de mim, pode confiar em mim totalmente. Nunca revelei seus segredos. Nem mesmo o que aconteceu com os bilhões de Wennerström. Confie em mim. Não sou seu inimigo. M.]

Mikael se referir a Peter Teleborian de início deixou-a furiosa. Então entendeu que ele não estava querendo aborrecê-la. Desconhecia por completo quem era Peter Teleborian, era provável que só o tivesse visto na tevê, onde ele aparecia como um especialista responsável e mundialmente respeitado em psiquiatria infantil.

Mas o que de fato a abalou foi a menção aos bilhões de Wennerström. Não conseguia entender como ele descobrira. Estava convencida de que não cometera nenhuma falha e que ninguém no mundo sabia o que ela tinha feito.

Releu várias vezes a carta.

A referência à amizade lhe causou mal-estar. Não sabia o que responder. Por fim, criou o [Críptica 4].

[Vou pensar no assunto.]

Desconectou-se e acomodou-se no vão em frente à janela.

* * *

Foi só por volta das onze da noite de sexta-feira, nove dias depois dos assassinatos, que Lisbeth Salander saiu do seu apartamento em Mosebacke. Seu estoque de Billys Pan Pizza e de outras provisões, assim como o derradeiro farelo de pão e queijo, esgotara-se havia vários dias. Nos três últimos, alimentara-se com um pacote de flocos de aveia comprado por impulso num dia em que tinha jurado se alimentar melhor. Descobrira que dez centilitros de flocos de aveia, mais umas uvas passas e vinte centilitros de água, deixados sessenta segundos no microondas, transformavam-se num mingau comestível.

A falta de comida não era o único motivo de sua saída. Precisava ver uma pessoa. Infelizmente, não podia fazê-lo trancada num apartamento na praça de Mosebacke Torg. Abriu o armário, pegou a peruca loira e muniu-se do passaporte norueguês com o nome de Irene Nesser.

Irene Nesser existia de fato. Tinha alguma semelhança com Lisbeth Salander e perdera o passaporte havia cerca de três anos. Fora parar nas mãos de Lisbeth graças a Praga, e nos últimos dezoito meses ela usara a identidade de Irene Nesser ao sabor da necessidade.

Lisbeth tirou a argola que usava na sobrancelha e se maquiou diante do espelho do banheiro. Enfiou uma calça jeans escura e um pulôver marrom com sobrecostura amarela, simples mas quente, e botinas de salto. Tinha numa caixa um pequeno estoque de cartuchos de gás lacrimogêneo, e pegou um. Também pegou um cacetete elétrico que havia um ano não pegava e carregou-o. Colocou uma muda de roupa numa sacola de náilon. Tarde da noite, então, deixou o apartamento. Primeiro, foi até o McDonald's da Hornsgatan. Escolheu esse porque ali, diferentemente do de Slussen ou da Medborgarplatsen, havia menos perigo de cruzar com um de seus ex-colegas da Milton Security. Comeu um Big Mac regado com uma Coca máxi.

Quando terminou, pegou o ônibus nº 4 em Västerbron e foi até Sankt Eriksplan. Andou até Odenplan e chegou ao endereço do falecido dr. Bjurman, na Upplanksgatan, pouco depois da meia-noite. Não esperava que o apartamento estivesse sendo vigiado, mas reparou que havia luz numa janela vizinha, no mesmo andar, e foi dar uma volta para os lados de Vanadisplan. Quando voltou, uma hora depois, o apartamento vizinho estava escuro.

* * *

Com passos leves como pluma e sem acender a luz, subiu a escada até o apartamento de Bjurman. Com um estilete, cortou com capricho a fita adesiva que a polícia grudara na porta. Penetrou no apartamento sem fazer nenhum ruído.

Acendeu a luz do hall que, sabia, não se via da rua, e então ligou uma lanterna pequena e foi direto para o quarto. As persianas estavam baixadas. Deixou o feixe de luz percorrer a cama ainda respingada de sangue. Passou--lhe pela cabeça que ela própria quase morrera naquela cama, então sentiu-se profundamente satisfeita por Bjurman ter enfim sumido de sua vida.

O objetivo de sua visita ao local do crime era achar uma resposta a duas perguntas. Em primeiro lugar, não entendia qual a relação entre Bjurman e Zala. Estava convencida de que existia necessariamente uma relação, mas não conseguira identificá-la examinando o conteúdo do computador de Bjurman.

Em segundo lugar, uma dúvida vinha preocupando-a. Em sua visita noturna de algumas semanas atrás, notara que Bjurman havia tirado da pasta "Lisbeth Salander" um documento a seu respeito. As páginas que faltavam eram parte da descrição da tarefa que lhe fora atribuída pela Comissão de Tutela, na qual o estado psíquico de Lisbeth Salander era resumido de modo bastante sucinto. Bjurman não precisava daquilo e era bem possível que simplesmente tivesse dado uma limpa na pasta e jogado as páginas fora. Ia contra essa hipótese o fato de que advogados nunca jogam fora documentos relativos a um caso em andamento. Podiam até ser documentos supérfluos, mas livrar-se deles não tinha muita lógica. No entanto, não estavam na pasta e ela tampouco os vira em outro lugar no escritório.

Descobriu que a polícia tinha levado as pastas referentes à sua humilde pessoa, além de outros documentos. Ficou duas horas passando um pente--fino pelo apartamento para se certificar de que a polícia não tinha deixado escapar alguma coisa, e foi com uma ligeira frustração que constatou que não fora esse o caso.

Na cozinha, achou uma lata com todo tipo de chave. Ali estavam as chaves do carro e outras duas numa argola, sendo uma a chave de um prédio e a outra a de um cadeado. Foi silenciosamente até o sótão, onde tateou todos os cadeados até achar o box de Bjurman. Ele guardara ali alguns móveis velhos, um armário com roupas não usadas, esquis, uma bateria de carro, caixas com livros e outras velharias. Não achou nada de interessante, desceu a escada e usou a chave do prédio para abrir a garagem. Deparou com a Mercedes dele e dedicou-lhe um tempinho até perceber que não continha nada de útil.

Não foi ao escritório. Estivera lá poucas semanas antes, quando fizera sua visita noturna ao apartamento, e sabia que fazia dois anos ele não usava o escritório. Tudo que havia lá era poeira.

Retornou ao apartamento e sentou-se no sofá para pensar. Minutos depois, levantou-se, voltou à cozinha e pegou a lata das chaves. Examinou uma por uma. Havia chaves especiais de segurança e uma chave rústica, estilo antigo, enferrujada. Franziu o cenho. Então ergueu os olhos para uma prateleira acima da bancada, onde Bjurman pusera uns vinte pacotes de sementes. Pegou-os e constatou que se tratava de sementes para uma horta de ervas aromáticas.

Ele tem uma casa de campo! Ou então uma horta em algum lugar, com uma cabana. Está aí o que eu deixei passar.

Levou alguns minutos para achar, na contabilidade de Bjurman, um recibo de seis anos antes relativo ao pagamento da fatura de uma empresa que efetuara obras de aterramento em seu terreno, e mais um minuto para encontrar recibos do seguro de uma construção perto de Stallarholmen, para os lados de Mariefred.

Às cinco da manhã, parou no 7-Eleven que ficava aberto vinte e quatro horas, no alto da Hantverkaregatan, perto da Fridhemsplan. Comprou uma quantidade expressiva de Billys Pan Pizza, leite, pão, queijo e outros produtos de primeira necessidade. Também comprou um jornal matutino cuja manchete deixou-a fascinada.

A MULHER PROCURADA TERÁ DEIXADO O PAÍS?

Por razões que Lisbeth ignorava, o jornal optara por não citar seu nome. Referia-se a ela como "a mulher de vinte e seis anos". O texto informava que segundo uma fonte da polícia ela talvez tivesse deixado o país e poderia estar em Berlim. Não explicava por que ela teria fugido para Berlim, mas, segundo a tal fonte, sua presença tinha sido assinalada num clube "anarco-feminista" de Kreuzberg. O clube era descrito como um antro de jovens fanáticas por mais ou menos qualquer coisa, desde terrorismo político até antiglobalização e satanismo.

Pegou o ônibus da manhã para voltar a Södermalm, desceu na Rosenlundsgatan e seguiu a pé até seu apartamento. Desceu o lixo e pôs as pilhas de jornais acumulados em dois sacos plásticos que guardou no armário do hall. Lavou roupa, primeiro as roupas íntimas e as camisetas, depois os jeans. Encheu e ligou a máquina de lavar louça e, por fim, passou aspirador e um pano úmido no chão.

Eram nove da noite e ela estava encharcada de suor. Encheu a banheira com uma generosa porção de espuma para banho. Entrou na água, fechou os olhos e ficou matutando. Quando acordou, era meia-noite e a água estava gelada. Saiu do banho irritada e se enxugou antes de ir se deitar. Adormeceu quase instantaneamente.

No domingo de manhã, Lisbeth Salander ficou subitamente furiosa quando ligou o PowerBook e leu a montoeira de bobagens que haviam escrito sobre Miriam Wu. Sentiu-se arrasada e cheia de culpa. Não tinha imaginado que iriam atacar Mimmi a este ponto. E o único crime de Mimmi era ser... hmm.. sua namorada? Amiga? Amante?

Não sabia bem que palavra usar para definir sua relação com Mimmi, mas imaginava que qualquer que fosse a forma que tivesse assumido, agora estava terminada. Lisbeth teria de riscar o nome de Mimmi da sua lista, já não muito longa, de conhecidos. Depois de tudo o que aqueles retardados tinham escrito, duvidava que Mimmi ainda quisesse ter contato com aquela louca psicótica da Lisbeth Salander.

Era mesmo de dar raiva.

Memorizou o nome de Tony Scala, o jornalista que iniciara a perseguição. E resolveu também descobrir quem era o cronista particularmente desagradável de um jornal vespertino cujo artigo, com pretensões ao humor, recorria a todo instante à expressão "lésbica sadomasô".

A lista das pessoas de que Lisbeth tencionava cuidar estava começando a ficar comprida.

Mas primeiro precisava encontrar Zala.

E não sabia muito bem o que iria acontecer quando o encontrasse.

* * *

Mikael foi acordado pelo telefone às sete e meia da manhã do domingo. Ainda sonolento, estendeu a mão e atendeu.

— Bom dia — disse Erika Berger.

— Mmmm — respondeu Mikael.

— Você está sozinho?

— Infelizmente, sim.

— Então sugiro que tome uma ducha e prepare um café. Vai receber uma visita daqui a uns quinze minutos.

— É mesmo?

— Paolo Roberto.

— O boxeador? O rei do ringue?

— Em pessoa. Ele me ligou, a gente conversou uma meia hora.

— Por quê?

— Por que ele me ligou? Bem, a gente se conhece o suficiente para se dar oi quando se cruza por aí. Nos conhecemos quando fiz uma longa entrevista com ele no lançamento de *Stockholmsnatt*, sabe, o filme do Hildebrand sobre a vida de Paolo e a violência das gangues juvenis. Temos nos cruzado regularmente nesses anos.

— Eu não sabia. Mas o que eu queria saber é: por que ele está vindo aqui?

— Porque... Não, acho melhor ele mesmo explicar.

Mikael mal tinha saído do chuveiro e enfiado a calça quando Paolo Roberto tocou a campainha. Foi atender e pediu ao boxeador que sentasse à mesa da sala de jantar enquanto ele procurava uma camisa e preparava dois *espressos* duplos, que ele serviu com uma colher de leite. Paolo olhou para o café, impressionado.

— Você queria falar comigo?

— Foi a Erika Berger que aconselhou.

— O.k., pode falar, estou escutando.

— Eu conheço a Lisbeth Salander.

Mikael ergueu as sobrancelhas.

— Ah, é?

— Fiquei meio surpreso quando a Erika Berger me disse que você também a conhecia.

— Acho melhor você começar do começo.

— Está bem. Vou explicar. Cheguei anteontem, depois de passar um mês em Nova York, e dei com a cara da Lisbeth estampada na primeira página de todas essas porras de jornais. Estão escrevendo um monte de merda sobre ela. Parece que não tem um único maldito tabloide falando bem dela.

— Você já conseguiu colocar um porra, um merda, um maldito na sua fala.

Paolo caiu na gargalhada.

— Desculpe. É que estou furioso. Na verdade, liguei para a Erika porque precisava conversar, e não sabia direito com quem. Como o jornalista morto em Enskede trabalhava para a *Millennium* e eu conhecia a Erika Berger, liguei para ela.

— Certo.

— Quer dizer, mesmo que a Salander tenha ficado louca e feito tudo o que a polícia diz que ela fez, mesmo assim tem que jogar limpo com ela. Estamos numa sociedade de direito e ninguém pode ser condenado sem ser ouvido.

— É exatamente essa a minha opinião — disse Mikael.

— Foi o que a Erika me explicou. Quando liguei, achei que vocês todos da *Millennium* estavam querendo a cabeça dela, já que o Dag Svensson trabalhava lá. Mas a Erika me disse que você acha que ela é inocente.

— Eu conheço a Lisbeth Salander. Acho difícil imaginá-la como essa assassina ensandecida.

Paolo riu mais uma vez.

— A menina é birutinha... mas é do bem. Gosto dela.

— De onde você a conhece?

— Faço boxe com a Salander desde que ela tem dezessete anos.

Mikael Blomkvist fechou os olhos uns dez segundos antes de tornar a fitar Paolo Roberto. Lisbeth Salander sempre haveria de surpreendê-lo.

— Mas eu sou mesmo um babaca! Lisbeth Salander lutando boxe com Paolo Roberto... E, claro, vocês estão na mesma categoria de peso!

— Estou falando sério.

— Está bem, acredito. Um dia ela me contou que fazia um pouco de *sparring* com uns caras num clube de boxe.

— Espere, vou explicar. Há dez anos, a A. S. de Zinken me convidou para ser treinador suplente dos juniores interessados em boxe. Eu era um boxeador conhecido e eles achavam que eu poderia atrair um público, então eu ia lá à tarde ser o *sparring* dos caras.

— Ah, sim.

— O fato é que fiquei nessa todo o verão e parte do outono. Eles tinham lançado uma campanha, com cartaz e tudo, e esperavam atrair os jovens para o boxe. E atraíram um bocado de caras na faixa dos quinze, dezesseis, até vinte anos. Muitos imigrantes. O boxe era uma boa alternativa para não ficar de bobeira na rua aprontando besteira. Sei do que estou falando.

— Entendi.

— Então, um belo dia, no meio do verão, eis que surge do nada aquela magricela. Sabe como ela é. Chegou ali e me disse que queria aprender a lutar boxe.

— Posso imaginar a cena.

— Tinha ali uma meia dúzia de caras, todos mais ou menos pesando o dobro que ela, muito maiores, e eles caíram na gargalhada. Eu fui um dos que acharam graça. Quero dizer, nada sério, mas a gente curtiu um pouco com a cara dela. A gente também tem uma turma feminina, e eu falei um troço idiota, tipo a gente só deixa as gatinhas lutarem boxe às quintas-feiras, algo assim.

— Imagino que ela não achou a menor graça.

— *Niet*. Ela não riu. Olhou furiosa para mim. Depois vestiu um par de luvas que alguém tinha deixado numa cadeira. Não estavam amarradas nem nada, e eram muito grandes para ela. E a gente riu mais ainda. Está entendendo?

— Essa história está prometendo.

Paolo deu mais uma risada.

— Como eu era o dirigente, fui lá e fiz de conta que dava uns *jabs*.

— Ai, ai, ai.

— Mais ou menos. De repente, ela me tascou um puta de um direto no meio da cara.

Ele riu de novo.

— Imagina só a cena, eu, ali de palhaçada com ela, não estava preparado para aquilo. Ela ainda teve tempo de me dar mais dois ou três antes de eu conseguir me esquivar. Ou seja, ela era força zero nos músculos, e eu tinha a impressão de estar apanhando com uma pluma. Mas quando comecei a defender os golpes, ela mudou de tática. Boxeava instintivamente e me atingiu mais umas vezes. Então comecei a me defender de verdade, e descobri que ela era mais rápida que a porra de um réptil. Se fosse mais alta e mais forte, até teria tido luta, se é que você me entende.

— Entendo, sim.

— Então ela mudou mais uma vez de tática e me tascou um puta *swing* na virilha. Esse eu senti.

Mikael meneou a cabeça.

— Com essa, mandei ver um *jab* e atingi o rosto dela. Quer dizer, não foi com muita força nem nada, só um pof. Aí ela me deu um pontapé no joelho. Quer dizer, não foi pouca coisa. Eu era três vezes mais alto e mais pesado que ela, ela não tinha nenhuma chance, mas continuou me espancando como se a vida dela dependesse daquilo.

— Você tinha zombado dela.

— Depois eu entendi. E fiquei com vergonha. Quer dizer... a gente tinha colocado cartazes para tentar atrair os jovens para o clube, e quando ela vem e pede, muito séria, para aprender boxe, topa com um bando de idiotas rindo da cara dela. Eu também teria tido um treco se me tratassem daquele jeito.

Mikael meneou a cabeça.

— A história durou um bom tempo. Por fim, eu a agarrei, pus ela no chão e fiquei segurando até ela parar de se mexer. Pode não acreditar, mas ela estava com lágrimas nos olhos e me encarou com tanta raiva que... você sabe.

— Aí você começou a lutar boxe com ela.

— Quando ela se acalmou, eu soltei ela e perguntei se era sério, se ela queria mesmo aprender a lutar. Ele me jogou as luvas na cara e foi em direção à saída. Então fui atrás e não deixei ela passar. Pedi desculpas e disse que se ela estava falando sério, eu ensinava para ela e, nesse caso, era só ela aparecer no dia seguinte às cinco da tarde.

Calou-se e seus olhos se perderam ao longe.

— Na tarde seguinte, era o horário das meninas e ela apareceu. Coloquei ela no ringue com uma menina chamada Jennie Karlsson, que tinha dezoito anos e lutava boxe havia um ano. O problema é que não tínhamos ninguém com mais de doze anos na categoria de peso da Lisbeth. Instruí a Jennie para simular os golpes e ir devagar com a Salander, pois ela era claramente uma novata.

— E como foi?

— Sinceramente... em dez segundos, a Jennie estava com um lábio partido. O tempo de um *round*. A Salander conseguiu alinhar os golpes e esquivar tudo o que a Jennie tentava. Quer dizer, estamos falando de uma garota que nunca tinha posto os pés num ringue antes disso. No segundo *round*, Jennie estava tão furiosa que bateu de verdade, e não conseguiu acertar uma. Fiquei bobo. Nunca tinha visto um boxeador de verdade se movimentar tão rápido. Se eu tivesse metade da habilidade da Salander, já ficaria feliz.

Mikael meneou a cabeça.

— Só que, claro, o problema da Salander é que os golpes dela não valiam nada. Comecei a treiná-la. Ela ficou na turma das garotas algumas semanas e perdeu várias lutas porque, mais cedo ou mais tarde, a adversária conseguia se alinhar e aí a gente era obrigado a parar a luta, tipo mandar ela para o vestiário porque ela ficava brava e começava a dar pontapé, morder e dar soco para todo lado.

— Isso é a cara da Lisbeth.

— Ela nunca desistia. No fim, ela tinha enfurecido tantas meninas que o treinador mandou ela embora.

— Ih...

— Sim, era simplesmente impossível lutar com ela. Ela só conhecia uma posição, que a gente chamava de *terminator mode*, que consistia em tascar golpes de direita no adversário, fosse um aquecimento ou um treino amistoso. E as meninas volta e meia iam para casa com hematomas porque elas tinham levado sapatadas da Lisbeth. Foi então que eu tive uma ideia. Eu estava com um problema com um cara chamado Samir. Ele tinha dezessete anos, originário da Síria. Era um bom boxeador de estrutura sólida e tinha *punch*... mas não sabia se movimentar. Ficava parado o tempo todo.

— Sei.

— Aí eu pedi para a Salander aparecer no clube uma tarde em que eu ia treinar o Samir. Ela se trocou e eu a mandei para o ringue com ele, de capacete, protetor bucal e tudo mais. No início, Samir recusou o *sparring* com ela porque era uma "chata de uma menina", aquele discurso machista todo. Então eu falei bem alto para todo mundo ouvir, que aquilo não era um *sparring*, e apostei quinhentos paus que ela ia acabar com ele. Para a Salander, eu disse que ela não estava ali para treinar e que o Samir ia nocautear ela de verdade. Ela me olhou com aquele jeito cético dela, você sabe. O Samir ainda estava discutindo quando o gongo soou. Ela partiu para cima dele como se a vida dela estivesse em jogo, e tascou-lhe um no meio da cara e ele caiu de bunda. Nessa época, eu já tinha treinado com ela o verão todo e ela já estava começando a pôr um pouco mais de músculo e peso nos golpes.

— Imagino que o Samir deve ter adorado.

— Nem me diga, falaram nessa história durante meses. O Samir simplesmente tomou uma surra. Ela ganhou nos pontos. Se tivesse mais força física, teria machucado o cara. Depois de um tempo, o Samir estava tão frustrado que passou a bater com toda a força. Fiquei com medo que ele acabasse com ela, a gente ia ter que chamar uma ambulância. Ela ficou com hematomas tentando se proteger com os ombros uma ou outra vez, e ele conseguiu jogar ela nas cordas porque ela não aguentava o peso dos golpes. Mas ele estava a dez mil léguas de atingir ela para valer.

— Caramba. Eu queria ter visto isso.

— A partir desse dia, os caras do clube começaram a respeitar a Salander. Principalmente o Samir. E eu acabei colocando ela como *sparring-partner* dos caras bem maiores e mais pesados. Ela era a minha arma secreta, e foram uns supertreinos aqueles. A gente preparava sessões em que a Lisbeth tinha por objetivo atingir cinco partes diferentes do corpo... o queixo, a testa, a barriga, e assim por diante. E os caras que ela enfrentava tinham que se defender e proteger aquelas partes. No fim, virou uma glória ter lutado com a Lisbeth Salander. Era um pouco como lutar contra um vespão. Aliás, o apelido dela era vespa, e ela se tornou uma espécie de mascote do clube. Acho que ela gostava, porque um dia apareceu com uma vespa tatuada no pescoço.

Mikael sorriu. Lembrava-se perfeitamente da vespa. Estava até incluída na descrição dos avisos de busca.

— Quanto tempo durou isso?

— Uma noite por semana por quase três anos. Eu assumi em tempo integral só no verão, depois ficou mais esporádico. O treino da Salander ficou com o Putte Karlsson, o treinador júnior. Depois ela começou a trabalhar e já não tinha como ir tão seguido, mas até o ano passado ela ainda aparecia por lá uma vez por mês. Estive com ela umas quatro, cinco vezes no ano para fazer aula. Muito legal, só para treinar, e garanto que a gente suava para valer. Ela quase não falava com ninguém. Quando estava sem parceiro, era capaz de ficar duas horas batendo no saco de areia como se fosse um inimigo mortal.

23. DOMINGO 3 DE ABRIL — SEGUNDA-FEIRA 4 DE ABRIL

Mikael preparou mais dois *espressos*. Desculpou-se ao acender um cigarro. Paolo Roberto deu de ombros. Mikael fitou-o pensativo.

Paolo Roberto tinha fama de ser um garganta que falava tudo que lhe vinha à cabeça. Mikael logo percebeu que também era garganta no trato pessoal, mas que era um homem inteligente e, no fundo, humilde. Lembrou que Paolo Roberto apostara numa carreira política como candidato ao Parlamento pelos socialdemocratas. Aparecia cada vez mais como um homem com alguma coisa na cabeça. Mikael flagrou-se gostando da figura.

— Por que você está me trazendo essa história?

— A Salander está na maior encrenca. Não sei o que dá para fazer, só acho que ela precisa de um amigo.

Mikael meneou a cabeça.

— O que te fez pensar que ela é inocente? — perguntou Paolo Roberto.

— É difícil de explicar. A Lisbeth é uma pessoa superintransigente, mas simplesmente não acredito nessa história de ela ter matado o Dag e a Mia. Principalmente a Mia. Por um lado, ela não tinha motivo nenhum...

— Nenhum que a gente saiba.

— Certo, a Lisbeth não teria escrúpulo em recorrer à violência com alguém que merecesse. Mas não sei. Desafiei o Bublanski, o tira que está conduzindo a investigação. Acho que existe um motivo por trás do assassinato do Dag e da Mia. E acho que esse motivo está na reportagem em que o Dag vinha trabalhando.

— Se você estiver certo, a Salander não só precisa de um amigo para segurar a mão dela quando for presa; precisa de ajuda da artilharia pesada.

— Concordo.

Um brilho perigoso cintilou nos olhos de Paolo Roberto.

— Se ela for inocente, terá sido vítima de um dos piores escândalos judiciários da história. Foi apontada como assassina pela mídia e pela polícia, e toda essa porcariada que escreveram...

— Também concordo.

— Então, o que a gente pode fazer? Será que posso ser útil de alguma forma?

Mikael refletiu.

— A melhor ajuda que podemos oferecer, claro, é apresentar outro culpado. Estou trabalhando nisso. Além do mais, para ajudá-la temos que pegá-la de qualquer jeito, antes que um tira acabe com ela. A Lisbeth não é bem do tipo que vai se entregar de boa vontade.

Paolo meneou a cabeça.

— E como a gente faz para encontrá-la?

— Não sei. Mas tem uma coisa que você poderia fazer. Uma coisa prática, se você tiver tempo e vontade.

— A minha mulher não está, vou estar solteiro na semana que vem. Com tempo e disposição.

— Certo, eu estava pensando no fato de você ser boxeador...

— Sim?

— A Lisbeth tem uma amiga, a Miriam Wu, os jornais falaram sobre ela.

— Apresentada como uma sapatão sadomasô... É, os jornais falaram nela.

— Tenho o celular dela e tentei entrar em contato. Mas ela desliga assim que vê que quem está falando é um jornalista.

— Dá para entender.

— Não estou com tempo para ir atrás da Miriam Wu. Mas li em algum lugar que ela pratica boxe tailandês. Fiquei pensando que se um boxeador conhecido ligar...

— Entendi. E você espera que ela possa nos levar até a Salander.

— Quando a polícia a interrogou, ela disse que ignorava totalmente o paradeiro da Lisbeth. Mas vale a pena tentar.

— Me dê o número. Acho ela para você.

Mikael passou o celular e o endereço na Lundagatan.

Gunnar Björck tinha passado o fim de semana analisando a situação. Seu futuro estava por um fio tênue e ele precisava jogar suas escassas cartas com sutileza.

Mikael Blomkvist era um canalha de primeira. A questão era saber se dava para convencê-lo a calar... o fato de ele ter recorrido aos serviços daquelas piranhas. O que ele fizera era passível de processo e não tinha dúvida de que, caso fosse divulgado, ele seria despedido. Os jornais fariam picadinho dele. Um agente da Säpo abusa de prostitutas adolescentes... se pelo menos aquelas malditas não fossem tão jovens.

Mas ficar sem fazer nada equivalia a selar sua sorte. Tivera o bom senso de não falar nada para Mikael Blomkvist. Decifrara a fisionomia de Blomkvist e registrara sua reação. Blomkvist estava preocupado. Queria informações. Mas teria de pagar. O preço era o seu silêncio. Era a única saída.

Zala alterava a equação de toda a investigação.

Dag Svensson tinha andado atrás de Zala.

Bjurman tinha procurado Zala.

E o delegado Gunnar Björck era o único a saber que existia um elo entre Zala e Bjurman, o que significava que Zala era um elo entre Enskede e Odenplan.

Isso colocava outro problema dramático para o futuro bem-estar de Gunnar Björck. Ele é quem passara a Bjurman a informação sobre Zalachenko — na maior amizade, esquecendo que essa informação ainda era mantida em segredo. Parecia pouco, mas isso na verdade o tornava culpado de um delito.

Além disso, desde a visita de Mikael Blomkvist, na sexta-feira, tornara-se culpado de outro delito. Ele era tira e, se detinha uma informação relacionada com uma investigação por homicídio, era seu dever alertar imediatamente a polícia. Só que, se passasse a informação para Bublanski ou o procurador Ekström, estaria automaticamente denunciando a si mesmo. Tudo viria a público. Nem tanto as putas, mas todo o caso Zalachenko.

No sábado, fizera uma breve aparição no seu trabalho, na Säpo de Kungsholmen. Pegara os antigos dossiês sobre Zalachenko e relera todos. Ele próprio redigira os relatórios, mas isso já fazia vários anos. Os mais antigos datavam de quase trinta anos. E o último documento, de dez anos.

Zalachenko.

Deslizando feito uma cobra nojenta.

Zala.

O próprio Gunnar Björck inscrevera o apelido na investigação, só não conseguia lembrar se alguma vez o utilizara.

Mas a ligação era clara como água de rocha. Com Enskede. Com Bjurman. E com Salander.

Gunnar Björck refletiu. Ainda não entendia como todas as peças do quebra-cabeça se encaixavam, mas julgava saber por que Lisbeth Salander tinha ido até Enskede. Também podia facilmente imaginar Lisbeth Salander matando Dag Svensson e Mia Bergman num ataque de raiva, se eles tivessem se negado a cooperar ou se a tivessem provocado. Ela tinha um motivo que só Gunnar Björck, e talvez mais duas ou três pessoas em todo o país, era capaz de entender.

É uma doente mental completa. Espero, pelo amor de Deus, que um tira acabe com ela quando for presa. Ela sabe. E, se ela falar, pode revelar a história toda.

Mas, por mais que Gunnar Björck raciocinasse para lá e para cá, permanecia o fato de que Mikael Blomkvist era sua única saída — o que, em sua atual situação, era a única questão digna de interesse. Seu desespero não parava de crescer. Precisava fazer que Mikael Blomkvist o tratasse como uma espécie de fonte sigilosa e convencê-lo a guardar silêncio sobre seus... pecadilhos com as malditas putas. *Quem dera a Salander acertasse as contas com o Blomkvist.*

Contemplou o número de telefone de Zalachenko e pesou os prós e os contras de ligar para ele. Não conseguia se decidir.

Mikael transformara numa virtude o fato de reavaliar constantemente suas pesquisas. Depois que Paolo Roberto saiu, dedicou uma hora a isso. Tornara-se quase um diário íntimo, em que ele dava livre curso aos pensamentos enquanto registrava em detalhe todas as conversas, encontros e buscas que fazia. Criptografava diariamente o documento com o PGP e mandava cópias por e-mail a Erika Berger e Malu Eriksson, para manter suas colaboradoras a par de tudo.

Dag Svensson se concentrara em Zala nas últimas semanas que precederam sua morte. O nome surgira na última conversa que tivera ao telefone com Mikael, apenas duas horas antes de ser assassinado. Gunnar Björck afirmava ter informações sobre Zala.

Mikael passou quinze minutos resumindo tudo o que descobrira sobre Björck, o que em suma era pouco.

Björck tinha sessenta e dois anos, era solteiro e nascera em Falun. Trabalhava na polícia desde os vinte e um anos. Começara como policial, depois fizera o curso de direito e assumira um cargo de agente secreto com apenas vinte e seis ou vinte e sete anos. Isso fora em 1969 ou 70, no final do mandato de Per-Gunnar Vinge na chefia da Säpo.

Vinge fora demitido por afirmar, em conversa com o presidente da Câmara de Vereadores de Norrbotten, Ragnar Lassinanti, que Olof Palme era espião dos russos. Depois vieram o caso IB, o Holmér, o Carteiro, e então o assassinato de Palme e os escândalos que se sucederam. Mikael desconhecia totalmente o papel de Gunnar Björck nos dramas internos da polícia secreta nos últimos trinta anos.

A carreira de Björck, entre 1970 e 1985, era em suma uma folha em branco, o que não era de surpreender tratando-se da Säpo, já que tudo que se referia à sua atividade trazia o lacre do sigilo. Björck tanto podia ter sido nomeado apontador de lápis como agente secreto na China. Esta última hipótese, porém, era bastante improvável.

Em outubro de 1985, Björck fora para Washington, onde trabalhara dois anos na embaixada sueca. Em 1988, reassumira seu cargo na Säpo em Estocolmo. No ano de 1996, tornou-se uma figura oficial, sendo nomeado chefe-adjunto da Brigada dos Estrangeiros. Mikael não dispunha de muitos dados sobre a exata natureza de suas atribuições. Depois de 1996, Björck aparecera diversas vezes na mídia pronunciando-se sobre a expulsão de algum árabe suspeito. Em 1998, estivera na berlinda quando vários diplomatas iraquianos foram expulsos do país.

Qual a relação disso tudo com a Lisbeth Salander e os assassinatos do Dag e da Mia? Nenhuma, provavelmente.

Mas Gunnar Björck sabe de alguma coisa sobre Zala.

O que significa que necessariamente existe uma relação.

Erika Berger não tinha contado a ninguém, nem a seu marido, de quem normalmente não escondia nada, que ia se transferir para o *Svenska Morgon-Posten*. Só lhe restava cerca de um mês na *Millennium*, depois disso iria trabalhar para o Grande Dragão. Estava angustiada. Sabia que os dias iriam voar com uma rapidez alucinada e que, de repente, seria o último dia.

Sentia-se também tremendamente preocupada com Mikael. Lera seu último e-mail com uma sensação de impotência. Reconhecia os sinais. Era a mesma obstinação que o fizera fincar pé em Hedestad dois anos antes, e a mesma obsessão com que atacara Wennerström. Desde a última quinta-feira, nada mais existia para ele a não ser descobrir quem matara Dag e Mia e, de alguma maneira, conseguir inocentar Lisbeth Salander.

Embora aquela ambição contasse com toda a sua simpatia — Dag e Mia também eram amigos de Erika —, havia um lado em Mikael que lhe causava mal-estar. Ele desenvolvia uma certa falta de escrúpulos quando sentia cheiro de sangue.

Assim que ele ligara na véspera, dizendo que tinha lançado um desafio a Bublanski e começado a medir forças com ele no mais puro estilo caubói, ela compreendera que a caçada a Lisbeth Salander iria consumi-lo nos próximos tempos. Sabia, por experiência própria, que ele ficaria insuportável enquanto não solucionasse o problema. Ia oscilar entre o egocentrismo e a depressão. E, em algum ponto da equação, também assumiria riscos totalmente irrefletidos.

E Lisbeth Salander? Erika cruzara com ela uma única vez, e o pouco que sabia sobre aquela garota estranha não bastava para que conseguisse partilhar da convicção de Mikael quanto à sua inocência. E se Bublanski estivesse certo? E se ela fosse culpada? E se Mikael conseguisse encontrá-la e deparasse com uma doente mental de arma na mão?

A ligação de Paolo Roberto pela manhã não contribuíra para deixá-la mais calma. Era evidentemente muito bom Mikael não ser, afinal, o único a acreditar em Lisbeth Salander, mas Paolo Roberto também era do tipo fanfarrão.

Além disso, ela ainda precisava achar um sucessor para assumir o leme da *Millennium*. Agora era urgente. Pensou em ligar para Christer Malm e conversar sobre o assunto com ele, mas percebeu que não podia informá-lo e continuar ocultando a notícia de Mikael.

Mikael era um repórter brilhante, mas seria um desastre como diretor. Nesse aspecto, ela e Christer tinham muito mais em comum, só não era certo que Christer topasse. Malu era muito jovem e indecisa. Monica Nilsson, egocêntrica demais. Henry Cortez era um bom repórter, mas jovem demais e inexperiente. Lottie Karim, sensível demais. E Erika não estava segura de que Christer e Mikael aceitariam contratar alguém de fora.

Estava no maior aperto.

Não queria encerrar dessa maneira seus anos de *Millennium*.

No domingo à noite, Lisbeth Salander tornou a abrir o Asphyxia 1.3 e entrou no disco rígido espelhado de [*MikBlom/laptop*]. Viu que ele não estava conectado à internet, então passou algum tempo lendo tudo o que fora acrescentado nos dois últimos dias.

Leu o diário de investigação de Mikael e se perguntou vagamente se era por causa dela que ele escrevia com tantos detalhes e, nesse caso, o que aquilo significava. Ele sabia, evidentemente, que ela entrava em seu computador, e a conclusão óbvia era que Mikael queria que ela lesse o que ele escrevia. A questão era descobrir o que ele não escrevia. Sabendo que Lisbeth navegava em seu computador, ele podia manipular o fluxo de informações. Ela observou, de passagem, que ele manifestamente não conseguira muito mais do que desafiar Bublanski a um duelo sobre sua eventual inocência. Aquilo a irritou. Mikael, em geral, não era homem de basear suas conclusões em sentimentos, e sim em fatos. *A ingenuidade desse cara é alucinante!*

Mas ele tinha dado atenção a Zala. *Bem pensado, Super-Blomkvist.* Perguntou-se se ele teria se interessado por Zala caso ela não tivesse lhe mandado o nome.

Em seguida, notou com ligeira surpresa que Paolo Roberto aparecia de repente nos documentos. Boa notícia. Abriu um sorriso. Gostava daquele garganta. Era machista até o último fio de cabelo. Quando se enfrentavam no ringue, não hesitava em dar porrada. Desde que ela deixasse, claro.

Súbito, pulou da cadeira ao ler o último e-mail de Mikael Blomkvist para Erika Berger.

Gunnar Björck, da Säpo, detém informações sobre Zala.

Gunnar Björck conhecia o Bjurman.

O olhar de Lisbeth se turvou ao traçar mentalmente um triângulo. Zala. Bjurman. Björck. *Damned, não é que faz sentido!* Ela nunca tinha considerado o problema por esse ângulo. Mikael Blomkvist talvez não fosse tão bobo assim, afinal. Só que ele, obviamente, não entendia o contexto. Nem ela entendia, embora estivesse mais por dentro do que tinha acontecido. Pensou um pouco sobre Bjurman e se deu conta de que o fato de ele ter conhecido Björck o transformava numa peça um pouco mais importante do que ela imaginara.

Concluiu que provavelmente seria obrigada a fazer uma visita a Smådalarö.

Em seguida, entrou no disco rígido de Mikael e criou um novo arquivo dentro da pasta [LISBETH SALANDER]. Chamou-o de [Canto do ringue]. Ele o veria na próxima vez que abrisse o iBook.

[1. Fique longe de Teleborian. Esse cara é um sanguessuga.

2. Miriam Wu não tem absolutamente nada a ver com essa história.

3. Você está certo em se concentrar em Zala. Ele é a chave. Mas não vai encontrá-lo em nenhum registro.

4. Existe um elo entre Bjurman e Zala. Não sei qual é, mas estou trabalhando nisso. Björck?

5. Importante. Existe um relatório de polícia constrangedor a meu respeito, datado de fevereiro de 1991. Não sei o número do cadastro e não estou encontrando em lugar nenhum. Por que Ekström não o divulgou para a imprensa? Resposta: não está no PC dele. Conclusão: ele desconhece sua existência. Como é possível?]

Pensou um pouco e acrescentou mais um parágrafo.

[P. S. Mikael, eu não sou inocente. Mas não matei o Dag e a Mia nem tenho nada a ver com o assassinato deles. Estive com eles na noite da matança, mas fui embora antes de eles serem mortos. Obrigada por acreditar em mim. Diga ao Paolo que ele tem um esquerdo de mulherzinha.]

Pensou mais um pouco e percebeu que era realmente doloroso demais não saber, para uma viciada em informações do seu calibre. Acrescentou mais uma linha.

[P. S. 2. Como é que você sabe sobre o Wennerström?]

Mikael Blomkvist viu o arquivo de Lisbeth três horas depois. Leu a mensagem, linha por linha, cinco vezes ou mais. Pela primeira vez, ela afirmava claramente alguma coisa. Dizia que não tinha matado Dag e Mia. Ele acreditou e sentiu um alívio imenso. Finalmente ela estava falando com ele, ainda que, como sempre, de forma misteriosa.

Reparou também que ela negava apenas o assassinato de Dag e Mia, sem mencionar Bjurman. Mikael preferiu achar que era porque ele só falara em Dag e Mia no seu e-mail. Depois de refletir um pouco, criou o [Canto do ringue 2].

[Olá, Sally,

Obrigado por finalmente dizer que é inocente. Acreditei em você, mas também fui influenciado por toda a tempestade da mídia e cheguei a sentir alguma dúvida. Me fez bem ouvir isso diretamente do seu teclado.

Então só nos resta encontrar o verdadeiro assassino. É algo que nós dois já fizemos. Avançaríamos mais depressa se você não fosse tão misteriosa. Imagino que esteja lendo o meu diário de investigação. Então sabe mais ou menos o que ando fazendo e como tenho raciocinado. Acho que o Björck sabe de alguma coisa e vou conversar de novo com ele um dia desses.

Estou na pista errada ao me focar nos clientes sexuais?

Essa história de relatório policial me intriga. Vou instruir a Malu, minha colaboradora, para que o encontre. Na época, você tinha doze ou treze anos, é isso? Do que se trata?

Registrei seu conselho quanto ao Teleborian. M.

P.S. Você deixou passar um troço no golpe do Wennerström. Eu já sabia o que você tinha feito quando estivemos em Sandhamm no Natal, mas não perguntei nada porque você não tocou no assunto. E não pretendo dizer qual foi o seu erro, a menos que você me convide para um café.]

A resposta chegou três horas depois.

[Esqueça os clientes. O que interessa é o Zala. É um gigante loiro. Mas o relatório da polícia é interessante porque parece que alguém está querendo escondê-lo. Não pode ser por acaso.]

O procurador Ekström estava aborrecido quando juntou a equipe de Bublanski para uma reunião na segunda-feira de manhã. Mais de uma semana perseguindo um suspeito identificado e com uma aparência física bastante singular não dera nenhum resultado.

O humor de Ekström não melhorou quando Curt Bolinder, que estivera de plantão no fim de semana, relatou os últimos acontecimentos.

— Intrusão? — exclamou Ekström, sem disfarçar sua surpresa.

— O vizinho me ligou no domingo à noite quando percebeu que o lacre na porta de Bjurman tinha sido rompido. Fui até lá verificar.

— E no que deu sua verificação?

— Os lacres foram cortados em três lugares. Provavelmente com gilete ou estilete. Um bom trabalho. Mal dava para notar.

— Assalto? Existem bandidos especializados em defuntos...

— Não foi assalto. Examinei o apartamento. Estavam lá todos os objetos de valor corriqueiros, videocassete e coisas assim. Em compensação, a chave do carro de Bjurman estava em cima da mesa da cozinha.

— A chave do carro? — disse Ekström.

— O Jerker Holmberg esteve no apartamento na quarta passada para dar uma revisada, vai que a gente tivesse deixado escapar alguma coisa. Entre outras coisas, conferiu o carro. Ele jura que não tinha nenhuma chave de carro na mesa da cozinha quando saiu do apartamento, e que ele repôs o lacre.

— Ele pode ter esquecido de guardar a chave. Todo mundo pode se enganar.

— O Holmberg não usou aquela chave. Ele usou uma cópia do chaveiro do Bjurman que estava com a gente.

Bublanski passou a mão no queixo.

— Ou seja, não foi um assalto no sentido usual?

— Intrusão. Alguém entrou no apartamento do Bjurman para bisbilhotar. E só pode ter sido entre a quarta-feira e o domingo à noite, quando o vizinho notou que os lacres estavam rompidos.

— Em outras palavras, alguém foi procurar alguma coisa... Jerker?

— Não havia nada lá que a gente já não tivesse apanhado.

— Pelo menos que a gente saiba. O motivo dos assassinatos ainda não está muito claro. Partimos da hipótese de que a Salander é uma psicopata, mas até os psicopatas precisam de um motivo.

— O que você sugere?

— Não sei. Que alguém dedique um tempo passando o apartamento do Bjurman a pente-fino. Precisamos responder a duas perguntas. Primeira: quem? Segunda: por quê? O que deixamos passar?

Fez-se silêncio por alguns instantes.

— Jerker...

Jerker Holmberg deu um suspiro resignado.

— Está bem. Vou voltar lá no Bjurman passar um pente-fino no apartamento.

Eram onze horas de segunda-feira quando Lisbeth Salander acordou. Ficou meia hora preguiçando na cama antes de se levantar, ligar a cafeteira e tomar um banho. Feito isso, preparou dois sanduíches e sentou-se diante do PowerBook para se atualizar sobre o que se passava no computador do procurador Ekström e ler as edições *on-line* de vários jornais. Observou que o interesse pelos assassinatos de Enskede diminuía. Então abriu a pasta de investigação de Dag Svensson e leu atentamente suas anotações sobre o confronto com o jornalista Per-Åke Sandström, o cliente que fazia o jogo da máfia do sexo e sabia de alguma coisa sobre Zala. Ao terminar a leitura, serviu-se de mais um café e sentou-se no canto da janela para refletir.

Por volta das quatro da tarde, encerrou suas reflexões.

Precisava de dinheiro. Dispunha de três cartões de crédito. Um em nome de Lisbeth Salander, e logo, inutilizável na prática. O segundo em nome de Irene Nesser, mas Lisbeth evitava usá-lo pois teria de apresentar o passaporte de Irene Nesser como documento de identidade, o que implicava algum risco. O terceiro estava em nome da Wasp Enterprises, referente a uma conta que continha mais de dez milhões de coroas e que podia ser movimentada via internet. Qualquer pessoa poderia usar o cartão, desde que mostrasse, evidentemente, um documento de identidade.

Foi até a cozinha, abriu uma lata de biscoitos e tirou de dentro um maço de cédulas. Restavam-lhe novecentas e cinquenta coroas, o que era pouco. Felizmente, também tinha mil e oitocentos dólares americanos que estavam ali desde que voltara para a Suécia e que ela podia trocar anonimamente em qualquer agência de câmbio. Assim já ficava melhor.

Enfiou a peruca de Irene Nesser, vestiu-se com cuidado e pôs uma muda de roupa e um estojo de maquiagem numa mochila. Então empreendeu sua segunda expedição para fora de casa. Foi até a Folkungagatan a pé, depois à Erstagatan, onde entrou na Watski pouco antes de a loja fechar. Comprou fita isolante, uma cábrea de duas roldanas e oito metros de um cordão de algodão forte.

Pegou o 66 para voltar. Na Medborgarplatsen, viu uma mulher esperando o ônibus. De início não a reconheceu, mas um alarme disparou no fundo de seu cérebro, olhou de novo e viu que era Åsa Flemström, que cuidava dos salários na Contabilidade da Milton Security. Estava com um penteado novo, mais na moda. Lisbeth desceu discretamente do ônibus enquanto Flemström subia. Olhou ao redor com todo o cuidado, à espreita de um rosto que lhe parecesse familiar. Lisbeth passou em frente ao prédio da Bofill e chegou à Södra Station, onde pegou o trem do subúrbio na direção norte.

A inspetora Sonja Modig apertou a mão de Erika Berger, que imediatamente lhe ofereceu um café. Ao ir pegá-lo na cozinha, Erika sorriu ao ver as canecas desparelhadas, todas com logotipos de diferentes partidos políticos, sindicatos e empresas.

— Dão essas canecas para a gente nas reuniões eleitorais ou depois de alguma entrevista — explicou Erika Berger, estendendo-lhe uma com o logo dos jovens liberais.

Sonja Modig passou três horas sentada à mesa de Dag Svensson, auxiliada em sua tarefa pela assistente de redação Malu Eriksson, em parte para entender do que tratava o livro e o artigo de Dag Svensson, em parte para navegar pelo seu material de pesquisa. Sonja Modig ficou pasma ao descobrir a extensão dessa pesquisa. O sumiço do laptop de Dag Svensson representara um sério inconveniente para a investigação da polícia, que, com isso, pensou que não fosse ter acesso a seu trabalho. Mas na realidade fora feito, regularmente, um backup da maioria dos dados na redação da *Millennium*.

Mikael Blomkvist não estava, mas Erika Berger forneceu a Sonja Modig uma lista dos elementos que ele tirara da sala de Dag Svensson — principalmente anotações referentes à identidade das fontes. Modig acabou ligando para Bublanski para explicar a situação. Ficou decidido que todo o material da sala de Dag Svensson, inclusive o computador da *Millennium*, seria apreendido por razões técnicas de investigação. O chefe do inquérito preliminar voltaria lá para negociar caso se justificasse exigir também os elementos retidos por Mikael. Sonja Modig então preencheu um protocolo de apreensão e pediu ajuda a Henry Cortez para levar tudo até o carro.

Na segunda-feira à noite, Mikael sentiu-se profundamente frustrado. Desde a semana anterior, passara em revista dez dos nomes que Dag Svensson tivera a intenção de revelar. A cada vez, vira-se diante de homens preocupados, indignados e chocados. Constatou que a renda anual média desses sujeitos era de cerca de quatrocentas mil coroas. Era um amontoado patético de homens assustados.

Em nenhum momento, porém, teve a impressão de que os sujeitos lhe escondiam alguma coisa em relação aos assassinatos de Dag Svensson e Mia Bergman. Pelo contrário; muitos achavam que sua situação iria ficar catastrófica quando a mídia começasse a denunciar nomes, os deles, associados aos homicídios.

Mikael abriu seu iBook para ver se havia uma nova mensagem de Lisbeth. Não havia. Em compensação, na mensagem anterior ela avisara que os clientes sexuais não tinham nenhum interesse para o caso e que ele estava gastando tempo à toa. Amaldiçoou-a com termos que Erika Berger teria qualificado de sexistas, além de inovadores. Estava com fome, mas não tinha a menor vontade de cozinhar. Sem falar que, tirando o leite do mercadinho da esquina, não tinha comprado nada para comer nos últimos quinze dias. Enfiou o casaco e desceu até a taberna grega da Hornsgatan, onde pediu cordeiro grelhado.

Lisbeth Salander tinha verificado a escada e ao anoitecer dera duas voltas discretas em torno dos prédios vizinhos. Eram edificiozinhos baixos onde, ela desconfiava, todos os ruídos deviam vazar com facilidade, o que não lhe facilitava as coisas. O jornalista Per-Åke Sandström morava num apartamento de canto no segundo andar, ou seja, no último. A escada continuava até uma porta de sótão. Deveria servir.

O único problema é que todas as janelas do apartamento estavam escuras, sinal de que o proprietário não se encontrava em casa.

Achou uma pizzaria algumas quadras adiante, pediu uma Hawaii, sentou-se a um canto e leu os jornais vespertinos. Pouco antes das nove horas, comprou um *caffè latte* numa revistaria e voltou para o pequeno edifício. As luzes do apartamento continuavam apagadas. Foi até a escada e sentou-se no patamar do sótão, de onde avistava a porta do apartamento de Per-Åke Sandström, meio andar abaixo. Tomou o café enquanto esperava pacientemente.

Foi no estúdio de gravação Recent Trash Records, num setor industrial de Älvsjö, que o inspetor Hans Faste enfim conseguiu encontrar Cilla Norén, vinte e oito anos, líder do grupo satanista Evil Fingers. O choque cultural foi comparável ao do primeiro encontro entre portugueses e índios caraibanos.

Depois de várias tentativas infrutíferas junto aos parentes de Cilla Norén, Faste afinal conseguira, com a irmã, uma pista levando àquele estúdio onde Cilla seria "assistente" de produção de um CD do grupo Cold Wax de Borlänge. Faste, que nunca tinha ouvido falar nesse grupo, reparou que era aparentemente constituído por uns caras na faixa dos vinte anos. Já no corredor de acesso ao estúdio, foi acolhido por um *tsunami* sonoro que lhe tirou o fôlego. Observou o Cold Wax através de um vidro e esperou que se abrisse uma brecha na cortina sonora.

Cilla Norén tinha cabelos negros compridos, com mechas vermelhas e verdes, e usava maquiagem preta. Era um pouco rechonchuda e vestia um pulôver curto que deixava à mostra sua barriga com um *piercing* no umbigo. Usava um cinto com tachas nos quadris e tinha toda a aparência de uma personagem de filme de terror.

Faste mostrou sua identificação policial e pediu para ter uma conversa com ela. Ela estava mascando chiclete e olhava para ele com ceticismo. Por fim, indicou uma porta e o conduziu pelo que parecia ser uma espécie de cozinha com mesa e cadeiras, onde ele por pouco não se estatelou ao tropeçar num saco de lixo largado bem atrás da porta. Norén encheu uma garrafa plástica com água e bebeu quase a metade, depois sentou-se à mesa e acendeu um cigarro. Fitou Hans Faste com seus olhos azul-celeste. Ele não sabia por onde começar.

— O que é a Recent Trash Records?

Ela parecia mortalmente entediada.

— É um selo que produz novos grupos de jovens.

— Qual é a sua função?

— Técnica de som.

Faste olhou para ela.

— Você tem formação para isso?

— Não. Aprendi na prática.

— Dá para viver disso?

— A resposta é mesmo importante?

— Eu só queria saber. Imagino que você tenha lido as matérias sobre Lisbeth Salander nesses últimos tempos.

Ela fez que sim com a cabeça.

— Disseram que você a conhece. É verdade?

— Pode ser.

— Sim ou não?

— Depende do que quer saber.

— Quero encontrar uma destrambelhada suspeita de três assassinatos. Quero informações sobre Lisbeth Salander.

— Não tenho notícias da Lisbeth desde o ano passado.

— Quando esteve com ela pela última vez?

— No outono, há dois anos. No Moulin. Ela ia lá de vez em quando, depois não soubemos mais dela.

— Você tentou entrar em contato com ela?

— Liguei algumas vezes para o celular. O número não existe mais.

— E você sabe onde eu poderia encontrá-la?

— Não.

— O que é o Evil Fingers?

Cilla Norén mostrou uma expressão divertida.

— O senhor não lê os jornais?

— Por quê?

— Todos eles escreveram que somos um grupo satanista.

— Isso é verdade?

— Eu tenho cara de satanista?

— Não sei que cara tem uma satanista.

— Escute, não sei quem está mais biruta, se a polícia ou os jornais.

— Escute aqui, senhorita, essa é uma pergunta séria.

— Se a gente é satanista?

— Responda às minhas perguntas, em vez de ficar enrolando.

— E qual é a sua pergunta?

Hans Faste fechou os olhos por um segundo e pensou na visita profissional que fizera, na Grécia, durante suas férias alguns anos antes. Na Grécia, apesar de todos os problemas, a polícia tinha uma enorme vantagem em relação à polícia sueca. Lá, se Cilla Norén adotasse a mesma atitude, ele a teria algemado e nocauteado com o cassetete. Olhou para ela.

— A Lisbeth Salander fazia parte do Evil Fingers?

— Acho que não.

— O que quer dizer?

— A Lisbeth talvez seja a pessoa mais hermética em relação a música que eu já conheci.

— Hermética em relação a música?

— Ela sabe distinguir um trompete de uma bateria, mas seu talento musical acaba mais ou menos por aí.

— Eu quis dizer: ela pertencia ao grupo Evil Fingers?

— Acabo de responder à pergunta. O que o senhor acha que era o Evil Fingers?

— Me conte.

— Está conduzindo uma investigação policial lendo as matérias de uns jornais idiotas.

— Responda à pergunta.

— Evil Fingers era um grupo de rock. A gente era um grupo de garotas que, em meados dos anos 1990, gostava de hard rock e tocava para se divertir. Para ficarmos conhecidas, a gente chamava a atenção com pentagramas e um pouco de *sympathy for the Devil*. Depois, paramos de tocar e eu sou a única que continuou trabalhando com música.

— E a Lisbeth Salander não fazia parte do grupo?

— É o que acabo de dizer.

— Por que as nossas fontes afirmam que a Salander fazia parte do grupo?

— Porque as suas fontes são quase tão idiotas quanto os jornais.

— Explique-se.

— Nós éramos cinco meninas, e continuamos nos encontrando de vez em quando. Antes, a gente se encontrava no Moulin uma vez por semana. Agora, é mais ou menos uma vez por mês. A gente mantém contato.

— E o que vocês fazem quando se encontram?

— O que é que as pessoas fazem no Moulin?

Hans Faste suspirou.

— Quer dizer que vocês se encontram para beber.

— A gente toma uma cervejinha. Fala besteira. E o senhor, faz o que quando encontra com os amigos?

— E a Lisbeth Salander entra onde nesta história?

— Eu conheci Lisbeth na KomVux quando eu tinha dezoito anos. Ela ia até o Moulin de vez em quando se juntar ao grupo e tomar uma cerveja com a gente.

— O Evil Fingers não poderia ser visto como uma organização?

Cilla Norén o encarou como se ele viesse de outro planeta.

— Vocês são lésbicas?

— Quer levar um tabefe?

— Responda à pergunta.

— O que a gente é ou deixa de ser não lhe diz respeito.

— Calminha. Você não vai conseguir me tirar do sério.

— Alô... alô?... A polícia diz que Lisbeth Salander assassinou três pessoas e aí vem me fazer perguntas sobre as minhas preferências sexuais. Ah, vá se catar.

— Epa... eu posso te pôr no xadrez.

— Com que motivo? Aliás, esqueci de mencionar que estou no terceiro ano de direito e que o meu pai é o Ulf Norén, do escritório Norén & Knape. A gente se vê no tribunal?

— Pensei que você trabalhasse com música.

— Faço isso porque é legal. Ou você acha que eu conseguiria viver disso?

— Não faço ideia do que você vive.

— Não é de nenhuma atividade satanista e lésbica, se é isso que está pensando. Se essa é a premissa da polícia para procurar a Lisbeth Salander, entendo que vocês não consigam prendê-la.

— Você sabe onde ela está?

Cilla Norén começou a balançar o corpo, erguendo as mãos à sua frente.

— Eu sinto que ela está muito perto... espere, vou me conectar por telepatia.

— Pare com essa bobagem.

— Eu já disse que não sei dela há quase dois anos. Não faço ideia de onde ela está. Mais alguma coisa?

Sonja Modig ligou o computador de Dag Svensson e passou o final da tarde inventariando o conteúdo do disco rígido e dos ZIP. Ficou até as dez e meia da noite lendo o livro de Dag Svensson.

Ela se deu conta de duas coisas. Primeiro, descobriu que Dag Svensson era um escritor brilhante, cuja prosa era de uma objetividade fascinante quando descrevia os mecanismos do comércio do sexo. Gostaria que ele tivesse dado uma palestra na escola de polícia — seus conhecimentos seriam uma bem-vinda complementação ao curso. Hans Faste, por exemplo, era um que poderia se beneficiar dos conhecimentos de Svensson.

Em segundo lugar, ela compreendeu, de repente, o ponto de vista de Mikael Blomkvist, que achava que a investigação de Dag poderia constituir um motivo para os assassinatos. A denúncia dos clientes sexuais que Dag Svensson planejava fazer não iria prejudicar só um punhado de pessoas. Era uma denúncia brutal. Algumas figuras mais conhecidas, que já haviam sido condenadas em processos contra a moral e os bons costumes, ou que tinham participado de debates públicos sobre o tema, seriam totalmente aniquiladas. Mikael Blomkvist estava certo. O livro era um motivo para matar.

O único problema era que, mesmo que um cliente perigando ser denunciado tivesse resolvido matar Dag Svensson, não havia nenhum elo com o dr. Nils Bjurman. Ele nem sequer constava no material de Dag Svensson, o que não só limitava consideravelmente o peso dos argumentos de Blomkvist como reforçava a imagem de Lisbeth Salander como única suspeita possível.

Embora o motivo fosse pouco claro no tocante aos assassinatos de Dag Svensson e Mia Bergman, Lisbeth Salander estava associada ao local e à arma do crime. Indícios técnicos tão evidentes dificilmente poderiam ser mal interpretados. Indicavam que Salander era mesmo a pessoa que disparara os tiros mortais no apartamento de Enskede.

A arma significava, além disso, um elo direto com o assassinato do dr. Bjurman. E, no caso de Bjurman, existia incontestavelmente um vínculo pessoal e um motivo possível — a julgar pela decoração artística na barriga dele, podia se tratar de algum tipo de abuso sexual ou, em todo caso, de uma relação sadomasoquista entre eles. Era difícil imaginar que Bjurman tivesse permitido se deixar tatuar daquela forma estranha, o que levaria a supor que ele experimentava uma espécie de gozo na humilhação, ou então que Salander — se era mesmo ela quem tinha feito a tatuagem — o reduzira a uma condição de impotência. Modig não tinha vontade de especular sobre como ela teria feito aquilo.

E Peter Teleborian confirmara que a violência de Lisbeth Salander se dirigia a pessoas que, por motivos variados, ela considerava ameaçadoras ou que a teriam ofendido.

Sonja Modig refletiu um instante sobre o que Teleborian dissera sobre Lisbeth Salander. Ele parecera autenticamente preocupado em proteger sua ex-paciente e não queria que ela fosse machucada. Ao mesmo tempo, a investigação se fundamentava mais que nada na análise que ele apresentara — de uma desequilibrada social no limite da psicose.

Mas a teoria de Mikael Blomkvist era subjetivamente atraente.

Ela mordeu de leve o lábio inferior enquanto tentava visualizar outro cenário que não o de Lisbeth Salander como assassina solitária. Por fim, pegou uma caneta e escreveu, hesitante, uma linha no bloco de anotações à sua frente.

Dois motivos totalmente distintos? Dois assassinos? Uma única arma do crime?

Uma ideia fugaz que ela não conseguia formular ficava passando por sua cabeça, uma pergunta que ela pretendia levantar na próxima reunião matinal de Bublanski. Não conseguia de fato explicar por que se sentia de repente tão pouco à vontade com a ideia de Lisbeth Salander no papel de única assassina.

Em seguida, decidiu que já tinha trabalhado o bastante, desligou resolutamente o computador e trancou os ZIP na gaveta da escrivaninha. Enfiou a jaqueta, apagou a luz e estava fechando a porta à chave quando ouviu um ruído no corredor, mais adiante. Franziu o cenho. Julgava estar sozinha àquela hora no escritório, e foi caminhando pelo corredor até chegar em frente à sala de Hans Faste. A porta estava entreaberta e ela o escutou falando ao telefone.

— Sem dúvida alguma, isso liga uma coisa à outra — escutou-o dizer.

Ficou indecisa um instante, antes de inspirar fundo e bater na moldura da porta. Hans Faste ergueu dois olhos surpresos ao vê-la. Ela o cumprimentou levantando dois dedos no ar.

— Modig ainda está na casa — disse Faste ao telefone. Escutou e meneou a cabeça, sem tirar os olhos de Sonja Modig. — O.k. Eu falo para ela.

E desligou.

— Era o Bubolha — explicou. — O que você queria?

— O que é que liga uma coisa à outra? — ela inquiriu.

Ele perscrutou-a.

— Anda ouvindo atrás da porta, é?

— Não, mas a porta estava aberta e você falou isso bem na hora em que eu ia bater.

Faste deu de ombros.

— Eu liguei para o Bubolha para dizer que o laboratório enfim forneceu algo aproveitável.

— Ah, é?

— O Dag Svensson tinha um celular com cartão Comviq. Finalmente conseguiram uma lista das chamadas. Foi confirmada a ligação dele para o Mikael Blomkvist às 20h12. Blomkvist ainda estava na casa da irmã a essa hora.

— Muito bem. Mas não acho que o Blomkvist tenha qualquer relação com esses assassinatos.

— Nem eu. Mas Dag Svensson fez outra ligação naquela noite. Às 21h34. A conversa durou três minutos.

— E?

— Foi uma ligação para o telefone fixo do dr. Nils Bjurman. Em outras palavras, existe um elo entre os dois assassinatos.

Sonja Modig deixou-se cair lentamente na cadeira de visitantes de Hans Faste.

— Por favor. Sente-se.

Ela ignorou a alfinetada.

— Certo. O que diz o cronograma? Pouco depois das oito da noite, Dag Svensson liga para Mikael Blomkvist e marca um encontro para mais tarde naquela noite. Às nove e meia, Svensson liga para Bjurman. Pouco antes das dez da noite, Salander compra cigarro na tabacaria de Enskede, que estava quase fechando. Pouco depois das onze, Mikael Blomkvist e a irmã chegam a Enskede e, às onze e onze, ele liga para o SOS-Brigada.

— Isso mesmo, Miss Marple.

— Mas não está batendo de jeito nenhum. Segundo o legista, Bjurman foi morto entre dez e onze da noite. Nessa hora, Salander já estava em Enskede. A gente sempre achou que primeiro ela tinha matado o Bjurman e depois o casal de Enskede.

— Isso não quer dizer nada. Eu falei com o legista. Só descobrimos o Bjurman na noite seguinte, quase vinte e quatro horas depois. O médico diz que a hora da morte pode variar em pelo menos uma hora.

— Mas o Bjurman tem que ser a primeira vítima, já que encontramos a arma dele em Enskede. Isso quer dizer que ela matou o Bjurman em algum momento após as 21h34, hora em que Svensson ligou para o Bjurman, e foi imediatamente para Enskede comprar cigarro na tabacaria. Dava tempo para ir de Odenplan até Enskede?

— Dava. Ela não pegou o transporte coletivo como a gente achava de início. Ela tinha um carro. Eu e o Steve Bohman fizemos o trajeto para conferir, e deu tempo de sobra.

— Mas ela ainda esperou meia hora antes de matar Dag Svensson e Mia Bergman. O que ela fez nesse meio-tempo?

— Tomou um café com eles. As digitais dela estão na xícara.

Ele lançou-lhe um olhar triunfante. Sonja Modig suspirou. Ficou em silêncio alguns minutos.

— Hans, para você este caso é um lance de prestígio. Você às vezes sabe ser um cretino e tira as pessoas do sério, mas acontece que vim bater à sua porta para pedir desculpas pela bofetada. Foi injustificada.

Ele a fitou demoradamente.

— Modig, você até pode achar que eu sou um cretino. Mas eu acho que você não é muito profissional e não tinha nada que estar na polícia. Pelo menos não neste nível.

Sonja Modig considerou diferentes respostas, mas acabou dando de ombros e se levantando.

— Certo. Assim fica claro como a gente se coloca um em relação ao outro — disse ela.

— Assim fica claro. E, pode crer, você não fica muito tempo por aqui.

Sonja Modig fechou a porta atrás de si com mais força do que pretendia. *Não deixe esse escroto te tirar do sério.* Desceu até a garagem para pegar o carro. Hans Faste sorria, satisfeito, do outro lado da porta.

Mikael Blomkvist acabava de chegar quando seu celular tocou.

— Oi. É a Malu. Você pode falar?

— Mas é claro.

— Ontem teve uma coisa que me chamou a atenção.

— Sei.

— Estava lendo os recortes sobre a caçada à Salander que estão lá na redação, e achei aquela matéria grande sobre o passado dela nos hospitais psiquiátricos.

— Sei.

— Eu até posso estar procurando pelo em ovo, mas fico pensando no porquê de uma lacuna tão grande na biografia dela.

— Lacuna?

— É. Existe uma profusão de detalhes sobre todas as histórias em que ela se envolveu na escola. Com os professores e os outros alunos, você sabe.

— Estou lembrado. Havia uma professora dizendo que tinha medo da Lisbeth no início do ginásio.

— A Birgitta Miåås.

— Isso mesmo.

— Bem. E também há um bocado de detalhes sobre a Lisbeth na psiquiatria infantil. E um monte de outros detalhes sobre ela nas famílias adotivas em que ficou durante a adolescência, aquela agressão na Gamla Stan e tudo mais.

— Sei. Aonde você quer chegar?

— Ela foi internada na psiquiatria pouco antes de fazer treze anos.

— Sei.

— Mas não há uma só palavra explicando por que ela foi internada.

Mikael ficou calado.

— Você quer dizer...

— Quero dizer que se uma menina de doze anos é internada na psiquiatria, é porque alguma coisa provocou isso. E no caso da Lisbeth deve ter sido uma coisa imensa, quer dizer, uma puta de uma crise, e isso deveria constar na biografia dela. Só que não há nenhuma explicação.

Mikael franziu o cenho.

— Malu, eu sei de fonte segura que existe um relatório policial sobre a Lisbeth, datado de fevereiro de 1991, quando ela tinha doze anos. Não está no cadastro. Eu ia mesmo te pedir para tentar encontrar esse relatório.

— Se existe um relatório, ele necessariamente tem que estar registrado no cadastro. Senão, é ilegal. Você verificou mesmo?

— Não, mas a minha fonte diz que o relatório não consta no cadastro.

Por um momento, Malu não disse nada.

— E essa sua fonte é boa?

— Muito boa.

Malu ficou mais um tempo em silêncio. Ela e Mikael chegaram juntos à mesma conclusão.

— A Säpo — disse Malu.

— Björck — disse Mikael.

24. TERÇA-FEIRA 5 DE ABRIL

Per-Åke Sandström, jornalista *freelancer*, quarenta e sete anos, voltou para casa, em Solna, pouco depois da meia-noite. Estava um pouco alto e sentia uma bola de pânico se formando em sua barriga. Per-Åke Sandström estava pura e simplesmente com medo.

Ia fazer quinze dias que Dag Svensson tinha sido assassinado em Enskede. Sandström assistira, estupefato, ao noticiário na tevê no dia seguinte. Experimentara uma onda de alívio e esperança — Svensson estava morto e, com ele, talvez também o livro sobre tráfico de mulheres com que pretendia denunciá-lo como delinquente sexual. *Droga, uma maldita puta além da conta e lá estava ele encrencado até o pescoço.*

Ele odiava Dag Svensson. Tinha suplicado, rastejado diante daquele escroto.

Um dia depois dos assassinatos, ficara eufórico demais para conseguir pensar com lucidez. Só no dia seguinte começou a raciocinar. Se o Dag Svensson estava trabalhando num livro em que ele ia ser citado como estuprador com tendências pedófilas, então não era improvável que a polícia começasse a bisbilhotar seus pequenos deslizes. Caramba... ele podia se tornar suspeito dos assassinatos.

O pânico diminuíra um pouco quando o rosto de Lisbeth Salander aparecera em todos os jornais do país. *Quem será essa Lisbeth Salander?* Nunca tinha ouvido falar. Mas os tiras manifestamente a consideravam suspeita e, de acordo com o procurador, os assassinatos estavam prestes a ser solucionados. O interesse por ele talvez não chegasse a se materializar. Mas ele sabia, por experiência própria, que os jornalistas sempre guardam seus documentos e anotações. *Millennium. Uma revista de merda com uma reputação totalmente superestimada. Era igual às outras. Bisbilhotavam, vituperavam e atingiam os outros.*

Ignorava em que pé estava o andamento do livro. Não sabia o que é que eles sabiam. Não tinha para quem perguntar. A sensação era a de estar dentro de um vazio.

No decorrer da semana, seu comportamento oscilara entre o pânico e a embriaguez. Os tiras não tinham vindo procurá-lo. Quem sabe — se desse uma sorte incrível — conseguisse se sair dessa. Se não desse sorte, sua vida estava acabada.

Enfiou a chave na fechadura e girou-a. No instante em que abriu a porta, escutou um ruído atrás de si e sentiu uma dor paralisante na parte inferior das costas.

Gunnar Björck ainda não tivera tempo de ir dormir, quando o telefone tocou. Estava sentado de roupão e pijama na escuridão da cozinha, remoendo seu dilema. No decorrer da sua longuíssima carreira, nunca estivera nem perto de uma situação tão inextricável.

De início, pensou em não atender o telefone. Olhou para o relógio e viu que era mais de meia-noite. Mas o telefone continuou tocando e, depois do décimo toque, ele não resistiu. Podia ser importante.

— Aqui é o Mikael Blomkvist — ele ouviu dizer do outro lado da linha.

Que droga.

— Já passa da meia-noite. Eu estava dormindo.

— Sinto muito. Mas achei que você ia se interessar pelo que eu tenho para falar.

— O que é que você quer?

— Amanhã, às dez horas, vou dar uma coletiva de imprensa sobre os assassinatos de Dag Svensson e Mia Bergman.

Gunnar Björck engoliu em seco.

— Pretendo relatar detalhes do livro sobre comércio sexual que o Dag Svensson estava terminando de escrever. O único cliente que eu vou citar é você.

— Você prometeu me dar um tempo...

Ouviu o pânico na própria voz e parou.

— Já se passaram vários dias. Você prometeu me ligar depois do feriado da Páscoa. Amanhã é terça-feira. Ou você fala, ou minha coletiva fica mesmo para amanhã.

— Se você der essa coletiva, nunca vai saber nada sobre Zala.

— Pode ser. Mas aí não vai ser mais problema meu. Você vai ter que falar com os investigadores oficiais. E com a imprensa do país inteiro, claro.

Não havia nenhum espaço para negociação.

Aceitou se encontrar com Mikael Blomkvist, e conseguiu adiar o encontro para a quarta-feira. Uma pequena trégua. Mas ele estava pronto.

Ia apostar todas as fichas, ou vai ou racha.

Sandström não saberia dizer quanto tempo ficou desacordado, mas quando voltou a si estava deitado no chão da sala. Seu corpo inteiro doía e ele não conseguia se mexer. Levou algum tempo para perceber que suas mãos estavam presas às costas com o que parecia ser uma fita adesiva e seus pés, amarrados. Havia um pedaço de fita colado em sua boca. As luzes da sala estavam acesas e as persianas, baixadas. Era incapaz de entender o que tinha acontecido.

Percebeu sons que pareciam vir de seu escritório. Ficou imóvel e escutou, ouviu uma gaveta se abrindo e fechando. *Um assalto?* Escutou um barulho de papel, alguém vasculhava suas gavetas.

Uma eternidade depois, escutou passos atrás de si. Tentou virar a cabeça, mas não enxergou ninguém. Fez um esforço para se manter calmo.

De repente, alguém passou um cordão de algodão forte por cima de sua cabeça. Um nó corrediço apertou seu pescoço. O pânico por pouco não o fez soltar o esfíncter. Ergueu os olhos e viu a corda correr até uma roldana pendurada no gancho onde normalmente ficava o lustre da sala. Então seu inimigo entrou no seu campo de visão. A primeira coisa que viu foi um par de botinas pretas.

Não sabia exatamente o que esperava, mas o choque não poderia ter sido maior quando ergueu o olhar. De início, não reconheceu a psicopata demente cuja foto vinha enfeitando todos os quiosques desde o feriado da Páscoa. Tinha cabelos pretos curtos e não se parecia com a foto dos jornais. Estava inteiramente vestida de preto — jeans, jaqueta curta de algodão aberta, camiseta e luvas pretas.

Mas o que mais o assustou foi seu rosto. Ela estava maquiada. Usava batom preto, delineador e uma sombra verde-escura vulgar e ostensiva. O restante do rosto estava todo branco. Atravessando o rosto na diagonal, do lado esquerdo da testa ao lado direito do queixo, passando pelo nariz, havia um largo risco vermelho.

Era uma máscara grotesca. Ela parecia completamente louca.

O cérebro de Sandström resistiu. Estava mergulhado em plena irrealidade.

Lisbeth Salander pegou o cordão e puxou. Ele sentiu a corda afundar no pescoço e, por alguns segundos, não conseguiu respirar. Então lutou para retomar apoio nos pés. Com a roldana, ela não precisava fazer nenhum esforço para obrigá-lo a ficar ereto. Quando ele ficou bem aprumado sobre os pés, ela parou de içá-lo e enrolou a corda em volta do cano do aquecedor, travando-a com um nó.

Então deixou-o ali e sumiu de seu campo de visão. Ficou ausente por mais de quinze minutos. Quando voltou, puxou uma cadeira e sentou-se bem à sua frente. Ele procurou não olhar para aquele rosto maquiado de forma grotesca, mas não conseguiu resistir. Ela pôs uma pistola em cima da mesa. A *dele. Ela a achara na caixa de sapatos do guarda-roupa*. Uma Colt 1911 Government. Uma pequena arma ilegal que ele tinha desde muitos anos, comprada por impulso de um amigo que a estava vendendo, e que nunca usara, nem para testes. Diante de seus olhos, ela puxou o carregador e colocou uma bala. Per-Åke Sandström por pouco não desmaiou. Obrigou-se a cruzar o olhar com o dela.

— Nunca vou entender por que os homens sempre têm necessidade de guardar lembrancinhas das suas perversões — disse ela.

Tinha uma voz suave, mas glacial. Falava com uma voz baixa, mas clara. Ergueu uma foto que ela tinha imprimido do disco rígido dele.

— Imagino que se trate da estoniana Ines Hammujärvi, dezessete anos, originária da aldeia de Riepalu, perto de Narva. Foi divertido com ela?

Uma pergunta retórica. Per-Åke Sandström não podia responder. Sua boca continuava selada com a fita adesiva e seu cérebro, incapaz de formular uma resposta. A foto mostrava... *caramba, para que fui guardar essas fotos?*

— Você sabe quem eu sou? Faça um sinal com a cabeça.

Per-Åke Sandström meneou a cabeça.

— Você é um porco sádico, um canalha estuprador.

Ele não se moveu.

— Faça um sinal com a cabeça.

Ele meneou a cabeça. Súbito, seus olhos se encheram de lágrimas.

— Vamos estabelecer as regras — disse Lisbeth Salander. — Na minha opinião, você deveria ser executado imediatamente. Você sair vivo ou não daqui esta noite, para mim dá no mesmo. Entendeu?

Ele meneou a cabeça.

— A esta altura, você necessariamente já sabe que eu sou louca e adoro matar gente. Sobretudo homens.

Ela apontou para os jornais vespertinos dos últimos dias, que ele tinha guardado numa pilha em cima da mesa.

— Vou tirar a fita adesiva da sua boca. Se você gritar ou erguer a voz, zapeio você com isso aqui.

Brandiu um cassetete elétrico.

— Esta coisa feia manda ver setenta e cinco mil volts. E depois, mais ou menos uns sessenta mil, se eu já usei uma vez e não recarreguei. Entendido?

Ele pareceu hesitar.

— Isso significa que os seus músculos param de funcionar. Foi o que você sentiu ali na porta, quando entrou.

Ela sorriu.

— Isso significa que as suas pernas não vão mais te aguentar e você vai enforcar a si próprio. E depois de acabar com você, eu vou me levantar e sair do apartamento, é simples.

Ele meneou a cabeça. *Oh, meu Deus, ela é louca, uma legítima assassina*. De repente, à sua revelia, lágrimas começaram a escorrer incontrolavelmente pelas suas faces. Ele fungou.

Ela se levantou e arrancou a fita adesiva. Seu rosto grotesco ficou a apenas poucos centímetros do seu.

— Fique quieto — disse ela. — Nem uma palavra. Se falar sem ser convidado, acabo com você.

Ela esperou até ele parar de fungar e olhar para ela.

— Você só tem uma chance de sair vivo daqui esta noite — disse ela. — Uma chance, não duas. Vou fazer uma série de perguntas. Se você responder, te deixo viver. Se me entendeu, faça que sim com a cabeça.

Ele fez que sim com a cabeça.

— Se você se negar a responder a uma pergunta, eu te aniquilo. Entendeu?

Ele meneou a cabeça.

— Se mentir ou responder com evasivas, eu te aniquilo.

Ele meneou a cabeça.

— Não vou negociar com você. Não vou te dar uma segunda chance. Ou você responde imediatamente às minhas perguntas, ou morre. Se eu ficar satisfeita com as suas respostas, você sai vivo daqui. É simples assim.

Ele meneou a cabeça. Acreditava nela. Não tinha escolha.

— Por favor — disse. — Eu não quero morrer...

Ela o fitou com gravidade.

— Você decide se vai viver ou morrer. Mas acaba de transgredir a primeira regra, que é: você não tem o direito de falar sem a minha autorização.

Ele apertou os lábios. *Caramba, ela é completamente doente.*

Mikael Blomkvist se sentia a tal ponto frustrado e febril que já não sabia o que fazer. Por fim, vestiu o casaco e um cachecol, andou ao acaso até Södra Station, passou em frente do prédio da Bofill, e acabou na redação da *Millennium*, na Götgatan. Estava tudo apagado e calmo. Não acendeu nenhuma luz, mas ligou a cafeteira, quedou-se em frente à janela olhando para a rua lá embaixo enquanto esperava a água escorrer pelo filtro. Tentava colocar ordem nas suas ideias. Até onde ele percebia, a investigação sobre os assassinatos de Dag Svensson e Mia Bergman era um mosaico quebrado, e alguns pedaços eram discerníveis ao passo que outros faltavam totalmente.

Em algum ponto desse mosaico, havia um desenho. Dava para adivinhá-lo, mas não para ver. Faltavam pedaços demais.

Foi assaltado pela dúvida. *Ela não é uma louca assassina*, pensou, como um tipo de lembrete. Ela escrevera que não havia matado Dag e Mia. E ele acreditava. Mas mesmo assim, de algum modo incompreensível, ela estava intimamente ligada ao enigma dos assassinatos.

Pôs-se lentamente a revisar a teoria que vinha defendendo desde o dia em que entrara no apartamento de Enskede. Para ele era óbvio que a reportagem de Dag Svensson sobre tráfico de mulheres era o único motivo plausível para os assassinatos de Dag e Mia. Agora, tardiamente, começava a aceitar a afirmação de Bublanski de que isso não explicava o assassinato de Bjurman.

Salander tinha escrito para ele deixar os clientes sexuais para lá e se concentrar em Zala. *Como?* O que ela queria dizer? Mulherzinha complicada. Por que não podia dizer as coisas de forma compreensível?

Mikael voltou à copa e se serviu de café numa caneca com o logotipo da Esquerda Jovem. Sentou-se no sofá, no meio da redação, pôs os pés na mesa de centro e acendeu um cigarro clandestino.

Björck estava na lista dos clientes sexuais. Bjurman era ligado a Salander. Não podia ser por acaso que tanto Bjurman como Björck tinham trabalhado na Säpo. E que um relatório policial sobre Salander tinha sumido.

Poderia haver mais de um motivo?

Ficou um momento parado e deteve-se nessa ideia. Inverteu a perspectiva.

Será que Lisbeth Salander poderia ser o motivo?

Mikael reteve aquela ideia que ele não conseguia formular em palavras. Havia ali uma coisa inexplorada, mas ele não conseguia explicar a si mesmo por que Lisbeth Salander poderia ser o motivo dos assassinatos. Teve a sensação fugaz de uma revelação a ponto de brotar.

Então percebeu que estava cansado demais, jogou o café na pia e foi para casa dormir. No escuro de seu quarto, retomou o fio da ideia e ficou acordado por mais duas horas, tentando entender o que ele queria dizer.

Lisbeth Salander acendeu um cigarro e se acomodou confortavelmente na cadeira à sua frente. Cruzou as pernas, a direita sobre a esquerda, e encarou-o. Per-Åke Sandström nunca tinha visto um olhar tão intenso. Quando ela voltou a falar, sua voz continuava baixa.

— Você visitou Ines Hammujärvi pela primeira vez, no apartamento dela em Norsborg, em janeiro de 2003. Ela acabava de completar dezesseis anos. Por que foi até lá?

Per-Åke Sandström não sabia o que responder. Nem sabia explicar como aquilo tudo começara e por que ele... Ela ergueu o cacetete elétrico.

— Eu... eu não sei. Eu queria a Ines. Ela era tão linda.

— Linda?

— É. Ela era linda.

— E você achou que isso te dava o direito de amarrar e comer a mulher.

— Ela concordou. Juro. Ela concordou.

— Você pagou?

Per-Åke Sandström mordeu a língua.

— Não.

— Por que não? Ela era uma puta. Em geral, as putas são pagas.

— Ela era um... era um presente.

— Um presente? — repetiu Lisbeth Salander.

Sua voz assumiu de repente um tom perigoso.

— Ela foi oferecida em troca de um favor que eu tinha feito para uma pessoa.

— Per-Åke... — disse Lisbeth Salander num tom suave. — Você não está tentando evitar a minha pergunta?

— Eu juro. Vou responder tudo o que você quiser. Não vou mentir.

— Muito bem. Que favor e para quem?

— Eu trouxe esteroides anabolizantes para a Suécia. Eu tinha ido à Estônia fazer umas reportagens, estava com uns amigos, e trouxe os comprimidos no carro. Viajei com um homem chamado Harry Ranta. Mas ele não estava no meu carro.

— Como é que você conheceu esse Harry Ranta?

— Conheço o Harry há anos. Desde os anos 1980. Era um amigo, só isso. A gente saía para tomar uns tragos juntos.

— E foi o Harry Ranta que te ofereceu a Ines Hammujärvi de... presente?

— Sim... não, desculpe, isso foi depois, aqui em Estocolmo. Foi o irmão dele, Atho Ranta.

— Quer dizer que o Atho Ranta veio bater na sua porta perguntando se você estava a fim de ir a Norsborg comer a Ines?

— Não... eu estava numa... tinha uma festa em... droga, não lembro onde era...

De repente, pôs-se a tremer de forma incontrolável, sentiu que os joelhos começavam a ceder e teve que se enrijecer para conseguir ficar de pé.

— Responda tranquilamente sem entrar em pânico — disse Lisbeth Salander. — Não vou te enforcar só porque você precisa de um tempo para concatenar as ideias. Mas se eu perceber que você está escorregando, aí... pof!

Ela alçou as sobrancelhas e adotou um ar angelical. Até onde era possível vislumbrar um anjo por trás daquela máscara grotesca.

Per-Åke Sandström meneou a cabeça. Engoliu em seco. Estava com sede, sua boca estava super-ressecada e sentia a corda apertando o seu pescoço.

— Aí... não interessa o lugar onde você estava enchendo a cara. Como foi que Atho Ranta te ofereceu a Ines?

— A gente estava falando de... a gente... eu disse que queria...

De repente, começou a chorar descontroladamente.

— Você disse para ele que queria uma daquelas putas.

Ele meneou a cabeça.

— Eu estava bêbado. Ele disse que ela precisava... precisava...

— Precisava do quê?

— Atho disse que ela precisava de um corretivo. Ela estava criando problemas. Não fazia o que ele queria.

— E o que ele queria que ela fizesse?

— Que ela trabalhasse na rua para ele. Ele me propôs... Eu estava bêbado e não sabia o que estava fazendo. Eu não queria... Desculpe.

Ele fungou.

— Não é para mim que você tem que pedir desculpa. Então você se ofereceu para ajudar o Atho a dar um corretivo na Ines e vocês foram até a casa dela.

— Não foi bem assim.

— Então conta como foi. Por que você foi com o Atho até a casa da Ines?

Ela brincou com o cacetete elétrico equilibrado em seus joelhos. Ele se pôs a tremer.

— Eu fui na casa da Ines porque eu a queria. Ela estava lá e estava à venda. Ines morava na casa de uma amiga do Harry Rant. Não lembro o nome dela. Atho amarrou a Ines na cama e eu... eu fiz amor com ela. O Atho ficou olhando.

— Não... Você não fez amor com ela. Você estuprou.

Ele não respondeu.

— Não foi?

Ele meneou a cabeça.

— O que disse a Ines?

— Não disse nada.

— Ela protestou?

Ele balançou a cabeça.

— Quer dizer que ela achou legal ser amarrada e comida por um gordo nojento de cinquenta anos.

— Ela estava bêbada. Não estava nem aí.

Lisbeth Salander deu um suspiro resignado.

— Certo. E depois disso você continuou visitando a Ines.

— Ela era tão... ela me queria.

— Conta outra!

Ele lançou um olhar desesperado para Lisbeth Salander. Então meneou a cabeça.

— Eu... eu estuprava. Harry e Atho tinham me dado autorização. Eles queriam que ela... que ela fosse domada.

— Você pagou para eles?

Ele meneou a cabeça.

— Quanto?

— Era um preço de amigo. Eu tinha ajudado no contrabando.

— Quanto?

— No total, algumas notas de mil.

— Numa das fotos, a Ines está aqui no seu apartamento.

— Harry mandou ela vir.

Ele fungou de novo.

— Ou seja, por umas cédulas de mil você ganhou uma mulher com quem podia fazer o que bem entendesse. Quantas vezes você a estuprou?

— Não sei... algumas vezes.

— Certo. Quem é o chefe desse bando?

— Eles vão me matar se eu disser.

— E eu com isso? Neste momento, eu sou um problema bem maior para você do que os irmãos Ranta.

Ela levantou o cacetete elétrico.

— Atho é o chefe. É o mais velho. Harry é o homem do terreno.

— Quem mais faz parte do bando?

— Só conheço o Harry e o Atho. A garota do Atho também participa. E um cara que eles chamam de... não lembro. Olle alguma coisa. É sueco. Não sei quem é. É viciado e presta alguns favores.

— A garota do Atho?

— Silvia. É uma puta.

Lisbeth ficou um instante em silêncio, refletindo. Então ergueu os olhos.

— Quem é Zala?

Per-Åke Sandström empalideceu visivelmente. A *mesma pergunta tão repisada por Dag Svensson*. Ele ficou tanto tempo sem dizer nada que notou que a louca estava começando a se irritar.

— Eu não sei — disse. — Não sei quem ele é.

Lisbeth Salander se aborreceu.

— Até aqui você se comportou direitinho. Não desperdice a sua chance — disse ela.

— Juro por tudo que é mais sagrado. Não sei quem ele é. Esse jornalista que você matou...

Calou-se, percebendo de súbito que talvez não fosse uma boa ideia evocar a orgia assassina dela em Enskede.

— Sim?

— Ele me perguntou a mesma coisa. Eu não sei. Se soubesse, diria. Juro. É uma pessoa que o Atho conhece.

— Você já falou com ele?

— Um minuto só, por telefone. Falei com um cara que dizia se chamar Zala. Ou melhor, ele falou comigo.

— A troco do quê?

Per-Åke Sandström pestanejou. Gotas de suor rolaram dos seus olhos e ele sentiu ranho escorrendo pelo queixo.

— Eu... eles queriam que eu fizesse mais um favorzinho para eles.

— Essa sua história está começando a se enredar — alertou Lisbeth Salander.

— Eles queriam que eu fizesse outra viagem até Tallinn para trazer um carro pronto. Anfetaminas. Eu não quis.

— Não quis por quê?

— Era demais. Eles eram verdadeiros gângsteres. Eu queria me afastar. Eu tinha o meu trabalho.

— Você quer dizer que era apenas um gângster ocasional.

— Não sou assim, de verdade — disse ele, miserável.

— Ah, é?

Sua voz vinha carregada de tanto desprezo que Per-Åke Sandström fechou os olhos.

— Continue. Como é que o Zala veio parar nessa história?

— Um legítimo pesadelo.

Ele se calou e, súbito, suas lágrimas voltaram a rolar. Mordeu o lábio com tanta força que se cortou e começou a sangrar.

— Está se enredando — disse Lisbeth Salander, em voz clara.

— O Atho insistiu comigo várias vezes. O Harry me avisou, disse que o Atho estava começando a ficar bravo e não sabia o que poderia acontecer. Por fim, topei me encontrar com o Atho. Foi em agosto do ano passado. Fui com o Harry até Norsborg...

Sua boca se mexia, mas as palavras se extinguiram. Os olhos de Lisbeth Salander viraram duas fendas. Ele recobrou a voz.

— O Atho estava enlouquecido. Ele é muito brutal. Você não faz ideia da brutalidade dele. Disse que era tarde demais para eu cair fora e que se eu não fizesse o que ele estava mandando, não ia sair vivo. Queria me dar uma demonstração.

— Sim?

— Me obrigaram a ir com eles. Fomos na direção de Södertälje. Atho me mandou usar um capuz. Um saco que ele me amarrou na cabeça, tapando os meus olhos. Eu estava morto de medo.

— Com que então você viajou com um saco na cabeça. E o que aconteceu depois?

— O carro parou. Não sei onde.

— Em que lugar eles te puseram o saco?

— Pouco antes de Södertälje.

— E depois, quanto tempo levaram para chegar?

— Talvez... talvez pouco mais de meia hora. Eles me tiraram do carro. Era uma espécie de armazém.

— Continue.

— Harry e Atho me fizeram entrar. Havia luz lá dentro. A primeira coisa que eu vi foi um pobre coitado no piso de cimento. Estava amarrado. Tinha sido tremendamente espancado.

— Quem era?

— O nome dele era Kenneth Gustafsson. Mas isso eu só soube depois. Eles não pronunciaram o nome dele.

— O que aconteceu?

— Tinha um homem lá. O homem mais alto que eu já vi. Era imenso. Puro músculo.

— Me descreva esse cara.

— Loiro. Parecia mesmo o diabo em pessoa.

— O nome dele?

— Ele não disse.

— Certo. Um gigante loiro. Quem mais estava lá?

— Um outro homem. Loiro também. Com um rabo de cavalo.

Magge Lundin.

— E quem mais?

— Só eu, o Harry e o Atho.

— Continue.

— O loiro... quer dizer, o gigante, me passou uma cadeira. Não disse uma palavra. O Atho era quem falava. Disse que o cara que estava no chão era um dedo-duro. Ele queria que eu visse o que acontecia com quem criava caso.

Per-Åke Sandström chorava sem se conter.

— Está se enredando de novo — disse Lisbeth Salander.

— O loiro levantou o cara do chão e o colocou numa cadeira na minha frente. A gente estava a um metro um do outro. Eu podia olhar dentro dos olhos dele. O gigante ficou atrás dele e pôs as mãos em volta do pescoço do cara. E ele... ele...

— Estrangulou o cara — interrompeu Lisbeth, para ajudá-lo.

— Sim... não... ele apertou até matar. Acho que quebrou a nuca dele com as mãos. Escutei a nuca se quebrar e ele morreu ali, na minha frente.

Per-Åke Sandström oscilava, preso na corda. Suas lágrimas corriam a cântaros. Ele nunca tinha contado isso a ninguém. Lisbeth lhe concedeu um minuto para se refazer.

— E depois?

— O outro homem, o do rabo de cavalo, ligou uma serra elétrica e cortou a cabeça e as mãos dele. Quando acabou, o gigante chegou perto de mim. Pôs as mãos em volta do meu pescoço. Tentei me soltar. Usei toda a minha força, e ele não se mexeu um milímetro sequer. Mas não me estrangulou... só ficou com as mãos ali um bocado de tempo. Enquanto isso, o Atho pegou o celular e ligou para alguém. Falava em russo. Depois disse que o Zala queria falar comigo e segurou o telefone no meu ouvido.

— E o que disse o Zala?

— Só disse que fazia questão que eu fizesse o favor que o Atho tinha pedido. Perguntou se eu ainda estava querendo cair fora. Prometi ir até Tallinn buscar o carro com as anfetaminas. Eu não tinha escolha.

Lisbeth ficou um bom tempo em silêncio. Pensativa, contemplava o jornalista que fungava, pendurado na corda; parecia estar refletindo sobre alguma coisa.

— Me descreva a voz dele.

— A voz... não sei. Parecia bem normal.

— Voz baixa, clara?

— Baixa. Comum. Áspera.

— Vocês falaram em que língua?

— Sueco.

— Algum sotaque?

— Sim... um pouco, talvez. Mas ele falava bem o sueco. Atho e ele falavam em russo.

— Você entende russo?

— Um pouco. Não tudo. Só um pouco.

— O que o Atho falou para ele?

— Só disse que a demonstração tinha acabado. Mais nada.

— Você contou isso tudo para alguém?

— Não.

— Para o Dag Svensson?

— Não... não.

— O Dag Svensson esteve aqui.

Sandström fez que sim com a cabeça.

— Não ouvi.

— Sim.

— Por quê?

— Ele sabia que eu tinha... as putas.

— O que ele perguntou?

— Ele queria saber...

— Sim?

— Zala. Perguntou sobre Zala. Foi na segunda visita.

— Segunda visita?

— Ele já tinha me contatado duas semanas antes de morrer. Foi a primeira vez que veio aqui. Depois ele voltou, dois dias antes que você... que ele...

— Antes que eu atirasse nele?

— Isso.

— E então ele fez perguntas sobre o Zala?

— Sim.

— E o que você falou?

— Nada. Eu não podia falar nada. Admiti que tinha falado com ele por telefone. Só isso. Não falei nada sobre o monstro loiro nem sobre o que eles fizeram com o Gustafsson.

— Certo. O que o Dag Svensson te perguntou exatamente?

— Eu... ele queria saber do Zala. Só isso.

— E você não falou nada?

— Nada de interessante. Na verdade, eu não sei de nada.

Lisbeth Salander ficou um instante em silêncio. *Ele estava evitando dizer alguma coisa*. Mordeu, pensativa, o lábio inferior. Sim, claro.

— Para quem você contou sobre as visitas do Dag Svensson?

Sandström empalideceu.

Lisbeth sacudiu o cacetete elétrico.

— Liguei para o Harry Ranta.

— Quando?

Ele engoliu em seco.

— Na noite em que o Dag Svensson veio aqui pela primeira vez.

Ela continuou o interrogatório por mais meia hora, mas logo percebeu que ele só tinha repetições e mais alguns detalhes soltos a oferecer. Por fim, levantou-se e pôs a mão na corda.

— Você deve ser o canalha mais miserável que eu já conheci — disse Lisbeth Salander. — O que você fez com a Ines merece pena de morte. Mas prometi que você ia viver se respondesse às minhas perguntas. Sempre cumpro as minhas promessas.

Ela se inclinou e desfez o nó. Per-Åke Sandström desabou lamentavelmente no chão. Seu alívio chegava a ser eufórico. Do assoalho, viu que ela punha um banco em cima da mesinha, subia em cima e desprendia a roldana. Juntou a corda e colocou-a numa mochila. Desapareceu no banheiro, onde ficou uns dez minutos. Ele ouviu a água correndo. Quando voltou, estava sem maquiagem.

Seu rosto parecia nu e desencardido.

— Você mesmo pode se soltar.

Largou uma faca de cozinha no chão.

Ele escutou ela fazer uns ruídos no hall durante vários minutos. Parecia estar trocando de roupa. Depois, ouviu a porta se abrir e se fechar. Só meia hora depois conseguiu cortar a fita adesiva. Ao sentar-se no sofá da sala, descobriu que ela tinha levado o seu Colt 1911 Government.

Lisbeth Salander só chegou em casa às cinco da manhã. Tirou a peruca de Irene Nesser e foi imediatamente se deitar, sem ligar o computador para ver se Mikael Blomkvist solucionara o enigma do relatório policial desaparecido.

Acordou às nove horas e passou a terça-feira coletando dados sobre os irmãos Atho e Harry Ranta.

Atho Ranta possuía uma ficha criminal lamentável. Cidadão finlandês, mas originário de uma família estoniana, chegara à Suécia em 1971. Entre

1972 e 1978, trabalhara como marceneiro na construção civil. Despedido depois de ser flagrado roubando numa obra, foi condenado a sete meses de prisão. De 1980 a 1982, trabalhou para uma empresa bem menor. Foi despedido depois de chegar várias vezes bêbado ao trabalho. No restante dos anos 1980, ganhara a vida como segurança de cabaré, técnico numa empresa de manutenção de caldeiras, lavador de pratos e vigia numa escola. Fora mandado embora de todos esses empregos depois de aparecer razoavelmente bêbado ou se envolver em todo tipo de briga. Seu trabalho de vigia se encerrou poucos meses depois de ser contratado, quando uma professora registrou queixa contra ele por assédio sexual e comportamento ameaçador.

Em 1987, foi condenado a pagar uma multa e a três meses de prisão por roubo de carro, condução em estado de embriaguez e receptação. No ano seguinte, foi multado por porte ilegal de armas. Em 1990, condenado por um delito contra a moral e os bons costumes, de natureza não especificada no registro criminal. Em 1991, processado por ameaças, mas absolvido. No mesmo ano, condenado a multa e a uma pena de prisão condicional por contrabando de álcool. Em 1992, pegou três meses por golpes e ferimentos numa amiga, e ameaças à irmã desta última. Então se manteve na linha até 1997, quando foi condenado por receptação e golpes e ferimentos agravados. Dessa feita, pegou dez meses de prisão.

Seu irmão caçula, Harry, viera encontrá-lo na Suécia em 1982, para trabalhar nos anos 1980 como controlador de estoque. Sua ficha criminal mostrava que fora condenado em três ocasiões. Em 1990, por fraude em seguros; em 1992, a dois anos por golpes e ferimentos agravados, receptação, roubo, roubo agravado e estupro. Expulso para a Finlândia, voltou à Suécia em 1996, quando foi novamente condenado a dez meses de prisão por golpes e ferimentos agravados e estupro. Recorreu, e a corte de apelação seguiu a linha de defesa de Harry Ranta, absolvendo-o da acusação de estupro. Em contrapartida, a condenação por golpes e ferimentos foi mantida e ele cumpriu seis meses. Em 2000, Harry Ranta foi mais uma vez acusado por ameaças e estupro; a queixosa, porém, voltou atrás e o caso foi arquivado.

Ela obteve os endereços mais recentes dos dois: Atho Ranta morava em Norsborg e Harry em Alby.

Paolo Roberto sentiu-se frustrado quando, pela cinquentésima vez, digitou o número de Miriam Wu e deu caixa postal. Tinha ido ao endereço da Lundagatan várias vezes por dia desde que aceitara a missão de se encontrar com ela. A porta do apartamento permanecia fechada.

Deu uma olhada no relógio. Oito e pouco da noite de terça-feira. Em algum momento ela teria que voltar para casa. Ele entendia o desejo de Miriam Wu de se manter afastada, mas a imprensa já tinha se acalmado um pouco. Ele ponderou que, em vez de ficar indo e vindo, poderia se instalar em frente ao prédio dela para o caso de ela aparecer, mesmo que só para pegar uma muda de roupa ou sabe Deus o quê. Encheu uma garrafa com café e preparou uns sanduíches. Antes de sair de casa, fez o sinal da cruz diante de um crucifixo.

Estacionou a uns trinta metros da porta do prédio da Lundagatan e recuou o banco para dar mais espaço para as pernas. Ligou o rádio num volume baixo e grudou no painel uma foto de Miriam Wu recortada de um jornal vespertino. Achava aquela garota um avião. Contemplou pacientemente os raros transeuntes. Miriam Wu nunca estava entre eles.

A cada dez minutos, tentava ligar. Desistiu por volta das nove horas, quando seu celular o alertou de que a bateria estava para acabar.

Per-Åke Sandström passou a terça-feira num estado próximo da apatia. Tinha dormido no sofá da sala, incapaz de ir até a cama e incapaz de conter os súbitos acessos de choro que o acometiam regularmente. Na terça de manhã, fora até o Monopólio dos Espirituosos, no centro de Solna, para comprar um quarto de litro de *aquavit*, depois voltara para o seu sofá e bebera mais ou menos metade do conteúdo.

Só à noite começou a ter consciência do seu estado e se pôs a pensar no que poderia fazer. Queria nunca ter ouvido falar nos irmãos Atho e Harry Ranta e nas suas putas. Não conseguia entender como tinha sido tão idiota e se deixado levar para aquele apartamento de Norsborg, onde Atho havia amarrado, de pernas abertas, Ines Hammujärvi, de dezesseis anos e altamente drogada, desafiando-o depois a ver quem tinha a ereção maior. Tinham se alternado, e ele ganhou o concurso executando, durante a noitada, quantidade de performances sexuais de diversos tipos.

Em dado momento, Ines Hammujärvi voltara a si e começara a reclamar. Então Atho ficara meia hora batendo nela e fazendo-a beber, e quando ela se acalmara, Atho convidara Per-Åke a prosseguir seus exercícios.

Maldita puta.

Como ele tinha sido idiota.

Não podia contar com nenhuma compaixão por parte da *Millennium.* Eles viviam desse tipo de escândalo.

Ele morria de medo daquela louca da Salander.

Para não falar no monstro loiro.

Ele não podia se dirigir à polícia.

Não podia se virar sozinho. Seria ilusão achar que os problemas iam sumir por si sós.

Só restava uma tênue alternativa para obter um pouquinho de simpatia e, quem sabe, algum tipo de solução. Percebeu que era uma tábua de salvação bem frágil.

Mas era sua única possibilidade.

À tarde, se armou de coragem e discou o número do celular de Harry Ranta. Ninguém atendeu. Continuou tentando ligar para Harry Ranta até as dez da noite, e então desistiu. Depois de pensar algum tempo (e se fortalecer com a *aquavit* que ainda restava), ligou para Atho Ranta. Silvia, a companheira de Atho, atendeu. Foi informado de que os irmãos Ranta estavam de férias em Tallinn. Não, Silvia não sabia como entrar em contato com eles. Não, não tinha ideia de quando eles voltavam — estavam na Estônia por tempo indeterminado.

Silvia parecia satisfeita.

Per-Åke Sandström deixou-se cair no sofá. Não saberia dizer se estava abatido ou aliviado por Atho não estar em casa e, assim, não precisar se explicar. Mas a mensagem era clara. Por diversos motivos, os irmãos Ranta tinham baixado a bola e estavam dando um tempo em Tallinn. O que não contribuiu para acalmar Per-Åke Sandström.

25. TERÇA-FEIRA 5 DE ABRIL — QUARTA-FEIRA 6 DE ABRIL

Paolo Roberto não pegara no sono, mas estava tão imerso em seus pensamentos que levou alguns segundos para avistar a mulher que vinha chegando a pé da direção da igreja de Högalid por volta das onze horas. Avistou-a pelo retrovisor. De início, ela não chamou sua atenção, mas quando passou sob um poste de iluminação a cerca de setenta metros atrás dele, Paolo virou rapidamente a cabeça e de imediato reconheceu Miriam Wu.

Endireitou-se no banco. Seu primeiro impulso foi descer do carro. Então percebeu que poderia assustá-la e que o melhor seria esperar ela chegar na frente do prédio.

No exato momento em que essa ideia lhe ocorreu, viu uma caminhonete escura arrancar mais adiante na rua e frear ao lado de Miriam Wu. Estupefato, Paolo Roberto viu um homem — um brutamontes loiro incrivelmente alto — descer pela porta de correr lateral e agarrar Miriam Wu. Ela foi pega totalmente de surpresa. Tentou se soltar recuando para trás, mas o gigante loiro segurava seu braço com força.

Paolo ficou boquiaberto ao ver a perna direita de Miriam Wu se erguer e descrever uma curva rápida. *É mesmo, ela pratica kick-boxing*. Ela desfechou um pontapé na cabeça do gigante loiro. O golpe pareceu deixá-lo indiferente. Em compensação, levantou a mão e deu uma bofetada em Miriam Wu. Mesmo de longe, Paolo escutou o som da pancada. Miriam Wu caiu, como atingida por um raio. O gigante loiro se inclinou, pegou-a apenas com uma mão e jogou-a dentro da caminhonete. Só então Paolo Roberto fechou a boca e caiu em si. Saltou do carro e correu para a caminhonete.

Logo percebeu a vacuidade do seu gesto. O veículo em que Miriam Wu fora jogada feito um saco de batatas arrancou silenciosamente, fez um retorno e afastou-se rua afora antes mesmo que Paolo Roberto ganhasse velocidade. O carro sumiu na direção da igreja de Högalid. Paolo correu de volta para o seu carro e se atirou ao volante. Arrancou a toda, também fez o retorno e seguiu na direção da igreja. A caminhonete tinha desaparecido quando ele chegou ao cruzamento. Freou e olhou para o lado da Högalidsgatan, então optou por dobrar à esquerda em direção à Hornsgatan.

Chegando à altura da Hornsgatan, o sinal estava vermelho, mas não havia trânsito e ele avançou um pouco para poder dar uma olhada. Os únicos faróis traseiros que conseguiu enxergar estavam entrando à esquerda rumo à ponte de Liljeholmen, perto da Långholmsgatan. Não conseguiu ver se era mesmo a caminhonete, mas como era o único carro à vista Paolo pôs o pé na tábua. Foi detido por um sinal fechado na Långholmsgatan e obrigado a deixar passar os carros que vinham de Kungsholmen, enquanto os segundos voavam. Quando o cruzamento ficou vazio, pisou fundo no acelerador e atravessou o sinal fechado, rezando para que nenhum carro de polícia estivesse por ali para detê-lo justo agora.

Ultrapassou, e muito, a velocidade permitida na ponte de Liljeholmen e acelerou ainda mais depois que passou a ponte. Não fazia ideia de onde poderia estar a caminhonete que avistara e não sabia se ela tinha virado na direção de Gröndal ou de Årsta. Resolveu arriscar mais uma vez e pisou fundo no pedal. Estava a mais de cento e cinquenta quilômetros por hora e passou em disparada pelos motoristas cumpridores da lei, refletindo que mais de um deles devia estar anotando sua placa.

À altura de Bredäng, tornou a avistar a caminhonete. Reduziu a distância entre eles a uns cinquenta metros, para poder conferir se era mesmo o veículo certo. Diminuiu a velocidade para noventa quilômetros por hora e se manteve a cerca de duzentos metros da caminhonete. Só então voltou a respirar.

* * *

Miriam Wu sentiu sangue escorrendo pelo pescoço quando caiu dentro da caminhonete. Seu nariz sangrava. A pancada cortara seu lábio inferior e possivelmente lhe quebrara o nariz. O ataque a pegara totalmente de surpresa e toda a sua resistência fora descartada em menos de um segundo. Sentiu o carro arrancando antes mesmo que seu agressor tivesse tempo de fechar a porta. Por um momento, o gigante loiro perdeu o equilíbrio enquanto o carro dava meia-volta.

Miriam Wu se virou e firmou o quadril no piso. Quando o gigante loiro se virou para ela, desfechou-lhe um pontapé. Atingiu-o na têmpora. Viu uma marca no lugar onde o salto bateu. O normal seria ele se machucar.

Ele olhou para ela, chocado. Então sorriu.

Meu Deus, que diabo de Terminator será esse?

Ela deu outro pontapé, mas ele agarrou-lhe a perna e torceu seu pé com tanta brutalidade que ela urrou de dor e foi obrigada a virar de bruços.

Então ele se inclinou sobre ela e esbofeteou-a com a palma da mão. Miriam Wu ficou atordoada, como que atingida por uma maça. Ele se escanchou nas suas costas. Ela tentou empurrá-lo, mas era tão pesado que não conseguiu demovê-lo um milímetro sequer. Ele dobrou-lhe brutalmente os braços às costas e prendeu-os com algemas. Ela estava indefesa. De repente, Miriam Wu se sentiu paralisada de medo.

Mikael Blomkvist passou pelo Globe quando voltava de Tyresjö. Estivera toda a tarde e noitinha visitando três sujeitos da lista de clientes sexuais. Não dera em absolutamente nada. Topara com indivíduos apavorados, já abalados por Dag Svensson e prontos para ver seu mundo ruir. Tinham suplicado, implorado. Mikael riscara todos de sua lista pessoal de assassinos potenciais.

Ao passar pela ponte de Skanstull pegou o celular e ligou para Erika Berger. Ela não atendeu. Tentou Malu Eriksson. Também não atendeu. Droga. Era tarde. Queria conversar com alguém.

Perguntou-se se Paolo Roberto tinha descoberto alguma coisa sobre Miriam Wu e discou o número dele. Ouviu tocar cinco vezes antes que Paolo atendesse.

— Paolo.

— Oi. É o Blomkvist. Só queria saber como vão as coisas...

— Blomkvist, estou... *ssscrrp ssscrrp* num carro com a Miriam.

— Não estou escutando.

— *Srcp, scrrrraaaap, scrrraaaap.*

— A sua voz está sumindo. Não estou escutando.

E então a ligação caiu.

Paolo Roberto soltou um palavrão. A bateria do celular acabava de apagar na sua mão, quando passava por Fittja. Apertou no ON e conseguiu reanimar o aparelho. Discou o número do SOS-Brigada, mas assim que atenderam o celular tornou a desligar.

Droga.

Ele tinha um carregador que funcionava no isqueiro do carro, só que estava em casa, em cima do móvel do hall. Jogou o celular no banco do passageiro e se concentrou nos faróis traseiros da caminhonete, que ele queria manter na mira. Dirigia uma BMW com tanque cheio e não havia a mínima possibilidade de a maldita caminhonete se distanciar. Mas não queria ser notado e deixou o espaço entre eles crescer várias centenas de metros.

Um mastodonte movido a anabolizantes nocauteia uma garota na minha frente. Ainda pego esse canalha para trocar umas palavrinhas com ele.

Se Erika Berger estivesse ali o teria chamado de caubói machão. Paolo Roberto chamava isso de ficar bravo.

Mikael Blomkvist passou pela Lundagatan e viu que o apartamento de Miriam Wu estava às escuras. Tentou ligar para Paolo Roberto mais uma vez, só para ser informado que o número estava indisponível. Resmungou um palavrão e voltou para casa para preparar café e sanduíches.

O trajeto durou mais tempo do que Paolo Roberto imaginara. Passaram por Södertälje, depois pegaram a E20 em direção a Strängnäs. Um pouco depois de Nykvarn, a caminhonete entrou à esquerda por estradas secundárias no interior de Sörmland.

Com isso, aumentava o risco de ele chamar atenção e ser flagrado. Paolo Roberto tirou o pé do acelerador e abriu mais distância entre ele e a caminhonete.

Paolo não era muito bom em geografia, mas até onde podia perceber, passaram a oeste do lago Yngern. Perdeu a caminhonete de vista e acelerou. Chegou a uma linha reta e freou.

A caminhonete tinha sumido. Estradinha não era o que faltava naquele lugar. Ele tinha perdido os canalhas.

Miriam Wu estava com a nuca e o rosto doendo, mas tinha dominado o pânico e a angústia de se ver assim indefesa. Ele tinha parado de bater nela. Ela se sentara, recostada no banco do motorista. Suas mãos estavam algemadas nas costas e havia uma fita adesiva larga tampando sua boca. Tinha uma narina cheia de sangue e sentia dificuldade em respirar.

Fitou o gigante loiro. Desde que a tinha amordaçado, ele não dissera uma palavra sequer e a ignorara solenemente. Ela olhou a marca no lugar onde lhe dera o pontapé que em princípio deveria ter causado algum estrago. Ele parecia nem ter notado. Isso não era normal.

Ele era alto e tremendamente forte. Seus músculos mostravam que ele passava horas por semana numa academia. Mas não era para bombar. Os músculos pareciam naturais. As mãos lembravam enormes frigideiras. Ela entendeu por que tinha tido a impressão de levar uma bordoada quando ele a esbofeteara.

A caminhonete avançava aos solavancos numa estrada em más condições.

Não fazia a menor ideia de onde se encontrava, só achava que tinham rodado pela E4 na direção sul por um bom tempo até enveredar por estradas menores.

Sabia que mesmo que estivesse com as mãos soltas não teria nenhuma chance contra o gigante loiro. Sentia-se totalmente impotente.

Malu Eriksson ligou para Mikael pouco depois das onze da noite, quando ele acabava de chegar e ligar a cafeteira. Estava preparando um sanduíche na cozinha.

— Desculpe eu ligar tão tarde. Faz horas que estou tentando, você não atendia.

— É que eu desliguei o celular enquanto conversava com os clientes sexuais.

— Achei uma coisa que pode ser interessante.

— Estou escutando.

— O Bjurman. Você pediu para eu vasculhar o passado dele.

— Sim.

— Ele nasceu em 1950 e começou o curso de direito em 1970. Formou-se em 1976 e começou a trabalhar no escritório Klang & Reine em 1978, antes de abrir seu próprio escritório em 1989.

— Sei.

— Nesse meio-tempo, entre outras coisas, ele trabalhou um breve período como estagiário no tribunal de instâncias, só umas poucas semanas em 1976. Logo depois do exame, em 1976, trabalhou dois anos, até 1978, como jurista na direção geral da Polícia Nacional.

— Sei.

— Verifiquei as funções dele. Não foi fácil achar. Mas ele instruía casos jurídicos na Säpo. Trabalhava na Brigada dos Estrangeiros.

— Puta merda, repita isso!

— Em outras palavras, ele deve ter trabalhado lá na mesma época que este Björck de Smådalarö.

— Que filho-da-mãe! Björck, quero dizer. Ele não me contou que tinha trabalhado com o Bjurman.

A caminhonete tinha que estar nas redondezas. Paolo Roberto havia ficado tão para trás que em alguns momentos perdera o carro de vista, mas toda vez voltara a localizá-lo, por alguns segundos, até perdê-lo de novo. Fez o retorno pelo acostamento e voltou na direção norte. Dirigia devagar, atento às bifurcações.

A apenas cento e cinquenta metros, avistou de súbito um cone de luz brilhando numa brecha em meio à mata. Divisou uma estradinha florestal do outro lado do caminho e virou naquela direção. Percorreu uns dez metros e estacionou. Não se deu ao trabalho de trancar o carro, voltou correndo para a estrada principal e pulou o barranco. Lamentou não ter trazido uma lanterna enquanto ziguezagueava entre arbustos e mudas de árvores.

A mata formava uma tira estreita rente à estrada e de repente ele se viu num pátio de cascalhos. Avistou algumas construções sombrias e baixas e já ia se aproximando devagar, quando a iluminação sobre o portão de carregamento se acendeu.

Paolo se agachou e não se mexeu mais. Um segundo depois, uma luz foi acesa dentro de uma das construções. O armazém media uns trinta metros de comprimento e ostentava uma estreita fileira de janelas no alto da fachada. O pátio estava cheio de contêineres e, à direita, estava estacionado um caminhão amarelo. Ao lado do caminhão, avistou um Volvo branco. À luz da iluminação externa, percebeu de repente a caminhonete, estacionada apenas vinte e cinco metros adiante.

Uma porta de passagem abriu-se dentro do portão de carregamento bem à sua frente. Um homem loiro de barriga grande saiu do armazém e acendeu um cigarro. Quando ele virou a cabeça, Paolo avistou um rabo de cavalo à luz da abertura.

Paolo não mexeu um dedo, joelho apoiado no chão. Estava totalmente visível, a menos de vinte metros do homem, mas o clarão do isqueiro prejudicara sua visão noturna. Então, Paolo, e também o homem, aparentemente, escutou um grito abafado na caminhonete. Quando o rabo de cavalo avançou em direção ao veículo, Paolo, devagar, deitou-se de bruços.

Ouviu a porta de correr da caminhonete se abrindo e viu o gigante loiro descer, depois inclinar-se para dentro do veículo e tirar de lá Miriam Wu. Pegou-a debaixo do braço e carregou-a sem dificuldade, apesar das tentativas dela de se soltar. Os dois homens trocaram algumas palavras, mas Paolo não conseguiu ouvir o que diziam. Então o homem do rabo de cavalo abriu a porta do motorista e subiu. Arrancou e atravessou o pátio, fazendo uma curva apertada. O feixe dos faróis passou a poucos metros de Paolo. A caminhonete desapareceu num caminho de acesso e Paolo escutou o barulho do motor se distanciando.

Com Miriam Wu debaixo do braço, o gigante loiro entrou no armazém pela porta de passagem. Em seguida, Paolo viu sua silhueta passando por trás das vidraças. Teve a impressão que ele se dirigia a uma área mais afastada da construção.

Levantou-se, todos os sentidos alertas. Sua roupa estava úmida. Sentia-se ao mesmo tempo aliviado e preocupado. Aliviado por ter conseguido achar a caminhonete e estar com Miriam Wu ao alcance da mão, mas também cheio de respeito pelo preocupante gigante loiro que a tratava como se ela não passasse de uma sacola de compras da Konsum. Paolo reparara principalmente em sua enorme estatura e na impressão de força imensa que ele transmitia.

O mais lógico teria sido ir embora e chamar a polícia. Mas seu celular estava mudo e ele tinha apenas uma vaga ideia de onde se encontrava; não estava certo se conseguiria indicar o caminho para chegar até ali. Também não fazia a menor ideia do que estava acontecendo lá dentro com Miriam Wu.

Devagar, deu um semicírculo em volta da construção e constatou que aparentemente só havia uma entrada. Dois minutos depois, estava de volta, ciente de que precisava tomar uma decisão. Paolo já tinha entendido que o gigante loiro não era um mocinho nessa história. O sujeito tinha nocauteado Miriam Wu. Paolo não estava realmente com medo — tinha muita confiança em si próprio e sabia que podia se mostrar eficiente caso fosse preciso chegar às vias de fato. A questão era se o homem lá dentro estava armado, e se havia mais de um. Hesitou. Não devia haver mais ninguém.

O portão de carregamento, amplo o suficiente para dar passagem ao caminhão amarelo estacionado lá fora, tinha uma porta de entrada comum, embutida. Aproximou-se dessa porta, pegou na maçaneta e abriu. Viu-se num grande armazém iluminado por umas poucas lâmpadas, cheio de tralhas, caixas rasgadas e material desarrumado.

Miriam Wu sentia as lágrimas lhe escorrerem no rosto. Não chorava tanto de dor, e sim de medo. Durante o trajeto, o gigante a ignorara totalmente. Quando a caminhonete parou, ele tinha arrancado a fita adesiva. Erguera-a e carregara-a sem nenhum esforço, e a jogara no piso de cimento sem dar ouvidos a suas súplicas e protestos. Quando olhava para ela, era com um olhar gelado.

Miriam Wu compreendeu, de repente, que iria morrer naquele armazém.

Ele lhe deu as costas, se aproximou de uma mesa, abriu uma garrafa de água mineral e bebeu largos goles. Não prendera as suas pernas, e Miriam Wu começou a se levantar.

Ele voltou-se para ela e sorriu. Estava mais perto da porta que ela. Não havia a menor chance de passar na frente dele. Resignada, quedou-se ajoelhada e se enfureceu consigo mesma. *Você vai ver se eu me rendo sem lutar.* Ficou de pé e cerrou os dentes. *Vamos lá, seu Terminator idiota!*

Mãos algemadas atrás das costas, sentiu-se desajeitada e sem equilíbrio, mas, quando ele se aproximou, ela começou a girar e procurar uma brecha. Desfechou-lhe um pontapé nas costelas, deu uma viravolta e desfechou outro na virilha. Atingiu-o no quadril, recuou um metro e trocou de perna para o golpe seguinte. Com as mãos nas costas, não tinha equilíbrio suficiente para atingir o rosto, mas tascou-lhe um pontapé vigoroso no peito.

Ele estendeu uma mão, agarrou-lhe o ombro e a virou como se ela fosse uma folha de papel. Deu-lhe um soco só, não particularmente forte, na lombar. Miriam Wu urrou enlouquecida quando uma dor paralisante lhe transpassou o diafragma. Caiu de joelhos. Ele ainda lhe deu uma bofetada e ela desmoronou no chão. Ele levantou o pé e desferiu-lhe um pontapé no flanco. Ela ficou sem fôlego e ouviu umas costelas se quebrando.

Paolo Roberto não viu aquela surra, mas de repente ouviu Miriam Wu urrar de dor, um grito forte e estridente, logo interrompido. Voltou a cabeça na direção do som e cerrou os dentes. Havia outra sala, atrás de uma parede divisória. Atravessou o local sem fazer ruído e deu uma olhada cautelosa pela porta entreaberta no instante em que o gigante loiro empurrava Miriam Wu de costas. Ele sumiu alguns segundos de seu campo de visão e voltou de repente com uma serra elétrica que depositou no chão diante dela. Paolo Roberto franziu o cenho.

— Quero uma resposta para uma pergunta simples.

Sua voz era estranhamente aguda, parecia quase a voz de um menino. Paolo notou um sotaque estrangeiro.

— Onde está Lisbeth Salander?

— Eu não sei — murmurou Miriam Wu.

— Essa não é a resposta correta. Vou lhe dar uma segunda chance antes de ligar este negócio.

Ele se agachou e deu uns tapinhas na serra elétrica.

— Onde Lisbeth Salander está se escondendo?

Miriam Wu balançou a cabeça.

Paolo hesitou. Mas quando o gigante loiro estendeu a mão para pegar a serra elétrica, deu três passadas decididas sala adentro e enfiou-lhe um gancho de direita na lombar.

Paolo Roberto não se tornara um boxeador mundialmente famoso dando mostras de delicadeza no ringue. Tinha no currículo trinta e três lutas profissionais, das quais vencera vinte e oito. Quando batia em alguém, esperava uma reação. Reação essa que seria, por exemplo, o alguém em questão cair de joelhos e sentir dor em algum lugar. Desta vez, porém, teve a sensação de ter acertado uma parede de cimento. Nunca vivera nada parecido naqueles anos todos de ringue. Olhou, estupefato, para o colosso à sua frente.

O gigante loiro se virou e encarou Paolo Roberto com igual estupefação.

— O que você acha de enfrentar alguém da sua categoria? — perguntou Paolo Roberto.

Bateu uma série de direita-esquerda-direita na direção do diafragma, botando força. Legítimas bordoadas. E, de novo, teve a impressão de estar batendo numa parede. O único efeito foi o gigante loiro recuar meio passo, mais surpreso do que abalado pela força dos golpes. E, súbito, sua fisionomia se iluminou num sorriso.

— Você é o Paolo Roberto! — disse.

Paolo estacou, pasmo. Acabava de enfiar quatro golpes que, de acordo com as regras, teriam jogado o gigante loiro no chão, e ele próprio deveria estar voltando para o seu lado do ringue enquanto o juiz abria a contagem. Nenhum dos golpes parecia ter surtido o menor efeito.

Caramba. Isso não é normal.

Depois viu, quase em câmera lenta, o gancho de direita do loirinho cortar o ar. O cara era lento e seu golpe, previsível. Paolo esquivou-se e aparou parcialmente com o ombro esquerdo. Teve a sensação de ter sido atingido por um cano de ferro.

Paolo Roberto recuou dois passos, cheio de um renovado respeito por seu adversário.

Algo está errado. Ninguém bate desse jeito, porra.

Aparou maquinalmente um gancho de esquerda com o antebraço e sentiu de chofre uma dor fulgurante. Não teve tempo de aparar o gancho de direita que surgiu do nada e veio parar em sua testa.

Feito bêbado, Paolo recuou cambaleando até a porta. Estatelou-se ruidosamente contra uma pilha de bancos de madeira e balançou a cabeça. Sentiu imediatamente o sangue escorrendo, abundante, no seu rosto. *Me arrancou o supercílio. Vão ter que me costurar. De novo!*

No instante seguinte, o gigante entrou em seu campo de visão e Paolo jogou-se instintivamente para o lado. Esquivou por um fio mais uma bordoada do punho imenso. Recuou rápido três, quatro passos e conseguiu levantar os braços em posição de defesa. Paolo Roberto estava abalado.

O gigante loiro fitou-o com olhos curiosos, quase divertidos. Então adotou a mesma posição de defesa de Paolo Roberto. *É um boxeador.* Começaram lentamente a se cercar.

Os cento e oitenta segundos que se seguiram foram a luta mais esquisita que Paolo Roberto já tinha enfrentado. Não havia cordas nem luvas. Auxiliares e juiz, inexistentes. Nenhum gongo interrompendo a luta e mandando cada combatente para o seu canto do ringue fazer uma pausa de alguns segundos, com água, sais de amoníaco e uma toalha para limpar o sangue dos olhos.

Paolo Roberto entendeu de repente que lutava por sua vida. Todo o treino, todos aqueles anos batendo em sacos de areia, todo o *sparring* e toda a sua experiência de todas as lutas se concentraram na energia que ele produziu rapidamente enquanto sentia a adrenalina circular como nunca.

Já não punha surdina em seus golpes. Ele e o adversário se enfrentavam numa luta em que Paolo investia toda a sua força e todos os seus músculos. Esquerda, direita, esquerda, esquerda de novo e um *jab* de direita no rosto, se abaixar para o gancho de esquerda, um passo atrás, ataque de direita. Cada golpe desferido por Paolo Roberto atingia o adversário.

Estava enfrentando a luta mais importante de sua vida. Brigava tanto com o cérebro como com os punhos. Conseguia se abaixar e evitar cada golpe que o gigante desfechava.

Aplicou-lhe um puríssimo gancho de direita no maxilar, que deveria ter derrubado o adversário no chão. Teve a sensação de rebentar os ossos da mão. Olhou para as suas juntas e viu que estavam cobertas de sangue. Observou vermelhões e hematomas no rosto do gigante loiro. O adversário de Paolo dava a impressão de nem perceber os golpes.

Paolo recuou e fez uma pausa enquanto avaliava o adversário. *Ele não é boxeador. Se movimenta como um boxeador, mas está a dez mil milhas de saber lutar boxe. Está fazendo de conta. Não sabe aparar. Ele telegrafa seus golpes. E é incrivelmente lento.*

No instante seguinte, o gigante enfiou um gancho de esquerda na caixa torácica de Paolo. Foi seu segundo lance sério. Paolo sentiu a dor atravessando seu corpo quando as costelas estalaram. Tentou recuar e tropeçou na tralha espalhada no chão e caiu de costas. No espaço de um segundo, viu o gigante se erguer à sua frente, mas teve tempo de rolar para o lado e em seguida se pôr de pé, meio atordoado.

Recuou e tentou concentrar forças.

O gigante vinha mais uma vez para cima dele, mas Paolo já estava na defensiva. Esquivou, esquivou de novo e recuou. Sentia dor toda vez que aparava um golpe com o ombro.

Então chegou o momento que todo boxeador já experimentou, assustado, uma vez ou outra. Uma sensação que pode surgir bem no meio da luta. A sensação de não estar dando conta. A certeza. *Droga, estou perdendo.*

É o momento decisivo de quase todas as lutas de boxe.

O momento em que, súbito, falta força e a adrenalina circula tão depressa que vira uma carga paralisante, e uma capitulação resignada aparece no ringue, qual fantasma. É o momento que distingue o amador do profissional, o vencedor do perdedor. Poucos boxeadores, ao enfrentarem esse abismo, encontram força suficiente para reverter a luta e transformar em vitória uma derrota garantida.

Paolo Roberto foi tomado por essa certeza. Experimentou-a como um súbito frêmito na cabeça que o atordoou totalmente, e viveu aquele instante como se observasse a cena de fora, como se olhasse para o gigante loiro através da lente de uma câmera fotográfica. Naquele momento, era ganhar ou morrer.

Paolo Roberto recuou, descrevendo um amplo semicírculo para concentrar forças e ganhar tempo. O gigante seguiu-o, metódica mas lentamente, como se soubesse que o fim já estava dado e quisesse estender o *round*. *Ele está boxeando, só que não sabe boxear. Ele sabe quem eu sou. Quer acabar comigo. A força dele é quase inconcebível e ele parece totalmente insensível aos golpes.*

Os pensamentos giravam num turbilhão pela cabeça de Paolo enquanto ele tentava avaliar a situação e decidir o que fazer.

Súbito, reviveu a noite de Mariehamn, dois anos antes. Sua carreira profissional se encerrara de maneira brutal no seu encontro com o argentino Sebastián Luján. Experimentara o primeiro K. O. de sua vida e ficara desacordado durante quinze minutos.

Tinha repensado inúmeras vezes no que havia dado errado. Ele estava em excelente forma. Estava concentrado. Sebastián Luján não era melhor que ele. Mas o argentino conseguira desfechar um golpe perfeitamente puro, e de repente o *round* se transformara em naufrágio.

Mais tarde, no vídeo, vira a si mesmo titubeando indefeso. O *knock-out* acontecera vinte e três segundos depois.

Sebastián Luján não era melhor que ele, nem mais bem treinado. A margem era tão tênue que o resultado da luta poderia perfeitamente ter sido o inverso.

A única diferença que ele via, a posteriori, é que Sebastián Luján havia sido mais guloso. Quando Paolo subiu ao ringue em Mariehamn, queria vencer, mas não estava com vontade de boxear. Já não era, para ele, uma questão de vida ou morte. Uma derrota não seria nenhuma tragédia.

Um ano e meio depois, continuava boxeando. Não era mais profissional e só aceitava lutas amistosas como *sparring*. Mas ele ainda treinava. Não ganhara peso nem exibia pneuzinhos na cintura. Não era, evidentemente, um instrumento tão afinado como às vésperas de uma luta por um título, com o corpo exercitado meses a fio, mas era *Paolo Roberto* e tinha, sim, muito brio. E, à diferença daquela de Mariehamn, esta luta no armazém ao sul de Nykvarn era literalmente de vida ou morte.

Paolo Roberto se decidiu de repente. Estacou e deixou o gigante loiro chegar bem perto. Fintou com o esquerdo e investiu tudo o que tinha num gancho de direita. Jogou todas as suas forças e explodiu num golpe que atingiu boca e nariz. Seu ataque foi totalmente inesperado, depois de ter batido em retirada por tanto tempo. Enfim, ouviu alguma coisa cedendo. Completou com esquerdo-direito-esquerdo e desferiu os três golpes em pleno rosto.

O gigante loiro lutava em câmera lenta e ripostou com o direito. Telegrafou o golpe com muita antecedência, Paolo percebeu e se abaixou diante do punho imenso. Viu quando ele passou o peso para o outro lado e notou que o gigante pretendia continuar com o esquerdo. Em vez de aparar, Paolo se inclinou para trás e deixou o gancho de esquerda passar na frente de seu nariz. Respondeu com um golpe poderoso no lado do corpo, logo abaixo das costelas. Quando o gigante se esquivou para aparar o ataque, mais uma vez surgiu o gancho de esquerda de Paolo, abatendo-se em seu nariz.

Então sentiu que tudo o que fazia estava certo e que detinha o absoluto controle do combate. O inimigo, por fim, recuava. Sangrava pelo nariz. Não sorria mais.

Então o gigante loiro deu um pontapé.

O pé veio e pegou Paolo Roberto totalmente de surpresa. Por força do hábito, Paolo entrara em ritmo normal de boxe e não esperava o pontapé. Foi como uma martelada na lateral da coxa, logo acima do joelho, e uma dor fulgurante perpassou sua perna. *Não*. Deu um passo atrás quando a perna direita cedeu e tropeçou mais uma vez nos troços espalhados pelo chão.

O gigante olhou para ele. Por um breve segundo, seus olhos se encontraram. A mensagem era clara. A *luta terminara*.

Então os olhos do gigante se arregalaram quando Miriam Wu lhe desfechou um pontapé por trás, no meio das pernas.

Cada músculo do corpo de Miriam Wu doía, mas de algum modo ela tinha conseguido passar as mãos algemadas por baixo das nádegas, ficando assim com as mãos na frente do corpo. No seu estado, foi uma façanha de acrobacia e tanto.

Sentia dor nas costelas, na nuca, nas costas, na lombar, e só a muito custo pusera-se de pé. Por fim, cambaleou em direção à porta e, estupefata, viu Paolo Roberto — *de onde saiu esse aí?* — atingir o gigante com seu gancho de direita, depois a sequência de golpes no rosto antes de ser ceifado pelo pontapé.

Miriam Wu percebeu que não estava minimamente interessada em saber como e por que Paolo Roberto tinha aparecido ali. Ele era do time dos mocinhos. Pela primeira vez na vida, experimentou o desejo assassino de machucar alguém. Deu alguns passos rápidos e mobilizou suas últimas migalhas de energia e os músculos que ainda estavam intactos. Avançou para o gigante pelas costas e enfiou-lhe um pontapé entre as pernas. Não era, decerto, o boxe tailandês segundo as regras da arte, mas o pontapé surtiu efeito.

Miriam Wu meneou a cabeça consigo mesma, com ar entendido. Os caras até podiam ser do tamanho de uma casa e feitos de granito, mas suas bolas ficavam sempre no mesmo lugar. E seu pontapé tinha sido tão puro que deveria ser registrado no *Livro Guinness dos recordes*.

Pela primeira vez o gigante loiro pareceu abalado. Soltou um gemido, levou a mão aos genitais e caiu de joelhos.

Miriam ficou um ou dois segundos indecisa, até se dar conta de que tinha que prosseguir e tentar acabar com aquilo. Optou por um pontapé na cara, mas ele conseguiu erguer um braço. Normalmente, seria impossível ele se recuperar tão depressa. E era como chutar o tronco de uma árvore. Ele agarrou bruscamente o seu pé, derrubou-a e começou a puxá-la para si. Ela viu o punho dele se levantar, contorceu-se desesperadamente e deu um golpe com sua perna livre. Atingiu-o na orelha no exato instante em que o soco se abatia em sua têmpora. Miriam Wu teve a sensação de ter dado de cabeça numa parede. Viu estrelas e tudo ficou preto diante de seus olhos.

O gigante loiro começou a se levantar.

Foi então que Paolo Roberto acertou a cabeça dele com a tábua na qual tropeçara. O gigante loiro caiu duro, batendo no chão com estardalhaço.

Paolo Roberto contemplou o armazém com uma sensação de irrealidade. O gigante loiro se contorcia no chão. Miriam Wu estava com os olhos vidrados e parecia totalmente nocauteada. Os esforços conjuntos dos dois lhes concediam uma trégua momentânea.

Paolo Roberto tinha dificuldade em se apoiar na perna machucada, desconfiava que um músculo cedera logo acima do joelho. Manquejou até Miriam Wu e colocou-a de pé. Ela começou a se mexer, mas o olhar que lhe dirigiu estava muito incerto. Sem uma palavra, ele puxou-a sobre o ombro e, mancando, se encaminhou para a porta. A dor no joelho direito era tanta que ele vez ou outra pulava numa perna só.

Foi uma libertação ver-se lá fora, no ar escuro e frio. Mas nem pensar em parar. Atravessou o pátio de cascalho e penetrou na mata, refazendo o caminho por onde viera. Assim que chegou no meio das árvores, tropeçou na raiz de um pinheiro caído e desabou. Miriam Wu gemeu e ele ouviu a porta do armazém se abrindo ruidosamente.

O gigante loiro apareceu, silhueta monumental no retângulo iluminado da abertura da porta. Paolo pôs uma mão sobre a boca de Miriam Wu. Inclinou-se e sussurrou em seu ouvido que ficasse em absoluto silêncio.

Então tateou o chão em volta da raiz e achou uma pedra, maior que seu punho fechado. Fez o sinal da cruz. Pela primeira vez em sua vida pecadora, Paolo Roberto estava preparado para matar um ser humano. Machucado e maltratado como estava, não aguentaria mais um *round*. Mas ninguém, nem aquele monstro loiro que era uma aberração da natureza, podia lutar com a cabeça quebrada. Ele apertou a pedra na mão e sentiu que ela tinha forma oval e uma borda afiada.

O gigante loiro foi até a esquina da construção e, dali, deu uma volta ampla pelo pátio. Parou a menos de dez metros de Paolo, que prendia a respiração. O gigante escutou, espreitou — mas não podia saber para que lado eles tinham se esvanecido noite adentro. Depois de espiar alguns minutos, pareceu entender a inutilidade do seu gesto. Entrou na construção a passos rápidos, ausentando-se um ou dois minutos. Apagou a luz, saiu com uma sacola e dirigiu-se para o Volvo branco. Arrancou a toda e disparou pelo caminho de acesso. Paolo ficou escutando em silêncio, até o ruído do motor sumir ao longe. Baixou o olhar e viu os olhos de Miriam cintilando no escuro.

— Olá, Miriam — disse. — Meu nome é Paolo Roberto, e você não precisa ter medo de mim.

— Eu sei.

A voz dela estava fraca. Esgotado, ele se recostou na imensa raiz e sentiu refluir, no seu corpo, o nível da adrenalina.

— Não sei como vou fazer para chegar lá — disse Paolo —, mas estou com um carro estacionado do outro lado da estrada. A uns cento e cinquenta metros daqui.

* * *

O gigante loiro freou e entrou numa área de parada na estrada a leste de Nykvan. Estava chacoalhado, abalado, e sentia uma coisa estranha na cabeça.

Era a primeira vez na vida que apanhava numa briga. E o homem que lhe passara o corretivo era Paolo Roberto... o famoso boxeador. Parecia um sonho absurdo, do tipo que ele às vezes tinha em noites agitadas. Não conseguia entender de onde Paolo Roberto surgira. Ele simplesmente aparecera do nada no armazém.

Uma coisa totalmente insana.

Ele não sentira os golpes de Paolo Roberto. Isso não o surpreendia. Mas sentira o pontapé entre as pernas. E o tremendo golpe na cabeça quase o nocauteara. Com os dedos, apalpou a nuca e encontrou um galo enorme. Apertou, e não sentiu nenhuma dor. Mesmo assim, sua cabeça rodava. Surpreso, ao tatear com a língua notou que perdera um dente da arcada superior. Sua boca estava com gosto de sangue. Segurou o nariz com o polegar e o indicador, e movimentou-o devagar. Ouviu um estalo na cabeça e constatou que o nariz estava quebrado.

Agira corretamente ao pegar a sacola e sair do armazém antes que a polícia chegasse. Mas cometera um erro colossal. Tinha visto no Discovery Channel que os investigadores eram capazes de achar grande quantidade de provas médico-legais no local de um crime. Sangue. Cabelos. DNA.

Não estava com a menor vontade de voltar para o armazém, mas não tinha escolha. Precisava fazer uma faxina. Deu meia-volta e saiu em sentido contrário. Pouco antes de chegar a Nykvarn, cruzou com um carro sem nem prestar atenção nele.

O trajeto de volta a Estocolmo foi um pesadelo. Paolo Roberto estava com sangue nos olhos e tinha apanhado tanto que seu corpo lhe fazia sofrer um martírio. Ia dirigindo de qualquer jeito e percebeu que ziguezagueava de um lado para o outro da estrada. Enxugou os olhos com uma mão e apalpou o nariz devagarinho. Estava doendo muito mesmo, e ele só conseguia respirar pela boca. Espreitava constantemente um Volvo branco, e teve a impressão de ter cruzado com um perto de Nykvarn.

Ao chegar à E20, ficou mais fácil dirigir. Pensou em parar em Södertälje, mas não tinha ideia de onde poderia ir. Deu uma olhada em Miriam Wu, ainda algemada e arriada, sem cinto de segurança, no banco traseiro. Tivera que carregá-la até o carro, e ela tinha desmaiado assim que foi puxada para dentro. Não sabia se estava desacordada por causa dos ferimentos ou se tinha simplesmente se desconectado de pura exaustão. Hesitou. Por fim, pegou a E4 em direção a Estocolmo.

Mikael Blomkvist estava dormindo havia apenas uma hora quando o telefone começou a tocar. Olhou o relógio, viu que eram pouco mais de quatro da manhã e se esticou para atender, ainda sonolento. Era Erika Berger. De início, não entendeu o que ela dizia.

— Onde é que está o Paolo Roberto?

— No hospital de Söder, com a Miriam Wu. Ele tentou te ligar, mas você não atendeu o celular e ele não tem o número do seu telefone fixo.

— Desliguei o celular. O que ele está fazendo no hospital?

A voz de Erika Berger estava paciente mas firme.

— Mikael. Pegue um táxi e vá correndo até lá ver o que foi. Ele estava completamente confuso quando me ligou, falou numa serra elétrica, numa casa no meio do mato e num monstro que não sabia lutar boxe.

Mikael pestanejou, sem entender. Então balançou a cabeça e estendeu o braço para pegar a calça.

Paolo Roberto parecia péssimo, deitado de cuecas numa maca. Fazia mais de uma hora que Mikael esperava para vê-lo. O nariz estava tapado por um curativo. O olho esquerdo estava todo inchado e a sobrancelha ostentava um esparadrapo cirúrgico no lugar em que levara cinco pontos de sutura. Tinha uma bandagem em volta das costelas e ferimentos e arranhões no corpo inteiro. O joelho esquerdo estava envolto numa atadura bem apertada.

Mikael Blomkvist lhe ofereceu café num copinho de papelão da máquina do corredor, e examinou seu rosto com jeito crítico.

— Você está parecendo um carro depois de uma batida — disse. — Me conte o que aconteceu.

Paolo Roberto balançou a cabeça e seu olhar cruzou com o de Mikael.

— Puta de um monstro — ele disse.

— O que aconteceu?

Paolo Roberto balançou mais uma vez a cabeça e olhou para os próprios punhos. As juntas estavam tão machucadas que ele mal conseguia segurar o copinho. Tinham lhe aplicado curativos. A mulher dele apreciava o boxe com restrições e ia ficar furiosa.

— Eu sou um boxeador — disse. — Quero dizer, quando eu estava na ativa, não tinha medo de entrar num ringue contra quem quer que fosse. Levei boas bordoadas, sei dar e receber. Quando ataco alguém, é para o cara cair e sentir dor.

— E não foi isso que aconteceu.

Paolo Roberto balançou a cabeça pela terceira vez. Contou calmamente, em detalhes, os acontecimentos daquela noite.

— Eu acertei o cara umas trinta vezes, pelo menos. Catorze, quinze vezes na cabeça. Atingi o maxilar quatro vezes. No começo, me contive; não queria matar, só me defender. No fim, dei absolutamente tudo de mim. Um golpe meu teria que ter quebrado o maxilar dele. E o puta do monstro só se sacudiu um pouco e continuou batendo. Porra de merda, aquilo não era um ser humano normal.

— Como é que ele é?

— Tem a estrutura de um robô antitanque. Não estou exagerando. Mede mais de dois metros e deve pesar uns cento e trinta, cento e quarenta quilos. Não estou brincando quando eu digo que ele é puro músculo e tem uma ossatura de cimento armado. Um puta gigante loiro que simplesmente não sente dor.

— Você nunca o tinha visto antes?

— Nunca. Não é um boxeador. Mas, estranhamente, ainda assim é um boxeador.

— O que você quer dizer?

Paolo Roberto refletiu um instante.

— Ele ignora tudo de boxe. Eu podia fintar e obrigar ele a abrir a guarda, e ele não tinha a menor ideia de como se movimentar para evitar os golpes. Não dava uma dentro. Mas, ao mesmo tempo, tentava se movimentar igual a um boxeador. Levantava o braço do jeito certo e ficava o tempo todo em posição de partida, feito um boxeador de verdade. Parecia que já tinha treinado boxe, só que sem escutar nada do que os treinadores falavam.

— Certo.

— O que salvou a minha vida, e a vida da garota, é que ele se movimentava superdevagar. Mandava uns *swings* de amador, avisando com meses de antecedência, de modo que eu conseguia esquivar ou aparar. Levei dois murros: um na cara, e você pode ver o resultado, e outro no corpo, que me quebrou uma costela. Mas foram dois quase-golpes. Se ele tivesse se posicionado direitinho, teria me arrancado a cabeça.

Paolo Roberto começou a rir de repente. Um riso estrondoso.

— O que foi?

— Eu venci. Esse louco varrido tentou me matar, e eu venci. Consegui derrubá-lo. Mas tive que usar a merda de uma tábua para dar o que ele merecia.

Tornou a ficar sério.

— Se a Miriam Wu não tivesse chutado as bolas dele na hora certa, vai saber como isso teria acabado.

— Paolo, estou muito, muito feliz por você ter vencido esta luta. A Miriam Wu vai dizer a mesma coisa quando acordar. Você tem alguma informação sobre o estado dela?

— Está mais ou menos do mesmo jeito que eu. Concussão cerebral, várias costelas partidas, nariz quebrado e um estrago nos rins.

Mikael se inclinou e pôs a mão no joelho de Paolo Roberto.

— Se algum dia você precisar de um favor... — disse Mikael.

Paolo Roberto meneou a cabeça e sorriu suavemente.

— Blomkvist, se você precisar de mais um favor...

— Sim.

— ...chame o Sebastián Luján.

26. QUARTA-FEIRA 6 DE ABRIL

O inspetor criminal Jan Bublanski estava de péssimo humor quando se encontrou com Sonja Modig no estacionamento do hospital de Söder, pouco antes das sete da manhã. Tinha sido acordado pelo telefonema de Mikael Blomkvist. Depois de alguns instantes, compreendera que algo dramático tinha acontecido durante a noite e, por sua vez, tinha ligado e acordado Modig. Encontraram Mikael no hall e foram juntos até o quarto de Paolo Roberto.

Bublanski estava custando a assimilar todos os detalhes, mas acabou por entender que Miriam Wu tinha sido raptada e Paolo Roberto tinha dado uma surra no raptor. Isto posto, ao olhar mais de perto para o ex-boxeador profissional, não ficava claro quem tinha dado uma surra em quem. No que dizia respeito a Bublanski, os acontecimentos da noite tinham alçado a investigação sobre Lisbeth Salander a um novo patamar de complicação. Nada, na porra daquele caso, parecia normal.

Sonja Modig fez a primeira pergunta pertinente, querendo saber como Paolo Roberto tinha entrado na trama.

— Eu sou amigo de Lisbeth Salander.

Bublanski e Modig trocaram um olhar cético.

— E o senhor a conhece de onde?

— Salander era minha *sparring-partner* nos treinos.

Bublanski fixou os olhos num ponto da parede atrás de Paolo Roberto. Sonja Modig caiu numa risada repentina e inconveniente. Ou seja, nada nesse caso parecia normal, simples e descomplicado. Mesmo assim, tinham aos poucos tomado nota de todos os fatos.

— Agora eu gostaria de fazer umas observações — disse Mikael Blomkvist, seco.

Todos olharam para ele.

— Primeiro. A descrição do homem ao volante da caminhonete corresponde à descrição que eu fiz da pessoa que agrediu Lisbeth Salander, exatamente no mesmo local, na Lundagatan. Um cara alto e loiro, com rabo de cavalo e um barrigão. Certo?

Bublanski meneou a cabeça.

— Segundo. O objetivo desse rapto era obrigar Miriam Wu a revelar o esconderijo de Lisbeth Salander. Logo, os dois bonitões loiros estão atrás da Salander desde pelo menos uma semana antes dos assassinatos. Entendido?

Modig fez que sim com a cabeça.

— Terceiro. Se existem outros personagens nesta história, Lisbeth Salander não é mais a "demente solitária" que quiseram pintar.

Nem Bublanski nem Modig retrucaram.

— Vai ficar difícil argumentar que o cara de rabo de cavalo é membro de um grupo de lésbicas satânicas.

Modig esboçou um sorriso.

— E quarto, para concluir. Acho que esta história tem alguma coisa a ver com um sujeito chamado Zala. O Dag Svensson estava se concentrando nele nas duas últimas semanas. Todas as informações estão no computador dele. O Dag Svensson associava o tal Zala ao assassinato, em Södertälje, de uma prostituta chamada Irina Petrova. A autópsia revelou que ela sofreu violências graves. Tão graves que pelo menos três ferimentos foram mortais. O relatório da autópsia é vago no que toca ao instrumento utilizado para matá-la, mas os ferimentos são surpreendentemente parecidos com a violência sofrida pela Miriam Wu e o Paolo. O instrumento, no caso, poderia ser as mãos de um gigante loiro.

— E o Bjurman? — perguntou Bublanski. — Até aceito que alguém pudesse ter um motivo para silenciar o Dag Svensson. Mas quem poderia ter um motivo para eliminar o tutor de Lisbeth Salander?

— Não sei. As peças do quebra-cabeça não estão todas no lugar, mas em algum ponto existe um elo entre o Bjurman e o Zala. É a única explicação plausível. O que vocês acham de começar a desenvolver outro raciocínio? Se a Lisbeth Salander não for culpada, isso significa que outra pessoa cometeu os assassinatos. Acho que esses crimes têm alguma coisa a ver com o comércio do sexo. E a Salander preferiria morrer a se envolver numa coisa desse tipo. Eu já disse, ela é de uma moralidade inabalável.

— Neste caso, qual seria o papel dela?

— Não sei. Testemunha? Adversária? Ela talvez tenha aparecido em Enskede para avisar o Dag e a Mia que a vida deles corria perigo. Não esqueçam que ela é uma investigadora excepcional.

Bublanski pôs a engrenagem para funcionar. Ligou para a polícia de Södertälje e passou o itinerário fornecido por Paolo Roberto, pedindo que achassem um armazém desativado a sudeste do lago Yngern. Depois, ligou para o inspetor Jerker Holmberg — que morava em Flemingsberg e era quem estava mais próximo, portanto, de Södertälje — pedindo que fosse, mais depressa que um raio, se encontrar com a polícia de Södertälje para assisti-los no exame do local.

Jerker Holmberg ligou uma hora mais tarde. Acabava de chegar ao local. A polícia de Södertälje localizara sem dificuldades o armazém. Ele acabava de se incendiar totalmente, com mais dois galpões existentes no mesmo terreno, e os bombeiros estavam apagando o que sobrara do fogo. Não havia dúvida de que fora um incêndio criminoso — dois galões de gasolina tinham sido encontrados nos escombros.

Bublanski sentiu uma frustração muito próxima da fúria.

Que baderna era aquela? Quem era esse gigante loiro? Quem era de fato Lisbeth Salander? E por que era tão impossível encontrá-la?

A situação não ficou nada melhor quando o procurador Richard Ekström veio participar da reunião das nove horas. Bublanski fez um relatório dos trágicos acontecimentos daquela noite. Sugeriu que se dessem outras prioridades à investigação, já que alguns fatos misteriosos tinham vindo complicar o roteiro que servia de base aos trabalhos.

O relato de Paolo Roberto só veio reforçar a história da agressão de Lisbeth Salander na Lundagatan. Com isso, perdia força a hipótese de que os assassinatos eram um ato de loucura cometido por uma mulher sozinha e doente mental. Isso não significava que Lisbeth Salander estivesse livre das suspeitas que pesavam sobre ela — para tanto, precisavam primeiro encontrar uma explicação plausível para as suas digitais na arma do crime —, mas significava que a investigação agora tinha de se concentrar seriamente na possibilidade de um outro culpado. Nesse caso, só existia uma hipótese por enquanto: a teoria de Mikael Blomkvist segundo a qual os homicídios tinham relação com as iminentes revelações de Dag Svensson sobre o comércio sexual. Bublanski apresentou três pontos fundamentais.

A tarefa mais importante no momento consistia em identificar o homem alto e loiro e seu cúmplice de rabo de cavalo, que tinham raptado e torturado Miriam Wu. O homem alto e loiro tinha um aspecto físico tão peculiar que não deveria ser difícil encontrá-lo.

Curt Bolinder observou, com pertinência, que Lisbeth Salander também tinha um aspecto físico peculiar e que depois de três semanas de buscas a polícia ainda ignorava totalmente seu paradeiro.

A segunda tarefa implicava em a direção das investigações ter de destacar um grupo para se concentrar ativamente na suposta lista de clientes sexuais existente no computador de Dag Svensson. Havia nisso um problema logístico. Sem dúvida, o grupo de investigação estava de posse do computador da *Millennium* utilizado por Dag Svensson, e dos backups em discos ZIP do *laptop* desaparecido, mas eles continham pesquisas acumuladas em vários anos, eram literalmente milhares de páginas que eles levariam um tempo enorme para catalogar e entender. O grupo precisava de um reforço, e Bublanski imediatamente designou Sonja Modig para dirigir as operações.

A terceira tarefa consistia em focalizar uma pessoa desconhecida chamada Zala. Para tanto, a equipe pediria ajuda ao grupo especial de investigação sobre o crime organizado, que avisara já ter topado com esse nome em várias oportunidades. A tarefa foi confiada a Hans Faste.

Por fim, Curt Bolinder coordenaria o prosseguimento das buscas a Lisbeth Salander.

O relatório de Bublanski durou apenas seis minutos, mas desencadeou uma discussão de uma hora. Hans Faste estava irredutível em sua resistência a Bublanski, e não procurou disfarçar. Isso muito surpreendeu Bublanski, que decerto nunca gostara de Faste mas sempre o tivera como um policial competente.

Hans Faste julgava que a investigação devia se concentrar em Lisbeth Salander, pouco importando todas aquelas informações secundárias. Segundo ele, o conjunto de indícios contra Salander era tão claro que no momento seria um absurdo se meter a buscar culpados alternativos.

— Quero dizer, isso tudo é puro blablablá. Temos um caso psiquiátrico que só veio se confirmando ano após ano. Você acha realmente que todos os relatórios do hospital psiquiátrico e do médico legista são pura brincadeira? Ela está ligada ao local do crime. Temos provas de que roda bolsinha e tem uma quantia alta de dinheiro não declarado na conta bancária.

— Estou ciente disso.

— Ela participa de uma espécie de culto lésbico do sexo. E ponho a mão no fogo como essa outra sapatão, a Cilla Norén, sabe mais do que está dizendo.

Bublanski elevou a voz.

— Faste. Pare com isso. Você está completamente obcecado pela perspectiva gay. Não está sendo profissional.

Lamentou imediatamente ter se pronunciado diante do grupo em vez de conversar a sós com Faste. O procurador Ekström interrompeu a discussão. Parecia indeciso sobre o rumo a ser tomado. Por fim, declarou que a linha de Bublanski era válida; passar por cima dele equivaleria a afastá-lo do comando da investigação.

— Vamos fazer o que o Bublanski decidiu.

Bublanski deu uma olhada para Steve Bohman e Niklas Eriksson, da Milton Security.

— Pelo que entendi, vocês só estão disponíveis por mais três dias, temos que aproveitar. Bohman, você vai ajudar o Curt Bolinder na busca de Lisbeth Salander. Eriksson, você continua com a Modig.

Ekström refletiu um instante e levantou a mão quando todo mundo estava prestes a sair.

— Outra coisa. Essa história do Paolo Roberto fica entre nós. A mídia vai ficar histérica se entrar outra celebridade na investigação. Portanto, nenhuma palavra sobre isso fora desta sala.

Sonja Modig foi ter com Bublanski logo depois da reunião.

— Perdi a paciência com o Faste. Não foi muito profissional da minha parte — disse Bublanski.

— Eu sei como é — ela sorriu. — Comecei a trabalhar no computador do Svensson na segunda-feira.

— Eu sei. Em que pé estão as coisas?

— Há lá uma dúzia de versões do manuscrito dele, uma quantidade enorme de documentos de pesquisa, e está difícil decidir o que é importante e o que não tem nenhum interesse. Vou precisar de dias e dias só para abrir e percorrer todos os arquivos.

— Niklas Eriksson?

Sonja Modig hesitou. Então se virou e fechou a porta da sala de Bublanski.

— Não quero jogar o cara na lama, mas francamente ele não tem sido muito útil.

Bublanski franziu o cenho.

— Diga lá.

— Não sei. Ele não é um policial de verdade, como o Bohman já foi. Fala um monte de bobagem, demonstra mais ou menos a mesma postura que o Hans Faste em relação a Miriam Wu, e a missão não parece ter grande interesse para ele. Não consigo perceber o que é, mas está na cara que ele tem algum problema com a Lisbeth Salander.

— Ou seja?

— Tenho a sensação de que algo podre está fermentando em algum lugar.

Bublanski meneou a cabeça devagar.

— Sinto muito. O Bohman é legal, mas, para ser sincero, não gosto de ter pessoas de fora na investigação.

Sonja Modig meneou a cabeça.

— Então, o que a gente faz?

— Você vai ter que aguentar até o final da semana. O Armanskij já disse que eles vão parar se não houver nenhum resultado. Vá lá, comece a pesquisar e conforme-se em fazer tudo sozinha.

Sonja Modig interrompeu sua pesquisa quarenta e cinco minutos depois de começar, quando foi afastada da investigação. Foi repentinamente convocada à sala do procurador Ekström, onde Bublanski já se encontrava. Os dois homens estavam vermelhos. O jornalista *freelancer* Tony Scala acabava de publicar o furo de que Paolo Roberto tinha livrado a sapatona sadomasô Miriam Wu de um sequestrador. O texto continha vários detalhes que nenhuma pessoa alheia à investigação poderia conhecer. Insinuava que a polícia considerava a possibilidade de indiciar Roberto por golpes e ferimentos agravados.

Ekström já havia recebido vários telefonemas de jornalistas pedindo esclarecimentos sobre o papel do boxeador. Estava a ponto de surtar quando acusou Sonja Modig de ser a responsável pelo vazamento. Modig rechaçou prontamente a acusação, mas foi inútil. Ekström fazia questão de afastá-la da investigação. Bublanski estava furioso. Sem nenhuma hesitação, tomou o partido de Modig.

— A Sonja está dizendo que não foi ela que deixou vazar. Para mim é o suficiente. É loucura afastar uma investigadora experiente, que já está perfeitamente por dentro do caso.

Ekström retrucou com escancarada desconfiança em relação a Sonja Modig. Por fim, sentou-se à sua mesa e fechou-se num mutismo irredutível. Não houve como fazê-lo mudar de ideia.

— Modig, não posso provar que você é a responsável pelos vazamentos, mas não tenho a menor confiança em você nesta investigação. A partir deste momento considere-se afastada. Tire uns dias de folga até o final da semana. Na segunda-feira, vai ser encaminhada para outra missão.

Modig não tinha escolha. Meneou a cabeça e dirigiu-se para a porta. Bublanski a deteve.

— Sonja. Quero afirmar alto e bom som: não acredito um segundo sequer nesta acusação, e você tem toda a minha confiança. Mas não sou eu quem decide. Passe na minha sala antes de ir para casa.

Ela assentiu com a cabeça. Ekström parecia furioso. A fisionomia de Bublanski adquirira uma coloração preocupante.

* * *

Sonja Modig voltou para sua sala, onde ela e Niklas Eriksson estavam trabalhando no computador de Dag Svensson. Sentia-se furiosa e prestes a cair no choro. Eriksson olhou-a dissimuladamente, notou que algo não estava bem, mas não disse nada e ela o ignorou. Sentou-se à sua mesa e ficou olhando para a frente. Um silêncio pesado tomou conta da sala.

Por fim, Eriksson se desculpou e disse que precisava ir ao banheiro. Perguntou se queria que ele lhe trouxesse um café. Ela balançou a cabeça.

Depois que ele saiu, ela se levantou, vestiu a jaqueta, pegou a bolsa e foi até a sala de Bublanski. Ele lhe indicou a cadeira dos visitantes.

— Sonja, eu não vou largar essa história de mão, a menos que o Ekström me afaste da investigação também. Não aceito o que está acontecendo e pretendo ir até o fim. Por enquanto você fica, por ordem minha. Entendeu?

Ela meneou a cabeça.

— Não vai ficar o resto da semana em casa como o Ekström mandou. Eu lhe ordeno que vá à redação da *Millennium* e converse mais uma vez com o Mikael Blomkvist. Depois, peça simplesmente para ele guiar você pelo disco rígido do Dag Svensson. Eles têm uma cópia lá na *Millennium*. A gente vai ganhar muito tempo se tiver alguém que já conheça o material e possa eliminar os dados desimportantes.

Sonja Modig respirava um pouco melhor.

— Eu não falei nada para o Niklas Eriksson.

— Eu cuido disso. Ele vai ficar com o Curt Bolinder. Você viu o Hans Faste, por acaso?

— Não. Ele saiu de manhã, logo depois da reunião.

Bublanski suspirou.

Mikael Blomkvist deixara o hospital de Söder por volta das oito horas e voltara para casa. Percebeu que nem de longe preenchera sua cota de sono e era absolutamente necessário que estivesse em boa forma para a entrevista daquela tarde com Gunnar Björck em Smådalaro. Despiu-se e pôs o despertador para tocar às dez e meia, o que lhe deu duas horas de um sono bem merecido. Ao acordar, tomou um banho, fez a barba e vestiu uma camisa limpa antes de sair. Acabava de passar pela praça de Gullmarsplan, quando Sonja Modig ligou para o seu celular. Mikael respondeu que tinha um compromisso e não podia vê-la de jeito nenhum. Ela explicou o que queria e ele a encaminhou para Erika Berger.

Sonja Modig foi até a redação da *Millennium*. Observou Erika Berger e concluiu que gostava daquela mulher assertiva e segura de si, com suas covinhas e sua franja loira curta. Erika lembrava um pouco uma Laura Palmer com mais idade. Perguntou-se, saindo um pouco do assunto, se Berger também era lésbica, já que, segundo Hans Faste, todas as mulheres desta investigação pareciam ter esta orientação sexual, depois lembrou de ter lido em algum lugar que ela era casada com o artista Lars Beckman. Erika escutou seu pedido de ajuda para percorrer o conteúdo do disco rígido de Dag Svensson. Pareceu incomodada.

— Só tem um problema — disse Erika Berger.

— Diga — disse Sonja Modig.

— Não que a gente não queira que os assassinatos sejam esclarecidos, ou não queira colaborar com a polícia. Aliás, vocês já estão com todo o material do computador do Dag Svensson. O problema é um dilema ético. Mídia com polícia não dá um bom casamento.

— Acredite. Pude entender isso muito bem hoje de manhã — Sonja Modig sorriu.

— Como assim?

— Nada. Foi só uma observação.

— Certo. Para manter sua credibilidade, a imprensa deve observar uma distância bem clara em relação às autoridades. Os jornalistas que andam pelas delegacias colaborando nas investigações policiais acabam virando lacaios da polícia.

— Já cruzei com alguns tipos assim — disse Modig. — Se entendi bem, a recíproca também é verdadeira. Policiais que viram lacaios de alguns jornais.

Erika Berger riu.

— É verdade. Infelizmente, devo informar que aqui na *Millennium* a gente simplesmente não tem recursos para praticar este tipo de jornalismo interesseiro. Não estamos falando de um interrogatório dos colaboradores da *Millennium* — a gente acataria sem discutir — e sim de um pedido formal para que a *Millennium* colabore ativamente na investigação colocando à disposição seu material jornalístico.

Sonja Modig meneou a cabeça.

— Existem dois aspectos. Primeiro, trata-se do assassinato de um colaborador desta revista. Por esse prisma, é evidente que vamos fornecer toda a ajuda que vocês pedirem. Mas o outro aspecto é que existem coisas que não podemos entregar à polícia. Falo das nossas fontes.

— Eu sei ser flexível. Posso me comprometer a proteger as fontes de vocês. Aliás, elas não me interessam.

— Não se trata das suas boas intenções e nem da confiança que temos em você. Trata-se do fato de que nunca se revela uma fonte, qualquer que seja a circunstância.

— Certo.

— E também existe o fato de que, aqui na *Millennium*, estamos fazendo nossa própria investigação sobre os assassinatos, o que deve ser encarado como um trabalho jornalístico. Estou pronta a fornecer informações à polícia quando tivermos algo para publicar. Mas não antes.

Erika Berger franziu a testa e refletiu. Por fim, meneou a cabeça, pensativa, e prosseguiu.

— Mas eu também tenho que conseguir me olhar no espelho. Vamos fazer assim... Você vai trabalhar com a nossa colaboradora Malu Eriksson. Ela conhece muito bem o material e tem a competência necessária para definir os limites. Ela fica encarregada de guiar você pelo livro do Dag Svensson, do qual você já tem uma cópia. O objetivo será estabelecer um inventário compreensível das pessoas que podemos considerar suspeitos em potencial.

Irene Nesser desconhecia o drama que se desenrolara naquela noite quando pegou o trem de subúrbio de Södra Station para Södertälje. Vestia uma jaqueta de couro semilonga, calças escuras e um pulôver vermelho bem-cuidado. Usava óculos, erguidos sobre a cabeça.

Em Södertälje, achou o ônibus para Strängnäs e comprou uma passagem para Stallarholmen. Desceu ao sul de Stallarholmen pouco depois das onze da manhã. Estava num ponto de ônibus e dali não avistava nenhuma habitação. Visualizou mentalmente o mapa. O lago Mälaren ficava poucos quilômetros a nordeste, e pelo campo se espalhavam várias casas de veraneio, mas também algumas habitadas o ano inteiro. A propriedade do dr. Nils Bjurman situava-se numa zona de casas de veraneio, a cerca de três quilômetros do ponto do ônibus. Tomou um gole de água da garrafa plástica e se pôs a caminho. Chegou quarenta e cinco minutos depois.

Primeiro deu uma volta pelo lugar, só para ter uma ideia da vizinhança. À direita, a casa mais próxima ficava a mais de cento e cinquenta metros. Não havia ninguém. À esquerda, estendia-se um fosso comprido. Passou mais duas casas antes de chegar a uma aldeiazinha de veraneio, onde o único sinal de presença humana era uma janela aberta e o som de um rádio. Mas isso era a trezentos metros da casa de Bjurman. Poderia trabalhar com relativa tranquilidade.

Tinha trazido as chaves encontradas no apartamento de Bjurman e não teve dificuldade para entrar. Sua primeira providência foi abrir uma veneziana nos fundos, o que lhe oferecia uma saída de emergência em caso de problema pela frente. O problema que ela imaginava era algum tira de repente ter a ideia de visitar a casa.

A casa de Bjurman era uma construção antiga e pequena que comportava uma sala, um quarto e uma cozinha integrada com água corrente. A toalete ficava nos fundos do jardim. Lisbeth passou vinte minutos vasculhando armários, roupeiros e cômodas. Não achou nenhum pedaço de papel relacionado com Lisbeth Salander ou Zala.

Por fim, saiu para o jardim e examinou a toalete e um depósito de lenha. Não havia nada interessante e nenhum documento. Tinha feito aquela viagem por nada.

Sentou-se nos degraus da entrada, tomou água e comeu uma maçã.

Quando passou pelo hall para fechar a veneziana, seu olhar topou com uma escada de alumínio. Voltou para a sala e examinou o teto de lambri. O alçapão do sótão, entre duas vigas, era praticamente invisível. Foi buscar a escada, abriu o alçapão e deparou de imediato com cinco arquivos A4.

O gigante loiro estava aborrecido. As coisas tinham dado errado e ocorrera uma sucessão de catástrofes.

Sandström tinha entrado em contato com os irmãos Ranta. Apavorado, contara que Dag Svensson estava preparando uma reportagem revelando as histórias de puta dele e denunciando os irmãos Ranta. Até aí, o problema não era tão grande. A imprensa denunciar Sandström não afetava o gigante loiro, e os irmãos Ranta poderiam ficar na moita por uns tempos. Eles então cruzaram o Mar Báltico a bordo do *Baltic Star* para tirar umas férias. Havia pouca chance de essas bobagens acabarem no tribunal, mas, se acontecesse o pior, eles saberiam se virar. Estava estipulado no contrato.

Em compensação, Lisbeth Salander tinha conseguido escapar de Magge Lundin. Não dava para entender, já que a Salander era do tamanho de uma boneca se comparada a Lundin, e a missão dele se limitava a enfiá-la num carro e levá-la até o armazém ao sul de Nykvarn.

Depois, Sandström recebera outra visita, e desta vez Dag Svensson estava na pista de Zala. Isso mudava completamente a situação. Entre o pânico de Bjurman e a bisbilhotice de Dag Svensson, criara-se uma situação potencialmente perigosa.

Um amador é um gângster que não está preparado para assumir as consequências. Bjurman era um completo amador. O gigante loiro desaconselhara Zala a ter qualquer tipo de negócio com Bjurman. Mas, para Zala, o nome de Lisbeth Salander era irresistível. Ele odiava Salander. Era algo absolutamente irracional. Agira por impulso.

Tinha sido puro acaso o gigante loiro estar na casa de Bjurman na noite em que Dag Svensson ligou. O mesmo jornalista escroto que já tinha criado problema com Sandström e os irmãos Ranta. O gigante tinha ido até lá para acalmar o advogado, ou ameaçá-lo se necessário, por causa do rapto falhado de Lisbeth Salander, e o telefonema de Svensson deixara Bjurman num pânico tremendo. Ele se mostrara tapado e irredutível. E de repente quis cair fora.

Para completar, Bjurman foi buscar aquele revólver de caubói dele para ameaçá-lo. O gigante loiro encarou Bjurman, pasmo, e arrancou-lhe a arma. Estava de luvas e não corria o risco de deixar impressões digitais. Na verdade, não tivera escolha, uma vez que Bjurman começara a amarelar.

Bjurman sabia da existência de Zala. E nesse sentido representava um fardo. O gigante loiro não saberia explicar por que tinha obrigado Bjurman a tirar a roupa, a não ser pelo fato de querer deixar bem claro o quanto o detestava. Quase fraquejou ao ver a tatuagem em sua barriga: SOU UM PORCO SÁDICO, UM CANALHA ESTUPRADOR.

Por um breve instante, quase sentiu pena de Bjurman. Era um idiota completo. Mas o gigante loiro atuava num ramo em que não podia permitir que tais sentimentos secundários viessem perturbar as atividades práticas. Levara-o, portanto, até o quarto, obrigara-o a se ajoelhar e então usara um travesseiro como silenciador.

Ficara cinco minutos vasculhando o apartamento de Bjurman, vendo se havia algo que pudesse ser um elo com Zala. A única coisa que encontrou foi o número de seu próprio celular. Por precaução, pegara o celular de Bjurman.

Dag Svensson era o problema seguinte. Quando encontrassem Bjurman morto, Dag Svensson obviamente iria ligar para a polícia. Poderia contar que Bjurman fora assassinado poucos minutos depois de eles terem falado ao telefone a respeito de Zala. Não era preciso muita imaginação para ver que aquilo transformaria Zala em objeto de amplas especulações.

O gigante loiro se considerava um cara esperto, mas tinha um respeito enorme pelo temível talento estratégico de Zala.

Eles trabalhavam em colaboração havia quase doze anos. Tinha sido uma década frutífera, e o gigante loiro via Zala com respeito, quase como um mentor. Podia ficar horas escutando Zala discorrer sobre a natureza humana e suas fraquezas, e como tirar vantagem delas.

De repente, porém, os negócios tinham dado para balançar. As coisas estavam começando a sair errado.

Fora direto da casa de Bjurman para Enskede e estacionara o Volvo branco duas quadras adiante. Por sorte, a porta do hall não estava bem fechada. Subira e tocara a campainha da porta identificada como Svensson-Bergman.

Não tivera tempo de vasculhar o apartamento nem de pegar documentos. Dera dois tiros — havia também uma mulher no apartamento. Depois, pegou o computador de Dag Svensson na mesa da sala, deu meia-volta, desceu a escada, foi até o carro e saiu de Enskede. Seu único furo tinha sido deixar cair o revólver na escada enquanto tentava pegar a chave do carro ao mesmo tempo que equilibrava o computador, tudo para ganhar tempo. Detivera-se por um décimo de segundo, mas o revólver tinha rolado pela escada do porão e ele achou que ia demorar muito se tentasse recuperá-lo. Sabia muito bem que as pessoas se lembravam dele depois de vê-lo uma vez, e o mais importante era sumir dali antes que alguém o visse.

O revólver perdido lhe valera uma reprimenda de Zala. Mas ambos tiveram a maior surpresa da vida quando a polícia se lançou atrás de Lisbeth Salander. A arma transformara-se assim num feliz e inacreditável acaso.

Infelizmente, ela criava também mais um problema. Salander era o único elo frágil que restava. Conhecia Bjurman e conhecia Zala. Sabia somar dois mais dois. Zala e ele concordaram quando discutiram o assunto. Precisavam encontrar Salander e enterrá-la em algum lugar. Seria perfeito se nunca a encontrassem. A investigação dos assassinatos iria aos poucos para os arquivos e se cobriria de poeira.

Tinham apostado que Miriam Wu os levaria até Salander. E, de repente, tudo dera errado de novo. *Paolo Roberto.* Entre tanta gente. Surgido do nada. E, segundo a imprensa, era igualmente amigo de Lisbeth Salander.

O gigante loiro estava atônito.

Depois de Nykvarn, havia buscado refúgio na casa de Magge Lundin em Svavelsjö, a apenas poucas centenas de metros do quartel-general do MC Svavelsjö. Não era o esconderijo ideal, mas ele não tinha muita alternativa e precisava a todo custo de um lugar para se entocar até que sumissem os hematomas do seu rosto e que ele pudesse deixar discretamente a região de Estocolmo. Mexeu no nariz quebrado e apalpou o galo na nuca. Já não estava tão inchado.

Ele fizera bem em voltar lá e atear fogo naquela droga toda. Era sempre bom fazer uma faxina ao sair.

De repente, ficou paralisado.

Bjurman. Ele se encontrara com Bjurman uma vez, muito rapidamente, na casa de campo dele, perto de Stallarholmen, no início de fevereiro, quando Zala concordara em se encarregar da Salander. Bjurman possuía um arquivo, que ele tinha folheado, com documentos sobre Salander. Droga, como é que ele tinha deixado passar isso? O arquivo poderia levar até Zala.

Ele desceu até a cozinha e explicou a Magge Lundin por que este devia ir com a maior urgência até Stallarholmen e acender mais um braseiro.

O inspetor criminal Bublanski dedicou seu intervalo de almoço tentando colocar ordem naquela investigação que, ele sentia, estava saindo dos trilhos. Passou um bom tempo com Curt Bolinder e Steve Bohman, coordenando a caçada a Lisbeth Salander. Tinham chegado novas pistas de Göteborg e Norrköping, entre outros. Göteborg foi rapidamente eliminada, mas a pista de Norrköping tinha um ligeiro potencial. Passaram a informação para os colegas de lá e destacaram uma vigilância discreta num endereço em que fora assinalada a presença de uma garota que lembrava Lisbeth Salander.

Tentou ter uma conversa diplomática com Hans Faste, mas este não estava na casa e não atendia o celular. Depois da reunião tumultuada daquela manhã, Faste tinha sumido, espumando de raiva.

Então Bublanski se confrontou com o chefe das investigações preliminares, Richard Ekström, para tentar resolver o problema Sonja Modig. Gastou um bom tempo expondo as razões objetivas que o levavam a achar uma insensatez afastá-la da investigação. Ekström negou-se a ouvir e Bublanski resolveu deixar passar o fim de semana antes voltar a tocar naquele assunto idiota. A relação entre o chefe das investigações e o chefe do inquérito preliminar estava ficando insustentável.

Pouco depois das três, ele passou no corredor e viu Niklas Eriksson saindo da sala de Sonja Modig, onde ele ainda estava revisando o conteúdo do disco rígido de Dag Svensson. O que, na opinião de Bublanski, tinha se tornado absurdo já que Eriksson não contava mais com um legítimo funcionário da polícia para auxiliá-lo na pesquisa. Resolveu juntar Niklas Eriksson e Curt Bolinder pelo resto da semana.

Mas, antes que eles tivessem tempo de trocar uma palavra, Eriksson desapareceu no banheiro no fim do corredor. Bublanski coçou a orelha e se aproximou da sala de Sonja Modig para aguardar a volta de Eriksson. Em pé diante da porta aberta, contemplou a cadeira vazia de Sonja.

Então seu olhar bateu no celular de Niklas Eriksson, largado na prateleira atrás da mesa de trabalho.

Bublanski hesitou um segundo e deu uma olhada em direção à porta do banheiro, ainda fechada. Depois, cedendo a um impulso, entrou na sala, pegou o celular, voltou a passos rápidos para sua própria sala e fechou a porta atrás de si. Percorreu a lista de chamadas feitas.

Às 9h57, cinco minutos antes de acabar a tumultuada reunião daquela manhã, Niklas Eriksson ligara para um número com prefixo 070. Bublanski pegou o telefone fixo de sua mesa e discou o número. O jornalista Tony Scala atendeu.

Ele desligou e ficou olhando o celular de Eriksson. Depois, se levantou, feições alteradas pela raiva. Tinha dado dois passos em direção à porta quando o telefone de sua mesa tocou. Voltou e rugiu o seu nome no aparelho.

— É o Jerker. Continuo aqui no armazém de Nykvarn.

— Ah, é?

— O incêndio acabou. Já faz duas horas que estamos examinando o local. A polícia de Södertälje mandou trazerem um cachorro para farejar a área, para o caso de haver alguém entre os escombros.

— E?

— Não havia ninguém. Mas fizeram um intervalo para o cachorro descansar um pouco o focinho. Diz o adestrador que é necessário, porque no local de um incêndio os cheiros são realmente muito fortes.

— Vá logo ao que interessa.

— Ele foi dar uma volta e soltou o cachorro um pouco mais adiante. O bicho se manifestou uns setenta e cinco metros atrás do armazém, já no meio do mato. Cavaram. Faz dez minutos, acharam uma perna humana, com pé e sapato. Tudo indica que é um sapato de homem. Os pedaços não estavam enterrados muito fundo.

— Droga! Jerker, você tem que...

— Já assumi o comando das operações no local da descoberta e interrompi a escavação. Quero um médico legista e técnicos de verdade antes de continuar.

— Excelente trabalho, Jerker.

— Não é só isso. Há uns cinco minutos, o cachorro voltou a se manifestar, a uns cem metros do primeiro ponto.

Lisbeth Salander tinha feito café no fogão de Bjurman, comido outra maçã e passado duas horas lendo, página por página, a investigação que Bjurman fizera sobre ela. Estava impressionada. Ele pusera um bocado de energia na tarefa e sistematizara as informações como se se tratasse de um apaixonante passatempo. Encontrara informações a seu respeito de cuja existência ela própria ignorava.

Leu o diário de Holger Palmgren com sentimentos contraditórios. Eram dois blocos de anotações encadernados. Ele começara a redigir aquelas notas quando ela tinha quinze anos e acabava de fugir de sua segunda família adotiva, um casal idoso de Sigtuna, cujo marido era sociólogo e a mulher, escritora de livros infantis. Lisbeth tinha ficado doze dias com eles, sentira que eles estavam extremamente orgulhosos por cumprirem uma obra social ao se compadecerem dela, e esperavam que ela expressasse uma profunda gratidão. Lisbeth não aguentou quando sua mãe adotiva absolutamente temporária se autoelogiara para uma vizinha, destacando a importância de tomar conta de jovens com problemas manifestos. *Não sou uma porcaria de um projeto social*, ela queria gritar toda vez que sua mãe adotiva a exibia aos amigos. Passados doze dias, roubara cem coroas do cofrinho do casal e pegara o ônibus para Upplands-Väsby, e em seguida o trem de subúrbio para Estocolmo. A polícia a encontrara seis semanas depois, refugiada na casa de um vovô de sessenta e sete anos em Haninge.

Ele tinha sido correto. Oferecera-lhe teto e comida. Ela não precisou fazer muita coisa em troca. Ele queria olhar para ela pelada. Jamais encostava em Lisbeth. Ela sabia que o velho era considerado um pedófilo, mas nunca sentira nenhuma ameaça da parte dele. Via-o como uma criatura fechada e socialmente deficiente. Posteriormente, chegava até a sentir um estranho sentimento de parentesco quando pensava nele. Os dois viviam completamente à margem.

Um vizinho acabara reconhecendo-a e alertara a polícia. Uma assistente social fizera esforços imensos para convencê-la a dar queixa por abuso sexual. Ela se negara obstinadamente a admitir que acontecera alguma coisa imprópria, e de todo modo tinha quinze anos e já era sexualmente maior de idade. *Vão se catar!* Em seguida, Holger Palmgren interviera e a tirara de lá. Palmgren começara a escrever um diário sobre ela, no que parecia uma tentativa frustrada de lidar com suas próprias dúvidas. As primeiras frases tinham sido registradas em dezembro de 1993.

> L. parece, definitivamente, ser a menina mais difícil que já conheci. A questão é saber se estou agindo certo ao me opor a uma nova internação no Sankt Stefan. Ela já deu cabo de duas famílias adotivas em três meses e corre um risco evidente de sofrer consequências por suas fugas. Tenho que decidir se desisto, ou não, desta missão e se peço que ela seja encaminhada a especialistas. Não sei o que seria bom ou mau. Hoje tive uma conversa séria com ela.

Lisbeth recordava cada palavra daquela conversa séria. Era véspera de Natal. Holger Palmgren a levara para sua casa e lhe oferecera o quarto de hóspedes. Preparara um espaguete à bolonhesa para o jantar, depois a convidara a se sentar no sofá da sala, sentando-se ele próprio numa cadeira diante dela. Ela se perguntara vagamente se Palmgren também ia querer vê-la pelada. Em vez disso, ele falara com ela como se ela fosse adulta.

Foi um monólogo de duas horas. Ela mal respondeu a suas perguntas. Ele explicou as coisas da vida real, ou seja, que ela agora podia optar entre ser novamente internada em Sankt Stefan ou ir morar com uma família adotiva. Prometeu que tentaria achar uma família adequada para ela e exigiu que ela aceitasse a escolha dele. Tinha resolvido convidá-la a passar o Natal com ele para lhe dar tempo de pensar em seu futuro. A escolha era toda dela, mas no dia seguinte ao Natal, o mais tardar, ele esperava uma resposta e uma promessa. Ela teria de prometer que, caso tivesse algum problema, recorreria a ele em vez de fugir. Depois disso mandou-a para a cama e sentou-se para escrever as primeiras linhas do seu diário sobre Lisbeth Salander.

A ameaça — a opção de ser mandada de volta para o Sankt Stefan depois do Natal — lhe causava mais medo do que Holger Palmgren seria capaz de imaginar. Ela passou um Natal infeliz, espreitando, desconfiada, os mínimos gestos de Palmgren. No dia seguinte, ele ainda não tinha tentado bulir com ela, nem dera sinal de querer espiá-la disfarçadamente. Pelo contrário, ficara furioso quando ela o provocara, indo nua do quarto de hóspedes até o banheiro. Ele tinha fechado a porta do banheiro com força, num gesto seco. Por fim, ela lhe fizera as promessas que ele exigia. E cumprira com sua palavra. Mais ou menos...

No diário, Palmgren comentava metodicamente cada um de seus encontros. Ora em três linhas, ora com páginas inteiras de reflexões. Alguns trechos deixaram-na estupefata. Palmgren era mais perspicaz do que ela suspeitara e, vez ou outra, acrescentava pequenos comentários sobre situações em que ela tentara enganá-lo e que ele notara perfeitamente.

Em seguida, abriu o relatório policial de 1991.

De repente, as peças do quebra-cabeça se encaixaram. Teve a sensação de que o chão começava a balançar.

Leu o relatório médico-legal escrito por um tal de dr. Jesper H. Löderman, no qual um certo dr. Peter Teleborian era uma das principais referências.

Löderman tinha sido o trunfo do procurador quando este tentara mandá-la internar por ocasião da sua maioridade.

Então achou um envelope contendo uma correspondência entre Peter Teleborian e Gunnar Björck. As cartas datavam de 1991, pouco depois que Todo o Mal acontecera.

Nada nas cartas era dito de modo explícito, mas de repente um alçapão se abriu sob os pés de Lisbeth Salander. Levou alguns minutos para entender todas as implicações. Gunnar Björck referia-se a uma provável conversa particular. A carta era formulada de maneira impecável, mas nas entrelinhas Björck dizia que seria bom para todo mundo se Lisbeth Salander passasse o resto da vida trancada num asilo de loucos.

> É importante que a menina tome um recuo em relação à situação atual. Eu não saberia avaliar seu estado psíquico nem os cuidados de que ela necessita, mas quanto mais ela puder ser mantida numa instituição, menores serão os riscos de que ela involuntariamente crie problemas no caso que nos preocupa.

O caso que nos preocupa.

Lisbeth Salander avaliou a expressão por um instante.

Peter Teleborian fora o responsável por seu tratamento em Sankt Stefan. Não tinha sido por acaso. Só pelo tom da correspondência, ela já podia concluir que essas cartas nunca haviam sido escritas para se tornar públicas.

Peter Teleborian conhecia Gunnar Björck.

Lisbeth Salander mordeu o lábio inferior enquanto refletia. Nunca havia investigado Teleborian, mas ele iniciara sua carreira no Instituto Médico-Legal, e a própria Säpo vez ou outra precisava consultar médicos legistas ou psiquiatras em diferentes investigações. Compreendeu, de súbito, que se começasse a fuçar, encontraria algum elo. Em algum momento, no início da carreira de Teleborian, seu caminho se cruzara com o de Björck. Quando Björck precisara de alguém para enterrar Lisbeth Salander, dirigira-se a Teleborian.

Era assim que as coisas tinham acontecido. O que até então parecera puro acaso assumia de repente outra dimensão.

Permaneceu um bom tempo parada, fitando um ponto à frente. Não existem inocentes. Só existem diferentes graus de responsabilidade. E havia alguém responsável por Lisbeth Salander. Ela, sem dúvida nenhuma, precisava dar uma chegada a Smådalarö. Imaginou que ninguém no irrepreensível sistema judiciário do Estado estaria disposto a discutir o assunto com ela e que, portanto, na falta de opção melhor, uma conversa com Gunnar Björck já serviria.

A perspectiva desse encontro já a deixava satisfeita.

Não precisava levar todos os arquivos. Uma vez lidos, ficavam indelevelmente gravados em sua memória. Pegou os dois diários de Holger Palmgren, o relatório policial de Björck de 1991, a investigação médico-legal de 1996 que servira de base para declará-la incapaz, assim como a correspondência entre Peter Teleborian e Gunnar Björck. Sua mochila ficou abarrotada.

Fechou a porta e ainda não tinha dado a volta na chave quando escutou o barulho de uma moto. Olhou em volta. Era tarde demais para tentar se esconder, e sabia que não tinha a menor chance de escapar daqueles dois motoqueiros em suas Harley Davidson. Na defensiva, desceu os degraus em frente à casa e cruzou com eles no meio do pátio.

Possesso, Bublanski saiu no corredor e verificou que Eriksson ainda não retornara à sala de Sonja Modig. O banheiro, no entanto, estava vazio. Seguiu pelo corredor e o avistou de repente, com um copinho de plástico na mão, na sala de Curt Bolinder e Steve Bohman.

Sem ser visto, Bublanski deu meia-volta e subiu ao andar de cima, até a sala do procurador Ekström. Foi entrando sem bater e interrompeu Ekström em plena conversa telefônica.

— Venha cá — disse ele.

— O quê? — fez Ekström.

— Desligue e venha comigo.

A expressão de Bublanski era tal que Ekström obedeceu. A esta altura, era fácil entender por que os colegas o tinham apelidado de Bubolha. Seu rosto assumira o aspecto de uma enorme bolha de chiclete cor-de-rosa. Desceram e foram juntar-se ao cordial intervalo do café na sala de Curt Bolinder.

Bublanski foi direto para cima de Eriksson, agarrou-o com pulso firme pelos cabelos e virou-o para Ekström.

— Ai! O que é isso? Você tá maluco?

— Bublanski! — exclamou Ekström, apavorado.

Ekström parecia alarmado. Curt Bolinder e Steve Bohman estavam boquiabertos.

— Isto aqui é seu? — perguntou Bublanski, brandindo o celular.

— Me solte!

— ESTE CELULAR É SEU?

— É, sim, porra. Me solte!

— É claro que não. Você está preso.

— O quê?

— Você está preso por violação de sigilo e obstrução de investigação policial. A menos que tenha uma explicação plausível para o telefonema dado às 9h57 da manhã de hoje para um jornalista chamado Tony Scala, logo depois da nossa reunião e pouco antes de o Scala divulgar as informações que tínhamos decidido manter confidenciais. A ligação consta na lista de chamadas do seu celular.

Magge Lundin mal conseguiu acreditar nos próprios olhos quando viu Lisbeth Salander no pátio em frente à casa de campo de Bjurman. Ele tinha consultado o mapa rodoviário e o gigante loiro lhe fornecera uma descrição precisa do trajeto. Assim que recebeu ordem de ir até Stallarholmen e provocar um incêndio, foi até a sede do clube, na gráfica abandonada na periferia de Svavelsjö, chamar Benny Nieminen para ir com ele. Estava quente, um tempo perfeito para pegar as motos pela primeira vez depois do inverno. Vestiram os macacões de couro e fizeram o trajeto de Svavelsjö a Stallarholmen a uma velocidade tranquila.

E eis que Lisbeth Salander estava ali esperando por eles. Podia até estar usando uma peruca loira, ele a reconhecia assim mesmo. A altura, o jeito, só podia ser ela.

Era um legítimo bônus, e ia deixar o gigante loiro estupefato.

Avançaram, cada um de um lado, e detiveram-se a dois metros de Lisbeth.

Uma vez desligados os motores, o silêncio na mata era absoluto. De início, Lundin não sabia bem o que dizer, mas acabou recuperando a fala.

— Ora, ora. Faz um tempinho que estamos te procurando, Lisbeth Salander.

Sorriu de repente. Lisbeth Salander contemplava Lundin com olhos inexpressivos. Notou que ele ainda tinha no maxilar uma marca vermelha, recém-cicatrizada, no lugar onde ela o arranhara com o molho de chaves. Ergueu o olhar e fitou o cimo das árvores atrás dele. Então baixou-o novamente. Seus olhos estavam de um preto inquietante.

— Tive uma semana de merda e estou com um humor execrável. E sabe o que é pior? A cada passo que eu dou, deparo com um monte de merda com um barrigão, atravancando o meu caminho e se achando grande coisa. Agora eu estou me mandando. Sai da frente.

Magge Lundin abriu a boca. Primeiro, achou que tinha ouvido mal. Depois, sem querer, começou a rir. A situação era hilária. Uma magricela que ele até poderia enfiar no bolso dando uma de esperta diante de dois homens adultos, que usavam jaquetas com o logotipo do MC Svavelsjö, ou seja: Malvados dos mais perigosos que em breve seriam membros efetivos dos Hell's Angels. Eles podiam fazer picadinho dela e guardar numa lata de biscoito. E ela ali se exibindo, que idiota!

Mas mesmo que a garota fosse totalmente doida — o que parecia ser o caso, de acordo com os jornais e com o que ele estava vendo com seus próprios olhos, ali, diante da casa —, as jaquetas deveriam lhe impor algum respeito. O que aparentemente não era o caso. Era uma história de rolar de rir, mas inadmissível. Ele se virou para Benny Nieminen.

— Ai, ai, não seria nada mau essa sapatão dar uma provada num pinto — disse ele, baixando a escora e descendo da Harley.

Deu dois passos lentos na direção de Lisbeth Salander e baixou os olhos para ela. Lisbeth não se moveu um milímetro sequer. Magge Lundin balançou a cabeça e soltou um suspiro sinistro. Então desfechou uma bofetada com aquela força considerável que Mikael Blomkvist experimentara no incidente da Lundagatan.

Bateu no ar. No instante em que a mão ia tocar em seu rosto, Lisbeth deu um passo atrás e parou, fora de alcance.

Apoiado na direção da Harley, Benny Nieminen contemplava o amigo com um sorriso nos lábios. Lundin ficou rubro e deu rapidamente dois passos na direção de Lisbeth. Ela recuou de novo. Lundin acelerou.

Lisbeth Salander estacou de repente e esvaziou metade do conteúdo da bomba lacrimogênea direto na cara dele. Seus olhos começaram a queimar como fogo. Lisbeth Salander lhe enfiou, com toda a força, a ponta da bota no meio das pernas, transformando-a em energia cinética com uma pressão de cerca de cento e vinte newtons por centímetro quadrado. Sem fôlego, Magge Lundin caiu de joelhos, ficando assim a uma altura mais confortável para Lisbeth Salabeth. Ela pegou um impulso e lhe tascou um pontapé no meio da cara, como quem cobra um escanteio. Um estalo desagradável fez-se ouvir antes de Magge Lundin desabar, sem um ruído, feito um saco de batatas.

Benny Nieminen precisou de vários segundos para entender que algo impossível acabava de ocorrer diante de seus olhos. Primeiro pensou em baixar a escora de sua Harley, não a encontrou com o pé, precisou olhar. Depois, pensou em pegar a pistola que estava no bolso interno da jaqueta. Estava prestes a baixar o zíper, quando percebeu um movimento com o canto dos olhos.

Ergueu o olhar e deu com Lisbeth vindo para cima dele feito bala de canhão. Ela pulou de pés juntos e o atingiu em cheio no quadril, o que não bastava para machucá-lo, mas bastou para derrubá-lo, com a moto junto. Por um triz ele evitou que a perna ficasse presa sob a moto e deu uns passos trôpegos para trás antes de recuperar o equilíbrio.

Quando tornou a situá-la em seu campo de visão, viu o braço dela se mover e uma pedra do tamanho de um punho voar pelos ares. Abaixou-se instintivamente. A pedra passou a poucos centímetros de sua cabeça.

Conseguiu afinal pegar a pistola e tentou soltar a trava de segurança, mas quando ergueu os olhos pela terceira vez Lisbeth Salander estava diante dele. Viu ódio em seu olhar e, atônito, pela primeira vez sentiu medo de verdade.

— Boa noite — disse Lisbeth Salander.

Ela enfiou-lhe o cacetete elétrico na parte inferior do ventre e descarregou setenta e cinco mil volts, mantendo os eletrodos em contato com o corpo dele por pelo menos vinte segundos. Benny Nieminen se transformou num vegetal sem vontade própria.

Lisbeth escutou um ruído atrás de si, virou-se e contemplou Magge Lundin. A muito custo, ele conseguira ficar de joelhos e estava prestes a se levantar. Ela o fitou. Cego, ele tateava com os braços na névoa ardente do gás lacrimogêneo.

— Eu vou te matar! — ele berrou de repente.

Ainda resmungou qualquer coisa incompreensível, tateando às cegas na tentativa de achar Lisbeth Salander. Ela inclinou a cabeça e o contemplou, pensativa. Ele berrou mais uma vez.

— Sua puta!

Lisbeth Salander se abaixou, juntou a pistola de Benny Nieminen e constatou que se tratava de uma Wanad P-83 polonesa.

Abriu o carregador e conferiu se estava com a munição adequada, Makarov nove milímetros. Então puxou a corrediça e enfiou uma bala no cano. Passou por cima de Benny Nieminen, aproximou-se de Magge Lundin, mirou segurando a arma com as duas mãos e disparou-lhe uma bala no pé. Ele berrou com o impacto e tornou a cair.

Ela o contemplou e pensou se valeria a pena perguntar quem era o gigante loiro que ela vira com ele no Café Blomberg e que, de acordo com o jornalista Per-Åke Sandström, assassinara uma pessoa num armazém, junto com Magge Lundin. Humm. Ela talvez devesse ter perguntado antes de atirar.

Magge Lundin não parecia em condições de manter uma conversa clara, e além disso existia a possibilidade de alguém ter ouvido o disparo. Era melhor sair dali imediatamente. Poderia encontrar Magge Lundin mais tarde e interrogá-lo de um jeito mais tranquilo. Tornou a acionar a trava de segurança, enfiou a arma no bolso e pegou sua mochila.

Já havia percorrido uns dez metros de estrada quando parou e se virou. Voltou lentamente para a casa de Nils Bjurman e examinou a moto de Magge Lundin.

Harley Davidson — pensou. — *Cool.*

27. QUARTA-FEIRA 6 DE ABRIL

Estava um dia esplêndido de primavera quando Mikael, no carro de Erika Berger, tomou a estrada de Nynäs em direção ao sul. Já se podia vislumbrar certa tendência para o verde nos campos negros e o ar estava repleto de um calor real. Um tempo perfeito para esquecer todos os problemas e tirar alguns dias de descanso na cabana de Sandhamm.

Ele tinha marcado com Gunnar Björck por volta da uma da tarde, mas como estava adiantado parou em Dalarö para tomar um café e ler os jornais. Não havia se preparado para o encontro. Björck tinha algo para revelar e Mikael estava firmemente determinado a não sair de Smådalarö sem descobrir algumas coisas sobre Zala. Coisas que poderiam ajudá-lo a avançar.

Björck recebeu-o no pátio. Parecia mais desafiador e seguro de si do que dois dias antes. *O que você está aprontando, meu chapa?* Mikael evitou apertar sua mão.

— Posso te fornecer informações sobre Zala — disse Gunnar Björck. — Mas tenho umas condições.

— Estou ouvindo.

— Meu nome não pode ser mencionado na reportagem da *Millennium*.

— Certo.

Björck pareceu surpreso. Blomkvist aceitara facilmente e sem discutir o ponto para o qual previra uma discussão mais demorada. Era o seu único trunfo. Informações sobre os assassinatos em troca de anonimato. E Blomkvist aceitava suprimir, sem dificuldades, o que deveria constituir uma manchete.

— Estou falando sério — disse Björck, desconfiado. — Quero isso por escrito, preto no branco.

— Posso colocar preto no branco, se você faz questão, mas um documento desses não vale um tostão furado. Você infringiu a lei e sabe disso. Na verdade, a minha obrigação seria denunciá-lo à polícia. Você sabe de coisas que eu quero obter e está usando isso para comprar o meu silêncio. Eu já tinha pensado nessa possibilidade, e aceito. Estou facilitando as coisas para o seu lado, comprometendo-me a não citar o seu nome na *Millennium*. Ou você confia em mim, ou não confia.

Björck refletiu.

— E eu também tenho uma condição — prosseguiu Mikael. — O preço do meu silêncio é você me contar tudo o que sabe. Se eu descobrir que está me escondendo alguma coisa, nosso acordo fica anulado. Aí eu ponho você em todas as manchetes do país, como fiz com o Wennerström.

Björck estremeceu ao se lembrar disso.

— Está bem — disse. — Não tenho escolha. Você me garante que o meu nome não vai ser citado na *Millennium* e eu digo quem é Zala. E para isso exijo ser protegido enquanto fonte.

Ele estendeu a mão. Mikael apertou-a. Acabava de prometer que iria dissimular uma infração à lei, o que em si não o perturbava. Só estava prometendo que ele próprio e a *Millennium* não escreveriam nada sobre Björck. Dag Svensson já escrevera em seu livro toda a história de Björck. E o livro de Dag Svensson seria publicado. Mikael estava firmemente decidido a se empenhar para que fosse.

O alerta foi lançado ao posto de polícia de Strängnäs às 15h18. O chamado chegou direto no PABX do posto, sem passar pela central de socorro. O proprietário de uma casa de campo a leste de Stallarholmen, um certo Öberg, relatava que tinha ouvido um tiro e fora conferir no local. Encontrara dois homens gravemente feridos. Um deles talvez nem tão ferido, mas sentindo muita dor. E, a propósito, a casa era de Nils Bjurman. Quer dizer, o dr. Nils Bjurman assassinado de que os jornais tanto haviam falado.

A polícia de Strängnäs tivera uma manhã cheia devido a um amplo controle rodoviário no território da comuna, já previsto de longa data. À tarde, a vigilância do tráfego fora interrompida quando uma mulher de cinquenta e sete anos fora morta por seu companheiro na residência do casal, em Finninge. Quase ao mesmo tempo, irrompera um incêndio num prédio de Storgärdet, com uma vítima, e, como a cereja do bolo, dois carros tinham colidido de frente na altura de Vargholmen, estrada de Enköping. Os alertas se sucederam num intervalo de poucos minutos e, com isso, boa parte do efetivo policial de Strängnäs estava indisponível.

Mas o oficial de plantão no posto, uma mulher, tinha acompanhado os acontecimentos em Nykvarn de manhã e percebeu que havia ali alguma relação com aquela Lisbeth Salander procurada por toda parte. Estando Nils Bjurman ligado à mesma investigação, ela tirou suas conclusões. E tomou três providências. Despachou para Stallarholmen, com urgência, o único veículo de intervenção disponível em Strängnäs naquele dia cheio. Ligou para seus colegas de Södertälje e pediu ajuda. A polícia de Södertälje não estava menos assoberbada, já que grande parte de seus recursos concentrava-se nas escavações em torno de um armazém incendiado ao sul de Nykvarn, mas um possível elo entre Nykvarn e Stallarholmen fez que o oficial de plantão em Södertälje imediatamente despachasse dois carros para Stallarholmen, como reforço ao veículo de intervenção de Strängnäs. Por fim, a policial de plantão no posto de Strängnäs pegou o telefone e chamou o inspetor Jan Bublanski, em Estocolmo. Conseguiu contatá-lo no celular.

Bublanski estava na Milton Security, numa difícil discussão com o diretor Dragan Armanskij e seus dois colaboradores, Fräklund e Bohman. O colaborador Niklas Eriksson brilhava pela ausência.

A reação de Bublanski foi ordenar que Curt Bolinder fosse com urgência até a casa de campo de Bjurman. E que levasse Hans Faste junto, caso conseguisse encontrá-lo. Depois de pensar um pouco, Bublanski ligou também para Jerker Holmberg, que ainda estava ao sul de Nykvarn, e tinha, portanto, uma distância menor a percorrer. Holmberg tinha novas informações.

— Estava para te ligar. Acabam de identificar o corpo da escavação.

— Não é possível. Não tão cedo.

— Tudo fica mais fácil quando os presuntos fazem a gentileza de ficar com a carteira no bolso, e uma identidade plastificada.

— Certo. Quem é?

— É um conhecido nosso. Kenneth Gustafsson, de quarenta e quatro anos, domiciliado em Eskilstuna. Seu apelido era Vagabundo. Isso te lembra alguma coisa?

— Claro. Evidente. Quer dizer então que o Vagabundo estava enterrado em Nykvarn. Não lidei diretamente com esse malandro, mas parece que ele operou um bocado nos anos 1990. Pertencia à fauna dos traficantes, dos pequenos ladrões e viciados.

— Ele mesmo. Pelo menos é a identidade dele que está dentro da carteira. Os legistas vão tratar da identificação definitiva. Vão passar trabalho para juntar os pedaços. O cara está todo em peças avulsas, cinco ou seis partes pelo menos.

— Humm. Paolo Roberto contou que o loirinho com quem ele lutou tinha ameaçado a Miriam Wu com uma serra elétrica.

— O recorte pode mesmo ter sido feito com serra elétrica. Não olhei de perto. Acabam de começar as escavações em outros pontos. Estão montando a barraca.

— Muito bem. Jerker, eu sei que você teve um dia cheio, mas daria para você passar por aqui no final da tarde?

— Está certo. Mas primeiro vou dar um pulo em Stallarholmen.

Bublanski desligou e esfregou os olhos.

O destacamento de Strängnäs chegou à casa de campo de Bjurman às 15h44. No caminho de acesso, literalmente colidiram com um homem que tentava deixar o local numa Harley Davidson instável, que foi se cravar na dianteira do camburão. Não foi um choque muito violento. Os policiais desembarcaram e reconheceram Benny Nieminen, de trinta e sete anos, assassino conhecido do meio policial nos anos 1990. Nieminen não parecia muito em forma, e puseram-lhe as algemas. Ao fechá-las em seus pulsos, os policiais descobriram, com alguma surpresa, que sua jaqueta de couro estava rasgada nas costas. Bem no meio, faltava um quadrado de cerca de vinte centímetros por vinte, o que causava uma impressão bastante curiosa. Benny Nieminen não quis comentar o fato.

Em seguida, percorreram os cerca de duzentos metros até a casa. Lá, encontraram um ex-estivador chamado Öberg colocando uma bandagem de apoio no pé de um tal de Carl-Magnus Lundin, de trinta e seis anos e chefe do nem tão desconhecido grupo de delinquentes do MC Svavelsjö.

O comandante do veículo de intervenção era o inspetor Nils-Henrik Johansson. Ele desceu, ajeitou o cinturão e contemplou a triste figura estendida no chão. Proferiu a clássica fala policial.

— O que está acontecendo aqui?

O estivador aposentado interrompeu seus cuidados ao pé de Magge Lundin e dirigiu um rápido olhar para Johansson.

— Fui eu que liguei.

— O senhor falou em tiros.

— Falei que ouvi um tiro, vim ver e topei com esses caras. Este aqui levou uma bala no pé e uma bela de uma surra. Acho que precisa de uma ambulância.

Öberg dirigiu o olhar para o camburão.

— Ah, vocês pegaram o outro canalha. Estava fora do ar quando cheguei, mas não parecia ferido. Depois de um tempo, ele se recuperou e não quis ficar.

Jerker Holmberg chegou com os policiais de Södertälje quando a ambulância estava deixando o local. O destacamento de Strängnäs lhe fez um breve resumo do que tinha observado. Nem Lundin nem Nieminen quiseram explicar o motivo de sua presença no local. Lundin, aliás, não estava em condições de falar.

— Ou seja, dois motoqueiros de macacão de couro, uma Harley Davidson, um ferimento a bala e nenhuma arma. Entendi tudo direito? — perguntou Holmberg.

O comandante Johansson assentiu com a cabeça. Holmberg refletiu um instante.

— É de se supor que eles não vieram os dois numa moto.

— Acho que ser um mero passageiro é visto como pouco viril, no meio deles — disse Johansson.

— Nesse caso, está faltando uma moto. Também está faltando a arma, o que nos leva a concluir que um terceiro bandido já se mandou.

— Parece plausível.

— O que nos deixa com um problema lógico. Se os dois cavalheiros de Svavelsjö chegaram cada um numa moto, falta também o veículo utilizado pelo terceiro elemento. Ele não pode ter saído com seu próprio veículo e mais a moto. E é meio longe vir a pé da estrada de Strängnäs para cá.

— A menos que o terceiro elemento morasse na casa.

— Humm — fez Jerker Holmberg. — Essa casa pertencia ao falecido doutor Bjurman, que definitivamente não mora mais aí.

— Também pode ter havido um quarto elemento, que teria ido embora de carro.

— Mas então por que não foram embora juntos? Tenho a impressão de que esta história não se limita ao roubo de uma Harley Davidson, embora elas sejam muito cobiçadas.

Refletiu um instante, então pediu que o destacamento mandasse dois agentes procurar um veículo abandonado em alguma trilha florestal das redondezas, e também bater à porta das casas próximas para perguntar se alguém tinha visto algo fora do comum.

— Nesta época do ano não mora muita gente por aqui — disse o comandante do destacamento, prometendo, porém, fazer o possível.

Depois, Holmberg abriu a porta da casa, que não fora trancada. Deparou imediatamente com os arquivos deixados na mesa da cozinha, contendo a investigação de Bjurman sobre Lisbeth Salander. Sentou-se e se pôs a folheá-los, estupefato.

Jerker Holmberg estava com sorte. Apenas trinta minutos depois de começar a operação porta a porta entre as poucas casas habitadas, toparam com Anna Viktoria Hansson, de setenta e dois anos, que passara aquele dia de primavera limpando um jardim na bifurcação da aldeia de veraneio. Sim, ela tinha vista boa. Sim, vira uma garota baixinha de jaqueta escura passando por ali a pé, por volta do meio-dia. Mais ou menos umas três da tarde, dois homens passaram de moto, fazendo uma barulheira daquelas. E pouco depois a garota tinha passado de volta, numa das motos. E depois chegaram os carros da polícia.

Enquanto Jerker Holmberg recebia esse relatório, Curt Bolinder chegou à casa de campo.

— Como é essa história? — ele perguntou.

Jerker Holmberg fitou o colega com ar deprimido.

— Não sei bem de que jeito te explicar isso tudo — respondeu Holmberg.

— Jerker, você está querendo que eu engula que a Lisbeth Salander apareceu na casa do Bjurman e, sozinha, deu no dirigente do MC Svavelsjö a maior surra da vida dele? — perguntou Bublanski, no telefone.

Sua voz parecia exasperada.

— Ora, pois se ela foi treinada pelo Paolo Roberto...

— Cale a boca, Jerker.

— Estou só repassando os fatos. Magnus Lundin ferido com uma bala no pé. Periga ficar manco o resto da vida. A bala saiu pelo lado do calcanhar.

— Pelo menos ela não atirou na cabeça.

— Não deve ter sido necessário. Se entendi direito o pessoal da brigada, Lundin está com ferimentos graves no rosto, o maxilar estourado e dois dentes quebrados. Os paramédicos temiam uma concussão cerebral. Além do ferimento no pé, está com muita dor no baixo-ventre.

— Como vai o Nieminen?

— Parece ter saído ileso. Mas, segundo o velho que nos chamou, quando ele chegou lá o Nieminen estava estatelado no chão, sem sentidos. Não conseguia falar nada, mas se recobrou depois de algum tempo e estava tentando deixar o local quando a polícia de Strängnäs apareceu.

Pela primeira vez em muito tempo, Bublanski ficou totalmente mudo.

— Um detalhe misterioso... — disse Jerker Holmberg.

— O que foi agora?

— Não sei como descrever isso. A jaqueta de couro do Nieminen... é, ele chegou lá de moto.

— Sim?

— Está em mau estado.

— Como assim, em mau estado?

— Falta um pedaço. Alguém recortou um quadrado de mais ou menos vinte centímetros nas costas. Bem no lugar onde fica o logotipo do MC Svavelsjö.

Bublanski ergueu as sobrancelhas.

— Por que a Lisbeth Salander iria recortar um pedaço da jaqueta? Como troféu?

— Não faço a menor ideia. Mas pensei numa coisa — disse Jerker Holmberg.

— O quê?

— O Magnus Lundin tem uma barriga enorme, é loiro e usa rabo de cavalo. Um dos caras que raptaram a amiga de Salander, a Miriam Wu, era loiro, tinha rabo de cavalo e uma barriga de bebedor de cerveja.

Fazia anos que Lisbeth Salander não sentia aquela sensação vertiginosa, desde quando experimentara uma queda livre no parque de diversões de Gröna Lund. Tinha dado três voltas e poderia ter dado mais três se não estivesse sem dinheiro.

Constatou também que uma coisa era pilotar uma Kawasaki 125, que na verdade não passava de uma bicicleta motorizada melhorada, e outra, bem diferente, era controlar uma Harley Davidson de 1450 cilindradas. Os primeiros trezentos metros na pista florestal de Bjurman, de manutenção precária, valeram todas as montanhas-russas do mundo. Sentiu-se um autêntico giroscópio. Por pouco não se espatifou na floresta umas duas vezes, mas conseguiu retomar a tempo o controle da máquina. Tinha a impressão de estar cavalgando um alce assustado.

Além disso, o capacete teimava em escorregar o tempo todo sobre seus olhos, embora o tivesse forrado com um pedaço de couro recortado na jaqueta grossa de Benny Nieminen.

Temendo não conseguir lidar com o peso da moto, achou melhor não parar. Era baixinha demais para poder apoiar um pé no chão e tinha medo que a Harley caísse. Nesse caso, jamais teria forças suficientes para erguê-la.

Ficou mais fácil quando entrou na pista mais larga que levava à aldeia de veraneio. Minutos depois, quando pegou a estrada de Strängnäs, atreveu-se a soltar uma mão do guidão para ajeitar o capacete. Então acelerou com tudo. Fez o trajeto até Södertälje em tempo recorde, com um sorriso maravilhado grudado no rosto o tempo inteiro. Pouco antes de Södertälje, cruzou com dois carros com as luzes giratórias acesas, sirenes a toda.

O mais sensato, evidentemente, teria sido abandonar a Harley em Södertälje e deixar que Irene Nesser pegasse o trem de subúrbio para Estocolmo, mas Lisbeth Salander não soube resistir à tentação. Tomou cuidado para não ultrapassar o limite de velocidade, enfim, não muito, mas continuava com a impressão de estar em queda livre. Só quando chegou à altura de Älvsjö é que ela pegou o acesso para o parque de Exposições de Estocolmo, onde estacionou sem derrubar o monstrengo. Com dor na alma, abandonou a moto, junto com o capacete e o pedaço de couro da jaqueta de Benny Nieminen, e foi a pé para a estação. Sentia frio. Desceu na estação seguinte, voltou a pé para casa e foi depressa se esticar na banheira.

— O nome dele é Alexander Zalachenko — disse Gunnar Björck. — Mas ele não existe de fato. Não vai encontrá-lo no registro civil.

Zala. Alexander Zalachenko. Enfim um nome.

— Quem é ele, e como posso encontrá-lo?

— Não é uma pessoa que a gente tem vontade de encontrar.

— Acredite, tenho muita, muita vontade de me encontrar com ele.

— O que eu vou te passar agora são informações consideradas segredo de Estado. Se souberem que fui eu que contei, fico sujeito a uma condenação pesada. É um dos maiores segredos da Defesa Nacional sueca. Você vai entender por que é tão importante que eu seja protegido como fonte.

— Eu já fiz isso, não fiz?

— Você tem idade para lembrar da guerra fria.

Mikael meneou a cabeça. *Vamos, fale logo!*

— Alexander Zalachenko nasceu em 1940 em Estalingrado, na Ucrânia, que na época pertencia à União Soviética. Ele tinha um ano de idade quando foi lançada a Operação Barbarossa, com a ofensiva alemã no fronte do Leste. Os pais de Zalachenko morreram ambos na guerra. Pelo menos, é o que Zalachenko acredita. Nem ele sabe o que aconteceu durante a guerra. Suas primeiras lembranças são de um orfanato uraliano.

Mikael meneou a cabeça para mostrar que estava acompanhando.

— O orfanato ficava numa cidade de guarnição e era mantido pelo Exército Vermelho. Pode-se dizer que Zalachenko teve uma formação militar bastante precoce. Isso foi durante os piores anos do stalinismo. Depois da queda da União Soviética, foram encontradas pilhas de documentos comprovando a realização de diversos experimentos no sentido de criar um esquadrão de soldados de elite especialmente treinados e recrutados entre os órfãos a cargo do Estado. Zalachenko era um deles.

Mikael meneou outra vez a cabeça.

— Resumindo. Com cinco anos de idade, ele foi colocado num colégio militar. Lá, perceberam que ele era muito inteligente. Quando fez quinze anos, em 1955, foi transferido para uma escola militar em Novossibirsk, onde, com outros dois mil alunos, passou por um treinamento equivalente ao das *spetsnaz*, as unidades de elite russas.

— Certo. Um soldadinho valoroso.

— Em 1958, já com dezoito anos, foi mandado para Minsk a fim de receber a formação especial do GRO. Sabe o que era o GRO?

— Acho que sim.

— Literalmente, significa *Glavnoe razvedivatelnoe oupravlenie*, o serviço de informações e ação militar diretamente subordinado ao mais alto comando militar do Exército. Não confundir o GRO com a KGB, que era a polícia secreta civil.

— Eu sei.

— Nos filmes de James Bond, os grandes espiões que atuam no estrangeiro são, em geral, caras da KGB. Na verdade, a KGB era antes de mais nada um serviço de segurança interno do regime que geria campos de prisioneiros na Sibéria e eliminava os opositores do regime com uma bala na nuca nos porões da Lubianka. Quem respondia pela espionagem e pelas operações além das fronteiras era em geral o pessoal do GRO.

— Isso está ficando com cara de aula de história. Continue.

— Aos vinte anos, Alexander Zalachenko obteve sua primeira nomeação no estrangeiro. Foi mandado para Cuba. Era uma fase de treinamento, ele na época só tinha a patente correspondente ao alferes. Mas permaneceu lá dois anos, e viveu a crise cubana e a invasão da Baía dos Porcos.

— Certo.

— Em 1963, voltou para Minsk a fim de prosseguir sua formação. Então foi nomeado, primeiro na Bulgária, depois na Hungria. Em 1965, foi promovido a tenente e obteve seu primeiro posto na Europa Ocidental, em Roma, onde serviu durante um ano. Foi sua primeira missão *under cover*. Era, portanto, um civil com um passaporte falso e sem nenhum contato com a embaixada.

Mikael meneou a cabeça. Sem querer, estava começando a ficar fascinado.

— Em 1967, foi transferido para Londres. Lá, organizou a execução de um desertor da KGB. Nos dez anos seguintes, tornou-se um dos melhores agentes do GRO. Pertencia à legítima elite dos soldados políticos dedicados. Tinha sido adestrado desde menino. Fala fluentemente pelo menos seis línguas. Já se fez passar por jornalista, fotógrafo, designer, marinheiro... o que você puder imaginar. Era especialista na arte da sobrevivência, especialista em camuflagem e manobras diversionistas. Tinha seus próprios agentes e organizava ou efetuava suas próprias operações. Muitas eram missões de eliminação, das quais boa parte se deram no Terceiro Mundo, mas ele lidou igualmente com chantagem, ameaças ou qualquer tipo de ação que seus superiores queriam que ele efetuasse. Em 1969, passou a capitão, em 1972 a comandante e, em 1975, foi promovido a tenente-coronel.

— Como ele veio parar na Suécia?

— Estou chegando lá. Com o passar dos anos, foi se envolvendo com corrupção e juntou, aqui e ali, um pequeno pé-de-meia. Bebia demais e se metia em muitas histórias com mulheres. Seus superiores estavam a par, mas ele ainda era um dos favoritos e fizeram vista grossa enquanto tudo não passou de coisas sem importância. Em 1976, foi enviado numa missão na Espanha. Não vou entrar em detalhes, mas ele tomou um porre e fez um belo de um estrago. A missão fracassou e, de repente, ele caiu em desgraça e recebeu ordem de voltar para a Rússia. Optou por ignorar essa ordem e acabou numa situação ainda pior. O GRO ordenou a um adido militar da embaixada em Madri que entrasse em contato com ele e lhe desse uns conselhos. Alguma coisa simplesmente desandou na conversa e Zalachenko matou o homem da embaixada. Com isso, já não tinha escolha. Não podia voltar atrás e resolveu saltar às pressas do trem em movimento.

— Entendo.

— Desertou na Espanha, forjando uma pista que parecia levar a Portugal e, eventualmente, a um acidente de barco. Também plantou uma pista sugerindo que fugira para os Estados Unidos. Na verdade, optou por se refugiar no país mais improvável da Europa. Veio para a Suécia, entrou em contato com a Säpo e pediu asilo político. O que, na verdade, foi muito bem pensado, já que a probabilidade de um esquadrão da morte da KGB ou do GRO vir procurar por ele aqui era praticamente nula.

Gunnar Björck calou-se.

— E então?

— O que faz um governo quando um dos maiores espiões da União Soviética de repente resolve jogar tudo para o alto e pedir asilo político na Suécia? Foi bem na época em que estávamos com um governo de direita, e aliás esse foi um dos primeiros casos que tratamos com o novo primeiro-ministro. Os políticos, medrosos como são, tentaram, é claro, se livrar dele o mais rápido possível, mas também não podiam mandá-lo de volta para a União Soviética. Teria sido um escândalo colossal. Em vez disso, tentaram mandá-lo para os Estados Unidos ou Inglaterra, mas o Zalachenko recusou. Não gostava dos Estados Unidos e, segundo ele, a Inglaterra era um país em que a União Soviética mantinha agentes de informação de primeiríssimo nível. Ele não queria ir para Israel porque não gostava de judeus. Portanto, resolveu que iria se estabelecer na Suécia mesmo.

Aquilo tudo parecia tão inverossímil que Mikael se perguntou vagamente se Gunnar Björck não estaria enrolando.

— E ele acabou ficando na Suécia?

— Exatamente.

— E isso tudo nunca veio a público?

— Foi, por muitos anos, um dos segredos militares mais bem guardados da Suécia. Ocorre que Zalachenko era muito útil para nós. Durante certo período, no final dos anos 1970 e início dos 1980, ele foi a joia da coroa dos desertores, mesmo se comparado ao que acontecia além das fronteiras suecas. Nunca o chefe de operações de um dos comandos de elite do GRO tinha desertado.

— Isso quer dizer que ele tinha informações para nos vender?

— Exato. Ele manejava bem seus trunfos e destilava informações quando era mais favorável para ele. Informações suficientes para que pudéssemos identificar um agente no quartel-general da Otan em Bruxelas; um agente ilegal em Roma; o contato de uma rede de espiões em Berlim; o nome dos assassinos profissionais que ele contratara em Ankara ou Atenas. Ele não sabia muito sobre a Suécia, mas detinha informações sobre operações no exterior que podíamos igualmente repassar em troca de outras coisas. Ele era a nossa mina de ouro.

— Em outras palavras, vocês passaram a colaborar com ele.

— Conseguimos uma nova identidade para ele, só tivemos que oferecer um passaporte e algum dinheiro, depois ele se virou sozinho. Ele tinha sido treinado exatamente para isso.

Mikael calou-se alguns instantes a fim de digerir essas informações. Então ergueu os olhos para Björck.

— Você mentiu na última vez em que estive aqui.

— Como assim?

— Você disse que tinha conhecido Bjurman no clube de tiro da polícia nos anos 1980. Na verdade, vocês se conheceram bem antes.

Gunnar Björck meneou a cabeça, pensativo.

— Foi uma reação automática. Isso tudo é confidencial e não havia motivo para eu contar como conheci o Bjurman. Foi só quando você perguntou sobre o Zala que eu fiz a relação.

— Conte como foi.

— Eu tinha trinta e três anos e trabalhava na Säpo havia três. Bjurman tinha vinte e seis e acabava de se formar. Conseguiu um emprego na instrução de alguns casos jurídicos da Säpo. Na verdade, era mais um estágio. O Bjurman era de Karlskrona, o pai dele trabalhava no serviço de informação militar.

— E aí?

— Nem eu nem o Bjurman, diga-se, estávamos capacitados para lidar com um homem como o Zalachenko, mas ele nos contatou no dia das eleições, em 1976. A delegacia estava praticamente deserta — tinham todos saído no feriado, ou estavam em serviço de vigilância e coisas do gênero. E foi exatamente quando o Zalachenko escolheu entrar na delegacia de Normalm para declarar que estava pedindo asilo político e queria falar com alguém da

Säpo. Não citou nenhum nome. Eu estava de plantão, achei que se tratava de um refugiado comum, então chamei o Bjurman para instruir o caso comigo. Foi lá, na delegacia de Norrmalm, que conhecemos o Zalachenko.

Björck esfregou os olhos.

— Ele ficou ali sentado, contando calmamente e de forma bem neutra como se chamava, quem era e no que trabalhava. Bjurman tomava nota. Passado algum tempo me dei conta de quem estava ali na minha frente e caí das nuvens. Então interrompi a entrevista e, mais que depressa, levei o Zalachenko e o Bjurman para longe da polícia oficial. Não sabia o que fazer, então reservei um quarto no Hotel Continental e o acomodei lá. Deixei o Bjurman de *baby-sitter* e desci até a recepção para telefonar para o meu chefe.

Súbito, ele caiu na gargalhada.

— Lembrei várias vezes dessa nossa atitude, de legítimos amadores. Mas enfim, foi assim que aconteceu.

— Quem era o seu chefe?

— Não interessa. Não pretendo citar mais ninguém.

Mikael deu de ombros e deixou passar esse detalhe sem discutir.

— Tanto eu como o meu chefe entendemos que tínhamos de agir no maior sigilo e envolver o menor número possível de pessoas no caso. O Bjurman não tinha nada a ver com a história — que estava muito além do nível dele — mas, uma vez que já estava a par, era melhor mantê-lo do que envolver mais uma pessoa. E imagino que o mesmo raciocínio se aplicava a um júnior como eu. Ao todo, sete pessoas ligadas à Säpo sabiam da existência de Zalachenko.

— E hoje, quantas pessoas sabem dessa história?

— De 1976 até o início dos anos 1990... umas vinte pessoas no total, do governo, do Estado-maior e da Säpo.

— E depois do início dos anos 1990?

Björck deu de ombros.

— Assim que a União Soviética se esfacelou, ele deixou de ter qualquer interesse para nós.

— Mas o que aconteceu com Zalachenko depois que ele se instalou na Suécia?

Björck permaneceu tanto tempo calado que Mikael começou a se remexer na cadeira.

— Para ser bem sincero... O Zalachenko se transformou numa estrela e todos os envolvidos no caso construímos nossa carreira em cima disso. Entenda, também era um trabalho em tempo integral. Fui nomeado mentor de Zalachenko na Suécia, e nos dez primeiros anos a gente deve ter se encontrado, se não diariamente, pelo menos várias vezes por semana. Foram os anos mais cruciais, quando ele estava cheio de informações novas. Mas também tinha a ver com ficar de olho nele.

— Como assim?

— O Zalachenko era uma víbora. Podia ser incrivelmente encantador como incrivelmente paranoico, doido. Passava por períodos de bebedeira, e se tornava violento. Em mais de uma oportunidade, tive de intervir à noite para ajeitar as confusões em que ele se metia.

— Por exemplo...?

— Por exemplo, ele ia a um restaurante, brigava com alguém e quebrava a cara dos dois seguranças que tentavam acalmá-lo. Era um homem meio baixinho e magro, mas tivera uma ótima formação no corpo a corpo e algumas vezes, infelizmente, exibia toda a sua competência. Aconteceu inclusive de eu ter de buscá-lo na delegacia.

— Estou achando esse cara meio pirado. Afinal, estava se arriscando a chamar a atenção. Não me parece muito profissional.

— Mas ele era assim. Não tinha cometido nenhum crime na Suécia e nunca era interrogado ou detido por motivo nenhum. Nós lhe fornecemos um passaporte sueco, uma carteira de identidade e um nome sueco. E a Säpo pagava para ele um apartamento num subúrbio de Estocolmo. Ele também recebia da Säpo um salário para ficar permanentemente à nossa disposição. Mas não podíamos proibir que ele frequentasse restaurantes ou tivesse seus rolos com as mulheres. Só nos restava fazer a faxina depois que ele passava. Essa foi minha missão até 1985, quando fui transferido e meu sucessor assumiu o bastão como guia de Zalachenko.

— E qual era o papel do Bjurman nisso tudo?

— Para ser sincero, Bjurman era um peso. Não era especialmente brilhante, e era o homem errado no lugar errado. Fora envolvido no caso Zalachenko por mero acaso. Ele só participou bem no início, e em raras ocasiões, quando precisávamos lidar com algumas formalidades jurídicas. O meu chefe resolveu o problema com o Bjurman.

— Como?

— Da maneira mais simples. O Bjurman conseguiu um emprego fora da polícia, num escritório de advocacia que era, por assim dizer, próximo...

— Klang & Reine.

Gunnar Björck lançou a Mikael um olhar cortante. Então meneou a cabeça.

— Intelectualmente falando o Bjurman não era aquilo tudo, mas se saiu bem. Ao longo dos anos, sempre efetuou algumas missões, pequenas investigações, coisas assim, para a Säpo. De modo que ele também, de certa forma, construiu sua carreira em torno do Zalachenko.

— E onde está o Zala atualmente?

Björck hesitou um instante.

— Não sei. Depois de 1985 meu contato com ele foi se espaçando, e faz quase doze anos que não o vejo. A última coisa que eu soube é que ele saiu da Suécia em 1992.

— Mas, manifestamente, está de volta. O nome dele surgiu num contexto envolvendo armas, drogas e tráfico de mulheres.

— Não que eu devesse ficar surpreso — suspirou Björck. — Mas nada prova que seja o mesmo Zala, pode ser algum outro.

— A probabilidade de aparecerem dois Zala nessa história deve ser microscópica. Qual era o nome sueco dele?

Björck encarou Mikael.

— Isso eu não pretendo revelar.

— Você prometeu não criar caso.

— Você queria saber quem era o Zala. Eu contei. Mas não pretendo lhe entregar a última peça do quebra-cabeça sem ter certeza de que você vai cumprir sua parte no trato.

— O Zala provavelmente cometeu três assassinatos e a polícia está perseguindo uma inocente. Você está muito enganado se acha que eu vou largar do seu pé antes de saber o nome do Zala.

— Como você sabe que a Lisbeth Salander não é a assassina?

— Eu sei.

Gunnar Björck sorriu para Mikael. Sentiu-se, de repente, muito mais seguro.

— Eu acho que o assassino é o Zala — disse Mikael.

— Errado. O Zala não matou ninguém.

— Como você sabe?

— Porque o Zala tem atualmente sessenta e cinco anos e está bastante debilitado. Teve um pé amputado e caminha com dificuldade. Ele não foi até Odenplan ou Enskede para atirar em ninguém. Se fosse cometer um assassinato, teria primeiro que chamar uma ambulância.

Malu Eriksson sorriu educadamente para Sonja Modig.

— Isso você tem que perguntar ao Mikael.

— Está bem.

— Não posso conversar sobre a investigação dele com você.

— Mas se o tal Zala é um possível culpado...

— É com o Mikael que você deve falar sobre isso — repetiu Malu. — Posso te ajudar a pegar as informações do trabalho do Dag Svensson, mas não da nossa própria investigação.

Sonja Modig suspirou.

— Eu entendo o princípio. O que você pode me dizer sobre as pessoas desta lista?

— Só o que o Dag Svensson escreveu, nada sobre as fontes. Mas acho que posso revelar que o Mikael entrou em contato com uma dúzia dessas pessoas e as eliminou da lista. Talvez isso ajude.

Sonja Modig meneou a cabeça, hesitante. *Não, não ajuda. A polícia vai ter que procurar cada um deles e realizar um interrogatório formal. Um juiz. Três advogados. Vários políticos e jornalistas... e alguns colegas. Vai ser uma festa.* Sonja Modig ponderou que a polícia deveria ter cuidado daquela lista já no dia seguinte aos assassinatos.

Seu olhar bateu num nome da lista. Gunnar Björck.

— Esse nome está sem endereço.

— É.

— Por quê?

— Ele trabalha na Säpo, o endereço dele é sigiloso. Mas no momento está de licença médica. O Dag Svensson não conseguiu encontrá-lo.

— E vocês, conseguiram? — perguntou Sonja Modig, sorrindo.

— Pergunte ao Mikael.

Sonja Modig fitou a parede acima da mesa de Dag Svensson. Refletiu.

— Eu posso lhe fazer uma pergunta pessoal?

— Pois não.

— Aqui na *Millennium*, quem vocês acham que é o assassino dos seus amigos e do doutor Bjurman?

Malu Eriksson não disse nada. Gostaria que Mikael Blomkvist estivesse ali para lidar com aquelas perguntas. Era desagradável ser inquirida daquele jeito, mesmo sendo absolutamente inocente. Mais desagradável ainda era não poder explicar em que pé estavam as conclusões da *Millennium*. Nisso, escutou a voz de Erika Berger atrás de si.

— Partimos do princípio de que os assassinatos visavam impedir a divulgação de uma das denúncias em que o Dag Svensson vinha trabalhando. Mas não sabemos quem atirou. O Mikael está se concentrando num desconhecido chamado Zala.

Sonja Modig se virou e olhou para a diretora da *Millennium*. Erika Berger ofereceu uma caneca de café para Malu e outra para Sonja. Uma ostentava o logotipo do sindicato dos funcionários e a outra, dos democrata-cristãos. Erika Berger sorriu educadamente. Em seguida, voltou para sua sala.

Retornou três minutos depois.

— Modig. O seu chefe acaba de telefonar. Seu celular está desligado. É para você ligar para ele.

O incidente na casa de campo de Bjurman desencadeou, a tarde toda, uma atividade febril. Foi lançado um alerta nacional com a informação de que Lisbeth Salander enfim dera sinal de vida. O alerta informava que ela provavelmente estava se locomovendo numa Harley Davidson pertencente a Magge Lundin. Esclarecia que Salander estava armada e tinha atirado numa pessoa em frente a uma casa de campo perto de Stallarholmen.

A polícia colocou barreiras nos acessos a Strängnäs e Mariefred, e em todos os acessos a Södertälje. Os trens de subúrbio entre Södertälje e Estocolmo foram revistados à noite durante várias horas. Porém, nenhuma moça baixinha, com ou sem Harley Davidson, foi encontrada.

Só por volta das dezenove horas é que um carro de polícia encontrou uma Harley abandonada, estacionada em frente ao Parque de Exposições de

Estocolmo em Älvsjö, o que transferiu as investigações de Södertälje para Estocolmo. De Älvsjö também chegou a notícia de que um pedaço de jaqueta de couro com o logotipo do MC Svavelsjö havia sido encontrado. O achado levou o inspetor Bublanski a empurrar os óculos para a testa e contemplar, aborrecido, a escuridão lá fora, em Kungsholmen.

Aquele dia se transformara numa total escuridão. O sequestro da amiga de Salander, a intervenção de Paolo Roberto, mais um incêndio criminoso e delinquentes enterrados nas matas de Södertälje. E, para encerrar, um caos incompreensível em Stallarholmen.

Bublanski foi até a sala grande de trabalho e examinou um mapa de Estocolmo e redondezas. Seu olhar passou de Stallarholmen para Nykvarn, depois para Svavelsjö, detendo-se em Älvsjö, as quatro localidades que, por motivos totalmente distintos, tinham entrado na história. Então pôs o olhar em Enskede e suspirou. Tinha a desagradável sensação de que a polícia estava quilômetros atrás do desenrolar dos fatos. Não conseguia entender nada. Quaisquer que fossem os bastidores dos assassinatos de Enskede, eram muito mais complexos do que eles tinham pensado inicialmente.

Mikael Blomkvist nada sabia dos acontecimentos dramáticos de Stallarholmen. Deixou Smådalarö por volta das três da tarde. Parou num posto de gasolina para tomar um café, enquanto tentava resumir a situação.

Mikael estava bastante frustrado. Björck lhe fornecera muitos detalhes que o deixaram estupefato, mas também se negara categoricamente a lhe entregar a última peça do quebra-cabeça, relativa à identidade sueca de Zalachenko. Mikael se sentia enganado. A história terminava de repente e Björck recusava-se a revelar seu final.

— Nós temos um trato — insistiu Mikael.

— E eu cumpri a minha parte. Contei quem é o Zalachenko. Se quiser mais informações, vamos ter de redefinir o trato. Preciso de garantias de que meu nome será deixado de fora e de que não vai haver nenhum desdobramento.

— Mas como eu posso lhe dar essas garantias? Não sou o dono da investigação policial, e mais cedo ou mais tarde eles vão chegar até você.

— O que me preocupa não é a investigação policial. O que eu quero são garantias de que você nunca vai me denunciar por causa das putas.

Mikael notou que Björck parecia mais preocupado em ocultar sua ligação com o comércio do sexo do que por ter passado informações tidas como segredo de Estado. Isso revelava um bocado sobre sua personalidade.

— Já prometi não escrever uma só palavra sobre você e essa história.

— Mas agora quero garantias de que nunca vai citar meu nome em relação com o Zalachenko.

Mikael não tinha a menor intenção de oferecer esse tipo de garantia. Ele até podia dar a Björck o tratamento de uma fonte anônima na trama de fundo, mas não tinha como garantir anonimato absoluto. Por fim, ambos haviam concordado em refletir um ou dois dias e então retomar a conversa.

Mikael tomava o seu café no posto de gasolina quando sentiu que havia alguma coisa bem ali, ao alcance de sua mão. Tão próximo que era quase um vulto, sem que ele conseguisse, porém, focalizar a imagem. Então ocorreu-lhe que talvez outra pessoa pudesse lançar alguma luz sobre aquela história. Mikael estava nas proximidades do Centro de Reeducação de Ersta. Consultou o relógio, levantou-se rapidamente e foi fazer uma visita a Holger Palmgren.

Gunnar Björck estava preocupado. O encontro com Mikael Blomkvist deixara-o completamente esgotado. Suas costas doíam como nunca. Tomou três analgésicos e se deitou no sofá da sala. Os pensamentos rodopiavam em sua cabeça. Depois de uma hora, levantou-se, pôs água para ferver e pegou uns saquinhos de chá. Sentou-se à mesa da cozinha e ficou matutando.

Será que podia confiar em Blomkvist? Ele jogara todos os seus trunfos e agora dependia da boa vontade do infeliz daquele jornalista. Mas ele preservara a informação mais importante. A identidade de Zala e seu verdadeiro papel nos acontecimentos. Uma carta decisiva que ele guardava na manga.

Como é que ele tinha se metido naquela encrenca? Não era nenhum criminoso. Só tinha pago por algumas putas. Era solteiro. Aquela fedelha desgraçada de dezesseis anos nem sequer tinha fingido que gostava dele. Olhara para ele cheia de nojo.

Cretina. Se ao menos ela não fosse tão jovem. Se tivesse mais de vinte e um anos, ele não estaria naquela confusão. A mídia ia acabar com ele se descobrisse a história. Blomkvist também o detestava. Nem tentava disfarçar.

Zalachenko.

Um cafetão. Que ironia. Ele tinha comido umas putas do Zalachenko. Mas Zalachenko era esperto o bastante para ficar na moita.

O Bjurman e a Salander.

E o Blomkvist.

Uma saída.

Depois de refletir durante uma hora, foi até seu escritório e pegou o pedaço de papel com o número de telefone que ele anotara quando de uma visita ao seu local de trabalho no início da semana. Não era só isso que ele omitira a Mikael Blomkvist. Sabia exatamente onde se encontrava Zalachenko, mas fazia doze anos que não falava com ele. E não tinha a menor vontade de voltar a falar.

Mas Zalachenko era uma raposa esperta. Compreenderia o problema. Saberia sumir da face da terra. Ir se aposentar no exterior. Desastre mesmo seria ele ser preso. Então tudo era capaz de desabar.

Hesitou um bocado antes de pegar o telefone e discar o número.

— Olá. É o Sven Jansson — disse.

Um pseudônimo que ele não usava havia muito tempo. Zalachenko se lembrava muito bem dele.

28. QUARTA-FEIRA 6 DE ABRIL — QUINTA-FEIRA 7 DE ABRIL

Bublanski se encontrou com Sonja Modig para tomarem um café com um sanduíche no Wayne's da Vasagatan lá pelas oito da noite. Ela nunca tinha visto seu chefe tão abatido. Ele a inteirou de tudo que acontecera naquele dia. Ela permaneceu muito tempo calada. Por fim, estendeu a mão e colocou-a no pulso de Bublanski. Era a primeira vez que ela o tocava e não havia outra intenção em seu gesto que não a amizade. Ele sorriu, triste, e da mesma forma amistosa deu uns tapinhas na mão dela.

— Talvez seja hora de eu me aposentar — disse ele.

Ela sorriu com indulgência.

— Essa investigação está indo para o brejo — ele prosseguiu. — Aliás, já foi. Contei ao Ekström tudo o que aconteceu hoje e a única instrução que ele me deu foi "Faça o melhor possível". Ele parece incapaz de qualquer tipo de ação.

— Não quero falar mal dos meus superiores, mas no que me diz respeito o Ekström pode ir plantar coquinho.

Bublanski assentiu com a cabeça.

— Você está oficialmente de volta à investigação. Imagino que ele não vá lhe pedir desculpas.

Ela deu de ombros.

— Neste momento, tenho a impressão de que a investigação se limita a mim e a você — disse Bublanski. — O Faste saiu às pressas hoje de manhã, louco de raiva, e deixou o celular desligado o dia inteiro. Se ele não aparecer até amanhã, vou ser obrigado a emitir um alerta de busca.

— Por mim, o Faste pode ficar de fora. O que vai acontecer com o Niklas Eriksson?

— Nada. Eu queria que ele fosse indiciado, mas o Ekström não se atreveu. Mandamos o cara embora e fui ter uma conversinha com o Dragan Armanskij. Encerramos a colaboração da Milton, o que significa, infelizmente, que também perdemos o Steve Bohman. Pena. É um policial competente.

— E o Armanskij, como reagiu?

— Ficou arrasado. O interessante é que...

— É que...?

— O Armanskij me contou que a Lisbeth Salander nunca gostou do Eriksson. Lembrou que há alguns anos ela o aconselhou a despedir o cara. Disse que ele era um canalha, mas não quis explicar por quê. O Armanskij, obviamente, não seguiu o conselho dela.

— Humm.

— O Curt ainda está em Södertälje. Estão para efetuar uma busca na casa do Carl-Magnus Lundin. O Jerker está desenterrando o ex-presidiário Kenneth Gustafsson, vulgo Vagabundo, para os lados de Nykvarn. E pouco antes de eu chegar aqui ligou para dizer que também tem um corpo no segundo túmulo. Pela roupa, é uma mulher. Parece que já faz um tempinho que está ali.

— Um cemitério dentro da mata. Jan, tenho a impressão que essa história é muito mais monstruosa do que a gente pensava. A Salander não está sendo acusada dos assassinatos de Nykvarn, está?

Bublanski sorriu, pela primeira vez em muitas horas.

— Não. Dessa ela vai se livrar. Mesmo assim, está armada e atirou no Lundin.

— Chama a atenção ela ter atirado no pé e não na cabeça. No caso do Magge Lundin, talvez não faça muita diferença, mas a gente sempre achou que o assassino de Enskede era um excelente atirador.

— Sonja... Isso tudo é um completo absurdo. O Magge Lundin e o

Benny Nieminen são dois grandalhões violentos com uma ficha criminal quilométrica. Lundin ganhou um pouco de peso, é verdade, e não está no melhor de sua forma, mas é perigoso. E o Nieminen é um patife brutal que costuma assustar até os fortões. Não consigo acreditar que uma magrelinha como a Salander tenha conseguido quebrar a cara deles desse jeito. O Lundin está seriamente ferido.

— Humm.

— Não estou dizendo que ele não merece. Mas não entendo como ela conseguiu fazer isso.

— A gente pergunta quando ela for pega. Mas existe um consenso de que ela é violenta.

— Seja como for, não consigo sequer imaginar o que aconteceu por lá. Estamos falando de dois sujeitos que o Curt Bolinder teria pensado duas vezes em enfrentar sozinho. E o Curt Bolinder não é particularmente um sujeito doce.

— A questão é saber se ela tinha algum motivo para atacar o Lundin e o Nieminen.

— Uma moça sozinha com dois psicopatas, dois cretinos puros-sangues, numa casa de campo deserta. Até posso imaginar os motivos — disse Bublanski.

— Será que ela teve a ajuda de alguém? Será que havia mais gente no local?

— Nada no exame técnico indica isso. A Salander entrou na casa. Havia uma xícara de café em cima da mesa. E além disso temos Anna Viktoria Hansson, que, do alto dos seus setenta e dois anos, dá uma de zeladora e repara em todo mundo que transita por ali. Ela jura que só passaram a Salander e os dois caras de Svavelsjö.

— Como é que ela entrou na casa?

— Com uma chave. Acho que ela pegou no apartamento do Bjurman. Lembre...

— ...dos lacres rompidos. É. Essa mocinha não para.

Sonja Modig tamborilou os dedos na mesa por alguns segundos, depois foi por outra direção.

— Deu para confirmar que o Lundin participou do sequestro da Miriam Wu?

Bublanski assentiu com a cabeça.

— Pedimos para o Paolo Roberto dar uma olhada nas fotos de uns cinquenta motoqueiros. Ele identificou o Lundin imediatamente, sem pensar duas vezes. Diz que é o mesmo homem que ele viu no armazém de Nykvarn.

— E o Mikael Blomkvist?

— Não consegui falar com ele. Ele não atende o celular.

— Bem. Mas o Lundin bate com a descrição do agressor da Lundagatan. Podemos então definir que o MC Svavelsjö vem perseguindo a Salander já há algum tempo. Por quê?

Bublanski afastou os braços.

— Será que a Salander estava na casa de campo de Bjurman esse tempo todo em que vem sendo procurada? — quis saber Sonja Modig.

— Também pensei nessa hipótese. Mas o Jerker acha que não. A casa não parecia ter sido ocupada recentemente, e temos essa testemunha afirmando que ela só apareceu na aldeia hoje.

— Por que ela foi até lá? Custo a acreditar que tivesse um encontro marcado com o Lundin.

— Tem razão, é pouco provável. Ela deve ter ido lá buscar alguma coisa. E só encontraram uns arquivos que parecem ser uma investigação particular do Bjurman sobre a Lisbeth Salander. Uma pilha de documentos do Serviço Social e da Comissão de Tutelas referentes a Salander, e também antigas anotações sobre a escolaridade dela. Mas faltam alguns arquivos. Eles estão numerados. Temos o 1, o 4 e o 5.

— Faltam o 2 e o 3.

— E talvez outros depois do 5.

— O que leva a uma pergunta: por que a Salander iria procurar informações sobre si mesma?

— Vejo dois motivos. Ou está querendo esconder algo que ela sabe que Bjurman registrou a seu respeito, ou está tentando descobrir alguma coisa. Mas fica também outra pergunta.

— Ah, é?

— Por que o Bjurman fez uma pesquisa tão ampla sobre ela e depois escondeu tudo na casa de campo? Aparentemente, a Salander descobriu os arquivos no sótão. Ele era o tutor dela, tinha por missão cuidar de suas finanças e coisas do tipo. Mas os arquivos dão a impressão de que ele estava era obcecado pela vida dela a ponto de querer esmiuçar tudo.

— O Bjurman está cada vez mais parecendo uma figurinha meio suspeita. Pensei nisso hoje enquanto analisava a lista dos clientes sexuais na *Millennium*. Estava quase esperando topar com o nome dele.

— Bem pensado. Afinal, existe aquela coleção de sexo explícito no computador dele. Merece atenção. Descobriu alguma coisa?

— Não sei bem. O Mikael Blomkvist está se encontrando com todos os caras da lista, mas essa moça da *Millennium*, a Malu Eriksson, diz que ele não descobriu nada de interessante. Jan... preciso te dizer uma coisa.

— O quê?

— Não acho que foi a Salander que fez tudo isso. Quero dizer, Enskede e Odenplan. No início, eu estava convencida da culpa dela, como todo mundo, mas não acredito mais nisso. E não sei nem explicar por quê.

Bublanski meneou a cabeça. E percebeu que concordava com Sonja Modig.

O gigante loiro andava para lá e para cá na casa de Magge Lundin em Svavelsjö, preocupado. Parou em frente à janela da cozinha e espiou a estrada. Àquela hora, eles já deviam ter voltado. Sentiu a preocupação corroer-lhe as tripas. Tinha acontecido alguma coisa.

Além disso, não gostava de ficar sozinho na casa de Magge Lundin. Não conhecia a casa. Havia um sótão do lado do quarto dele, no piso superior, e a casa estalava o tempo todo de forma desagradável. Tentou se livrar daquele mal-estar. O gigante loiro sabia que era bobagem, mas nunca tinha gostado de ficar sozinho. Não sentia nenhum medo dos seres humanos de carne e osso, mas achava que casas de campo vazias tinham algo tremendamente inquietante. Os vários ruídos atiçavam sua imaginação. Não conseguia se livrar da sensação de que algo obscuro e maligno o observava pela fresta de uma porta. Às vezes tinha até a impressão de ouvir uma respiração.

Quando era mais jovem, caçoavam dele por causa de seu medo do escuro. Ou melhor, tinham caçoado até ele dar uma surra nos colegas e, eventualmente, em pessoas mais velhas que sentiam prazer nesse tipo de diversão. Ele era bom de surra.

Mas era um problema. Ele tinha horror a escuro e solidão. Odiava os seres que povoavam o escuro e a solidão. Queria que Lundin voltasse já. A presença de Lundin restabeleceria o equilíbrio, mesmo que eles não conversassem, mesmo que não estivessem no mesmo cômodo. Ele escutaria ruídos de verdade, movimentos, e saberia que havia seres humanos por perto.

Tentou se livrar do mal-estar escutando uns discos. Não se aguentando no lugar, procurou alguma coisa para ler nas prateleiras de Lundin. Infelizmente, a veia intelectual de Lundin deixava muito a desejar e ele teve de se contentar com uma coleção de revistas antigas sobre motos, revistas masculinas e romances policiais maltratados do tipo que nunca o fascinara. Passou algum tempo limpando e azeitando a arma de fogo que guardava na sacola, o que o acalmou por uns momentos.

Por fim, incapaz de continuar na casa, saiu para dar uma voltinha no pátio e tomar ar. Manteve-se longe da vista dos vizinhos, mas parou de modo a enxergar janelas iluminadas onde havia gente. Ficando totalmente imóvel, podia ouvir uma música ao longe.

Quando quis entrar de novo na casa de Lundin, seu mal-estar tornou-se aterrador e ele ficou um tempão nos degraus da frente, coração disparado, até conseguir fazer um esforço e abrir resolutamente a porta.

Às sete horas, desceu até a sala e ligou a tevê para assistir ao noticiário da TV4. Atônito, escutou as manchetes e, depois, a descrição dos incidentes na casa de campo de Stallarholmen. Era o tema central do noticiário.

Galgou os degraus da escada de quatro em quatro até o quarto de hóspedes, e enfiou suas coisas numa sacola. Dois minutos depois, saiu pela porta e arrancou com o Volvo branco num estardalhaço.

Saiu bem a tempo. A um quilômetro apenas de Svavelsjö, cruzou com dois carros de polícia, luzes giratórias azuis ligadas, entrando na aldeia.

Depois de muito esforço, Mikael Blomkvist conseguiu se encontrar com Holger Palmgren por volta das dezoito horas de quarta-feira. Muito esforço porque precisou convencer os funcionários a que o deixassem entrar. Insistiu com tamanha energia que uma enfermeira ligou para um tal de dr. A. Sivarnandan, que aparentemente morava bem perto da casa de saúde. Sivarnandan chegou depois de quinze minutos e assumiu o problema do jornalista persistente. De início, foi categórico. Nas duas últimas semanas, vários jornalistas tinham conseguido localizar Holger Palmgren e apelado para métodos quase desesperados a fim de obter alguma declaração. Holger Palmgren, por sua vez, teimara em rechaçar todas essas visitas, e os funcionários tinham recebido ordem de não deixar entrar ninguém.

Sivarnandan também tinha acompanhado o caso com imensa preocupação. Estava apavorado com as manchetes sobre Lisbeth Salander na mídia e observou que seu paciente mergulhara numa profunda depressão que, na sua interpretação, era fruto da incapacidade em que Palmgren se via de fazer alguma coisa. Interrompera a reabilitação e passava os dias lendo os jornais e acompanhando a caçada a Lisbeth Salander pela tevê. O resto do tempo, ficava matutando no quarto.

Mikael, teimoso, fincou pé diante da sala do dr. Sivarnandan, explicando que não tinha a menor intenção de expor Holger Palmgren a qualquer situação desagradável e que não estava ali para obter uma declaração. Explicou que era amigo de Lisbeth Salander, que tinha dúvidas sobre a culpa dela e estava desesperadamente em busca de informações que pudessem lançar uma luz sobre alguns detalhes do seu passado.

O dr. Sivarnandan não se deixava seduzir assim tão facilmente. Mikael precisou se sentar e explicar com calma seu papel naquele drama. Sivarnandan só cedeu ao fim de meia hora de discussão. Pediu que Mikael esperasse enquanto ele subia até o quarto de Holger Palmgren para perguntar se este aceitava recebê-lo.

Sivarnandan voltou após dez minutos.

— Ele concordou em recebê-lo. Se não for com a sua cara, vai mandá-lo embora. Você não está autorizado a entrevistá-lo nem a comentar esta visita na imprensa.

— Eu lhe garanto que não vou escrever uma linha sequer a respeito.

Holger Palmgren tinha um quarto pequeno com uma cama, uma cômoda, uma mesa e algumas cadeiras. Estava um espantalho, magro, de cabelos brancos, com evidentes problemas de desequilíbrio, mas ainda assim se levantou quando Mikael entrou. Não estendeu a mão, porém apontou para uma das cadeiras ao lado da mesa. Mikael sentou-se. Sivarnandan permaneceu no quarto. De início, Mikael custou a entender as palavras balbuciadas por Holger Palmgren.

— Quem é o senhor, para se apresentar como amigo de Lisbeth Salander, e o que quer?

Mikael inclinou-se para trás. Refletiu por um instante.

— Holger, o senhor não é obrigado a falar comigo. Mas peço que escute o que eu tenho a dizer antes de decidir se me põe daqui para fora.

Palmgren assentiu rapidamente com a cabeça e se arrastou até a cadeira em frente à de Mikael.

— Conheci Lisbeth Salander há mais ou menos dois anos. Contratei-a para fazer uma pesquisa para mim sobre um assunto que prefiro não abordar ou lembrar. Ela esteve comigo num lugar onde eu estava morando temporariamente e trabalhamos juntos por várias semanas.

Ele se perguntou até onde deveriam ir suas explicações a Palmgren. Resolveu se manter o mais próximo possível da verdade.

— No meio do caminho, aconteceram duas coisas. Uma delas é que a Lisbeth salvou a minha vida. A outra é que estivemos muito próximos durante um período. Aprendi a conhecê-la e gostava imensamente dela.

Sem entrar em detalhes, Mikael falou sobre sua relação com Lisbeth e do fim repentino dessa relação depois das festas de Natal do ano anterior, quando Lisbeth viajara para fora do país.

Em seguida falou sobre seu trabalho na *Millennium* e os assassinatos de Dag Svensson e Mia Bergman, e explicou como se via de repente envolvido na busca de um assassino.

— Entendo que o senhor andou sendo importunado por jornalistas recentemente e que os jornais publicaram bobagem que não acaba mais. Só o que posso fazer é lhe garantir que não estou aqui para obter material para um enésimo artigo. Sou provavelmente uma das raríssimas pessoas neste país que, neste momento, sem hesitar e sem segundas intenções, estão do lado de Lisbeth Salander. Acho que ela é inocente. Acho que um homem chamado Zalachenko está por trás desses assassinatos.

Mikael fez uma pausa. Alguma coisa faiscara nos olhos de Palmgren quando ele pronunciou o nome de Zalachenko.

— Se quiser contribuir com qualquer coisa que esclareça o passado dela, este é o momento. Se não quiser ajudá-la, vou estar desperdiçando o meu tempo e sabendo, também, qual a sua posição.

Holger Palmgren não dissera sequer uma palavra durante o discurso de

Mikael. No último comentário, houve outro brilho em seus olhos. Mas ele sorriu. Falou do modo mais pausado e articulado que conseguiu.

— E o senhor quer mesmo ajudá-la.

Mikael fez que sim com a cabeça.

Holger Palmgren se inclinou para a frente.

— Descreva-me o sofá da sala dela.

Mikael retribuiu o sorriso.

— Quando estive lá, havia um troço velho absolutamente imundo que a rigor poderia interessar um antiquário. Início dos anos 1950, eu diria. Tinha duas almofadas de tecido marrom com uma estampa amarela. O tecido estava rasgado em vários pontos e o enchimento saindo para fora.

Holger Palmgren caiu na gargalhada. Mais parecia estar limpando a garganta. Olhou para o dr. Sivarnandan.

— Ele pelo menos esteve no apartamento dela. Diga-me, doutor, posso pedir café para o meu convidado?

— Mas é claro.

Sivarnandan se levantou e saiu do quarto. Deteve-se na porta e, com a cabeça, acenou para Mikael.

— Alexander Zalachenko — disse Holger Palmgren, assim que a porta se fechou.

Mikael arregalou os olhos.

— Conhece esse nome?

Holger Palmgren meneou a cabeça.

— A Lisbeth me disse o nome dele. Acho que é importante eu contar essa história para alguém... caso me dê na telha morrer de repente, o que não é tão improvável.

— A Lisbeth? Como ela sabia da existência dele?

— Ele é o pai da Lisbeth Salander.

Num primeiro momento, Mikael custou a entender o que Holger Palmgren dizia. Aos poucos, as palavras abriram caminho dentro dele.

— O que está dizendo?

— O Zalachenko chegou aqui nos anos 1970. Era uma espécie de refugiado político — nunca entendi muito bem essa história e Lisbeth sempre foi muito muquirana em matéria de informação. Esse era um assunto no qual ela não queria tocar de jeito nenhum.

A certidão de nascimento. Pai desconhecido.

— O Zalachenko é o pai da Lisbeth — Mikael repetiu.

— Nesses anos todos desde que a conheço, ela só contou o que tinha acontecido uma única vez. Foi mais ou menos um mês antes de eu sofrer o derrame. O que eu entendi foi o seguinte: o Zalachenko chegou em meados dos anos 1970. Conheceu a mãe da Lisbeth em 1977, eles se tornaram um casal e o resultado foram duas crianças.

— Duas?

— A Lisbeth e sua irmã, Camilla. Elas são gêmeas.

— Meu Deus — quer dizer que tem outra igual a ela!

— Elas são muito diferentes. Mas essa é outra história. A mãe da Lisbeth se chamava Agneta Sofia Sjölander. Tinha dezessete anos quando conheceu Alexander Zalachenko. Não sei de detalhes, mas pelo que entendi ela era uma moça um tanto imatura e foi uma presa fácil para um homem mais velho e experiente. Ficou impressionada com ele e, como é provável, se apaixonou perdidamente.

— Entendo.

— O Zalachenko se mostrou tudo, menos simpático. Era muito mais velho que ela. Imagino que estivesse procurando uma mulher fácil, mais nada.

— O senhor deve ter razão.

— Ela decerto fantasiava um futuro seguro ao lado dele, só que ele não tinha a menor intenção de se casar. Aliás, eles nunca se casaram, mas em 1979 ela mudou o sobrenome de Sjölander para Salander. Deve ter sido o jeito que ela encontrou de mostrar que estavam juntos.

— Como assim?

— Zala. *Salander*.

— Caramba! — exclamou Mikael.

— Comecei a me debruçar sobre o assunto bem na época em que fiquei doente. O que aconteceu depois é que o Zalachenko se revelou um psicopata de primeira. Bebia e espancava Agneta. Pelo que pude entender, essa violência se estendeu por toda a infância das meninas. Lisbeth se lembra que o Zalachenko aparecia regularmente. Às vezes se ausentava por longos períodos e, de repente, estava de novo na Lundagatan. E toda vez era a mesma coisa. Ele vinha pelo sexo e para beber, e a história sempre acabava com Agneta Salander sofrendo diferentes maus-tratos. Lisbeth me contou detalhes que dão a entender que não eram apenas maus-tratos físicos. Ele vinha armado, ameaçador, parecia muito um sádico que curte o terror psicológico. Pelo que eu soube, só foi piorando com os anos. A mãe de Lisbeth passou grande parte da década de 1980 aterrorizada.

— Ele também batia nas filhas?

— Não. Aparentemente, não tinha o menor interesse pelas filhas. Mal as cumprimentava. A mãe em geral as mandava para o quarto quando o Zalachenko chegava, e elas não podiam sair sem permissão. Uma ou outra vez pode ter acontecido de ele dar um tapa em Lisbeth ou na irmã, mas era mais porque elas estavam atrapalhando ou no meio do caminho. A violência era toda dirigida à mãe.

— Puta merda. Coitada da Lisbeth.

Holger Palmgren assentiu com a cabeça.

— A Lisbeth me contou isso cerca de um mês antes de eu sofrer o derrame. Era a primeira vez que ela falava abertamente sobre o que havia acontecido. Eu tinha acabado de decidir que daria um basta àquela bobagem de tutela. A Lisbeth é tão inteligente como qualquer um de nós, e eu estava me preparando para rediscutir o caso dela no tribunal de instâncias. Aí sofri o derrame... e quando acordei, estava aqui.

Fez um gesto largo com o braço. Uma enfermeira bateu à porta e entrou com o café. Palmgren se manteve calado até ela sair do quarto.

— Há coisas que não entendo nessa história. Agneta Salander foi obrigada a ir para o hospital uma dúzia de vezes. Li o dossiê dela. Era manifestamente vítima de maus-tratos severos e o Serviço Social teria de ter intervindo. Mas nada aconteceu. A Lisbeth e a Camilla eram encaminhadas para eles quando a mãe estava hospitalizada, mas assim que ela tinha alta voltava para casa para esperar pelo próximo *round*. A única explicação que me ocorre é que a rede de proteção social inteira falhou em sua missão e que a Agneta tinha medo demais para fazer qualquer coisa além de esperar pelo seu torturador. Então, alguma coisa aconteceu. A Lisbeth chama isso de Todo o Mal.

— E o que vem a ser isso?

— Fazia vários meses que Zalachenko não aparecia. Lisbeth acabava de completar doze anos. Estava começando a acreditar que ele tinha sumido de vez. O que, evidentemente, não era o caso. Um dia ele voltou. Primeiro, Agneta fechou Lisbeth e a irmã no quarto. Em seguida, teve relações com o Zalachenko. E depois ele começou a espancá-la. Sentia prazer em torturá-la. Só que dessa vez não eram duas criancinhas que estavam fechadas no quarto... As meninas tiveram outra reação. Camilla tinha verdadeiro pânico de que alguém descobrisse o que acontecia em casa. Reprimia tudo e fazia de conta que não via que a mãe era maltratada. Quando os golpes cessavam, Camilla costumava ir fazer um carinho no pai como se estivesse tudo muito bem.

— Era o jeito dela de se proteger.

— É. Mas a Lisbeth era de outro calibre. Dessa vez, ela interrompeu a sessão de violência. Foi até a cozinha, pegou uma faca e enfiou-a no ombro de Zalachenko. Ela o apunhalou cinco vezes, até que ele conseguiu tomar a faca e lhe dar um soco. Os cortes não foram fundos, mas ele começou a sangrar feito um porco, e deu no pé.

— Isso é bem a cara da Lisbeth.

Palmgren riu.

— É. É melhor não deixar Lisbeth Salander nervosa. A atitude dela com as pessoas à sua volta é: se alguém a ameaça com um revólver, ela consegue um revólver maior. É o que me assusta tanto neste caso agora.

— Todo o Mal foi isso?

— Não. Agora vão acontecer duas coisas. Mas eu não consigo entender. O Zalachenko saiu suficientemente ferido para precisar ir até o hospital. Deveria ter havido uma investigação policial.

— Mas?

— Mas até onde sei não houve absolutamente nada. Lisbeth afirma que um homem foi falar com Agneta. Não sabe o que eles disseram nem quem ele era. Depois disso, a mãe disse a Lisbeth que o Zalachenko tinha perdoado tudo.

— Perdoado?

— Foram as palavras dela.

De repente, Mikael entendeu.

Björck. Ou um dos colegas de Björck. Era preciso fazer a limpeza atrás do Zalachenko. Que canalha! Ele fechou os olhos.

— O que foi? — perguntou Palmgren.

— Acho que sei o que aconteceu. E desta vez alguém vai pagar por isso. Mas continue.

— O Zalachenko ficou meses sem aparecer. Lisbeth esperava por ele e se preparava. Matava aula o tempo todo para vigiar a mãe. Morria de medo que Zalachenko a machucasse. Tinha doze anos e se sentia responsável por aquela mãe que não ousava procurar a polícia e não conseguia romper com Zalachenko, ou que talvez não percebesse a gravidade da situação. Mas, justamente no dia em que o Zalachenko voltou, a Lisbeth estava na escola. Chegou em casa quando ele estava saindo do apartamento. Ele não disse nada. Apenas riu. A Lisbeth entrou e deparou com a mãe desacordada no chão da cozinha.

— E o Zalachenko não encostou na Lisbeth?

— Não. Ela o alcançou quando ele já estava entrando no carro. Ele baixou o vidro, provavelmente para lhe dizer alguma coisa. A Lisbeth tinha se preparado. Jogou dentro do carro uma caixa de leite que ela tinha enchido de gasolina. E então riscou um fósforo.

— Meu Deus!

— Duas vezes ela tentou matar o pai. Desta vez, houve consequências. Um homem ardendo feito uma tocha dentro de um carro na Lundagatan não podia passar despercebido.

— Seja como for, ele sobreviveu.

— O Zalachenko ficou muito mal, com queimaduras graves. Teve que amputar um pé. Ficou com o rosto seriamente queimado, e com queimaduras no corpo inteiro. E Lisbeth acabou na psiquiatria infantil do Sankt Stefan.

Embora já soubesse de cor cada palavra, Lisbeth Salander releu atentamente os documentos a seu respeito que tinha encontrado na casa de campo de Bjurman. Depois acomodou-se no recanto da janela e abriu a cigarreira que Miriam Wu lhe dera de presente. Acendeu um cigarro e contemplou Djurgården. Descobrira detalhes sobre sua vida que não conhecia.

Tantas peças do quebra-cabeça estavam se encaixando que ela chegou a ficar gelada. O que a interessava antes de mais nada era o relatório policial redigido por Gunnar Björck em fevereiro de 1991. Não poderia afirmar quem era Björck entre todos os adultos que haviam falado com ela, mas julgava saber quem ele era. Apresentara-se com outro nome. Sven Jansson. Lembrava-se de cada nuança de seu rosto, de cada palavra dita e de cada gesto dele nas três ocasiões em que se encontraram.

Tinha sido um caos completo.

Dentro do carro, Zalachenko ardia feito uma tocha. Tinha conseguido abrir a porta e rolar para a calçada, mas sua perna ficara presa no cinto de segurança em meio ao fogo. Algumas pessoas acorreram e abafaram as chamas. Os bombeiros chegaram para apagar o incêndio do carro. Veio a ambulância, e ela tentou convencer os paramédicos a deixar Zalachenko para lá e ir cuidar de sua mãe. Eles a rechaçaram. Veio a polícia e algumas testemunhas apontaram para ela. Ela tentou explicar o que havia acontecido, mas teve a impressão de que ninguém a escutava, e de repente se viu no banco traseiro de um carro da polícia, e tinham se passado minutos, minutos e mais minutos que quase viraram uma hora, antes que a polícia finalmente entrasse no apartamento e encontrasse sua mãe.

Agneta Sofia Salander estava desacordada. Tinha lesões cerebrais. O primeiro de uma longa série de derrames fora desencadeado pelas pancadas. Ela nunca viria a se recuperar.

Lisbeth compreendeu de repente por que ninguém lera o relatório policial, por que Holger Palmgren não conseguira lhe pôr as mãos e por que ainda hoje o procurador Richard Ekström, que comandava a caçada contra ela, não tinha acesso a ele. O relatório não fora redigido pela polícia comum. Fora escrito por um idiota da Säpo. Havia nele carimbos indicando que a investigação era considerada confidencial com base na lei de segurança nacional.

Alexander Zalachenko tinha trabalhado para a Säpo.

Não se tratava de uma investigação. Tratava-se do abafamento de um caso. Zalachenko era mais importante que Agneta Salander. Não podia ser identificado ou denunciado. Zalachenko não existia.

Zalachenko não era o problema — o problema era Lisbeth Salander, a garota maluca que ameaçava detonar um dos maiores segredos da nação.

Um segredo de que ela não tinha nenhum conhecimento. Pôs-se a raciocinar. Zalachenko conhecera sua mãe quase em seguida quando chegara à Suécia. Tinha se apresentado com seu verdadeiro nome. Ainda não ganhara um nome de fachada nem a identidade sueca. O que explicava Lisbeth não ter encontrado seu nome em nenhum registro oficial naqueles anos todos. Ela sabia o seu nome verdadeiro. Mas o Estado sueco lhe dera um novo nome.

Ela captou a ideia geral. Se Zalachenko fosse indiciado por golpes e ferimentos agravados, o advogado de Agneta Salander ia começar a sondar o passado dele. *Onde é que o senhor trabalha, senhor Zalachenko? Qual o seu verdadeiro nome?*

Se Lisbeth Salander ficasse no Serviço Social, alguém talvez começasse a fuçar. O que também aconteceria se o atentado com coquetel Molotov fosse minuciosamente investigado, embora ela fosse jovem demais para ser indiciada. Imaginou as manchetes dos jornais. O relatório precisava, portanto, ser redigido por uma pessoa de confiança. E, depois, arquivado como *top secret* e muito bem enterrado, para que ninguém pudesse encontrá-lo. E Lisbeth Salander também tinha de ser tão bem enterrada que ninguém pudesse achá-la.

Gunnar Björck.

Sankt Stefan.

Peter Teleborian.

A explicação a deixou fora de si.

Prezado Estado... Vou ter uma conversinha com você caso um dia eu descubra com quem devo falar.

Perguntou-se rapidamente o que o ministro de Assuntos Sociais iria achar se um coquetel Molotov atravessasse as portas do seu ministério. Na falta de responsáveis, porém, Peter Teleborian era um bom substituto. Anotou mentalmente que teria que cuidar muito bem do caso dele assim que resolvesse todo o resto.

Mas ela ainda não entendia todos os meandros. Zalachenko reaparecera de repente depois de todos esses anos. Corria o risco de ser denunciado por Dag Svensson. *Dois tiros. Dag Svensson e Mia Bergman.* Uma arma que tinha as impressões digitais dela...

Zalachenko, ou quem ele enviara para executar a sentença, evidentemente não podia saber que ela achara o revólver na gaveta de Bjurman e o manipulara. Isso tinha sido puro acaso, mas para ela estava claro desde o começo que devia haver um vínculo entre Bjurman e Zala.

Mesmo assim, algo não estava colando naquela história. Ficou refletindo e experimentando, uma por uma, as peças do quebra-cabeça.

Só existia uma resposta plausível.

Bjurman.

Bjurman tinha feito uma investigação sobre ela. Estabelecera o elo entre ela e Zalachenko. E voltara-se para Zalachenko.

Ela tinha um filme que mostrava Bjurman violentando-a. Era a sua espada na nuca de Bjurman. Bjurman devia ter imaginado que Zalachenko poderia obrigar Lisbeth a revelar onde estava o filme.

Afastou-se da janela e foi pegar o CD na gaveta da escrivaninha, no qual escrevera "Bjurman" com a caneta-marcador. Não tinha sequer guardado o CD numa capinha. Não o tinha assistido desde que o mostrara em pré-estreia a Bjurman dois anos antes. Segurou-o um instante, e em seguida guardou-o de volta na gaveta.

Bjurman fora um idiota. Se tivesse cuidado da vida dele, ela o teria deixado em paz desde que conseguisse reverter sua tutela. Já o Zalachenko nunca o teria deixado em paz. Bjurman se tornaria para todo sempre o cãozinho de estimação de Zalachenko. O que não deixava de ser um merecido castigo.

A rede de Zalachenko. Tentáculos que se estendiam até o MC Svavelsjö.

O gigante loiro.

Ele era a chave.

Precisava encontrá-lo e obrigá-lo a revelar onde Zalachenko se escondia.

Acendeu mais um cigarro e contemplou o castelo de Skeppsholmen. Deslocou o olhar para as montanhas-russas do parque de diversões de Gröna Lund. Súbito, falou consigo mesma em voz alta. Imitou uma voz que tinha ouvido um dia num filme da tevê.

Daaaaddyyyyy, I am coming to get yoooou.

Se alguém escutasse, diria que ela era louca de atar. Às sete e meia da noite, ligou a tevê para ver as últimas notícias da caça a Lisbeth Salander. Teve o maior choque de sua vida.

Bublanski conseguiu localizar Hans Faste no celular pouco antes das vinte horas. Não foram gentilezas que eles trocaram pela rede de telecomunicações. Bublanski não perguntou a Faste onde ele tinha estado, apenas comunicou-lhe friamente os acontecimentos do dia.

Faste estava abalado.

Cansara-se daquele circo que estava a delegacia e fizera uma coisa que nunca tinha feito antes em serviço. Furioso, fora até o centro da cidade. Desligara o celular e se sentara num *pub* da Estação Central, onde tomara duas cervejas, fervendo de raiva.

Depois, voltou para casa, tomou uma ducha e caiu no sono.

Estava precisando dormir.

Acordou a tempo de assistir *Rapport*, e seus olhos quase saltaram das órbitas quando viu o noticiário. Um cemitério em Nykvarn. Lisbeth Salander tinha atirado no chefe do MC Svavelsjö. Caçada humana pelos subúrbios da zona sul. O cerco estava se fechando.

Ligou o celular.

O diacho do Bublanski telefonou quase em seguida, informando que a partir daquele momento a investigação passava oficialmente a procurar outro culpado também. E mandou-o substituir Jerker Holmberg no exame do local do crime em Nykvarn. Bem agora que a investigação Salander chegava ao fim, Faste ia juntar guimba de cigarro no meio do mato. E a Salander ia ficar para os outros.

O que o MC Svavelsjö estava fazendo nessa história?

Afinal, talvez houvesse algum nexo no que aquela puta de uma lésbica da Modig falava.

Não, não era possível.

Tinha que ser a Salander.

Queria ser ele a prendê-la. Tinha tanta vontade de prendê-la que apertou o celular até quase machucar a mão.

Holger Palmgren observou calmamente Mikael Blomkvist, que andava de lá para cá em frente à janela do pequeno quarto. Eram cerca de sete e meia da noite e fazia quase uma hora que eles estavam conversando sem interrupção. Por fim, Palmgren bateu na mesa para chamar a atenção de Mikael.

— Sente-se, ou vai gastar a sola dos sapatos — disse, passando a tratá-lo por "você".

Mikael se sentou.

— Quantos segredos — disse ele. — Eu não tinha percebido qual era o elo até você me contar sobre o passado de Zalachenko. Só tinha visto as avaliações do estado de Lisbeth declarando que ela era psicologicamente perturbada.

— Peter Teleborian.

— Ele só pode ter um tipo de acordo com o Björck. Deve ser alguma espécie de colaboração.

Mikael meneou a cabeça, pensativo. O que quer que acontecesse, Peter Teleborian seria objeto de uma investigação jornalística.

— Lisbeth pediu que eu ficasse longe dele. Disse que ele era do mal.

Holger Palmgren fitou-o com atenção.

— Quando ela disse isso?

Mikael ficou quieto. Então sorriu e olhou para Palmgren.

— Mais segredos. Caramba. Eu me comuniquei com ela enquanto ela estava foragida. Pelo computador. Mensagens sucintas e herméticas da parte dela, mas o tempo todo me orientando na direção certa.

Holger Palmgren suspirou.

— E é claro que você não contou isso à polícia — disse ele.

— Não. Não exatamente.

— Oficialmente, você também não contou para mim. Mas ela entende bastante de informática.

Você nem imagina o quanto.

— Confio muito na capacidade que ela tem de se virar. Ela até pode viver modestamente, mas é uma batalhadora.

Nem tão modestamente. Ela roubou quase três bilhões de coroas. Não vai morrer de fome. Tem um cofre cheio de moedas de ouro, igual à Píppi Meialonga.

— O que eu não entendo — disse Mikael — é por que você não tomou nenhuma atitude nesses anos todos.

Holger Palmgren deu outro suspiro. Sentia-se imensamente triste.

— Eu fracassei — disse. — Quando fui indicado como seu administrador *ad hoc*, ela era só mais uma no meio de um batalhão de jovens problemáticos. Tive dezenas deles. Foi o Bengt Brådhensjö quem me confiou essa missão, quando era chefe do Serviço Social. A Lisbeth já estava em Sankt Stefan na época e eu nem sequer estive com ela no primeiro ano. Falei umas vezes com o Teleborian e ele me explicou que ela era psicótica e estava recebendo todos os cuidados possíveis e imagináveis. Naturalmente, acreditei. Mas falei também com o Jonas Beringer, que, na época, era chefe do setor. Não creio que ele estivesse envolvido nessa história. Fez uma avaliação a pedido meu, e concordamos em tentar reinseri-la na sociedade por meio de uma família adotiva. Ela estava com quinze anos.

— E a partir daí você a acompanhou por todos esses anos?

— Não o suficiente. Briguei por ela depois do episódio do metrô. Eu já a conhecia melhor e gostava muito dela. Ela tinha personalidade. Consegui evitar que fosse internada. O compromisso que conseguimos firmar com as autoridades foi que ela seria declarada incapaz e eu me tornaria seu tutor.

— Também não dá para supor que o Björck tenha conseguido influenciar a decisão do tribunal. Isso teria chamado a atenção. Ele queria que ela fosse trancafiada e, para alcançar seus fins, tentou passar uma imagem bem negativa dela através das avaliações psiquiátricas, graças, entre outros, ao Teleborian, na esperança de que o tribunal tomasse a decisão lógica. Em vez disso, o tribunal adotou o seu ponto de vista.

— Eu nunca achei que ela devia ser colocada sob tutela. Mas, para ser sincero, confesso que não me esforcei muito para tentar reverter essa decisão. Eu deveria ter agido com mais vigor, e mais cedo. Mas eu gostava muito da Lisbeth e... ficava o tempo todo adiando. Estava com casos demais para cuidar. Depois, acabei caindo doente.

Mikael assentiu com a cabeça.

— Não acho que tenha motivos para se recriminar. Você é uma das poucas pessoas que a apoiaram nesses anos todos.

— O problema era que eu não sabia que tinha de intervir. A Lisbeth era minha cliente, mas nunca mencionou o Zalachenko. Depois que teve alta no Sankt Stefan, ela precisou de vários anos para demonstrar umas migalhas de confiança em mim. Só depois do processo é que eu senti que, aos poucos, ela estava começando a se comunicar comigo para além das formalidades obrigatórias.

— Como foi que ela passou a falar no Zalachenko?

— Imagino que, apesar de tudo, ela estava começando a confiar em mim. Além disso, eu já tinha aventado várias vezes a possibilidade de mandar suspender a tutela. Ela pensou sobre o assunto por alguns meses. Depois, ligou um dia para marcar um encontro. Tinha terminado de pensar. E então me contou toda a história do Zalachenko e a interpretação dela sobre o que tinha acontecido.

— Entendo.

— Então talvez entenda que, para mim, esse era um prato e tanto para digerir. Foi quando comecei a remexer nessa história. E não consegui sequer achar o Zalachenko num registro civil sueco. Tinha horas em que era difícil saber se ela não estava inventando aquilo tudo.

— Quando você sofreu o derrame, o tutor passou a ser o Bjurman. Certamente não foi por acaso.

— Não foi. Não sei se algum dia vamos conseguir provar, mas tenho a impressão de que se cavoucarmos bem fundo vamos achar... o sujeito, quem quer que seja ele, que ficou no lugar do Björck cuidando da faxina do caso Zalachenko.

— Não me parece nada difícil entender a recusa absoluta da Lisbeth em falar com psicólogos e autoridades — disse Mikael. — Toda vez que ela tentou, as coisas só pioraram. Ela tentou explicar o que tinha acontecido para dezenas de adultos e ninguém a escutou. Tentou, sozinha, salvar a vida da mãe e defendê-la de um psicopata. Acabou fazendo a única coisa que podia fazer. E em vez de ouvir um "você fez bem" e "você é uma boa menina", foi trancafiada num asilo de doidos.

— Não é assim tão simples. Espero que você perceba que existe algo estranho com a Lisbeth — disse Palmgren com ar grave.

— O que você quer dizer?

— Você deve saber que ela teve um bocado de problemas na infância, dificuldades escolares e tudo mais.

— Os jornais repetiram isso à exaustão. Eu com certeza também teria tido uma escolaridade difícil se tivesse tido a infância dela.

— Os problemas da Lisbeth vão bem além daqueles do seu ambiente familiar. Li todas as avaliações psiquiátricas sobre ela e não há um diagnóstico sequer. Mas acho que nós dois concordamos que a Lisbeth Salander não é uma pessoa igual às outras. Você já jogou xadrez com ela?

— Não.

— Ela tem memória fotográfica.

— Isso eu sei. Deu para perceber na convivência com ela.

— Certo. Ela adora enigmas. Uma vez, quando veio me visitar no Natal, dei uns problemas de um teste de inteligência da Mensa para ela resolver. Um teste desses que mostram cinco símbolos similares e a gente tem que definir qual é o sexto símbolo.

— Ah, sei.

— Eu mesmo tinha tentado fazer esse teste e acertei mais ou menos a metade. E fiquei duas noites quebrando a cabeça. Ela deu uma olhada no papel e respondeu corretamente a todas as perguntas.

— Certo — disse Mikael. — A Lisbeth é uma menina muito especial.

— Ela tem muita dificuldade em se comunicar com os outros. Pensei numa modalidade da síndrome de Asperger, ou algo assim. Se você ler a descrição clínica dos portadores da síndrome de Asperger, algumas coisas têm tudo a ver com a Lisbeth, mas outras não.

Calou-se por alguns instantes.

— Ela não é nem um pouco perigosa para quem a deixa em paz e a trata com respeito.

Mikael assentiu com a cabeça.

— Mas ela é violenta, sem dúvida — disse Palmgren em voz baixa. — Quando provocada ou ameaçada, pode revidar com extrema violência.

Mikael meneou a cabeça mais uma vez.

— A questão é saber o que a gente faz agora — disse Holger Palmgren.

— A gente agora tem que achar o Zalachenko — respondeu Mikael.

Nisso, o dr. Sivarnandan bateu na porta.

— Espero não estar atrapalhando. Mas se estão interessados na Lisbeth Salander, vale a pena ligar a tevê e assistir o *Rapport*.

29. QUARTA-FEIRA 6 DE ABRIL — QUINTA-FEIRA 7 DE ABRIL

Lisbeth Salander tremia de raiva. De manhã, tinha tranquilamente ido até a casa de campo de Bjurman. Não ligava o computador desde a noite anterior e, durante o dia, estivera ocupada demais para ouvir o noticiário. Estava preparada para a confusão de Stallarholmen ocasionar umas manchetes, mas foi pega totalmente de surpresa pela tempestade que desabou sobre ela com as notícias da tevê.

Miriam Wu estava no hospital de Söder, rebentada por um gigante loiro que a raptara em frente à sua casa na Lundagatan. Seu estado era considerado grave.

Paolo Roberto a salvara. Como ele tinha ido parar no armazém de Nykvarn era um mistério. Foi entrevistado ao sair do hospital, mas não quis fazer nenhuma declaração. Pelo seu rosto, até dava para supor que estava saindo de dez *rounds* disputados com as mãos atadas às costas.

Tinham sido desenterrados no mato os despojos de duas pessoas, na mesma área para onde Miriam Wu havia sido levada. A polícia comunicava que no final do dia fora descoberto um terceiro ponto que seria escavado. Talvez ainda houvesse outros túmulos no terreno.

Em seguida, a caçada a Lisbeth Salander.

O cerco se fechava em volta dela. Durante o dia, a polícia a localizara numa aldeia de veraneio nas proximidades de Stallarholmen. Estava armada e era perigosa. Tinha atirado num dos Hell's Angel, talvez em dois. A agressão se dera na casa de campo de Nils Bjurman. A polícia acreditava que ela conseguira furar o cerco e deixar a região.

O chefe do inquérito preliminar, Richard Ekström, deu uma coletiva de imprensa. Suas respostas foram evasivas. Não, não podia dizer se Lisbeth Salander tinha alguma relação com os Hell's Angels. Não, não podia confirmar que Lisbeth Salander tinha sido vista no armazém de Nykvarn. Não, nada indicava que se tratasse de um acerto de contas entre gângsteres. Não, não estava definido que Lisbeth Salander era a única culpada dos assassinatos de Enskede — a polícia jamais afirmara que era ela a assassina — disse Ekström. Só estavam à sua procura para ouvir o que ela tinha a dizer sobre o caso.

Lisbeth Salander franziu o cenho. Aparentemente, alguma coisa acontecera nos bastidores da investigação policial.

Ela correu para a internet e leu, para começar, as páginas dos jornais, e depois entrou sucessivamente no disco rígido do procurador Ekström, no de Dragan Armanskij e no de Mikael Blomkvist.

A caixa postal de Ekström continha várias mensagens interessantes, notadamente um memorando enviado pelo inspetor Jan Bublanski às 17h22. Era sucinto e bastante crítico quanto à maneira como Ekström vinha conduzindo o inquérito preliminar. O e-mail terminava com o que decerto devia ser considerado um ultimato. Bublanski procedia por pontos. Exigia (a) que a inspetora Sonja Modig fosse imediatamente reintegrada à sua equipe, (b) que fosse alterada a orientação da investigação no sentido de obter culpados alternativos para os assassinatos de Enskede e (c) que se abrisse uma verdadeira investigação sobre o misterioso indivíduo conhecido pelo nome de Zala.

> [As acusações contra Lisbeth Salander baseiam-se num único e pesado indício — suas impressões digitais na arma do crime. Isso constitui de fato, como você sabe muito bem, uma prova de que ela manipulou a arma, mas não uma prova de que ela a usou, e muito menos de que a apontou para as vítimas.

Na atual situação, sabemos que outros atores estão envolvidos nessa tragédia, que a polícia de Södertälje descobriu dois corpos enterrados e vai cavar um terceiro ponto. O tal depósito pertence a um primo de Carl-Magnus Lundin. A mim parece evidente que Lisbeth Salander, não obstante a sua violência e qualquer que seja o seu perfil psicológico, não tem nada a ver com isso tudo.]

Bublanski concluía declarando que, se suas exigências não fossem atendidas, se sentiria obrigado a se retirar das investigações, o que não faria sem um certo alarde. Ekström lhe respondera que fizesse o que achasse melhor.

No disco rígido de Dragan Armanskij, Lisbeth achou outras informações, mas essas a deixaram um tanto perplexa. Uma breve troca de e-mails com o departamento contábil esclarecia que Niklas Eriksson estava deixando a empresa. Receberia o proporcional de férias e os três meses de indenização por demissão. Um e-mail endereçado ao vigia determinava que, tão logo entrasse no prédio, Eriksson fosse obrigatoriamente escoltado até sua sala para pegar seus objetos pessoais, e em seguida conduzido para fora. Um e-mail para o setor técnico determinava que solicitassem a Eriksson sua chave mestra.

O mais interessante, porém, era uma troca de e-mails entre Dragan Armanskij e Frank Alenius, o advogado da Milton Security. Dragan perguntava qual a melhor maneira de representar Lisbeth Salander, caso ela fosse presa. A princípio, Alenius respondia que não havia nenhum motivo para a Milton se comprometer na defesa de uma ex-funcionária acusada de assassinato — o fato de a empresa se envolver num caso desses podia passar uma imagem negativa. Armanskij retrucava, furioso, que a afirmação de que Lisbeth Salander teria cometido assassinato ainda precisava ser provada e que a questão era apoiar uma ex-funcionária que ele, Dragan Armanskij, considerava inocente.

Lisbeth abriu o disco rígido de Mikael Blomkvist e constatou que não havia nada escrito, ele nem sequer abrira o computador desde o dia anterior bem cedo. Não havia nada de novo.

Steve Bohman depositou a pasta em cima da mesa de reuniões, na sala de Dragan Armanskij. Sentou-se pesadamente. Fräklund pegou a pasta, abriu-a e pôs-se a ler. Dragan Armanskij estava em frente à janela, contemplando a cidade velha.

— Acho que essas são as últimas informações que vou poder passar. Estou fora da investigação a partir de hoje — disse Bohman.

— Não é culpa sua — disse Fräklund.

— Não, não é culpa sua — repetiu Armanskij, sentando-se.

Ele reunira, numa pilha sobre a mesa, todo o material fornecido por Bohman naquelas quase duas semanas.

— Você fez um bom trabalho, Steve. Falei com o Bublanski. Ele chegou a lamentar estar te perdendo, mas não teve escolha, por causa do Eriksson.

— Tudo bem. Eu me dei conta de que estou bem melhor aqui do que em Kungsholmen.

— Você pode nos dar um resumo da situação?

— Bem, se o objetivo era achar Lisbeth Salander, fracassamos lamentavelmente. Foi uma investigação caótica, com conflitos no nível da direção, e Bublanski talvez não tenha tido controle absoluto das averiguações.

— Hans Faste...

— O Hans Faste é um canalha. Mas o problema não é só o Faste e uma investigação caótica. O Bublanski fez questão de que todas as possibilidades fossem examinadas com o maior cuidado. O fato é que a Salander tem mesmo talento para apagar as pistas atrás de si.

— Mas a sua tarefa não era só pegar a Salander — interrompeu Armanskij.

— Não, e ainda bem que não informaram o Niklas Eriksson da minha segunda tarefa quando começamos. De fato, eu também assumi ser seu informante e espião, e cuidar para que a Salander não viesse a ser enforcada caso fosse inocente.

— E qual é, hoje, a sua opinião?

— Quando a gente começou, eu tinha certeza de que ela era culpada. Hoje já não sei mais. Surgiram tantas contradições...

— Sim?

— ...que já não a considero a principal suspeita. Estou mais inclinado a concordar com o Mikael Blomkvist.

— Isso significa que precisamos achar culpados alternativos. Vamos repassar toda a investigação desde o começo — disse Armanskij, e serviu café para os participantes da reunião.

Lisbeth Salander vivia uma das piores noites de sua vida. Lembrou-se do momento em que jogara a bomba incendiária pelo vidro do carro de Zalachenko. A partir daquele momento, seus pesadelos tinham cessado e ela experimentara uma verdadeira paz interior. Com o passar dos anos, outros problemas haviam surgido, mas eles sempre diziam respeito a ela mesma, e Lisbeth soubera administrá-los. Agora, porém, tratava-se de Mimmi.

Mimmi estava no hospital de Söder com o corpo todo quebrado. Mimmi era inocente. Não tinha nada a ver com essa história. Seu único crime era conhecer Lisbeth Salander.

Lisbeth se amaldiçoou. Era culpa sua. Deixou-se tomar pelo sentimento de culpa. Tinha mantido em segredo seu próprio endereço e pensara cuidadosamente em se proteger de todas as maneiras possíveis. E depois instalara Mimmi no endereço que todo mundo conhecia.

Como pudera ser inconsciente a esse ponto?

Era como se ela própria a tivesse moído de pancadas.

Sentia-se tão infeliz que seus olhos se encheram de lágrimas. *Lisbeth Salander não chora nunca.* Enxugou as lágrimas.

Por volta das dez e meia, estava tão febril que não conseguia mais ficar no apartamento. Vestiu o casaco e se esgueirou noite adentro. Andou por ruas secundárias até chegar à Ringvägen, onde ficou parada em frente ao acesso do hospital de Söder. Tinha vontade de ir até o quarto de Mimmi, acordá-la e dizer que tudo ia acabar bem. Então avistou a luz azul de uma viatura para os lados de Zinken e entrou numa rua transversal antes que a vissem.

Voltou para casa pouco depois da meia-noite. Estava com frio, despiu-se e foi para a cama. Não conseguia dormir. À uma da manhã, levantou-se e, nua, atravessou o apartamento mergulhado no escuro. Entrou no quarto de hóspedes, no qual instalara uma cama e uma cômoda e onde nunca mais pusera os pés. Sentou-se no chão, encostada na parede, e fitou a escuridão.

Lisbeth Salander com um quarto de hóspedes. Isso é uma piada?

Ficou ali até às duas horas, tremendo de frio. Então se pôs a chorar. Não se lembrava de já ter chorado algum dia.

* * *

Às duas e meia, Lisbeth Salander tinha tomado um banho e se vestido. Ligou a cafeteira, preparou uns sanduíches e foi para o computador. Entrou no disco rígido de Mikael Blomkvist. Estava intrigada por ele não ter atualizado seu diário da investigação, mas não tinha tido energia para pensar no assunto durante a noite.

O diário continuava sem abrir, e ela foi dar uma olhada na pasta [LISBETH SALANDER]. Descobriu em seguida um documento novo intitulado [Lisbeth-IMPORTANTE]. Verificou as propriedades do documento. Tinha sido criado à 00h52. Clicou duas vezes e leu a mensagem.

> [Lisbeth, entre imediatamente em contato comigo. Esta história é pior do que tudo que eu podia imaginar. Estou sabendo quem é Zalachenko e acho que sei o que aconteceu. Conversei com Holger Palmgren. Entendi qual o papel de Teleborian e por que era importante trancar você na psiquiatria infantil. Acho que sei quem matou o Dag e a Mia. Acho que sei por que, mas estão me faltando umas peças essenciais deste quebra-cabeça. Não entendo qual o papel do Bjurman. ME LIGUE IMEDIATAMENTE. PODEMOS SOLUCIONAR ISSO TUDO. Mikael.]

Lisbeth leu duas vezes o documento. O Super-Blomkvist tinha se esforçado. Primeiro da classe. *Um danado de um primeiro da classe*. Ele ainda acreditava que era possível resolver o que quer que fosse.

Ele queria o bem. Queria ajudar.

Não entendia que, o que quer que viesse a acontecer, para ela a vida estava acabada.

Sua vida tinha acabado antes de ela completar treze anos.

Não existia solução nenhuma.

Abriu um novo documento e tentou redigir uma resposta para Mikael Blomkvist, mas os pensamentos rodopiavam dentro de sua cabeça... havia tantas coisas que ela queria dizer.

Lisbeth Salander estava apaixonada. Era de morrer de rir.

Ele jamais saberia. Ela jamais lhe daria o gostinho de achar graça no que ela sentia por ele.

Arrastou o documento para a lixeira e fitou a tela vazia. Mas ele também não merecia um silêncio completo de sua parte. Ele permanecera fiel no seu canto do ringue, feito um valente soldadinho. Ela criou um novo documento e escreveu uma linha só.

[Obrigada por ter sido meu amigo.]

Antes de mais nada, ela tinha que tomar algumas decisões logísticas. Precisava de um meio de transporte. Usar o Honda cor de vinho estacionado na Lundagatan era tentador, mas estava descartado. Nada no laptop do procurador Ekström indicava que alguém da investigação descobrira que ela havia comprado um carro, na certa porque a compra era tão recente que ela nem tivera tempo de mandar os papéis de emplacamento e do seguro. Mas Mimmi talvez tivesse dado com a língua nos dentes ao ser interrogada pelos tiras. Lisbeth não podia apostar no silêncio dela e sabia que a Lundagatan estava sob vigilância.

A polícia sabia que ela tinha uma moto, e a moto era ainda mais complicada de pegar na Lundagatan. Além disso, depois de alguns dias de um calor quase estival, estava previsto um tempo instável com chuva, e ela não tinha muita vontade de sair de moto por estradas escorregadias.

Claro, ela poderia alugar um carro em nome de Irene Nesser, mas isso implicava algum risco. Sempre havia a possibilidade de alguém reconhecê-la, e o nome de Irene Nesser ficar queimado. O que seria uma catástrofe, já que representava sua única possibilidade de deixar o país.

Então sua boca exibiu uma contração que pretendia ser um sorriso. Havia, evidentemente, outra possibilidade. Ligou o computador e entrou na rede da Milton Security, navegou até a frota de veículos administrada por uma secretária na recepção da empresa. A Milton Security dispunha de noventa e cinco veículos, a maioria carros de vigilância com o logotipo da empresa. A maior parte ficava em diferentes estacionamentos da cidade. Mas também havia alguns carros à paisana que podiam ser utilizados, quando necessário, para deslocamentos de trabalho. Esses carros ficavam na garagem da sede da Milton, do lado Slussen. Praticamente na esquina da rua.

Verificou o arquivo dos funcionários e escolheu Marcus Hedin, que acabava de sair de férias por quinze dias. Deixara o número de telefone de um hotel nas Ilhas Canárias. Ela alterou o nome do hotel e inverteu os algarismos do telefone de contato. Depois, inseriu uma observação dizendo que a última medida de Hedin antes de sair de férias fora levar um dos carros para o conserto, mencionando uma embreagem encrencada. Escolheu um Toyota Corolla automático que ela já tinha usado uma vez e alertou que o carro estaria de volta em uma semana.

Por fim, entrou no sistema e desprogramou as câmeras de vigilância nos locais onde teria de passar. Entre quatro e meia e cinco horas, elas retransmitiriam o filme da meia hora anterior, só que com o horário atualizado.

Pouco antes das quatro, sua mochila estava pronta. Continha duas mudas de roupa, duas bombas lacrimogêneas e o cacetete elétrico carregado. Olhou as duas armas que tinha angariado. Deixou de lado a Colt 1991 Government de Sandström e escolheu a P-83 Wanad polonesa de Benny Nieminen, com uma bala a menos no carregador. Era mais fina e se adaptava melhor à sua mão. Enfiou-a no bolso da jaqueta.

Lisbeth desligou o PowerBook, mas deixou-o no mesmo lugar em cima da mesa. Tinha transferido o conteúdo do disco rígido para um backup criptografado na internet, apagando em seguida todo o disco rígido com um programa criado por ela que tornava impossível a reconstituição do conteúdo. Achava que não ia precisar do PowerBook, que só iria atrapalhá-la. Em vez disso, levou seu Palm Tungsten de bolso.

Olhou ao redor. Teve a sensação de que nunca mais voltaria ao apartamento da Fiskaregatan e se deu conta de que estava deixando atrás de si segredos que talvez fosse melhor destruir. Então consultou o relógio e viu que não lhe restava muito tempo. Deu uma última olhada e apagou a luz do escritório.

Foi a pé até a Milton Security, entrou pela garagem e pegou o elevador para chegar aos escritórios. Não cruzou com ninguém nos corredores vazios e não foi difícil pegar a chave do carro no armário da recepção, que não estava trancado.

Trinta segundos depois, estava de volta à garagem, abrindo o Corolla com o controle remoto. Jogou a mochila no banco do passageiro e ajustou a posição do banco do motorista e do retrovisor. Usou sua antiga chave mestra para abrir a porta da garagem.

Um pouco antes das quatro e meia, deixou Söder Mälarstrand pela ponte de Västerbron. O dia começava a raiar.

Mikael Blomkvist acordou às seis e meia. Não tinha ligado o despertador e só dormira três horas. Levantou-se, ligou o iBook e abriu a pasta [LISBETH SALANDER]. Viu imediatamente a breve resposta dela.

[Obrigada por ter sido meu amigo.]

Mikael sentiu um arrepio percorrer-lhe as costas. Não era a resposta que ele esperava. Mais parecia uma despedida. *Lisbeth Salander sozinha contra o resto do mundo.* Foi até a cozinha ligar a cafeteira, depois ao banheiro. Vestiu um jeans enxovalhado e se deu conta de que não tinha tido tempo de lavar roupa nas últimas semanas — não lhe restava uma só camisa limpa. Vestiu um moletom por baixo do paletó cinza.

Enquanto preparava sanduíches na cozinha, vislumbrou de repente um reflexo metálico na bancada, entre o micro-ondas e a parede. Franziu o cenho e usou um garfo para puxar um molho de chaves.

As chaves de Lisbeth Salander, que ele encontrara depois da agressão na Lundagatan e colocara em cima do micro-ondas, junto com a bolsa. Deviam ter caído. Com isso, tinha deixado de entregá-las com a bolsa para Sonja Modig.

Fitou o molho de chaves. Três chaves grandes e três pequenas. As maiores correspondiam à entrada de um prédio e de um apartamento com duas fechaduras. *O apartamento dela.* Não correspondiam às fechaduras da Lundagatan. Droga, onde é que ela estava morando?

Olhou mais de perto as três chaves menores. Uma delas devia ser da

Kawasaki. A outra era uma típica chave de armário ou roupeiro. Ergueu a terceira. Havia o número 24914 gravado em cima. A informação o pegou de chofre.

Uma caixa postal. Lisbeth Salander tem uma caixa postal.

Passou em revista, na lista telefônica, as agências de correio do bairro de Södermalm. Ela tinha morado na Lundagatan. A agência de Ringen não ficava muito longe. Quem sabe a da Hornsgatan. Ou a da Rosenlundsgatan.

Desligou a cafeteira, deixou o café da manhã para lá, pegou a BMW de Erika Berger e foi direto para a Rosenlundsgatan. A chave não entrou. Seguiu até a agência de correio da Hornsgatan. A chave encaixou perfeitamente na caixa postal nº 24 914. Abriu-a e encontrou vinte e duas cartas, que ele enfiou no bolso externo da maleta do computador.

Continuou rodando pela Hornsgatan, estacionou em frente ao Cine do Bairro e foi tomar café da manhã no Copacabana. Enquanto esperava seu *caffè latte*, examinou as cartas uma a uma. Eram todas endereçadas à Wasp Enterprises. Nove cartas tinham sido postadas na Suíça, oito nas Ilhas Caimãs, uma nas Ilhas Anglo-Normandas e quatro em Gibraltar. Sem nenhum pudor, abriu os envelopes. Os vinte e um primeiros continham extratos bancários e diversos resumos e avisos de operações. Mikael Blomkvist constatou que Lisbeth Salander estava montada na grana.

A vigésima segunda carta era mais volumosa. O endereço estava escrito a mão. O envelope trazia um logotipo impresso indicando o remetente, um endereço na Buchanan House, Queensway Quay, em Gibraltar. O papel timbrado da carta mostrava que fora enviada por Jeremy S. MacMillan, *Solicitor*. A letra era caprichada.

Jeremy S. MacMillan
Solicitor

Dear Ms Salander,

This is to confirm that the final payment of your property has been concluded as of January 20. As agreed, I'm enclosing copies of all documentation but will keep the original set. I trust this will be to your satisfaction.

Let me add that I hope everything is well with you, my dear. I very much en-

joyed the surprise visit you made last summer and, must say, I found your presence refreshing. I'm looking forward to, if needed, be of additional service.

Yours faithfully,

*J. S. M.**

A carta datava de 24 de janeiro. Lisbeth Salander, aparentemente, não verificava sua caixa postal com muita frequência. Mikael deu uma olhada nos documentos anexos. Era o contrato de venda de um apartamento na Fiskaregatan, número 9, em Mosebacke.

Em seguida, por pouco não engasgou com o café. O custo da aquisição era de vinte e cinco milhões de coroas, pagas em duas prestações com um ano de intervalo.

Lisbeth Salander viu um homem moreno e forte abrir a porta lateral da Auto-Expert em Eskilstuna. Tratava-se de uma garagem de estacionamento e oficina de reparos, mas também de uma autolocadora. Uma dessas empresas comuns que se vê em qualquer lugar. Faltavam dez para as sete e, de acordo com uma placa na porta principal, a loja só abria às sete e meia. Ela atravessou a rua, abriu a porta lateral e seguiu o homem dentro da loja. Ele a ouviu e se virou.

— Refik Alba? — ela perguntou.

— Sim. Quem é você? Ainda não está aberto.

Ela ergueu a P-83 Wanad de Benny Nieminen e a apontou para o rosto dele, segurando a pistola com as duas mãos.

* Jeremy S. MacMillan
Advogado.
Prezada srta. Salander,
Escrevo-lhe para confirmar que a quitação final da sua propriedade foi concluída em 20 de janeiro. Conforme combinado, envio em anexo cópia de toda a documentação, os originais ficam conosco. Espero que fique satisfeita.
Permita-me acrescentar, minha cara, que desejo que esta a encontre bem. Apreciei muitíssimo a visita surpresa que nos fez no último verão e, devo dizer, achei sua presença muito agradável. Será um prazer, caso necessário, poder servi-la no futuro.
Atenciosamente,
J. S. M.

— Estou sem ânimo para conversar, e com pressa. Quero ver o seu registro de carros alugados. Quero ver agora. Você tem dez segundos.

Refik Alba tinha quarenta e dois anos. Era curdo, nascido em Diyarbakir, e já tivera sua cota de armas. Ficou paralisado. Então compreendeu que se uma maluca entrava na sua sala segurando uma pistola, não havia muito o que discutir.

— Está no computador — disse ele.

— Ligue-o.

Ele obedeceu.

— O que tem atrás desta porta? — ela perguntou enquanto o computador era iniciado e a tela começava a brilhar.

— É só um depósito.

— Abra a porta.

Ela avistou uns macacões de trabalho.

— Está bem. Entre tranquilamente aí dentro, assim não vou precisar te machucar.

Ele obedeceu sem protestar.

— Pegue o seu celular, ponha no chão e empurre para mim.

Ele fez o que ela mandou.

— Muito bem. Agora feche a porta.

Era um PC antigo com Windows 95 e um disco rígido de 280 MB. Levou uma eternidade para abrir o documento do Excel com o arquivo das locações. Constatou que o Volvo branco conduzido pelo gigante loiro tinha sido alugado duas vezes. Em janeiro, por duas semanas, e depois a partir de 1º de março. Ainda não fora devolvido. Ele pagava toda semana por um aluguel de longa duração.

O nome dele era Ronald Niedermann.

Ela examinou as pastas da prateleira acima do computador. Na lombada de uma delas, estava caprichadamente escrito DOCUMENTOS DE IDENTIDADE. Ela pegou a pasta e folheou até chegar a Ronald Niedermann. Ao alugar o carro, em janeiro, ele apresentara o passaporte e Refik Alba apenas fizera uma fotocópia. Lisbeth reconheceu de imediato o gigante loiro. De acordo com o passaporte, ele era alemão, tinha trinta e cinco anos e nascera em Hamburgo. O fato de Refik Alba ter feito uma cópia do passaporte indicava que Ronald

Niedermann era um cliente comum, e não um conhecido que só tinha tomado o carro emprestado.

Bem embaixo, Refik Alba anotara um número de celular e o endereço de uma caixa postal em Göteborg.

Lisbeth guardou o arquivo no lugar e desligou o computador. Olhou ao redor e viu no chão uma cunha de borracha que servia para manter a porta da frente trancada na posição aberta. Pegou-a, aproximou-se do armário e bateu na porta com o cano da pistola.

— Você aí dentro, está me ouvindo?

— Sim.

— Sabe quem eu sou?

Silêncio.

Ele deve ser cego se não me reconheceu.

— Está certo. Você sabe quem eu sou. Está com medo de mim?

— Estou.

— Não precisa ter medo, seu Alba. Não vou lhe fazer nenhum mal. Estou quase acabando. Desculpe o transtorno.

— Hã... Está bem.

— Você tem ar suficiente aí dentro para respirar?

— Sim... a propósito, o que está procurando?

— Queria conferir se uma certa mulher alugou um carro aqui há dois anos — ela mentiu. — Não consegui achar o que eu estava procurando. Mas não é culpa sua. Vou embora daqui a uns minutinhos.

— Certo.

— Vou enfiar esse troço de borracha debaixo da porta para bloqueá-la. A porta é fininha, você vai conseguir arrombar, só que vai levar um tempo. Não precisa chamar a polícia. Não vai me ver nunca mais, pode abrir a loja hoje normalmente e fazer de conta que este incidente não aconteceu.

A probabilidade de ele não chamar a polícia era praticamente zero, mas não custava sugerir que ele pensasse em outra alternativa. Ela deixou a loja e voltou para o seu Toyota Corolla emprestado na esquina da rua, e ali rapidamente se transformou em Irene Nesser.

Estava irritada por não ter achado o verdadeiro endereço do gigante loiro, de preferência na região de Estocolmo, em vez de uma caixa postal do outro lado da Suécia. Mas era a única pista que ela tinha. *Bem, então toca para Göteborg.*

Rodou até o acesso para a E20 e em Arboga seguiu na direção oeste. Ligou o rádio, mas acabava de perder o noticiário e, caindo numa estação comercial, escutou alguém cantar *putting out fire with gasoline*. Não sabia que era David Bowie cantando e não conhecia aquela música, mas entendeu que eram palavras proféticas.

30. QUINTA-FEIRA 7 DE ABRIL

Mikael contemplou a porta do hall de entrada do número 9 da Fiskaregatan, em Mosebacke. O endereço era um dos mais exclusivos e discretos de Estocolmo. Ele enfiou a chave na fechadura e ela entrou perfeitamente. O painel na escada não foi de grande ajuda. Mikael ponderou que a maioria dos apartamentos daquele prédio devia abrigar sedes de empresas, com exceção de alguns poucos moradores comuns. A ausência do nome de Lisbeth Salander no painel não o surpreendia, mas era difícil imaginá-la escondendo-se ali.

Subiu as escadas, lendo as placas das portas andar por andar. Nenhum nome fazia sentido para ele. Até que no último andar leu *V. Kulla* na porta.

Mikael bateu com a mão na testa. Villa Villerkulla, a casa de Píppi Meialonga! Sorriu de repente. Em que outro lugar o Super-Blomkvist poderia encontrar Lisbeth Salander? Mas refletiu que aquela escolha podia não ter a ver com ele pessoalmente.

Tocou a campainha e esperou um minuto. Então pegou o molho de chaves e abriu a fechadura de segurança e a fechadura normal junto à maçaneta.

Quando abriu a porta, o alarme começou a uivar.

* * *

O celular de Lisbeth Salander tocou quando ela estava na E20, à altura de Glanshammar, perto de Örebro. Ela freou imediatamente o carro e parou no acostamento de emergência. Apanhou o Palm no bolso e ligou-o ao celular.

Há quinze segundos, alguém tinha aberto a porta de seu apartamento. O alarme não estava conectado a uma empresa de segurança. Servia para avisá-la diretamente sobre qualquer intrusão ou tentativa de arrombamento. Passados trinta segundos, o alarme disparava e o intruso tinha a desagradável surpresa de ser aspergido com o conteúdo de uma lata de tinta instalada sobre o que parecia ser uma tomada de derivação atrás da porta. Ela sorriu, excitada, e contou os segundos.

Mikael contemplou, frustrado, o painel de alarme ao lado da porta. Francamente, não lhe passara pela cabeça que o apartamento pudesse ter alarme. Viu um contador digital marcando os segundos. Na *Millennium*, o alarme disparava quando o código de quatro algarismos não era digitado em trinta segundos; em seguida apareciam os grandalhões de uma empresa de segurança.

Seu primeiro impulso foi fechar a porta e deixar rapidamente o local. Mas ficou como paralisado.

Quatro algarismos. Digitar o código certo ao acaso era totalmente impossível.

25, 24, 23, 22...

Caraca, sua Píppi Meia...

19, 18...

Que código você foi escolher?

15, 14, 13...

Sentiu-se tomado pelo pânico.

10, 9, 8... Então ergueu a mão e digitou o único número que lhe vinha à mente. 9277. Os algarismos correspondentes às letras WASP nas teclas do celular.

Para grande surpresa de Mikael, a contagem regressiva parou seis segundos antes do fim. Então a sirene piou uma última vez, o contador voltou ao zero e uma luz verde se acendeu.

Lisbeth arregalou os olhos. Achou que não tinha enxergado direito e até sacudiu o computador de mão, num gesto que ela sabia ser totalmente irracional. A contagem regressiva tinha parado seis segundos antes de a bomba de tinta ser acionada. E um instante depois o contador voltou ao zero.

Impossível.

Ninguém conhecia aquele código. E não havia nenhuma empresa de segurança conectada ao alarme, que pudesse desativá-lo.

Como?

Não conseguia entender. A polícia? Não. Zala? Negativo.

Discou um número no celular e esperou que a câmera de segurança se conectasse e enviasse imagens de baixa resolução para o celular. A câmera estava escondida dentro do que parecia ser um detector de fumaça no teto, e captava uma imagem por segundo. Ela repassou toda a sequência desde o começo — o instante zero em que a porta tinha sido aberta e o alarme ativado. Então um sorriso enviesado se abriu lentamente em seu rosto quando viu Mikael Blomkvist executando, por quase trinta segundos, uma pantomima nervosa, até digitar o código e em seguida se apoiar no vão da porta como quem acaba de escapar de um ataque cardíaco.

Esse danado do Super-Blomkvist tinha achado!

Ele estava com as chaves que ela tinha perdido na Lundagatan. Era esperto o bastante para lembrar que Wasp era o seu pseudônimo na internet. E se ele tinha achado o apartamento, talvez também tivesse descoberto que era propriedade da Wasp Enterprises. Então ela viu que ele se deslocava, nervoso, pelo hall e desaparecia rapidamente do campo da objetiva.

Droga. Como é que eu posso ter sido tão previsível? E por que deixei... agora todos os meus segredos estão bem diante dos olhos futriqueiros do Super-Blomkvist.

Depois de um breve instante de reflexão, concluiu que aquilo não tinha mais importância. Ela apagara o disco rígido. Isso é que importava. Talvez até fosse uma vantagem ter sido justamente Mikael Blomkvist a encontrar seu esconderijo. Ele já sabia mais sobre seus segredos do que qualquer outro ser humano. O primeiro aluno da classe faria o que precisava ser feito. Não ia entregá-la, ela pensou. Engatou a primeira e continuou, pensativa, seu trajeto para Göteborg.

Malu Eriksson topou com Paolo Roberto na escada da redação da *Millennium* quando chegou ao trabalho às oito e meia da manhã. Reconheceu-o imediatamente, apresentou-se e o convidou a entrar na redação. Ele estava mancando para valer. Ela sentiu cheiro de café e concluiu que Erika Berger já tinha chegado.

— Olá, Berger. Obrigado por me receber assim de improviso — disse Paolo.

Impressionada, Erika examinou sua coleção de hematomas e galos no rosto antes de se inclinar e lhe dar um beijo no rosto.

— Você está mesmo com uma cara péssima — disse ela.

— Não é a primeira vez que eu quebro o nariz. O que você fez com o Blomkvist?

— Ele foi para algum lugar brincar de detetive. Como sempre, está incomunicável. A não ser por um e-mail estranho que ele me mandou ontem à noite, estou sem notícias dele desde ontem de manhã. Obrigada por ter... enfim, obrigada.

Ela apontou para o rosto dele.

Paolo Roberto riu.

— Quer um café? Você disse que tinha uma coisa para me contar. Malu, você vem com a gente?

Sentaram-se nas confortáveis poltronas da sala de Erika.

— É o idiota do grandalhão loiro com quem eu briguei. Eu disse ao Mikael que o boxe dele não vale nada. Mas o estranho é que ele ficava o tempo todo com os punhos na posição de defesa e se movia em círculos como se fosse um boxeador. Me deu a impressão de que ele já tinha tido algum tipo de treinamento.

— O Mikael me disse isso ontem ao telefone — observou Malu.

— Eu não conseguia tirar essa imagem da cabeça e, ontem à tarde, quando voltei para casa, sentei no computador e mandei uns e-mails para vários clubes de boxe da Europa. Contei o que tinha acontecido e passei uma descrição detalhada do cara.

— Certo.

— Acho que funcionou.

Pôs diante de Erika e Malu uma foto transmitida por fax. Parecia ter sido tirada durante um treino numa sala de boxe. Dois boxeadores escutavam as instruções de um homem gordo, já não tão jovem, que usava um abrigo de moletom e um chapéu de couro de aba estreita. Em volta do ringue, havia umas seis pessoas escutando. Ao fundo, um homem alto, segurando uma caixa de papelão. Lembrava um *skinhead*, com a cabeça raspada. Alguém circulara sua imagem com caneta.

— A foto é de dezessete anos atrás. O cara ali no fundo se chama Ronald Niedermann. Tinha dezoito anos nesta foto, de modo que hoje deve estar beirando os trinta e cinco. Bate com o gigante que sequestrou a Miriam Wu. Não posso afirmar que é ele com cem por cento de certeza. A foto é meio antiga e a qualidade está bem ruim. Mas posso dizer que a semelhança é impressionante.

— De onde saiu essa foto?

— Recebi uma resposta do Dynamic, de Hamburgo. De um velho treinador chamado Hans Münster.

— Sim?

— Ronald Niedermann lutou boxe durante um ano nesse clube, no fim da década de 1980. Ou melhor, tentou lutar. Recebi o e-mail hoje de manhã e liguei para o Münster antes de vir para cá. Resumindo o que diz o Münster: Ronald Niedermann é natural de Hamburgo, andava com uma turma de *skins* nos anos 1980. Tinha um irmão um pouco mais velho, um boxeador realmente talentoso, e foi através desse irmão que ele entrou no clube. O Niedermann tinha uma força colossal e um físico único. Diz o Münster que nunca, nem entre os melhores, tinha visto alguém bater com tanta força. Um dia, mediram o golpe dele e, por assim dizer, ele rebentou o dinamômetro.

— Ao que parece, ele podia ter feito carreira no boxe — disse Erika.

Paolo Roberto balançou a cabeça.

— De acordo com o Münster, era impossível mantê-lo dentro de um ringue. Por vários motivos. Primeiro, ele não conseguia aprender a lutar boxe. Ficava parado no lugar, mandando ver *swings* de amador. Era incrivelmente desajeitado, o que bate com o cara de Nykvarn. Mas o pior é que ele não controlava a própria força. De vez em quando, conseguia acertar um golpe que causava o maior estrago nos coitados dos *sparring-partners*. Resultado: narizes quebrados e maxilares detonados, ferimentos desnecessários o tempo todo. Eles simplesmente não podiam mantê-lo.

— Ele sabia lutar, sem saber — disse Malu.

— Isso mesmo. Mas o verdadeiro motivo de ele parar de lutar boxe foi um motivo médico.

— Como assim?

— O cara parecia praticamente invulnerável. Podiam chover golpes em cima dele, ele só se sacudia e continuava lutando. Descobriram que ele tinha uma doença extremamente rara, chamada analgesia congênita.

— O quê? Repita...

— Analgesia congênita. Procurei na internet. É uma falha genética que faz com que a transmissão no que eles chamam de fibras C não funcione como deveria. Resumindo, ele não sente dor.

— Nossa! Mas não é esse o sonho de todo boxeador?...

Paolo Roberto balançou a cabeça.

— Pelo contrário. É uma doença que põe a vida da pessoa em risco. A maioria dos pacientes morre bastante jovem, lá pelos vinte, vinte e cinco anos. A dor é um sistema de alarme que avisa o cérebro de que algo não vai bem. Se você põe a mão numa chapa incandescente, dói e você tira a mão rapidinho. Quem tem essa doença não se dá conta de nada até sentir cheiro de carne queimada.

Malu e Erika trocaram um olhar.

— Você está falando sério? — perguntou Erika.

— Seriíssimo. O Ronald Niedermann não pode sentir nada, é como se ele estivesse sob poderosa anestesia local vinte e quatro horas por dia. Ele se safou porque tem sorte de ter outra particularidade genética para compensar. É dono de uma constituição física extraordinária, com uma ossatura extremamente forte, que o torna quase invulnerável. A força natural dele é, a bem dizer, única. E ele também deve cicatrizar com facilidade.

— Estou começando a perceber como essa luta que você travou com ele deve ter sido interessante.

— Foi, sim. Mas não gostaria de repetir a dose. A única coisa que causou um esboço de reação nele foi quando a Miriam Wu lhe enfiou um pontapé no saco. Ele caiu de joelhos por um segundo... deve haver algum tipo de motricidade ligado a esse tipo de golpe, já que dor ele não deve ter sentido. E pode acreditar, eu, pessoalmente, morria se levasse um golpe desses.

— Mas então como se explica você ter vencido a luta?

— As pessoas que têm essa doença ficam feridas, claro, do mesmíssimo jeito que as pessoas comuns. Tudo bem o Niedermann ter um esqueleto de aço. Mas quando eu bati com a tábua, ele desabou. Concussão cerebral, provavelmente.

Erika olhou para Malu.

— Vou ligar para o Mikael agora mesmo — disse Malu.

Mikael escutou o toque do celular, mas estava tão abalado que só respondeu no quinto sinal.

— É a Malu. O Paolo Roberto acha que identificou o gigante loiro.

— Ótimo — disse Mikael distraidamente.

— Onde você está?

— Difícil de explicar.

— Você está esquisito.

— Desculpe. O que você estava dizendo?

Malu resumiu a história de Paolo.

— Está bem — disse Mikael. — Continuem vendo isso e descubra se ele está fichado em algum lugar. Acho que é urgente. Me ligue no celular.

Para espanto de Malu, Mikael encerrou a conversa sem nem se despedir.

Naquele momento, Mikael estava diante de uma janela e admirava a vista magnífica que se estendia da cidade velha até bem longe sobre o Saltsjön. Sentia-se entorpecido, quase chocado. Dera uma volta no apartamento de Lisbeth Salander. Havia uma cozinha à direita, no hall de entrada. Depois uma sala, um escritório, um quarto e, por fim, um quartinho de hóspedes que parecia nunca ter sido usado. O colchão continuava embalado no plástico e não tinha lençóis. Todos os móveis eram novos e impecáveis, vindos diretamente da Ikea.

O problema não era esse.

O que perturbava Mikael era Lisbeth Salander ter comprado um dos ex-apartamentos do bilionário Percy Barnevik, avaliado em vinte e cinco milhões de coroas. Ele devia ter, tranquilamente, uns trezentos e cinquenta metros quadrados.

Mikael passou pelos corredores desertos e fantasmagóricos e por peças imensas com parquete em marchetaria de diferentes madeiras e papéis de parede decorados de Tricia Guild, do tipo que Erika Berger mencionava com um respeitoso deslumbramento. O apartamento se organizava em torno de uma sala magnífica, com uma lareira que Lisbeth parecia não ter utilizado. Havia uma sacada imensa com uma vista fantástica, lavanderia, sauna, sala de ginástica, despensas e um banheiro com banheira *king size*. Havia até uma adega de vinhos, vazia, a não ser por uma garrafa de porto Quinta do Noval — *Nacional!* — de 1976. Mikael custava a imaginar Lisbeth Salander com uma taça de vinho do porto na mão. Um cartão de visitas indicava que se tratava de um presente de boas-vindas da imobiliária.

A cozinha era equipada com tudo que se podia imaginar, em torno de um cintilante fogão francês a gás, um Corradi Château 120 de que Mikael nunca tinha ouvido falar e no qual Lisbeth só fervera água para o chá.

Em compensação, sentiu enorme respeito pela máquina de café expresso que tronava à parte, uma Jura Impressa modelo X7 com resfriador de leite incorporado. A máquina tampouco parecia ter sido usada, já devia estar no apartamento quando Lisbeth o comprara. Mikael sabia que uma Jura era a Rolls-Royce do mundo dos *espressos* — um aparelho profissional para uso doméstico que custava em torno de setenta mil coroas. Ele próprio possuía uma máquina bem mais modesta, comprada na John Wall, que já custava quase três mil e quinhentas coroas — uma das raras extravagâncias com que se permitira equipar sua cozinha.

Dentro da geladeira havia uma caixa aberta de leite, queijo, manteiga, pasta de peixe e um vidro de pepinos em conserva pela metade. No armário, achou quatro frascos semiconsumidos de vitaminas, saquinhos de chá, café para uma cafeteira absolutamente comum que estava na bancada, dois pães e um pacote de torradas. Na mesa da cozinha, um cesto com maçãs. O congelador abrigava um gratinado de peixe e três tortas de bacon. No lixo, sob a bancada, ao lado do fogão de luxo, encontrou várias caixas vazias de Billys Pan Pizza.

Era tudo absolutamente fora de proporção. Lisbeth tinha surrupiado alguns bilhões e comprara um apartamento onde poderia hospedar a corte real inteirinha. Mas só usava os quatro cômodos que havia mobiliado. Os outros dezoito estavam totalmente vazios.

Mikael encerrou sua turnê pelo escritório. Não havia, em todo o apartamento, uma única planta. Nenhum quadro nas paredes, nem mesmo pôsteres. Não havia tapetes ou guardanapos. Em lugar nenhum viu alguma saladeira decorativa, um castiçal ou um bibelô tipo suvenir que acrescentasse algum calor humano ao ambiente ou que ela pudesse ter guardado por razões sentimentais.

Mikael sentiu seu coração se apertar. Queria a todo custo encontrar Lisbeth Salander e abraçá-la.

No mínimo, ela iria mordê-lo, se ele tentasse.

Canalha do Zalachenko!

Depois sentou-se à mesa de trabalho e abriu a pasta com o relatório de Björck de 1991. Não leu tudo, só percorreu as páginas tentando resumir.

Abriu o PowerBook com tela de dezessete polegadas, disco rígido de 200 GB e 1000 MB de memória RAM. Vazio. Ela tinha feito uma limpeza. Não era um bom presságio.

Abriu as gavetas e deparou imediatamente com um Colt 1911 Government single action de nove milímetros e um carregador cheio com sete cartuchos. Era o revólver que Lisbeth Salander pegara do jornalista Per-Åke Sandström, mas isso Mikael ignorava. Ainda não tinha chegado na letra S da sua lista de clientes sexuais.

Depois, achou o CD marcado "Bjurman".

Enfiou-o no iBook e, horrorizado, descobriu o conteúdo do filme. Ficou parado, chocado ao ver Lisbeth Salander sendo maltratada, estuprada e quase assassinada. O filme fora obviamente rodado com uma câmera oculta. Não o assistiu inteiro, mas foi passando, de uma para outra, as sequências que iam se superando num horror crescente.

Bjurman.

O tutor de Lisbeth Salander a tinha estuprado e ela possuía um testemunho do fato nos mínimos detalhes. Uma data digital revelava que o filme datava de dois anos. Antes de eles se conhecerem. Várias peças do quebra--cabeça se encaixaram no lugar.

Björck e Bjurman com Zalachenko nos anos 1970.

Zalachenko e Lisbeth Salander e um coquetel Molotov artesanal numa caixa de leite no início dos anos 1990.

Então, Bjurman novamente, agora seu tutor depois de Holger Palmgren. O círculo se fechava. O sujeito tinha violentado a sua tutelada. Vira nela uma doente mental indefesa, mas Lisbeth Salander não era indefesa. Era a menina que aos doze anos comprara uma briga com um matador profissional aposentado do GRO e o transformara num inválido.

Lisbeth Salander era a mulher que odiava os homens que não gostavam de mulheres.

Recordou a época em que aprendera a conhecê-la, em Hedestad. Devia ter sido poucos meses depois do estupro. Não lembrava de ela ter dito uma palavra sequer sugerindo o fato. No total, não revelara muita coisa sobre si mesma. Mikael não conseguia nem imaginar o que ela tinha feito com Bjurman — mas, estranhamente, não o tinha matado. Pois nesse caso Bjurman teria morrido dois anos mais cedo. Ela provavelmente tinha bolado um jeito de mantê-lo sob controle, com um objetivo que ele nem imaginava. Então Mikael se deu conta de que estava com o instrumento de controle bem diante de si, sobre a mesa. O CD. Enquanto ela estivesse de posse do CD, Bjurman seria seu escravo impotente. E Bjurman tinha se voltado para o homem que ele julgava ser um aliado. Zalachenko. O pior inimigo de Lisbeth. Seu pai.

Depois disso, um encadeamento de fatos. Bjurman assassinado, e também Dag e Mia.

Mas como...? O que poderia ter transformado Dag Svensson numa ameaça?

E, súbito, Mikael compreendeu o que *com toda a certeza* tinha acontecido em Enskede.

Logo em seguida, Mikael viu o pedaço de papel, no chão, junto à janela. Lisbeth imprimira uma página, amassara e jogara no chão. Desamassou o papel. Era uma edição *on-line* do *Aftonbladet* sobre o sequestro de Miriam Wu.

Mikael não sabia qual o papel de Miriam Wu naquele drama — se é que ela tinha algum papel —, mas ela fora uma das raras amigas de Lisbeth. Talvez a única. Lisbeth lhe dera seu antigo apartamento. E agora ela estava gravemente ferida no hospital.

Niedermann e Zalachenko.

Primeiro sua mãe. Depois Miriam Wu. Lisbeth devia estar louca de ódio. Aqueles caras tinham esticado a sua corda.

E agora ela estava atrás deles.

Por volta do meio-dia, Dragan Armanskij recebeu uma ligação do centro de reeducação de Ersta. Vinha esperando um telefonema de Holger Palmgren fazia algum tempo, e até evitara entrar em contato com ele. Temia ser obrigado a admitir que Lisbeth Salander era culpada. Agora pelo menos tinha a possibilidade de dizer que existiam dúvidas pertinentes quanto a essa culpa.

— Como andam as coisas? — perguntou Palmgren, pulando as palavras de cortesia.

— Que coisas? — disse Armanskij.

— Sua investigação sobre a Salander.

— E o que o leva a crer que estou fazendo uma investigação desse tipo?

— Não desperdice o meu tempo.

Armanskij suspirou.

— Tem razão — disse.

— Quero que venha me ver — disse Palmgren.

— Está bem. Posso passar aí neste fim de semana.

— Não serve. Quero que você venha hoje no final do dia. Temos muito que conversar.

Mikael tinha feito café e preparado sanduíches na cozinha de Lisbeth. Uma parte dele esperava ouvir, de repente, o barulho das chaves dela na fechadura. Mas, claro, era uma esperança vã. O disco rígido vazio do PowerBook mostrava que ela tinha saído da toca de vez. Descobrira seu endereço tarde demais.

Às duas e meia, ainda estava sentado à mesa de trabalho de Lisbeth.

Tinha lido três vezes o relatório do simulacro de investigação de Björck, redigido em forma de memorando para um superior anônimo. A recomendação era simples: que encontrassem um psiquiatra cooperativo que conseguisse internar Salander na psiquiatria infantil por alguns anos. De qualquer modo, a menina era mesmo perturbada, seu comportamento o indicava claramente.

Mikael pretendia debruçar-se mais detidamente sobre Björck e Teleborian num futuro próximo. Essa ideia o deixou satisfeito. Seu celular pôs-se a tocar e atrapalhou o rumo de seus pensamentos.

— Oi de novo. É a Malu. Tenho impressão que achei alguma coisa.

— O quê?

— Não existe nenhum Ronald Niedermann no registro civil sueco. Ele não consta na lista telefônica nem no cadastro de contribuintes, de placas de automóveis, em lugar nenhum.

— Percebo.

— Mas escute esta. Em 1998, foi criada uma sociedade anônima, para cujo nome foi feito um registro de marca. Chama-se KAB Import S. A. e o endereço é uma caixa postal em Göteborg. A empresa atua em importação de material eletrônico. O presidente se chama Karl Axel Bodin, ou seja, KAB, e nasceu em 1941.

— Isso não me diz absolutamente nada.

— Nem para mim. O restante da diretoria é composto de um auditor fiscal que atua em algumas dezenas de empresas, para as quais ele faz a contabilidade. Parece ser um desses contadores que trabalham para várias empresas pequenas ao mesmo tempo. Essa, porém, permaneceu inativa praticamente desde o começo.

— Percebo.

— O terceiro membro da diretoria é um tal de R. Niedermann. Consta uma data de nascimento, mas nenhum número de identidade. O que significa que ele não tem registro na Suécia. Nasceu em 18 de janeiro de 1970, e é citado como representante da empresa no mercado alemão.

— Legal, Malu. Legal. Tem algum outro endereço além da caixa postal?

— Não, mas descobri o Karl Axel Bodin. Ele mora no Oeste da Suécia e seu endereço é a caixa postal nº 612 de Gosseberga. Eu verifiquei, parece ser uma fazenda perto de Nossebro, a nordeste de Göteborg.

— O que se sabe sobre ele?

— Há dois anos, ele declarou uma renda de duzentas e sessenta mil coroas. Não tem ficha criminal, segundo aquele nosso amigo da polícia. Possui porte de armas para uma carabina de caça ao alce e uma espingarda de chumbo. Tem dois carros, um Ford e um Saab, ambos modelo antigo. Nada consta na Receita. É solteiro e se declara agricultor.

— Um anônimo sem nenhum caso na Justiça.

Mikael refletiu alguns segundos. Precisava fazer uma escolha.

— Outra coisa. O Dragan Armanskij, da Milton Security, ligou várias vezes para você durante o dia.

— Está bem. Obrigado, Malu. Vou ligar para ele.

— Mikael... Está tudo bem?

— Não, não está tudo bem. Te ligo depois.

Sabia que não estava se comportando como deveria. Como bom cidadão, deveria pegar o telefone e ligar imediatamente para Bublanski. Se fizesse isso, porém, seria obrigado a contar a verdade sobre Lisbeth Salander, ou ficaria numa situação enrolada entre meias-mentiras e partes omitidas. Mas o problema ainda não era esse.

Lisbeth Salander tinha ido atrás de Niedermann e Zalachenko. Mikael não sabia onde ela estava, mas se Malu tinha conseguido achar a caixa postal nº 612 em Gosseberga, Lisbeth Salander também podia ter conseguido. Era grande, portanto, a possibilidade de ela estar a caminho de Gosseberga. Seria a próxima etapa natural.

Se Mikael ligasse para a polícia e revelasse onde Niedermann estava entocado, seria obrigado a contar que Lisbeth Salander estava provavelmente indo para lá naquele momento. Ela estava sendo procurada por três assassinatos e uso de arma em Stallarholmen. Isso significava que a força de intervenção nacional, ou sabe Deus lá que comando do gênero, seria despachada para prendê-la.

E era provável que Lisbeth Salander resistisse violentamente.

Mikael pegou um papel e uma caneta, e fez uma lista do que ele não podia ou não queria contar à polícia.

Para começar, escreveu *o endereço*.

Lisbeth tivera o maior cuidado em constituir um endereço secreto. Ali estavam sua vida e seus segredos. Ele não tinha a intenção de traí-la.

Depois, escreveu *Bjurman*, seguido de um ponto de interrogação.

De relance, olhou para o CD em cima da mesa à sua frente. Bjurman tinha estuprado Lisbeth. Por pouco não a matara, e se aproveitara vergonhosamente de sua condição de tutor. Não havia a menor dúvida sobre isso. Ele tinha de ser denunciado como o canalha que era. Só que nesse ponto surgia um problema ético. Lisbeth não prestara queixa contra ele. Será que iria querer ser jogada à mídia através de uma investigação policial cujos detalhes mais íntimos vazariam em poucas horas? Ela jamais o perdoaria. O CD constituía uma prova, e alguns trechos causariam um belo impacto nos tabloides.

Ponderou alguns instantes e concluiu que, afinal, cabia a Lisbeth decidir como queria agir. Mas, se ele tinha encontrado o apartamento, mais cedo ou mais tarde a polícia conseguiria fazer o mesmo. Guardou o CD num envelope e o enfiou em sua sacola.

Escreveu, em seguida, *O relatório de Björck*. O relatório de 1991 era considerado segredo de Estado. Esclarecia tudo o que se passara. Citava o nome de Zalachenko, explicava o papel de Björck e, com a lista dos clientes sexuais do computador de Dag Svensson, Björck iria passar momentos difíceis com Bublanski. Graças à correspondência, Peter Teleborian também se veria em maus lençóis.

O arquivo iria direcionar a polícia para Gosseberga... mas pelo menos Mikael teria algumas horas de vantagem.

Por fim, abriu o Word e escreveu, item por item, todos os fatos importantes que havia descoberto nas últimas vinte e quatro horas graças às conversas com Björck e Palmgren e aos documentos encontrados na casa de Lisbeth. A tarefa tomou-lhe uma hora. Gravou o documento num CD, junto com sua própria investigação.

Perguntou-se se deveria dar notícias a Dragan Armanskij, mas resolveu deixar para lá. Já tinha coisas demais para cuidar.

Mikael passou na redação da *Millennium* e se trancou na sala com Erika Berger.

— Ele se chama Zalachenko — disse Mikael sem nem cumprimentá-la. — É um antigo assassino soviético do serviço de informações. Desertou em 1976 e ganhou um visto de permanência na Suécia, além de um salário pago pela Säpo. Depois do fim da União Soviética, virou gângster em tempo integral, como tantos outros, e opera com tráfico de mulheres, armas e drogas.

Erika Berger largou a caneta.

— Certo. Por que é que eu não estou surpresa de ver a KGB metida nessa história?

— Não é a KGB. É o GRO. O serviço de informações militares.

— Então é coisa séria.

Mikael meneou a cabeça.

— Você está dizendo que foi ele quem matou o Dag e a Mia?

— Não pessoalmente. Mandou alguém matar. Esse Ronald Niedermann que a Malu descobriu.

— Você tem como provar?

— Grosso modo. Ainda restam umas zonas obscuras. Mas o Bjurman foi morto porque pediu ajuda ao Zalachenko para cuidar da Lisbeth.

Mikael contou o que ele tinha visto no filme que Lisbeth guardava na gaveta da escrivaninha.

— Zalachenko é o pai dela. Bjurman trabalhou oficialmente para a Säpo em meados dos anos 1970, foi um dos que acolheram Zalachenko quando ele abandonou o barco. Depois, tornou-se advogado e virador em tempo integral, e prestava serviços para um grupo restrito dentro da Säpo. Aparentemente, existe uma panelinha que se reúne de vez em quando numa sauna para controlar o mundo e manter segredo sobre Zalachenko. Acho que o restante da Säpo nunca ouviu falar nesse canalha. A Lisbeth ameaçava revelar o segredo. Conclusão: foi internada num hospital psiquiátrico infantil.

— Não pode ser.

— Pode — disse Mikael. — Tudo bem, é um caso bastante especial, e a Lisbeth não era muito fácil de se lidar na época, como também não é hoje em dia... mas desde os doze anos ela representa uma ameaça para a segurança da nação.

Ele fez um apanhado sucinto da história toda.

— É muita coisa para digerir — disse Erika. — E o Dag e a Mia...

— Foram mortos porque o Dag descobriu o elo entre o Bjurman e o Zalachenko.

— E o que vai acontecer agora? A gente não devia contar tudo isso à polícia?

— Algumas partes, sim, mas não tudo. Reuni toda a informação essencial neste CD, por segurança, nunca se sabe. A Lisbeth foi atrás do Zalachenko. Vou tentar encontrá-la. Nada do que está neste CD pode vazar.

— Mikael... eu não estou gostando nada disso. A gente não pode ocultar informações numa investigação de homicídio.

— Não vamos ocultar nada. Eu pretendo ligar para o Bublanski. Mas acho que a Lisbeth está a caminho de Gosseberga. Ela está sendo procurada por triplo assassinato e, se chamarmos a polícia, eles vão enviar forças de intervenção com armas de alto calibre, e a chance de ela resistir é enorme. Aí, tudo pode acontecer.

Ele parou e sorriu, sem alegria.

— Temos que manter a polícia fora disso, para evitar as forças de intervenção que podem acabar causando mortos e feridos. Tenho que pôr as mãos na Lisbeth antes disso.

Erika Berger estava cética.

— Não pretendo revelar os segredos da Lisbeth. O Bublanski que descubra por si próprio. Quero que você faça um favor para mim. Nessa pasta, está o relatório do Björck de 1991 e uma correspondência entre o Björck e o Teleborian. Queria que você tirasse uma cópia e mandasse, por portador, para o Bublanski ou a Modig. Quanto a mim, estou pegando o trem para Göteborg daqui a vinte minutos.

— Mikael...

— Eu sei. Mas pretendo estar do lado da Lisbeth durante a batalha.

Erika Berger apertou os lábios e não disse nada. Depois, meneou a cabeça. Mikael foi em direção à porta.

— Tenha cuidado — disse Erika, mas ele já tinha saído.

Ela achou que deveria ter ido com ele. Era a única coisa decente a ser feita. Mas ainda não tinha contado que ia pedir demissão da *Millennium* e que estava tudo acabado, o que quer que acontecesse. Pegou a pasta e foi tirar uma cópia dos documentos.

A caixa postal ficava na agência de correios de um centro comercial. Lisbeth não conhecia Göteborg e não sabia muito bem onde estava, mas localizara a agência e sentara-se numa cafeteria de onde podia avistar a caixa postal por uma fresta estreita entre os *banners* publicitários dos Novos Correios Suecos pendurados por alguns fios.

Irene Nesser estava maquiada com mais discrição do que Lisbeth Salander. Usava um colar ridículo e lia *Crime e castigo*, encontrado num sebo algumas ruas mais ao norte. Não tinha pressa e virava regularmente as páginas. Começara sua vigilância lá pelo meio-dia e ignorava por completo a que horas a caixa costumava ser aberta, se todos os dias ou se a cada duas semanas, se já tinha sido aberta naquele dia ou se alguém ainda viria. Mas era sua única pista, e ela tomou vários *caffè latte* enquanto esperava.

Estava quase cochilando, de olhos bem abertos, quando viu de repente que estavam abrindo a caixa. Olhou a hora: 13h45. *Uma baita de uma sorte.*

Lisbeth se levantou rapidamente, aproximou-se da vidraça e viu do outro lado um homem de jaqueta de couro preta saindo do setor de caixas postais. Alcançou-o já na rua. Era um rapaz magro de uns vinte anos. Virou a esquina e abriu a porta de um Renault estacionado ali. Lisbeth Salander memorizou o número da placa e correu para o Corolla que ela tinha deixado na mesma rua, cem metros adiante. Já estava atrás dele quando ele virou na Linnegatan. Seguiu-o até a Avenyn e depois, quando ele subiu em direção a Nordstan.

Mikael Blomkvist mal teve tempo de pegar o X2000 das 17h10. Comprou o bilhete dentro do trem com o cartão de crédito, foi sentar-se no vagão-restaurante vazio e pediu o jantar.

Uma angústia lancinante lhe retorcia as entranhas. Temia chegar tarde demais, mas alimentava a esperança de que Lisbeth Salander ligaria para ele, mesmo sabendo que não o faria.

Ela tinha tentado matar Zalachenko em 1991. E agora, anos depois, ele acabava de dar o troco.

Holger Palmgren fizera uma análise acertada de Lisbeth Salander. Ela adquirira uma sólida experiência prática sobre o quão inútil era recorrer às autoridades.

Mikael deu uma olhada na bolsa de seu computador. Pegara o Colt encontrado na gaveta de Lisbeth. Não sabia ao certo por que tinha pegado a arma, mas seu instinto lhe disse para não deixá-la no apartamento. Admitia que não era um raciocínio muito lógico.

O trem passava pela ponte de Årsta quando ele pegou o celular e ligou para Bublanski.

— O que você quer? — perguntou Bublanski, irritado.

— Acabar — disse Mikael.

— Acabar o quê?

— Com essa confusão toda. Você quer saber quem matou o Dag, a Mia e o Bjurman?

— Se você tem alguma informação, eu gostaria de saber.

— O assassino se chama Ronald Niedermann. É o gigante loiro que lutou com o Paolo Roberto. É cidadão alemão, tem trinta e cinco anos e trabalha para um canalha chamado Alexander Zalachenko, também conhecido como Zala.

Bublanski ficou um tempo sem dizer nada. Depois suspirou ruidosamente. Mikael ouviu um ruído de papel e o clique de uma esferográfica.

— Você tem certeza?

— Tenho.

— Muito bem. E onde estão o Niedermann e esse tal Zalachenko?

— Ainda não sei. Mas assim que descobrir eu te falo. Daqui a pouco a Erika Berger vai mandar te entregar um relatório policial com data de 1991. Ela só está tirando uma cópia. Ali você vai achar todo tipo de informação sobre o Zalachenko e a Lisbeth Salander.

— Como assim?

— O Zalachenko é o pai da Lisbeth. É um espião russo dissidente da guerra fria, um assassino.

— Um espião russo! — repetiu Bublanski com a voz cheia de dúvida.

— Foi coberto por uma turminha da Säpo, que ocultou todos os crimes dele.

Mikael ouviu Bublanski pegando uma cadeira para se sentar.

— Acho melhor você passar por aqui e prestar um depoimento formal.

— Lamento, estou sem tempo.

— Como?

— Não estou em Estocolmo. Mas assim que eu encontrar o Zalachenko te dou um toque.

— Blomkvist... Você não precisa provar nada. Eu também tenho dúvidas quanto à culpa da Salander.

— Posso te lembrar que sou um simples investigador particular que não entende nada do trabalho da polícia?

Sabia que estava sendo pueril, mas cortou a conversa sem mais formalidades. Em seguida, ligou para Annika Giannini.

— Oi, mana.

— Oi. Alguma novidade?

— Dá para dizer que sim. Provavelmente vou precisar de um bom advogado amanhã.

Ela suspirou.

— O que você aprontou?

— Por enquanto, nada sério, mas pode ser que eu seja detido por obstrução de investigação policial, ou algo assim. Mas não é por isso que estou ligando. Você não vai poder me representar.

— E por que não?

— Porque quero que você se encarregue da defesa da Lisbeth Salander, e você não pode defender os dois.

Mikael contou resumidamente do que se tratava. Annika Giannini permaneceu num silêncio fúnebre.

— E você tem documentos para se basear... — disse finalmente.

— Tenho.

— Vou ter que pensar. A Lisbeth precisa de um advogado criminalístico...

— Você será perfeita.

— Mikael...

— Escuta, mana, não é você que estava sentida porque eu não pedi ajuda quando precisei?

Finda a conversa, Mikael ficou um tempo refletindo. Então pegou o telefone e ligou para Holger Palmgren. Não tinha nenhum motivo especial para isso, mas achava que afinal o senhor idoso, lá no seu centro de reabilitação, tinha de ser informado sobre as pistas que Mikael estava seguindo e sobre sua esperança de que o caso se encerrasse nas próximas horas.

O problema, evidentemente, era que Lisbeth Salander também estava seguindo suas pistas.

Lisbeth Salander se abaixou para pegar uma maçã na mochila, sem tirar os olhos da granja. Estava deitada na orla de um matinho, em cima do tapete do Corolla como proteção. Tinha trocado de roupa e usava uma calça verde de algodão pesado com bolsos nas pernas, um pulôver grosso e uma jaqueta curta forrada e bem quente.

O lugarejo de Gosseberga situava-se a cerca de quatrocentos metros da estrada departamental e compunha-se de dois grupos de edifícios. O principal estava a uns cento e vinte metros à sua frente. Era um sobrado de madeira comum, pintado de branco. Havia um galpão e um estábulo setenta metros adiante. O portão do estábulo emoldurava a frente de um carro branco. Ela podia apostar que era um Volvo, mas estava longe demais para ter certeza.

À direita, entre ela e a casa, um campo de pouco mais de duzentos metros se estendia até um açude. A trilha de acesso cortava o campo ao meio e desaparecia numa área arborizada em direção à estrada.

Na entrada da propriedade havia outra construção, com todo o jeito de sítio abandonado; as janelas estavam tapadas com tecidos claros. Ao norte dessa construção, uma área arborizada servia de cortina para o lado do vizinho mais próximo, um grupo de casas a cerca de seiscentos metros dali. O sítio à sua frente era, portanto, relativamente isolado.

Estava nas proximidades do lago Anten, numa paisagem de vales com campos cortados por pequenas aldeias e áreas de mata densa. O mapa rodoviário não dava nenhuma informação detalhada da região, mas ela seguira o Renault preto de Göteborg pela E20, dobrando para oeste em Alingsås, na direção de Sollebrun. Mais ou menos quarenta e cinco minutos depois, o carro entrara de repente num caminho florestal, onde uma placa indicava Gosseberga. Ela estacionara atrás de uma granja, num matinho a uns cem metros ao norte da bifurcação e refizera o caminho a pé.

Nunca tinha ouvido falar em Gosseberga, mas, até onde podia perceber, o nome se aplicava à casa e ao estábulo diante dela. Passara na frente da caixa de correspondência colocada na beira da estrada. A placa indicava 612 — K. A. Bodin. O nome não lhe dizia nada.

Descrevera um semicírculo em volta da construção a fim de escolher com cuidado seu ponto de observação. Estava com o sol da tarde nas costas. Desde que chegara, por volta das três e meia, praticamente só uma coisa acontecera: às quatro, o motorista do Renault tinha saído da casa. Na soleira da porta, trocara algumas palavras com uma pessoa que ela não conseguiu ver. Depois, fora embora dirigindo o carro e não tinha voltado. No mais, nenhum movimento na granja. Esperou pacientemente e observou a construção com um pequeno binóculo Minolta com grau oito de aumento.

Irritado, Mikael Blomkvist tamborilou com os dedos na mesa do vagão-restaurante. O X2000 estava preso em Katrineholm. O trem já estava parado havia quase uma hora em função de um misterioso problema técnico que precisava ser solucionado — era o que diziam os alto-falantes. A companhia se desculpava pelo atraso.

Ele deu um suspiro frustrado e foi buscar mais um café. Só quinze minutos depois o trem partiu, com uma sacudidela. Olhou o relógio. Oito da noite.

Deveria ter ido de avião ou alugado um carro.

A sensação de que estava chegando tarde demais só fez aumentar.

Por volta das seis horas, acenderam a luz no térreo e, pouco depois, uma lâmpada externa foi acesa acima dos degraus da porta. Lisbeth vislumbrou algumas sombras no que ela imaginou ser a cozinha, à direita da porta de entrada, mas não conseguiu distinguir nenhum rosto.

De repente, a porta se abriu e o gigante loiro chamado Ronald Niedermann saiu. Usava uma calça escura e uma blusa de gola alta colante que destacava seus músculos. Lisbeth meneou a cabeça consigo mesma. Enfim uma confirmação de que estava no lugar certo. Constatou mais uma vez que Niedermann era de fato corpulento. Mas era feito de carne e osso como qualquer ser humano, o que quer que Paolo Roberto e Miriam Wu tivessem passado com ele. Niedermann deu a volta na casa e sumiu alguns minutos na direção do carro no estábulo. Voltou com uma sacola pequena na mão e tornou a entrar na casa.

Minutos depois, saiu de novo, desta vez acompanhado de um homem de certa idade, baixo e magro, que mancava e se apoiava numa bengala. Estava escuro demais para que Lisbeth conseguisse distinguir as feições de seu rosto, mas sentiu um frio glacial na nuca.

Daaaddyy, I am heeeeree...

Observou Zalachenko e Niedermann caminharem pela trilha de acesso. Eles pararam um pouco no galpão, onde Niedermann pegou algumas toras de lenha. Depois voltaram para a casa e fecharam a porta.

Lisbeth Salander permaneceu imóvel vários minutos depois que eles entraram. Então baixou o binóculo e recuou cerca de dez metros, até ficar totalmente dissimulada pelas árvores. Abriu a mochila, pegou uma garrafa térmica, serviu-se de café preto e pôs na boca um torrão de açúcar, que começou a chupar. Comeu um sanduíche de queijo embalado em plástico que havia comprado num posto de gasolina da estrada de Göteborg. E refletiu.

Terminado o lanche, tirou da mochila a P-83 Wanad de Benny Nieminen. Tirou o carregador e conferiu que não havia nada bloqueando o orifício ou o cano. Fez de conta que atirava. No carregador havia seis balas Makarov calibre nove milímetros. Devia ser suficiente. Reposicionou o carregador e engatou uma bala. Acionou a trava de segurança e guardou a arma no bolso direito da jaqueta.

Lisbeth começou a ofensiva em direção à construção com um movimento circular através da mata. Tinha percorrido cerca de trezentos metros quando estacou de repente, no meio de uma passada.

Na margem de seu exemplar do *Aritmética*, Pierre de Fermat havia rabiscado: *Descobri uma demonstração maravilhosa. Não cabe na estreiteza desta margem.*

O quadrado tinha se transformado em cubo ($x^3 + y^3 = z^3$), e os matemáticos haviam passado séculos tentando resolver o enigma de Fermat. Para enfim solucioná-lo, no final do século XX, Andrew Wiles tinha batalhado dez anos, usando os programas mais avançados do mundo.

E, súbito, ela entendeu. A resposta era de uma simplicidade absolutamente desarmante. Um jogo com algarismos se alinhando e de repente se encaixando no lugar, numa fórmula simples que tinha de ser vista, antes de mais nada, como uma charada.

Fermat não dispunha de um computador, e a solução de Andrew Wiles fundamentava-se numa matemática que ainda não tinha sido inventada quando Fermat formulou seu teorema. Fermat não poderia ter produzido a prova que Andrew Wiles tinha apresentado. A solução de Fermat era, evidentemente, bem distinta.

Ela ficou tão surpresa que precisou se sentar sobre um cepo. Ficou olhando fixamente à frente enquanto repassava a equação.

Era isso que ele queria dizer. Não é de surpreender que os matemáticos tenham arrancado os cabelos.

Então ela caiu na gargalhada.

Um filósofo teria tido mais chances de resolver o enigma.

Gostaria de ter conhecido Fermat.

Era um baita de um garganta.

Pouco depois, levantou-se e continuou sua ofensiva através da mata. Ao chegar mais perto, o estábulo ergueu-se entre ela e a casa.

31. QUINTA-FEIRA 7 DE ABRIL

Lisbeth Salander entrou no estábulo por uma porta de acesso a uma antiga fossa de purina. Não havia animais na granja. Olhou ao redor e constatou que havia três carros, mais nada — o Volvo branco da Auto-Expert, um velho Ford e um Saab um pouco mais novo. Mais ao fundo, havia um destorroador enferrujado e outras máquinas da época em que a granja estava em atividade.

Demorou-se na penumbra do estábulo, observando a casa. Anoitecera e a luz estava acesa em todos os cômodos do térreo. Ela não percebia nenhum movimento, mas tinha a impressão de vislumbrar o trêmulo clarão de um televisor. Deu uma olhada no relógio. Sete e meia. *A hora do* Rapport *na tevê.*

Intrigava-a Zalachenko ter optado por uma casa tão isolada. Não era do feitio do homem que ela conhecera tantos anos atrás. Não esperava encontrá-lo no campo, numa pequena granja pintada de branco e sim numa casa anônima no subúrbio ou em algum lugar de veraneio no exterior. Ele devia ter colecionado, ao longo da vida, mais inimigos que Lisbeth Salander. Achava perturbador o lugar ser aparentemente tão pouco protegido. Mas ponderou que ele devia ter armas em casa.

Depois de uma longa hesitação, esgueirou-se no crepúsculo para fora do estábulo. Atravessou o pátio com passos ágeis e parou, encostada na fachada da casa. Chegaram-lhe aos ouvidos fracas notas musicais. Sem um ruído, contornou a casa e tentou espiar pelas janelas, mas elas ficavam muito no alto.

Lisbeth desgostava, instintivamente, daquela situação. Tinha vivido a primeira metade da sua existência com um terror constante daquele homem dentro de casa. A outra metade, depois de não ter conseguido matá-lo, ficara esperando ele ressurgir em sua vida. Desta vez, não pretendia cometer nenhum erro. Por mais que Zalachenko fosse um velho aleijado, era também um assassino tarimbado que sobrevivera a mais de uma batalha.

E também tinha que levar em conta Ronald Niedermann.

Teria preferido surpreender Zalachenko lá fora, ao ar livre, em algum ponto do pátio onde ele estaria vulnerável. Não sentia muita vontade de falar com ele, e gostaria de ter um fuzil com luneta. Mas não tinha, e o cara tendo dificuldades para andar, não havia por que ele sair. Só o vira naqueles minutos em que ele caminhara até o galpão de lenha, e não podia esperar que ele tivesse vontade de dar um passeio noturno. Ou seja, se quisesse aguardar uma melhor oportunidade, teria de se retirar e passar a noite na mata. Não tinha saco de dormir e, mesmo o anoitecer estando ameno, a noite seria fria. Agora que finalmente o tinha ao alcance da mão, não queria correr o risco de que tornasse a escapar. Pensou em Miriam Wu e em sua mãe.

Lisbeth mordeu o lábio inferior. Teria que entrar na casa, o que era a pior alternativa. Poderia, evidentemente, bater na porta e descarregar parte da munição assim que alguém abrisse, e depois entrar para pegar o outro patife. Mas desse modo o que estivesse lá dentro ficaria de sobreaviso, provavelmente armado. *Análise das consequências. Quais eram as outras possibilidades?*

Súbito, avistou o perfil de Niedermann passando por uma janela a apenas poucos metros dali. Ele olhava para dentro da sala por sobre o ombro, falando com alguém.

Estão os dois na sala à esquerda da entrada.

Lisbeth se decidiu. Pegou a pistola no bolso da jaqueta, soltou a trava de segurança e subiu, sem fazer barulho, os degraus da porta. Segurava a arma na mão esquerda enquanto, bem devagarinho, girava a maçaneta. A porta não estava trancada. Franziu o cenho e hesitou. Havia fechaduras duplas de segurança.

Zalachenko não deixaria a porta destrancada. Sentiu um arrepio na nuca.

Algo não estava batendo.

A entrada estava mergulhada no escuro. À direita, avistou uma escada para o andar de cima. Havia duas portas à sua frente e outra à esquerda. Podia ver a luz vindo por uma fresta acima da porta. Ficou imóvel e escutou. Então ouviu uma voz e o ranger de uma cadeira na sala da esquerda.

Deu dois passos grandes, abriu a porta e apontou a arma para... *a sala estava deserta.*

Ouviu um farfalhar de roupas atrás de si e virou-se como um réptil. No momento em que tentava mirar, o punho imenso de Ronald Niedermann fechou-se qual anel de aço em volta de seu pescoço, enquanto o outro agarrou a mão que segurava a arma. Ele pegou-a pela nuca e ergueu-a no ar como se fosse uma boneca.

Por um segundo, ela agitou as pernas no ar. Então se virou e deu um pontapé em direção da entreperna de Niedermann. Errou o golpe e atingiu-o no quadril. Foi como chutar o tronco de uma árvore. Começou a ver tudo preto quando ele apertou seu pescoço; Lisbeth sentiu que soltava a arma.

Droga.

Então Ronald Niedermann jogou-a dentro da sala. Ela caiu brutalmente em cima de um sofá e escorregou para o chão. Sentiu o sangue afluir de novo para a cabeça e se pôs de pé, ainda atordoada. Viu um pesado cinzeiro triangular de vidro maciço em cima de uma mesa, pegou-o e atirou-o ao se virar. Niedermann interceptou seu braço em pleno gesto. Ela enfiou a mão livre no bolso esquerdo da calça, pegou o cacetete elétrico, virou-se e enfiou-o na entreperna de Niedermann.

Sentiu em si mesma a descarga elétrica descarregada no braço que Niedermann segurava. Esperava que ele desabasse de dor. Em vez disso, ele olhou para ela com uma expressão atônita. Os olhos de Lisbeth Salander se arregalaram de espanto. Obviamente, o homem sentia algum incômodo, mas no geral não sabia o que era dor. *Esse cara não é normal.*

Niedermann se abaixou, pegou o cacetete e o examinou, ainda atônito. Então deu-lhe uma bofetada com o dorso da mão. Foi como uma bordoada.

Ela desabou no chão, diante do sofá. Ergueu os olhos e encontrou os olhos de Ronald Niedermann. Ele a encarou com curiosidade, como se perguntando qual seria seu próximo movimento. Como um gato se preparando para brincar com sua presa.

Então ela pressentiu um movimento pela fresta de uma porta, mais adiante. Voltou a cabeça.

Ele caminhou devagar para dentro da luz.

Apoiava-se numa bengala inglesa e ela viu que uma de suas pernas terminava numa prótese.

A mão esquerda era uma bola atrofiada à qual faltavam dois dedos.

Ela ergueu o olhar para o rosto dele. O lado esquerdo era um *patchwork* de cicatrizes deixadas pelas queimaduras. Não restava quase nada da orelha e não havia sobrancelhas. Ele estava careca. Ela se lembrava dele como um homem viril e atlético, de cabelos pretos ondulados. Não media mais que um metro e setenta e cinco e estava esquelético.

— Oi, papai — disse ela com voz inexpressiva.

Alexander Zalachenko olhou para a filha com a mesma falta de expressão no rosto.

Ronald Niedermann acendeu a luz do teto. Apalpou sua jaqueta para verificar se ela não tinha outra arma, então pôs a trava de segurança na P-83 Wanad e tirou o carregador. Zalachenko se arrastou até uma poltrona e brandiu um controle remoto.

O olhar de Lisbeth bateu na tela da tevê atrás dele. Zalachenko clicou e ela viu surgir de repente uma imagem cintilante e esverdeada da área atrás do estábulo e um trecho da trilha de acesso. *Câmera ótica com infravermelho. Eles viram quando ela se aproximou.*

— Eu estava começando a achar que você não ia ter coragem de aparecer — disse Zalachenko. — Estamos te observando desde as quatro da tarde. Você fez disparar quase todos os alarmes da granja.

— Detectores de movimento — disse Lisbeth.

— Dois na trilha de acesso e quatro no arvoredo do lado de lá do campo. Você estabeleceu seu posto de vigilância bem no lugar onde instalamos o alarme. É dali que se tem a melhor visão da granja. Em geral, quem chega muito perto são os alces ou cabritos, e às vezes pessoas juntando bagas. Mas é raro ver alguém se aproximando de arma na mão.

Ele ficou um instante em silêncio.

— Você achava mesmo que Zalachenko ia ficar totalmente exposto numa casinha de campo?

Lisbeth massageou a nuca e fez menção de se levantar.

— Fique no chão — disse Zalachenko com dureza.

Niedermann parou de mexer na pistola de Lisbeth e contemplou-a calmamente. Alçou uma sobrancelha e sorriu para ela. Lisbeth lembrou do rosto massacrado de Paolo Roberto que tinha visto na tevê e concluiu que era uma boa hora para ficar no chão. Deu um suspiro e se recostou no sofá.

Zalachenko estendeu a mão direita intacta. Niedermann pegou uma arma no bolso da calça, puxou a corrediça e estendeu para ele. Lisbeth notou que era uma Sig Sauer, a arma-padrão da polícia. Zalachenko fez um sinal com o queixo. Sem outra forma de comunicação, Niedermann deu meia-volta e vestiu um casaco. Saiu da sala e Lisbeth ouviu a porta da rua se abrir e tornar a se fechar.

— Só para você não começar a pensar em bobagem. À menor tentativa de se levantar, eu te encho de chumbo.

Lisbeth relaxou. Dava tempo de ele atirar duas balas, ou até três, antes que ela o alcançasse, e ele provavelmente usava uma munição que a mataria de hemorragia em poucos minutos.

— Que cara ruim essa sua — disse Zalachenko, indicando a argola que ela usava na sobrancelha. — Parece uma puta.

Lisbeth o encarou.

— Mas você tem os meus olhos — disse ele.

— Isso dói? — ela perguntou, fazendo um gesto da cabeça em direção à prótese.

Zalachenko fitou-a demoradamente.

— Não. Não mais.

Lisbeth meneou a cabeça.

— Seu sonho é me matar — ele disse.

Ela não respondeu. Ele caiu na gargalhada.

— Pensei em você nesses anos todos. Mais ou menos cada vez que me olho no espelho, eu penso em você.

— Você devia ter deixado a minha mãe em paz.

Zalachenko riu.

— A sua mãe era uma puta.

Os olhos de Lisbeth ficaram negros como tinta.

— Ela não era uma puta. Era caixa num supermercado e tentava nos sustentar com seu salário.

Zalachenko riu novamente.

— Guarde as suas fantasias sobre ela para você. Eu sei que ela era uma puta. E rapidinho ela deu um jeito de ficar grávida, e depois tentou me empurrar um casamento. Até parece que eu ia me casar com uma puta!

Lisbeth não disse nada. Fitava o cano da arma, na esperança de que ele relaxasse a concentração por um momento.

— Aquela bomba incendiária foi uma coisa muito esperta. Eu odiei você. Mas depois tudo isso deixou de ter importância. Você não merecia que eu gastasse tanta energia. Se você não tivesse aparecido, eu nem teria feito nada.

— Mentira. O Bjurman te contratou para acabar comigo.

— Não tinha nada a ver. Era um acordo comercial. Ele precisava de um filme que está com você e eu dirijo um pequeno negócio.

— E você achou que eu ia te dar o filme.

— Sim, querida filha. Estou convencido de que você teria me dado esse filme. Você não imagina o quanto as pessoas ficam cooperativas quando o Ronald pede alguma coisa para elas. Principalmente quando ele liga uma serra elétrica e corta um pé delas fora. No meu caso, seria inclusive uma compensação adequada... um pé por um pé.

Lisbeth pensou em Miriam Wu nas mãos de Ronald Niedermann, no armazém de Nykvarn. Zalachenko interpretou mal sua expressão.

— Não se preocupe. Não pretendemos decepar você.

Ele olhou para ela.

— O Bjurman realmente estuprou você?

Ela não respondeu.

— Que puta mau gosto tinha esse cara. Li no jornal que você é meio que uma sapatona nojenta. Não me surpreende. Entendo que nenhum homem queira saber de você.

Lisbeth continuou calada.

— Eu devia pedir para o Niedermann te dar um trato. Você parece que está precisando.

Ele refletiu sobre o assunto.

— Mas o Niedermann não trepa com mulher. Não, ele não é gay. Ele não trepa, só isso.

— Então você mesmo vai ter que me dar um trato — lançou Lisbeth, para provocá-lo.

Aproxime-se. Cometa um erro.

— Ora, é claro que não. Não sou perverso a esse ponto.

Ficaram calados durante algum tempo.

— O que a gente está esperando? — perguntou Lisbeth.

— O meu sócio volta logo. Ele só foi tirar o seu carro e tratar de um negócio. Onde está a sua irmã?

Lisbeth deu de ombros.

— Responda.

— Não faço ideia e, para ser bem franca, estou pouco me lixando.

Ele riu novamente.

— E o amor entre irmãs? Camilla sempre foi a que tinha alguma coisa na cabeça, enquanto você só servia para o lixo.

Lisbeth não respondeu.

— Mas admito que é realmente uma satisfação tornar a ver você assim de perto.

— Zalachenko — disse ela —, você está me cansando à beça. Foi o Niedermann quem matou o Bjurman?

— Mas é claro. Ronald Niedermann é um perfeito soldado. Não só obedece às ordens como também toma iniciativas quando necessário.

— Onde você foi achar esse cara?

Zalachenko olhou para a filha com uma expressão estranha. Abriu a boca como para dizer alguma coisa, mas hesitou e se manteve calado. Deu uma olhada para a porta da rua e sorriu de repente.

— Quer dizer que você ainda não entendeu — disse. — E isso que, segundo dizia o Bjurman, você é uma investigadora especialmente talentosa.

Então Zalachenko caiu na gargalhada.

— Nós começamos a ter contato na Espanha, no início dos anos 1990, quando eu ainda estava convalescendo daquela sua bombinha incendiária. Ele não é meu empregado... Temos uma parceria. Dirigimos um empreendimento próspero.

— Tráfico de mulheres.

Ele deu de ombros.

— Dá para dizer que andamos diversificando e cobrimos várias áreas e serviços. A ideia é a nossa empresa ficar na moita, sem a gente aparecer. Quer dizer então que você realmente não entendeu quem é o Ronald Niedermann?

Lisbeth não disse nada. Não tinha a mínima ideia do que ele estava insinuando.

— O Ronald é seu irmão — disse Zalachenko.

— Não! — fez Lisbeth, sentindo-se sufocar.

Zalachenko riu de novo. Mas o cano da pistola continuava firmemente apontado para ela.

— Ou pelo menos seu meio-irmão — esclareceu Zalachenko. — O fruto de uma diversão, durante uma missão que eu efetuei na Alemanha em 1970.

— Você transformou seu filho num assassino.

— Que nada, eu só o ajudei a realizar seu potencial. Ele era capaz de matar muito antes de eu me encarregar da educação dele. E, quando eu não estiver mais aqui, ele vai tocar com sucesso o negócio da família.

— Ele sabe que eu sou irmã dele?

— Claro. Mas se está achando que vai poder apelar para os sentimentos fraternais dele, esqueça. A família dele sou eu. Você não passa de um vago zumbido no horizonte. Devo esclarecer que ele não é o seu único meio-irmão. Você tem pelo menos mais quatro, e três irmãs também, em diferentes países. Um desses seus irmãos é um abobado, mas um deles tem um certo potencial. Ele cuida da filial de Tallinn. Mas o Ronald é o único dos meus filhos que realmente faz justiça aos genes dos Zalachenko.

— Pelo jeito não há espaço para as minhas irmãs nessa empresa familiar.

Zalachenko pareceu estupefato.

— Zalachenko... você não passa de um reles calhorda que não gosta de mulher. Por que vocês mataram o Bjurman?

— O Bjurman era um idiota. Caiu das nuvens quando descobriu que você era minha filha. Ele era uma das raríssimas pessoas neste país que conhecia o meu passado. Confesso que fiquei preocupado quando ele me procurou de repente, mas em seguida tudo se ajeitou da melhor maneira. Ele morreu e você é que foi acusada.

— Mas por que vocês o mataram? — insistiu Lisbeth.

— Não estava nos planos. Eu estava satisfeito com a ideia de trabalhar com ele por mais alguns anos, e é sempre útil ter um discreto acesso à Säpo, mesmo que através de um idiota. Mas aquele jornalista de Enskede descobriu uma ligação entre nós dois e ligou para o Bjurman bem quando o Ronald estava na casa dele. O Bjurman entrou em pânico e se descontrolou totalmente. O Ronald foi obrigado a tomar uma decisão de última hora. E fez exatamente o que tinha que ser feito.

O coração de Lisbeth caiu como uma pedra dentro do peito quando seu pai confirmou o que ela já intuíra. Dag Svensson tinha descoberto o elo. Ela havia conversado com Dag e Mia por mais de uma hora. Gostara imediatamente de Mia, ao passo que seus sentimentos por Dag Svensson eram mais misturados. Ele lhe lembrava demais Mikael Blomkvist — um insuportável salvador do mundo que achava que podia mudar as coisas publicando um livro. Mas ela acreditara em suas boas intenções.

De modo geral, a visita a Dag e Mia tinha sido perda de tempo. Eles não podiam levá-la até Zalachenko. Dag Svensson topara com o nome e começara a escavar, mas não conseguira identificá-lo.

Em compensação, ela cometera um erro fatal durante a visita. Como sabia que existia um elo entre Bjurman e Zalachenko, tinha feito perguntas sobre Bjurman para tentar descobrir se Dag Svensson tinha topado com o nome dele. Não fora o caso, mas ele tinha um bom faro. Focara imediatamente no tal de Bjurman e a enchera de perguntas.

Embora Lisbeth não revelasse grande coisa para Dag Svensson, ele percebeu que ela estava envolvida na trama. Percebeu também que ele próprio tinha informações que ela queria. Haviam combinado de tornar a se encontrar depois da Páscoa. Depois disso, Lisbeth Salander voltou para casa e foi dormir. Ao acordar de manhã e ver o noticiário, ficou sabendo que duas pessoas haviam sido assassinadas num apartamento em Enskede.

Durante sua visita, oferecera a Dag Svensson uma única pista utilizável. O nome de Nils Bjurman. Dag Svensson devia ter pego o telefone e ligado para Bjurman assim que ela saiu do apartamento.

O elo era ela. Se não tivesse ido visitar Dag Svensson, ele e Mia ainda estariam vivos.

Zalachenko riu.

— Você não avalia a nossa surpresa quando a polícia começou a te procurar pelos homicídios.

Lisbeth mordeu o lábio inferior. Zalachenko examinou-a.

— Como foi que você me achou? — ele perguntou.

Ela deu de ombros.

— Lisbeth... o Ronald vai voltar daqui a pouco. Posso pedir para ele quebrar todos os ossos do seu corpo até você responder. Poupe-nos esse trabalho.

— A caixa postal. Segui a pista do carro alugado de Niedermann e esperei que o carinha cheio de espinhas aparecesse para pegar a correspondência.

— Uau, bom trabalho! Obrigado. Vou me lembrar disso.

Lisbeth refletiu um instante. A arma continuava apontada para a parte superior de seu corpo.

— E você acha mesmo que essa tempestade vai se acalmar? — perguntou Lisbeth. — Você cometeu muitos erros, a polícia vai acabar te identificando.

— Eu sei — respondeu seu pai. — O Björck ligou ontem e contou que um jornalista da *Millennium* já farejou a história e que agora é tudo uma questão de tempo. É possível que a gente seja obrigado a cuidar do jornalista.

— Vai ser uma lista grande — disse Lisbeth. — Mikael Blomkvist, a chefe dele, Erika Berger, a assistente de redação e vários funcionários da *Millennium*. Sem falar no Dragan Armanskij e em dois ou três empregados da Milton Security. E Bublanski, e vários outros tiras da investigação. Quantas pessoas você vai matar para abafar essa história? Eles vão acabar te pegando.

Zalachenko riu mais uma vez.

— E daí? Eu não matei ninguém e não existe nenhuma prova técnica contra mim. Eles que identifiquem quem bem entenderem. Acredite... eles podem vir revistar esta casa que não vão achar um único grão de poeira me relacionando com alguma atividade criminosa. Foi a Säpo que te jogou no hospício, não eu, e eles decerto não vão estar muito interessados em colocar todas as cartas na mesa.

— Niedermann — lembrou Lisbeth.

— Amanhã de manhã, o Ronald vai sair de férias no exterior por algum tempo, enquanto aguardamos o desenrolar dos fatos.

Zalachenko encarou Lisbeth com olhos triunfantes.

— Você continuará sendo a principal suspeita dos assassinatos. De modo que o mais indicado é você desaparecer pura e simplesmente, sem alarde.

Quase uma hora se passou até Ronald Niedermann voltar. Estava usando botas.

Lisbeth Salander deu uma olhada no homem que, segundo seu pai, era seu meio-irmão. Não conseguia detectar nenhuma semelhança. Pelo contrário, ele era-lhe diametralmente oposto. Em contrapartida, Lisbeth tinha a sensação muito clara de que algo estava errado com Ronald Niedermann. Sua estrutura, o rosto flácido e a voz que ainda não amadurecera de fato, tudo isso evocava algum tipo de falha genética. Ele não sentira o cacetete elétrico, e suas mãos eram enormes. Nada em Ronald Niedermann parecia completamente normal.

Tudo indica que existe um monte de falhas genéticas na família Zalachenko — ela pensou com amargura.

— Está pronto? — perguntou Zalachenko.

Niedermann meneou a cabeça. Estendeu a mão para pegar a sua Sig Sauer de volta.

— Eu vou junto — disse Zalachenko.

Niedermann hesitou.

— Vamos ter que caminhar um bocado.

— Eu vou junto. Pegue o meu casaco.

Niedermann deu de ombros e fez o que ele tinha mandado. Então, começou a mexer na arma enquanto Zalachenko se vestia e sumia por um breve instante no cômodo ao lado. Lisbeth observou Niedermann, que parafusava um adaptador com silencioso de confecção caseira.

— Vamos lá — disse Zalachenko, próximo à porta.

Niedermann se inclinou e ergueu Lisbeth, pondo-a de pé. Ela cruzou o olhar com o dele.

— Eu vou matar você também — ela disse.

—Vamos admitir, você tem confiança em si mesma — disse seu pai.

Niedermann sorriu com suavidade e a empurrou na direção da porta e, depois, pelo pátio. Segurava-a pela nuca com mão firme. Seus dedos davam tranquilamente a volta em seu pescoço. Levou-a para a mata ao norte do estábulo.

Avançavam devagar e Niedermann parava de tempos em tempos para esperar por Zalachenko. Tinham se munido de lanternas potentes. Quando chegaram ao meio das árvores, Niedermann soltou seu pescoço. A um metro de distância, apontava a pistola para suas costas.

Seguiram por uma trilha impraticável por cerca de quatrocentos metros. Lisbeth tropeçou duas vezes e nas duas vezes foi recolocada de pé.

— Pegue à direita — disse Niedermann.

Uns dez metros depois, chegaram a uma clareira. Lisbeth viu o buraco no chão. À luz da lanterna de Niedermann, notou uma pá cravada em uma elevação de terra. Então entendeu o que Niedermann tinha ido fazer. Ele a empurrou para o buraco, ela tropeçou e caiu de quatro. Suas mãos afundaram profundamente na areia. Levantou a cabeça e olhou para ele sem nenhuma expressão. Zalachenko vinha devagar e Niedermann o esperava calmamente. Em momento algum a pistola deixou de apontar para Lisbeth.

Zalachenko estava ofegante. Precisou de mais de um minuto até conseguir falar.

— Eu deveria dizer alguma coisa, mas acho que não tenho nada para te falar — disse.

— Por mim, tudo bem — disse Lisbeth. — Também não tenho muito para falar.

Ela endereçou-lhe um sorriso enviesado.

— Vamos acabar com isso — disse Zalachenko.

— Fico feliz de saber que a última coisa que eu fiz foi te encurralar — disse Lisbeth. — A polícia vai bater na sua casa ainda esta noite.

— Balela. Eu sabia que você ia tentar alguma coisa desse tipo. Você veio aqui para me matar, só isso. Não falou para ninguém.

O sorriso de Lisbeth cresceu. Súbito, exibiu uma expressão malévola.

— Deixa eu te mostrar uma coisa, paizinho.

Ela enfiou lentamente a mão no bolso da perna esquerda e tirou um objeto quadrado. Ronald Niedermann espreitava o menor de seus gestos.

— Cada palavra que você pronunciou nesta última hora foi divulgada na internet.

Ela brandiu seu PDA Palm Tungsten T3.

Uma ruga rasgou a testa de Zalachenko no lugar onde deveriam estar as sobrancelhas.

— Me mostra isso aí — disse ele, estendendo a mão ilesa.

Lisbeth jogou-lhe o PDA. Ele o pegou no ar.

— Balela — disse Zalachenko. — É só um Palm comum.

Quando Ronald Niedermann se inclinou para ver o PDA, Lisbeth Salander jogou-lhe um punhado de areia direto nos olhos. Ele ficou cego na hora, mas disparou maquinalmente a pistola provida de silencioso. Lisbeth já tinha dado dois passos para o lado, e a bala atingiu o vazio. Ela apanhou a pá e bateu com a lâmina na mão que segurava a arma. Atingiu com toda a força as juntas dos dedos e viu sua Sig Sauer fazer uma ampla curva no ar e ir cair no meio de uns arbustos. Viu jorrar sangue de um corte profundo na falange do indicador.

Era para ele estar urrando de dor.

Niedermann tateou o ar com a mão ferida enquanto com a outra esfregava os olhos, desesperado. A única chance de Lisbeth vencer o combate era causar rapidamente estragos consideráveis; se houvesse um corpo a corpo, ela estaria perdida. Precisava de uma trégua de cinco segundos para sumir dentro da mata. Puxou a pá para trás e tornou a lançá-la com toda a força. Tentou virar o cabo para atingi-lo com o gume, mas estava mal posicionada. Foi o dorso da pá que bateu no rosto de Niedermann.

Ele resmungou quando seu nariz se quebrou pela segunda vez em poucos dias. Continuava cegado pela areia, mas fez um movimento largo com o braço direito e conseguiu empurrar Salander. Ela foi para trás e seu pé pisou numa raiz. Caiu por um segundo no chão, levantando-se logo de um salto. Niedermann estava fora do páreo por enquanto.

Eu vou conseguir.

Deu dois passos em direção ao mato, quando, com o rabo do olho — *clique* —, viu Alexander Zalachenko levantar o braço.

Esse velho cretino também está com uma pistola.

A descoberta estalou feito uma chicotada em sua cabeça.

Mudou de direção no exato momento em que ele atirou. A bala raspou seu quadril e a fez vacilar e perder o equilíbrio.

Ela não sentiu dor.

A segunda bala atingiu-lhe as costas e parou junto à escápula esquerda. Uma dor aguda e paralisante atravessou seu corpo.

Caiu de joelhos. Durante alguns segundos, não foi capaz de se mexer. Tinha consciência de que Zalachenko estava atrás dela, a uns cinco, seis metros. Num derradeiro esforço, levantou-se e deu um passo titubeante em direção ao escudo protetor dos arbustos.

Zalachenko teve tempo de sobra para mirar.

A terceira bala atingiu-a cerca de dois centímetros acima da orelha esquerda. Perfurou o osso da cabeça, causando uma rede de fissuras irradiantes no crânio. A bala de chumbo penetrou em sua cabeça, alojando-se na massa cinzenta, quatro centímetros abaixo da crosta cerebral.

Para Lisbeth Salander, a descrição médica da situação não passava de jargão científico. Em termos práticos, a bala resultou num traumatismo amplo e imediato. Sua última percepção foi a de um choque vermelho se transformando em luz branca.

Em seguida, escuridão.

Clique.

Zalachenko tentou apertar mais uma vez o gatilho, mas suas mãos tremiam tanto que não conseguia mirar. *Por pouco ela não se safa.* Por fim, percebeu que ela já estava morta e abaixou a arma, tremendo, enquanto a adrenalina afluía por todo o seu corpo. Olhou para a arma. Chegara a pensar em deixar a pistola em casa, mas acabara enfiando-a no bolso, como se precisasse de um mascote. *Aquela garota era um monstro.* Estavam ali dois homens adultos, sendo um deles Ronald Niedermann, e ainda por cima armado com uma Sig Sauer. *E essa puta nojenta por pouco não se safa.*

Deu uma olhada no corpo da filha. À luz da lanterna, parecia uma boneca de pano ensanguentada. Acionou a trava de segurança e enfiou a pistola no bolso, depois acercou-se de Ronald Niedermann. Ele estava completamente desamparado, lágrimas nos olhos e sangue escorrendo da mão e do nariz. O nariz ainda não tinha sarado desde a luta decisiva contra Paolo Roberto, e o dorso da pá fizera novamente estragos consideráveis.

— Acho que quebrei o nariz de novo — disse ele.

— Imbecil — disse Zalachenko. — Por pouco ela não se safa mais uma vez.

Niedermann continuou a esfregar os olhos. Não sentia dor, mas as lágrimas escorriam e ele estava quase totalmente cego.

— Endireite-se, porra! — Zalachenko balançou a cabeça com desprezo. — Puta merda, o que seria de você sem mim?

Niedermann piscou desesperadamente. Zalachenko manquejou até o corpo da filha e agarrou sua jaqueta pelo alto das costas. Ergueu-a e puxou-a na direção do túmulo, que não passava de um buraco no chão, pequeno demais para ela poder descansar deitada. Suspendeu o corpo de modo que os pés ficassem acima do buraco, e então deixou-a cair feito um saco de batatas. Lisbeth caiu em posição fetal, para a frente, com os joelhos dobrados sob o corpo.

— Tape isso aí, para a gente poder ir para casa — ordenou Zalachenko.

Ronald Niedermann, ainda meio cego, precisou de algum tempo para pôr a terra no buraco. Jogou a sobra pelo terreno em volta com pazadas vigorosas.

Zalachenko fumou um cigarro enquanto contemplava o trabalho de Niedermann. Continuava tremendo, mas a adrenalina começava a refluir. Sentiu de repente um alívio por ela ter sido eliminada. Ainda lembrava de seus olhos no instante em que jogara a bomba incendiária, tantos anos atrás.

Eram nove da noite quando Zalachenko olhou ao redor e meneou a cabeça. Conseguiram achar a Sig Sauer de Niedermann no meio dos arbustos. Então, voltaram para casa. Zalanchenko se sentia extremamente satisfeito. Dedicou um tempo a cuidar da mão de Niedermann. O golpe com a pá deixara um corte fundo, e ele precisou pegar linha e agulha para costurá-lo

— uma coisa que aprendera a fazer na escola militar de Novossibirsk quando tinha quinze anos. Pelo menos não precisava de anestesia. Em compensação, a ferida podia ser séria a ponto de obrigar Niedermann a ir para o hospital. Fez um curativo com tala.

Quando terminou, abriu uma cerveja para si, enquanto Niedermann enxaguava os olhos no banheiro.

32. QUINTA-FEIRA 7 DE ABRIL

Mikael Blomkvist chegou à estação central de Göteborg pouco depois das nove da noite. O X2000 recuperara parte do atraso, mas não totalmente. Mikael passara a última hora da viagem ligando para autolocadoras. Primeiro tentou conseguir um carro em Alingsås, pensando em descer do trem ali, mas isso revelou-se impossível àquela hora da noite. Acabou desistindo e conseguindo um Volkswagen através de uma reserva de hotel em Göteborg. O carro estaria disponível em Järntorget. Deixou para lá o complexo transporte coletivo de Göteborg, com seu incompreensível sistema de bilhetes que só um engenheiro espacial seria capaz de entender. Pegou um táxi.

Quando finalmente pegou o carro, descobriu que não havia um mapa rodoviário no porta-luvas. Foi até um posto de gasolina vinte e quatro horas e fez umas provisões. Comprou, além do mapa, uma lanterna, uma garrafa de água mineral e um café para viagem que ele acomodou no painel, no espaço previsto para essa finalidade. Já eram mais de dez e meia da noite quando passou por Partille, saindo de Göteborg em direção ao norte. Pegou a estrada para Alingsås.

Às nove e meia, uma raposa macho passou junto ao túmulo de Lisbeth Salander. Parou e olhou em volta, preocupada. Sabia, por instinto, que havia algo enterrado ali, mas achou que a presa estava difícil demais de alcançar e que não valia a pena cavar. Podia encontrar presas mais fáceis.

Muito perto dali, um animal noturno inconsciente do perigo fez um barulho e a raposa imediatamente ergueu as orelhas. Deu um passo cauteloso. Mas antes de prosseguir na caçada levantou a pata traseira e marcou seu território com uma mijada.

Bublanski não tinha por hábito dar telefonemas de trabalho à noite, mas desta vez não resistiu. Tirou o fone do gancho e discou o número de Sonja Modig.

— Desculpe eu te ligar tão tarde. Está acordada?

— Não se preocupe.

— Terminei agora de ler o relatório de 1991.

— Eu também não conseguia parar de ler.

— Sonja... como você interpreta tudo que está acontecendo?

— O Gunnar Björck, um nome bem em evidência na lista dos clientes sexuais, aparentemente mandou internar a Lisbeth Salander num hospício depois que ela tentou proteger a si mesma e à mãe de um assassino de mente perturbada que trabalhava para a Säpo. Para isso, o Björck contou com a ajuda do Peter Teleborian, que fez uma avaliação do estado psíquico da Lisbeth Salander, avaliação essa em que nós, por nossa vez, baseamos boa parte do nosso julgamento.

— Isso muda completamente a imagem dela.

— E explica algumas coisas.

— Sonja, você pode vir me pegar amanhã às oito?

— Claro.

— Vamos para Smådalarö ter uma conversinha com o Gunnar Björck. Mandei tirar informações sobre ele. Está de licença médica.

— Eu vou adorar.

— Acho que vamos precisar rever a nossa avaliação da Lisbeth Salander.

Lars Beckman olhou de esguelha para a mulher. Erika Berger, em pé em frente à janela da sala, contemplava a baía. Estava com o celular na mão e ele sabia que ela esperava uma ligação de Mikael Blomkvist. Parecia tão infeliz que ele se aproximou e pôs o braço em seus ombros.

— O Blomkvist já é bem crescidinho — disse. — Mas se você está tão preocupada, deveria ligar para aquele tira.

— Eu deveria ter feito isso há horas. Mas não é por isso que estou mal.

— É algo que eu deveria saber? — perguntou Lars.

Ela meneou a cabeça.

— Fala.

— Tem uma coisa que eu não te contei. Nem para o Mikael. Nem para ninguém da redação.

— O quê?

Ela se virou para o marido e contou que tinha aceitado o cargo de redatora-chefe do *Svenska Morgon-Posten*. Lars Beckman ergueu as sobrancelhas.

— Não entendo por que não contou nada — disse ele. — É uma supernotícia para você. Meus parabéns.

— Acho que é porque eu simplesmente tenho a sensação de estar cometendo uma traição.

— O Mikael vai entender. Chega uma hora em que cada um tem que traçar seu próprio caminho. Essa hora chegou para você.

— Eu sei.

— Você está mesmo decidida?

— Estou. Já resolvi. Mas ainda não tive coragem de contar a ninguém. E tenho a sensação de estar abandonando o navio no meio do caos.

Ele estreitou a mulher nos braços.

Dragan Armanskij esfregou os olhos e fitou a escuridão para além das janelas do centro de reabilitação de Ersta.

— Seria melhor chamar o Bublanski — disse.

— Não — disse Holger Palmgren. — Nem Bublanski, nem autoridade nenhuma nunca levantou um dedo para defender a Lisbeth. Agora deixe ela fazer o que tem que fazer.

Armanskij olhou para o antigo tutor de Lisbeth Salander. Continuava espantado com a evidente melhora do estado de saúde de Palmgren desde sua última visita, no Natal. Palmgren ainda gaguejava, mas estava com uma nova vitalidade no olhar. E também com uma raiva que ele nunca havia visto. Naquele entardecer, Palmgren tinha lhe contado a história que Mikael Blomkvist descobrira. Armanskij estava em choque.

— Ela vai tentar matar o pai.

— É possível — disse Palmgren calmamente.

— Ou então o Zalanchenko vai tentar matá-la.

— Também é possível.

— E a gente vai ficar aqui esperando?

— Dragan... você é um cara legal. Mas o que a Lisbeth Salander faz ou deixa de fazer, se ela vai morrer ou sobreviver, não é responsabilidade sua.

Palmgren fez um gesto amplo com o braço. Estava de repente com uma capacidade de coordenação que há muito não tinha. Parecia que o drama das últimas semanas tinha afiado seus sentidos deficientes.

— Nunca tive nenhuma simpatia por pessoas que assumem o lugar da lei. Por outro lado, nunca soube de ninguém que tivesse tão bons motivos para isso. Mesmo ao risco de parecer cínico... o que vai acontecer esta noite há de acontecer independentemente do que eu ou você achamos. Está escrito nas estrelas desde o nascimento da Lisbeth. E só o que nos resta fazer é decidir qual será a nossa atitude em relação a ela se ela voltar.

Armanskij soltou um suspiro infeliz e olhou furtivamente para o velho advogado.

— E se ela passar os próximos dez anos na prisão, terá sido escolha dela. E eu vou continuar sendo seu amigo.

— Eu não sabia que você tinha essa visão tão libertária do ser humano.

— Nem eu — disse Holger Palmgren.

Miriam Wu fitou o teto. Tinha deixado a lamparina acesa e o rádio tocando música num volume baixo. O programa da noite tocava "On a slow boat to China". Ela acordara no hospital no dia anterior, depois de Paolo Roberto levá-la até lá. Tinha dormido e acordado agitada, depois dormira de novo, tudo sem muita lógica. Os médicos diziam que ela estava com uma concussão cerebral. De qualquer forma, precisava de repouso. Estava também com o nariz quebrado, três costelas partidas e ferimentos por todo o corpo. Sua sobrancelha esquerda estava tão inchada que o olho não passava de uma fresta estreita. Sentia dor assim que tentava mudar de posição. Sentia dor quando tentava encher os pulmões de ar. Sua nuca doía, e tinham-lhe posto um colete ortopédico, nunca se sabe. Os médicos garantiam que ela ficaria totalmente boa.

Quando acordara, no final da tarde, Paolo Roberto estava ali. Ele riu e perguntou como ela estava. Tinha curiosidade em saber se sua aparência estava tão ruim quanto a dele.

Ela fizera perguntas e ele tinha explicado tudo. Estranhamente, já não parecia tão improvável ele ser amigo da Lisbeth Salander. Era um garganta. A Lisbeth gostava dos gargantas e detestava os metidos cheios de si. A diferença era muito sutil, mas Paolo Roberto pertencia à primeira categoria.

Ela ouvira a explicação sobre a repentina chegada dele, surgido do nada, ao armazém de Nykvarn. Ficou estupefata com a obstinação de Paolo em seguir a caminhonete. E descobriu, apavorada, que a polícia estava desenterrando três cadáveres no terreno em volta da construção.

— Obrigada — disse ela. — Você salvou a minha vida.

Ele balançou a cabeça e ficou um bom tempo calado.

— Tentei explicar para o Blomkvist. Ele não entendeu direito. Acho que você pode entender. Porque você também luta boxe.

Ela sabia o que ele queria dizer. Ninguém que não tivesse estado no armazém de Nykvarn podia entender qual a sensação de lutar com um monstro insensível à dor. Sentira-se totalmente impotente.

Por fim, eles pararam de falar e ela ficara só segurando a mão enfaixada dele. Não havia nada a dizer. Quando voltou a acordar, ele não estava mais lá. Gostaria que Lisbeth Salander desse notícias.

Era ela que o Niedermann estava procurando.

Miriam Wu sentiu medo que ele a encontrasse.

Lisbeth Salander não conseguia respirar. Perdera a noção do tempo, mas sabia que seu corpo tinha sido atingido por balas e percebia — mais por instinto que por dedução racional — que estava enterrada. Seu braço esquerdo estava imprestável. Não conseguia mexer um músculo sequer sem que ondas de dor lhe varassem o ombro, e qualquer pensamento evoluía numa espécie de estado nebuloso. *Preciso de ar.* A cabeça estava a ponto de explodir com o pulsar de uma dor como ela nunca havia sentido.

A mão direita tinha ido parar sob o seu rosto, e ela instintivamente começou a cavar a fim de tirar a terra da frente do nariz e da boca. Era uma terra arenosa e relativamente seca. Conseguiu abrir uma cavidade do tamanho de um punho diante do rosto.

Não fazia ideia de quanto tempo já estava naquele túmulo. Mas sabia que sua vida estava em perigo. Por fim, conseguiu formular um pensamento coeso.

Ele me enterrou viva.

Esta certeza a deixou em pânico. Não conseguia respirar. Não conseguia se mexer. Uma tonelada de terra a mantinha prisioneira.

Tentou mexer uma perna, mas não conseguia estender os músculos. Então, cometeu o erro de tentar se levantar. Empurrou a cabeça para o alto e imediatamente a dor a transpassou pelas têmporas feito uma descarga elétrica. *Não posso vomitar.* Tornou a cair numa vaga inconsciência.

Quando conseguiu pensar novamente, conferiu com cautela que partes do seu corpo ainda podiam ser usadas. O único membro que ela conseguia mexer uns poucos centímetros era a mão direita na frente do rosto. *Preciso de ar.* O ar estava acima dela, acima do túmulo.

Lisbeth Salander começou a cavoucar. Pressionou o cotovelo e conseguiu criar um pequeno espaço de manobra. Com o dorso da mão, ampliou a cavidade na frente de seu rosto, afastando a terra. *Eu tenho que cavar.*

Depois de algum tempo, percebeu que, em virtude de sua posição fetal, criara-se um espaço vazio num ponto cego debaixo e entre suas coxas. Ali é que estava boa parte do ar usado que ainda a mantinha viva. Pôs-se a torcer o tórax desesperadamente e sentiu a terra afundando embaixo de si. A pressão sobre o peito cedeu um pouco. De repente conseguiu mexer o braço alguns centímetros.

Minuto a minuto, trabalhou num estado próximo da inconsciência. Foi rascando a terra arenosa do rosto e enfiando-a no espaço oco debaixo de si, punhado por punhado. Por fim, conseguiu soltar o braço o necessário para tirar a terra acima da cabeça. Centímetro por centímetro, foi liberando a cabeça. Sentiu algo duro e de repente se viu segurando na mão uma pequena raiz ou pedaço de galho. Cavou para o alto. A terra ainda estava solta, não muito compacta.

Eram pouco mais de dez horas quando a raposa tornou a passar junto ao túmulo de Lisbeth Salander, ao voltar para sua toca. Tinha comido uma ratazana e sentia-se satisfeita, quando, de súbito, percebeu uma presença. Imobilizou-se e ergueu as orelhas. O focinho e o bigode estremeceram.

Súbito, os dedos de Lisbeth Salander emergiram da terra como algo não muito vivo surgindo das trevas. Se um espectador humano estivesse por ali, provavelmente teria tido a mesma reação da raposa. Pernas para que te quero.

Lisbeth sentiu o ar fresco se espalhar pelo braço. Voltava a respirar.

Precisou de mais meia hora para se libertar do túmulo. Não se lembrava muito bem do processo. Achava estranho não poder usar a mão esquerda, mas raspou energicamente a terra e a areia com a direita.

Precisava de uma ferramenta para cavar. Depois de algum tempo, descobriu um jeito. Puxou o braço para dentro do buraco e conseguiu alcançar o bolso interno da jaqueta e pegar a cigarreira que Miriam Wu tinha lhe dado. Abriu-a e usou-a como vertedouro. Foi escoando a terra de grão em grão, jogando-a para fora com um gesto seco do punho. Súbito, conseguiu mexer o ombro direito e pressioná-lo contra a camada de terra. Depois, raspou para tirar a areia e a terra e conseguiu erguer a cabeça. Com isso, ficou com o braço direito e a cabeça fora do túmulo. Depois que conseguiu desprender parte do tórax, foi possível começar a se torcer e ir subindo centímetro por centímetro até que de repente a terra soltasse suas pernas.

Afastou-se do túmulo rastejando, olhos fechados, e só parou quando seu ombro esbarrou num tronco de árvore. Virou o corpo devagar para se recostar na árvore e limpou a sujeira dos olhos com o dorso da mão antes de abrir as pálpebras. Era noite escura e o ar estava gélido. Ela transpirava. Sentiu uma dor surda na cabeça, no ombro esquerdo e no quadril, mas não gastou energia pensando no assunto. Permaneceu imóvel uns dez minutos, respirando. Então se deu conta de que não podia ficar ali.

Foi uma luta conseguir ficar de pé, enquanto o mundo inteiro girava.

Sentiu-se imediatamente enjoada e se inclinou para a frente a fim de vomitar.

Então, começou a andar, sem saber em que direção. Tinha dificuldades para mexer a perna esquerda, tropeçava o tempo todo, caía de joelhos. A cada vez, uma dor intensa lhe varava a cabeça.

Não sabia bem há quanto tempo estava andando, quando repentinamente avistou uma luz com o canto do olho. Mudou de direção e continuou avançando aos tropeções. Só quando chegou ao galpão ao lado do pátio percebeu que tinha voltado direto para a casa de Zalachenko. Deteve-se, cambaleando como uma bêbada.

Células fotoelétricas na trilha de acesso e no arvoredo. Ela tinha vindo pelo outro lado. Eles não teriam notado.

Ficou perturbada. Compreendeu que não estava em condições de travar outra luta com Niedermann e Zalachenko. Contemplou a casa branca.

Clique. Lenha. *Clique*. Fogo.

Pôs-se a tecer fantasias com um galão de gasolina e um fósforo.

Com muito custo, virou-se para o galpão e cambaleou até uma porta fechada com uma tranca. Conseguiu erguê-la empurrando com o ombro direito. Ouviu o barulho quando a tranca caiu no chão esbarrando na porta. Deu um passo no escuro e olhou em volta.

Era um galpão de lenha. Ali não havia gasolina.

Na mesa da cozinha, Alexander Zalachenko ergueu os olhos ao ouvir o som da tranca se chocando contra a porta do galpão. Afastou a cortina e estreitou os olhos para a escuridão lá fora. Levou alguns segundos até seus olhos se habituarem. O vento estava mais forte. A meteorologia anunciara um fim de semana agitado. Então, viu a porta do galpão entreaberta.

Ele tinha ido, à tarde, buscar lenha com Niedermann. Uma caminhada inútil, cujo principal objetivo fora confirmar para Lisbeth Salander que ela tinha chegado ao endereço certo, e assim atraí-la.

Niedermann teria se esquecido de recolocar a tranca? Como ele podia ser tão negligente? Deu uma olhada para a porta da sala, onde Niedermann adormecera no sofá, mas pensou que podia deixá-lo dormir. Levantou-se da cadeira.

Para achar gasolina, Lisbeth seria obrigada a ir até o estábulo onde estavam guardados os carros. Apoiou-se num cepo e respirou pesadamente. Precisava descansar. Estava sentada havia um minuto apenas, quando escutou os passos arrastados da prótese de Zalachenko na frente do galpão.

Por causa da escuridão, Mikael errou de estrada em Mellby, ao norte de Sollebrunn. Em vez de virar na direção de Nossebro, continuou para o norte e só se deu conta do erro ao chegar a Trökörna. Parou e consultou o mapa rodoviário.

Soltou um palavrão, deu meia-volta e retornou para o sul rumo a Nossebro.

Com a mão direita, Lisbeth Salander apanhou um machado que estava em cima do cepo um segundo antes de Alexander Zalachenko entrar no galpão. Como não tivesse forças suficientes para erguê-lo acima da cabeça, segurou-o com uma mão só e traçou uma curva de baixo para cima, jogando o peso sobre o quadril intacto e fazendo um meio giro sobre si mesma.

Zalachenko estava pressionando o interruptor quando a lâmina o golpeou de viés do lado direito do rosto, quebrou-lhe o osso da face e penetrou alguns milímetros em sua testa. Não teve tempo de entender o que estava acontecendo, mas, no instante seguinte, seu cérebro registrou a dor e ele se pôs a urrar feito um demente.

Ronald Niedermann acordou num sobressalto e se sentou, atordoado. Ouviu um berro que, de início, julgou não ser humano. Vinha lá de fora. Depois percebeu que quem berrava era Zalachenko. Levantou-se rapidamente.

Lisbeth Salander tomou impulso e jogou o machado mais uma vez, só que seu corpo não obedeceu à ordem. Sua intenção tinha sido erguer o machado e plantá-lo na cabeça do seu pai, mas suas forças haviam se esgotado e o golpe o atingiu bem mais embaixo, logo abaixo do joelho. O peso, porém, fez a lâmina se cravar tão fundo que o machado ficou preso e escapou de sua mão quando Zalachenko caiu de cabeça dentro do galpão. Ele não parava de urrar.

Ela se inclinou para pegar o machado de volta. O chão começou a balançar quando a dor irradiou para sua cabeça. Foi obrigada a se sentar. Estendeu a mão e apalpou os bolsos de Zalachenko. Ele ainda estava com a pistola no bolso direito do casaco, e ela focou o olhar enquanto a terra balançava.

Uma Browning calibre 22.

Um brinquedinho de escoteiro!

Por isso ela ainda estava viva. Se tivesse sido atingida por uma bala da Sig Sauer de Niedermann, ou por uma munição mais grossa, estaria com um buraco enorme no cérebro.

Nesse exato instante, ouviu os passos de Niedermann, que ainda sonolento surgiu de repente no vão da porta. Ele estacou e contemplou a cena com olhos esbugalhados, repletos de incompreensão. Zalachenko urrava feito louco. Seu rosto não passava de uma máscara de sangue. Tinha um machado enfiado no joelho. Uma Lisbeth Salander ensanguentada e cheia de terra estava sentada no chão a seu lado. Parecia saída diretamente de um desses filmes de terror que Niedermann tanto assistia.

Ronald Niedermann, insensível à dor e com um físico de robô antitanque, nunca tinha gostado do escuro. Até onde era capaz de lembrar, a escuridão sempre fora para ele sinônimo de ameaça.

Ele já tinha visto, com os próprios olhos, umas criaturas no escuro, e um terror indescritível o espreitava constantemente. E agora o horror acabava de se materializar.

A garota que estava sentada no chão estava morta. Sem sombra de dúvida.

Ele próprio a tinha enterrado.

Por conseguinte, a criatura ali no chão não era uma garota, e sim uma alma do outro mundo que não poderia ser combatida com forças humanas ou com uma arma.

A metamorfose de ser humano em morto-vivo já havia começado. Sua pele se transformara numa carapaça igual à dos lagartos. Seus dentes à mostra eram presas afiadas prestes a arrancar pedaços da carne de sua vítima. Sua língua de réptil apontou e lambeu o contorno da boca. Suas mãos cheias de sangue tinham garras que eram como lâminas de uns dez centímetros de comprimento. Ele viu os olhos incandescentes cintilarem. Podia ouvi-la rosnar e a viu estender os músculos para saltar na sua garganta.

Ele viu, súbita, nitidamente, que ela tinha uma cauda, que se curvou e começou a açoitar o piso para ameaçá-lo.

Então ela ergueu a pistola e atirou. A bala passou tão perto da orelha de Niedermann que ele sentiu o calor de seu sopro. Viu sua boca lançando-lhe uma labareda.

Foi demais.

Ele parou de pensar.

Deu meia-volta e correu para salvar a vida. Ela ainda disparou mais um tiro, que passou longe dele mas pareceu lhe dar asas. Ele transpôs uma cerca num salto de cabrito e foi engolido pela escuridão do campo na direção da estrada. Corria, levado por um terror irracional.

Lisbeth Salander observou, atônita, enquanto ele sumia de vista.

Arrastou-se até a porta e espiou na escuridão, mas não avistou Niedermann. Depois de algum tempo, Zalachenko parou de gritar, só continuou gemendo, ainda em choque. Ela abriu a pistola, viu que só sobrava uma bala e cogitou dispará-la na cabeça de Zalachenko. Então se lembrou de que Niedermann ainda estava lá fora no escuro e que seria melhor guardar a última bala. Caso ele atacasse, ela decerto precisaria de muito mais que uma calibre 22. Mas era melhor que nada.

Levantou-se com dificuldade, saiu do galpão manquejando e bateu a porta. Precisou de cinco minutos para repor a tranca no lugar. Atravessou o pátio com passos vacilantes, entrou na casa e achou o telefone sobre um balcão da cozinha. Digitou o número que não utilizava havia dois anos. Ele não estava em casa. Atendeu a secretária eletrônica.

Olá. Você ligou para o Mikael Blomkvist. Não posso atender no momento. Deixe seu nome e o número de seu telefone que eu ligo de volta assim que puder.

Biiip.

— Mig-g-kral — disse ela, e percebeu que sua voz estava um mingau. Engoliu em seco. — Mikael. É a Salander.

Então não soube mais o que dizer.

Desligou devagar.

A Sig Sauer de Niedermann estava desmontada para limpeza na mesa da cozinha à sua frente, ao lado da P-83 Wanad de Benny Nieminen. Ela largou a Browning de Zalachenko no chão, cambaleou até a mesa, pegou a Wanad para conferir o carregador. Encontrou também seu PDA Palm e enfiou-o no bolso. Depois, foi vacilando até a pia e encheu uma xícara de café com água gelada. Tomou quatro xícaras. Súbito, ao levantar a cabeça, deparou com seu próprio rosto num espelhinho na parede. Por pouco não apertou o gatilho, tal o susto que levou.

O que ela viu lembrava mais um bicho que um ser humano. Viu uma demente com o rosto torto e uma enorme boca aberta. Estava coberta de sujeira. O rosto e o pescoço eram uma pasta ressecada de sangue e lama. Compreendeu então o que Ronald Niedermann tinha visto no galpão.

Chegou mais perto do espelho e se deu conta que sua perna esquerda vinha se arrastando atrás dela. Estava com muita dor no quadril, onde fora atingida pela primeira bala de Zalachenko. A segunda bala a pegara no ombro e paralisara o braço esquerdo. Doía.

Mas a dor de cabeça é que a fazia cambalear, de tão forte que era. Devagar, levantou a mão direita e apalpou a parte de trás da cabeça. Seu dedos depararam com a cratera que a bala abrira ao entrar.

Apalpou o buraco no crânio e percebeu de repente, apavorada, que tocava em seu próprio cérebro, que seus ferimentos eram tão graves que ela já devia estar agonizando ou, quem sabe, morta. Não entendia como ainda se mantinha em pé.

Um cansaço paralisante bruscamente tomou conta dela. Não sabia bem se estava a ponto de desmaiar ou de cair no sono, mas acercou-se do banco, deitou-se devagarinho e descansou o lado direito da cabeça, que não estava ferido, numa almofada.

Precisava se deitar para recobrar as forças, mas sabia que não podia se permitir pegar no sono com Niedermann lá fora. Mais cedo ou mais tarde ele ia voltar. Mais cedo ou mais tarde, Zalachenko conseguiria sair do galpão de lenha e se arrastar até a casa, mas ela não tinha mais forças para ficar de pé. Estava com frio. Soltou a trava de segurança.

* * *

Ronald Niedermann estava parado, indeciso, na beira da estrada entre Sollebrunn e Nossebro. Ele estava sozinho. A noite, totalmente escura. Voltara a pensar de maneira racional e se envergonhava de ter fugido. Não entendia como era possível, mas chegara à conclusão lógica de que ela devia ter sobrevivido. *De um jeito ou de outro, ela tinha conseguido cavar e sair do túmulo.*

Zalachenko precisava dele. Tinha, portanto, que voltar para casa e torcer o pescoço daquela Lisbeth Salander.

Ao mesmo tempo, Ronald Niedermann tinha a sensação de que estava tudo acabado. Essa sensação vinha já de algum tempo. As coisas começaram a dar errado, e continuaram dando errado, desde que Bjurman fizera contato com eles. Zalachenko se transformara totalmente ao ouvir o nome de Lisbeth Salander. Todas as regras da prudência e da reserva que Zalachenko pregava havia tantos anos tinham deixado de vigorar.

Niedermann hesitou.

Zalachenko precisava de cuidados médicos.

Se é que ela já não o tinha matado.

Isso suscitava algumas questões.

Mordeu o lábio inferior.

Já fazia muitos anos que era parceiro do pai. Anos repletos de sucesso. Ele economizara algum dinheiro e, além disso, sabia onde Zalachenko escondera sua fortuna. Possuía recursos e as competências necessárias para levar adiante sua atividade. O mais racional seria ir embora sem olhar para trás. Se alguma coisa Zalachenko conseguira lhe incutir, era exatamente isto: ter a capacidade de abandonar sem pruridos uma situação que se tornara incontrolável. Era a regra básica de sobrevivência. *Não levante um dedo sequer por uma causa perdida.*

Ela não era sobrenatural. Mas era sinônimo de más notícias. Era sua meia-irmã.

Ele a subestimara.

Ronald Niedermann estava dividido entre duas vontades. Parte dele queria voltar lá e torcer o pescoço dela. Outra parte queria continuar fugindo noite adentro.

Estava com o passaporte e a carteira no bolso de trás. Não tinha vontade de voltar para a granja. Não havia nada, lá, de que ele precisasse.

A não ser um carro, quem sabe.

Ainda estava ali tergiversando quando, por trás de uma elevação, viu o clarão dos faróis de um carro se aproximando. Virou a cabeça. Ele talvez pudesse achar outro meio de transporte. Só precisava de um carro para ir até Göteborg.

Pela primeira vez na vida — pelo menos desde que saíra da infância —, Lisbeth Salander sentia-se incapaz de tomar as rédeas da situação. Ao longo dos anos, ela se envolvera em brigas, fora vítima de maus-tratos, objeto de uma internação compulsória decretada pelo Estado e de abusos praticados por pessoas físicas. Seu corpo e sua alma tinham recebido muito mais pancadas do que um ser humano deveria receber.

Toda vez, porém, soubera se revoltar. Recusara-se a responder às perguntas de Teleborian, e quando fora vítima de violência física soubera escapar e se recolher.

Podia viver com um nariz quebrado.

Mas não podia viver com um buraco no crânio.

Desta vez não ia dar para ela se arrastar até a cama, puxar o cobertor sobre a cabeça e dormir dois dias seguidos, para depois se levantar e voltar à rotina como se nada tivesse acontecido.

Estava tão gravemente ferida que não poderia resolver a situação sozinha. Estava tão cansada que seu corpo não obedecia a seus comandos.

Preciso dormir um pouco — pensou. Mas teve a súbita certeza de que, se relaxasse e fechasse os olhos, provavelmente nunca mais acordasse. Analisou essa conclusão e, aos poucos, decidiu que tanto fazia. Pelo contrário. Essa ideia até a atraía. *Poder descansar. Não precisar acordar.*

Seu último pensamento foi para Miriam Wu.

Me perdoa, Mimmi.

Ainda segurava na mão a pistola de Benny Nieminen, com a trava de segurança solta, quando cerrou os olhos.

Mikael Blomkvist avistou Ronald Niedermann de longe, à luz dos faróis, e o reconheceu de imediato. Era difícil ignorar um gigante loiro de mais de dois metros, com um físico de Terminator. Niedermann acenou com os braços. Mikael passou para a luz baixa e freou. Estendeu a mão até a bolsa do computador e tirou do bolso externo o Colt 1911 Government que encontrara na escrivaninha de Lisbeth Salander. Parou a uns bons cinco metros de Niedermann e antes de abrir a porta desligou o motor.

— Obrigado por parar — disse Niedermann, ofegante. Ele tinha corrido. — Meu carro enguiçou. O senhor poderia me levar até a cidade?

A voz dele era estranhamente aguda.

— É claro que posso — disse Mikael Blomkvist. Apontou a arma para Niedermann. — Deite-se no chão.

As provações de Ronald Niedermann naquela noite pareciam não ter fim. Ele olhou para Mikael de um jeito cético.

Niedermann não tinha medo nenhum da pistola, nem do sujeito que a segurava. Em compensação, respeitava armas. Passara a vida inteira entre armas e violência. Partia do princípio de que se alguém apontava um revólver para ele era porque a pessoa estava desesperada e disposta a usá-lo. Estreitou os olhos e tentou avaliar o homem atrás da pistola, mas os faróis do carro o transformavam num vulto escuro. *Um tira? Não tinha cara. Os tiras costumam se identificar. Pelo menos é o que eles fazem nos filmes.*

Calculou suas chances. Sabia que, atirando-se feito um selvagem, conseguiria pegar a arma. Mas o homem parecia determinado e estava protegido pela porta do carro. Niedermann levaria uma bala, talvez duas. Se fosse rápido, o homem talvez errasse o tiro, ou não atingisse nenhum órgão vital, mas mesmo que ele sobrevivesse as balas iriam dificultar sua fuga, ou até torná-la impossível. O mais certo era esperar uma oportunidade melhor.

— DEITE-SE NO CHÃO, AGORA! — berrou Mikael.

Desviou o cano da arma alguns centímetros e deu um tiro no chão, na beira da estrada.

— A próxima bala vai ser no seu joelho — disse Mikael com voz forte e autoritária.

Ronald Niedermann se ajoelhou, cegado pelos faróis.

— Quem é você? — perguntou.

Mikael enfiou a mão na porta do carro e pegou a lanterna que tinha comprado no posto de gasolina. Iluminou o rosto de Niedermann.

— Mãos nas costas — ordenou. — Afaste as pernas.

Esperou que Niedermann, a contragosto, obedecesse.

— Eu sei quem você é. Se fizer alguma besteira, eu atiro sem hesitar. Vou mirar no pulmão, debaixo da escápula. Você provavelmente consegue me pegar... mas vai custar caro.

Soltou a lanterna no chão, tirou o cinto, amarrou-o num laço como tinha aprendido na infantaria ligeira durante o serviço militar, vinte anos antes. Colocando-se entre as pernas do gigante loiro, prendeu o laço em volta de seus braços, apertando acima dos cotovelos. O imenso Niedermann ficava, assim, praticamente indefeso.

E depois? Mikael olhou ao redor. Estavam absolutamente sozinhos na escuridão da estrada. Paolo Roberto não tinha exagerado quando descrevera Niedermann. Era um colosso. A questão era saber por que um colosso daqueles surgia correndo na noite, como fugindo do diabo em pessoa.

— Estou procurando Lisbeth Salander. Imagino que você tenha encontrado com ela.

Niedermann não respondeu.

— Onde está Lisbeth Salander? — perguntou Mikael.

Niedermann endereçou-lhe um olhar estranho. Não compreendia nada do que estava acontecendo naquela noite esquisita, em que tudo parecia estar dando errado.

Mikael deu de ombros. Voltou para o carro, abriu o porta-malas e achou uma corda de reboque. Não podia deixar Niedermann amarrado no meio da estrada, e olhou em volta. Trinta metros adiante, uma placa brilhava à luz dos faróis. Travessia de alces.

— Levante-se.

Encostou o cano da arma na nuca de Niedermann, fez com que ele andasse até a placa e o forçou a se sentar no acostamento, ordenando que se encostasse na placa. Niedermann hesitou.

— É muito simples — disse Mikael. — Você matou o Dag Svensson e a Mia Bergman. Eles eram meus amigos. Não pretendo deixar você solto na estrada. Ou você fica amarrado aqui, ou eu disparo uma bala no seu joelho. Você escolhe.

Niedermann se sentou. Mikael passou-lhe a corda em volta do pescoço e imobilizou a cabeça. Depois, usou dezoito metros de corda para amarrar o tórax do gigante no poste, até a cintura. Reservou um pedaço da corda para prender também os braços no poste e arrematou com uns nós de marinheiro bem firmes.

Quando terminou, Mikael ainda perguntou mais uma vez onde estava Lisbeth Salander. Não obteve resposta, então deu de ombros e abandonou Niedermann ali. Só quando chegou ao carro sentiu a adrenalina afluindo e teve consciência do que acabava de fazer. A imagem de Mia Bergman cintilou diante de seus olhos.

Mikael acendeu um cigarro e bebeu água mineral direto da garrafa. Contemplou no escuro o vulto junto à placa do alce. Depois sentou-se ao volante, consultou o mapa rodoviário e concluiu que faltava um quilômetro para a bifurcação que levava à granja de Karl Axel Bodin. Arrancou com o carro e passou na frente de Niedermann.

Foi dirigindo devagar e ultrapassou a bifurcação com a placa de Gosseberga, indo estacionar ao lado de uma granja, numa trilha florestal uns cem metros mais ao norte. Pegou a pistola e acendeu a lanterna. Descobriu marcas frescas de pneus na lama e concluiu que outro carro estivera estacionado ali antes, mas não se deteve para pensar no assunto. Voltou a pé para a bifurcação de Gosseberga e iluminou a caixa de correspondência. 612 — K. A. Bodin. Foi seguindo pela trilha.

Era quase meia-noite quando avistou a luz da granja de Bodin. Parou e escutou. Permaneceu vários minutos imóvel, mas só ouviu os ruídos normais da noite. Em vez de pegar a trilha que levava diretamente à granja, foi ladeando o campo e se aproximou da construção pelo estábulo. Parou no pátio, a uns trinta metros da casa. Todos os seus sentidos estavam alertas. Niedermann ter corrido para a estrada indicava que alguma coisa tinha acontecido ali.

Mikael estava no meio do pátio quando ouviu um ruído. Virou-se e deixou-se cair de joelhos, arma em riste. Levou alguns segundos para localizar o som, que vinha de um galpão. Parecia alguém gemendo. Avançou rapidamente pela grama e parou em frente ao galpão. Olhando por uma fresta, conseguiu ver que havia uma luz acesa lá dentro.

Ficou à escuta. Alguém se mexia. Ergueu a tranca e abriu a porta, e foi recebido por um par de olhos apavorados em meio a um rosto ensanguentado. Viu o machado no chão.

— *CarambaMeuDeus* — murmurou.

Então viu a prótese.

Zalachenko.

Lisbeth Salander, definitivamente, tinha passado por ali.

Difícil imaginar o que teria acontecido. Fechou a porta depressa e repôs a tranca no lugar.

Com Zalachenko no galpão de lenha e Niedermann amarrado na estrada de Sollebrunn, Mikael atravessou o pátio a passos céleres e dirigiu-se para a casa. A presença de uma terceira pessoa que ele não conhecesse e que pudesse representar um perigo não estava excluída, mas a casa parecia vazia, quase inabitada. Apontou a arma para o chão e, devagar, abriu a porta. Viu-se num hall de entrada escuro e percebeu um retângulo de luz na cozinha. O único som que ouviu foi o tiquetaque de um relógio de parede. Ao transpor a porta da cozinha, avistou de imediato Lisbeth Salander deitada no banco.

Por um breve instante, ficou como petrificado, contemplando o corpo maltratado. Notou que ela segurava uma pistola na mão, que pendia frouxamente. Aproximou-se devagarinho e caiu de joelhos. Lembrou de quando tinha encontrado Dag e Mia e, por um segundo, achou que ela estivesse morta. Então percebeu um leve movimento na caixa torácica e escutou um fraco estertor.

Estendeu a mão e, suavemente, começou a tirar a pistola. Súbito, a mão em volta da coronha se endureceu. Ela abriu os olhos em duas frestas estreitas e fitou-o por longos minutos. Seu olhar estava instável. Então ouviu-a murmurar, com uma voz tão baixa que custou a entender o que ela dizia.

Maldito Super-Blomkvist.

Ela fechou os olhos e soltou a pistola. Ele pôs a arma no chão, pegou o celular e discou o número do SOS-Brigada.

1ª EDIÇÃO [2009] 3 reimpressões

ESTA OBRA FOI COMPOSTA POR 2 ESTÚDIO GRÁFICO EM ELECTRA E
IMPRESSA PELA RR DONNELLEY EM OFSETE SOBRE PAPEL PÓLEN
SOFT DA SUZANO PAPEL E CELULOSE PARA A
EDITORA SCHWARCZ EM MAIO DE 2009